KB082317

양자물리학 시대의 주역

주역원리강해

(下)

이산 박규선
철학박사

세상을 여는 열쇠

周易原理講解

周易이 量子物理를 만나다.

理·氣·象·數 완전독해

이산 박규선

wowland7@daum.net

010-4482-0505

주역원리강해 (下)

발 행 | 2024년 7월 5일

저 자 | 이산 박규선

펴낸이 | 한건희

펴낸곳 | 주식회사 부크크

출판사등록 | 2014.07.15. (제2014-16호)

주 소 | 서울특별시 금천구 가산디지털1로 119 SK트윈타워 A동 305호

전 화 | 1670-8316

이메일 | info@bookk.co.kr

ISBN | 979-11-410-9365-5

www.bookk.co.kr

ⓒ 주역원리강해 (下) 2024

본 책은 저작자의 지적 재산으로서 무단 전재와 복제를 금합니다.

머리말

주문왕은 유리옥 감옥에 갇혀 주역 64괘를 세웠다. 64괘의 괘상마다 괘명을 정하고 괘사를 지었다. 과연 문왕은 우주 삼라만상의 이치를 품은 64개의 괘상을 보고 어떤 이치로 괘명과 괘사를 지은 것일까? 감옥에 홀로 앉아 괘상을 바라보며 그것이 품은 이치를 생각하고 있는 그를 상상해보자.

주공은 문왕이 지은 괘명과 괘사를 묵상하면서 64괘의 괘효마다 효사를 달았다. 도대체 무엇을 깨달았길래, 효마다 어떤 이치로 그런 효사를 저술했을까? 주공의 마음 속으로 들어가 똑 같은 시각으로 효를 바라보자.

주역 64괘를 통해 우주와 만물만상의 이치를 깨달은 공자는 점사에 불과한 괘·효사를 보고 어떻게 그 위대한 인문(人文)을 밝혔을까?

처음 주역을 접하는 학인들은 우선 한문으로 이루어진 두꺼운 주역책을 보고 지레 겁부터 먹는다. 대부분 '주역은 한문이다'라는 생각을 벗어나지 못한다. 복희씨가 만물만상을 보고 주역 팔괘를 지을 적에는 문자는 없었다. 만물만상을 보고 음효(--)와 양효(-)라는 기호를 통해 그 이치를 담은 것이니 애초 괘만 있었을 뿐 문자는 없었다. 공자는 계사전에서 "易與天地準"이라 하여 "역은 천지와 똑같다"라고 정의를 내리고 있다. 우주만물은 복잡다단하여 인간의 시각으로는 도저히 완전한 앎에 도달할 수 없다. 그러므로 만물만상의 이치를 음효와 양효, 2가지 부호를 사용하여 만든 삼효를 통해 여덟 개의 괘상으로 범주화함으로써 시각화한 것이 팔괘이니, 우리는 팔괘를 통하여 복잡다단한 우주 삼라만상을 쉽게 개략할 수가 있다.

보이지 않는 양자물리학적인 극미영역은 양성자(+)와 중성자(0)로 이루어진 원자핵과 그 주위를 도는 음의 성질을 가진 전자(-)로 구성된 원자(atom)를 기본으로 성립된다. 양성자는 플러스(+), 전자는 마이너스(-), 그리고 중성자는 중(中)의 성질을 가진 0으로 표시할 수 있다. 즉 세상의 기초는 양성자(+), 중성자(0), 전자(-)로 구성된 원자를 근본으로 성립한다. 그리고 이 원자는 상반된 성질의 음양이 대립과 상호작용을 통해 취산 활동을 함으로써 눈에 보이는 세상에 다양한 물상으로 자신을 드러낸다.

극미의 원자는 눈으로 볼 수 없다. 그러나 음양이라는 동력을 음효(--)와 양효(-)라는 기호로 시각화하면, 이것을 통해 물질의 기초인 원자를 괘상으로 시각화할 수가 있다. 즉, 양성자(陽), 중성자(中), 전자(陰)으로 이루어진 원자를 天人地(陽中陰)로 구성된 괘상으로 전화(轉化)할 수가 있는 것이다. 그래서 우리는 복잡다단한 만물만상을 3개의 효로 이루어진 괘상으로 단순화시킴으로써 불과 여덟 개로 범주화된 팔괘(八卦)를 통해 세상을 들여다볼 수 있게 된다.

도대체 복희씨는 어떤 신적인 능력이 있길래 음양이라는 기호를 통해 세상을 단순하게 범주화시킬 수 있었을까? 주문왕은 단순히 음과 양이라는 2가지의 기호로 구성된 여덟 개의 괘상을 보고 어떻게 64괘를 만들어 세상의 이치를 담아냈을까? 주공은 6개로 구성된 괘효(卦爻)를 통해 무엇을 보았길래 효 하나하나마다 그 이치에 맞는 다양한 효사(爻辭)를 달았을까? 단순히 점사에 불과한 것처럼 보이는 괘·효사를 보고 공자는 어떻게 우주 삼라만상의 이치를 깨달을 수 있었을까?

우리는 위대한 성인들의 마음 속으로 들어가 그들의 시각과 생각으로 만물만상과 괘를 동시에 바라볼 수 있어야 한다. 단순히 괘효마다 달린

고문(古文) 해석을 통해서 괘상을 이해하고 만물만상의 이치를 이해하려 한다면 아마도 영원히 성인의 발끝 그림자에도 미치지 못하리라.

"역(易)은 천지와 똑같다"라고 선언한 공자의 마음 속으로 들어가 공자의 시선으로 괘상(卦象)을 바라보고 물상(物象)을 바라보자. 한문은 이를 이해하기 위한 수단일 뿐이다.

주역을 이해함에 있어 어느 시기에는 상수(象數)가 대세가 되고, 상수의 폐단이 늘어나자 이번에는 상수를 폐기하고 원문 해석위주의 의리역(義理易)이 지나치게 강조된다. 어느 시기가 되자 이번에는 추상적 리(理)가 강조되고, 한쪽에서는 물리학적 기(氣)를 주장한다. 주역을 바라보는 관점은 시대에 따라 달라져왔지만 "역(易)은 천지와 똑같다"라는 대전제는 변함이 없다. 지금은 바야흐로 눈에 보이지 않는 극미의 세계가 우리의 눈앞에 드러나는 양자물리학적 시대에 살고 있다. 주역을 해석함에 있어 리·기·상·수(理·氣·象·數)를 통합하여 양자물리학과의 관계를 정립할 때가 되었다.

수많은 주역관련 저서들은 성인의 시선과 마음의 한 끝자락을 붙들고 하나하나 실타래를 풀어낸 것에 불과하다. 주역 괘상에는 리(理)와 상(象)과 수(數)가 내재되어 있고, 양자물리학적 기(氣)의 취산 활동을 통해 생장수장(生長收藏)의 이치로 순환하는 만물의 원리가 담겨 있다.

본서는 양자물리학 시대를 맞이하여 "易與天地準"이라는 공자의 정의를 바탕으로 음양의 대립과 상호작용이라는 원리를 통해 '역리(易理)와 양자물리(量子物理)의 공통성'을 담았으며, 『양자물리학과 주역』이라는 필자의 또 다른 저서를 통해 양자물리학 시대에 맞는 주역의 현대적 이해와 해석을 추구하였다. 『양자물리학과 주역』은 [역학의 중화론 연구]라는 필자의 박사학위 논문을 담은 것으로서, 본서 『주역원리강해』에 그 연구 성과를 적용하고자 노력하였다.

리·기·상·수(理·氣·象·數)를 통합적으로 해석, 효변의 원리를 통해 수수께끼같은 괘·효사를 원리적으로 해석하여 누구나 이해하기 쉽도록 하였다. 인류의 생존 원리인 환존(環存)의 가치를 탐구한 필자의 저서 [양자물리학과 주역]을 일독한 후, 본서 [주역원리강해] 상하권을 공부한다면 우주 시대가 열리는 시대를 맞이하여 정신 영역이 확장되는 깨달음을 얻으리라 확신한다.

이산 박규선
철학박사
2024년 6월
wowland7@daum.net

주역원리강해 (상권)

제 1 부 주역원리개론..**11**

머리말 ……………………………………………5

1. 천부경…………………………………………… 13

2. 생태학적 공동체……………………………… 19

3. 일시(一始)……………………………………34

4. 팔괘의 수리 ……………………………………41

5. 작용력과 균형력……………………………… 51

6. 지구역(문왕역)의 원리 ………………………57

7. 지구역(문왕역)이 그려내는 시공(時空) …………………73

8. 팔괘의 의미 ……………………………………81

9. 문왕팔괘도의 오행성……………………… 91

10. 효(爻)와 괘(卦)의 이해 …………………… 114

11. 인역(人易) 오행도의 심층이해 …………………130

12. 길흉의 판단 …………………………… 138

13. 역리(易理)와 양자물리(物理)의 상관성 ………………… 143

14. 시공간으로 연결된 괘상………………… 167

제 2 부, 주역원리강해 (上) 175

1. 중천건················177	16. 뇌지예················474
2. 중지곤················216	17. 택뢰수················490
3. 수뢰둔················251	18. 산풍고················508
4. 산수몽················270	19. 지택림················534
5. 수천수················292	20. 풍지관················553
6. 천수송················307	21. 화뢰서합················569
7. 지수사················321	22. 산화비················590
8. 수지비················337	23. 산지박················606
9. 풍천소축················354	24. 지뢰복················621
10. 천택리················373	25. 천뢰무망················641
11. 지천태················390	26. 산천대축················657
12. 천지비················414	27. 산뢰이················678
13. 천화동인················431	28. 택풍대과················697
14. 화천대유················446	29. 중수감················716
15. 지산겸················461	30. 중화리················734
	참고서적················752

주역원리강해 (하권)

31. 택산함·······················15

32. 뇌풍항·······················36

33. 천산돈·······················57

34. 뇌천대장·····················71

35. 화지진·······················88

36. 지화명이····················103

37. 풍화가인····················125

38. 화택규······················144

39. 수산건······················164

40. 뇌수해······················183

41. 산택손······················202

42. 풍뢰익······················222

43. 택천쾌······················244

44. 천풍구······················262

45. 택지췌······················279

46. 지풍승······················297

47. 택수곤······················313

48. 수풍정······················332

49. 택화혁······················350

50. 화풍정······················373

51. 중뢰진······················393

52. 중산간······················410

53. 풍산점······················426

54. 뇌택귀매····················449

55. 뇌화풍······················477

56. 화산려······················496

57. 중풍손······················515

58. 중택태······················554

59. 풍수환······················560

60. 수택절······················576

61. 풍택중부····················593

62. 뇌산소과····················611

63. 수화기제····················633

64. 화수미제····················653

참고서적·····················688

주역원리강해

(下)

세상을 여는 열쇠

31. 澤山咸택산함

澤〓兌

山〓艮

▶효변(爻變)

과거	미래	현재
〓〓-5 ⟹	〓-1	〓-1
		〓〓-5

上下작용력: (-5)-(-1)=-4

上下균형력: (-5)+(-1)=-6

咸 亨 利貞 取女吉

象曰 咸感也 柔上而剛下 二氣感應以相與 止而說 男下女 是以亨 利貞 取女吉也 天地感而萬物化生 聖人感人心而天下和平 觀其所感 而天地萬物之情可見矣

象曰 山上有澤 咸 君子以虛受人

初六 咸其拇

六二 咸其腓凶 居吉

九三 咸其股 執其隨 往吝

九四 貞吉 悔亡 憧憧往來 朋從爾思

九五 咸其脢 无悔

上六 咸其輔頰舌

1. 괘상(卦象)

산☶이 못☱ 안에 깊이 들어가 있는 모습이다. 하괘☱의 九三 양효가 음(初六, 六二) 안으로 하나 둘 파고 들어와 안정적으로 축적이 되고 있는 모습으로 음괘☱속에 양괘☶가 들어가 있는 상이 되면서 함(咸)이 된다. 九三[☶+1(양)]이 힘겹게 아래로 파고들어 축적이 되니 안정(☱+6양)된 모습이다. 상하괘의 작용력을 보면 못의 깊이가 -1이고, 산☶의 높이는 -5이니 -4만큼 못☱ 안에 깊이 들어와 있음을 알 수 있다.

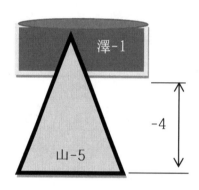

딱딱한 剛☶이 부드러운 柔☱안에 깊이 들어와 있는 모습으로, 양물(陽物)☶이 음물(陰物)☱ 속으로 깊이 파고 들어가 안정적으로 기쁨을 느끼고 있는 상이니 젊은 남(☶), 여(☱)간의 교감(交感)을 상징한다(柔上而剛下 二氣感應以相與). 서로 교류하고 교감하는 상이니 남녀 간의 교감은 물론 하늘과 땅, 양과 음, 강과 유, 너와 나, 그리고 인간사회의 비즈니스 속에서도 서로 교감하니 모든 삼라만상은 교감을 통해서 새로움을 창출한다(天地感而萬物化生). 상반성의 음양이 서로 대립(對立)하면서도 대대(對待)하며

상호작용을 통해 중화를 생하는 이치이다.

함(咸)은 산☶ 위에 물을 담은 연못☱이 있는 상으로 물이 아래로 흘러 적시니 산은 윤택함으로 빛난다(山澤通氣). 이는 음양이 교감하며 만물을 생화(生化)하는 이치를 말함이니, 모태☶에 있는 실체☱는 아기가 되는 것이다. 그러므로 택산함(澤山咸)은 천지가 서로 감응하여 생명을 품은 임신의 상이 된다(天地感而萬物化生).

▷天地萬物之本 夫婦人倫之始

천지는 만물의 근본이요 부부(夫婦)는 인류의 시작이다. 천지가 서로 합하여 만물을 생화하듯, 남녀가 서로 합하여 인류를 이어간다. 이는 음양이 서로 교감하며 만물이 만물을 낳는 천지지도(天地之道)를 말한다. 착종괘인 산택손(山澤損☶☱)은 천지실물(天地實物)이니 산택이 서로 감응하여 실체☱을 낳아 천지간을 만물로 채우고(天地感而萬物化生), 도전괘인 뇌풍항(雷風恒☳☴)은 천지기운(天地氣運)이니 뇌풍이 더불어 생명의 씨앗☳(종자)을 낳아 우주만물이 항구이 이어가게 한다(天地之道 恒久而不已也).

2. 괘변(卦變)

▷호괘 - 天風姤

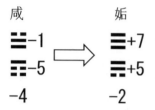

咸   姤

☰ -1   ☰ +7

☷ -5   ☴ +5

-4   -2

  호괘가 天風姤이니 새로운 만남을 통해서 서로 교류하고 느끼는 가운데 교감을 통해 하나가 된다는 것을 의미한다. 교감은 서로 만남으로부터 시작되는 것이다.

▷착종괘 - 山澤損

澤山咸

陰☷(女) 속에서 陽☶(男)이 들어가 서로 교감하는 모습이다.

배☶ 속에 있는 아기☷의 모습으로 임신의 상이다.

艮   坎   兌

☶ ⇨ ☵ ⇨ ☱

-5   -3   -1

양(男)   交感   음(女)

山澤損

양이 음☷ 밖으로 나서 실체☳가 되는 모습으로 출산의 상이다.

兌　　　　離　　　　艮
-1　　　　+3　　　　-5
자궁(태아)　産道(아기)　出産(실체)

▷도전괘 - 雷風恒

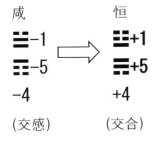

咸　　　　　恒
☱-1　⟹　☳+1
☶-5　　　☴+5
-4　　　　+4
(交感)　　(交合)

　　함(咸)은 젊은 남녀(☱소녀, ☶소년) 간의 연애이니 서로 교감하여 잉태하는 모습이다. 이를 다른 쪽에서 보면 항(恒)으로서 성인 남녀(☳장남, ☴장녀)를 의미하니, 부부(交合)로서 음양이 짝을 지어 합일(合一)하는 상이 된다. 음양합일(陰陽合一)은 천지가 만물을 항구이 보존하고 이어가는 천지의 도이다. 하나의 상을 서로 다른 쪽에서 보는 것이 도전괘이니, 함(咸)과 항(恒)은 서로의 교감과 교합을 통해 천지가 생명(☵씨앗)을 낳는 하나의 체(體)가 된다.

▷배합괘 - 山澤損

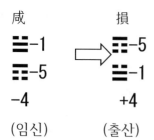

咸   損

☳-1   ⟶ ☶-5

☶-5   ☱-1

-4   +4

(임신)   (출산)

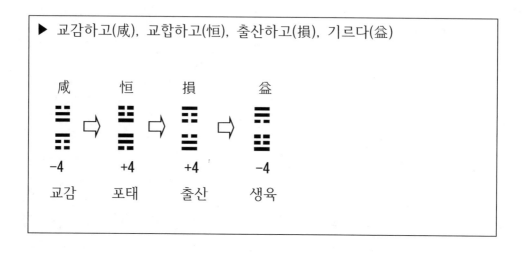

▶ 교감하고(咸), 교합하고(恒), 출산하고(損), 기르다(益)

咸   恒   損   益

-4   +4   +4   -4

교감   포태   출산   생육

澤☱
山☶ ←
　咸

1. 天地感而萬物化生
   천지가 교감하여 만물을 생하
   다.

2. 하괘 3 효(양)가 대지(1,2 음효)
   를 파고들어 안정적으로 안착
   하다(임신).

3. 양물☶이 음물☱ 속에서 윤택
   함에 젖으며 절정을 느끼다.
   양물☶이 절정의 순간에 멈추
   며(止) 음물☱에 사정함으로써,
   자궁☱ 안에 실체☶(태아)를 만
   드니 '임신의 상'이 된다.

山☶ ←
澤☱
　損

1. 양☶이 음 밖으로 나가 실체
   ☷가 되는 모습이다.

2. 아기☶가 어머니의 뱃속☷에
   서 세상으로 나오니 '출산의
   상'이다.

3. 나☶를 덜어 덕(德)☷을 높이
   다(以損高德).

雷☳←☴ 風☴ 恒	風☴←☳ 雷☳ 益
1. 天地之道 恒久而不已也 결혼한 성인 남녀를 의미하며, 장남☳, 장녀☴로서 부부의 도 를 말한다. 음양지합(陰陽之合) 의 상으로 천지만물이 생하고 항구이 전하기 위한 본(本)이 다. 2. 神의 기운☳이 입(入)하여 씨앗 ☴(種子)이 되다(2,3 양효가 초 음(대지)을 파고들어 ☴이 되 다). 3. 씨앗☴(種子)은 천지합일의 근 본으로서 생명을 품어 영원이 전하니 항(恒)이다.	1. 하늘☰이 내린 생명☳이 ☴을 뚫고 자라 만물☴이 되다. 2. 하괘 ☳이 위로 六二 음을 뚫 고 상향하니 험(險)☴에 빠진 다. 생명☳은 산통☴을 겪지 않고는 세상에 만물☴로서 생 (生)하지 못하니 이는 음양의 도이다. 3. 뇌풍(雷風)은 하늘을 대리하는 신명이다.

-咸과 恒, 損과 益은 서로 도전괘로서 하나의 체이다.

-咸과 損, 恒과 益은 서로 착종관계이다.

-咸, 損, 恒, 益은 모두 상하괘가 모두 상응하고 있으니, 이것은 이 4개의
괘상이 모두 생명의 도를 전하는 것이기 때문이다.

3. 괘사(卦辭)

咸 亨 利貞 取女吉
함 형 이정 취녀길

함(咸)은 형통하다. 바르니 이롭다. 여자를 취하면 길하리라.

함(咸)은 음양이 짝을 하고, 천지가 교감하여 만물을 생화하는 근본 이치를 의미한다. 음양의 교감이 사심 없이 바르면 천지만물에 이로우니, 남자(☳양)가 여자(☱음)를 얻음은 천지간의 도리를 다하는 것이므로 길하다. 산☶(양괘)과 못☱(음괘)의 기운이 서로 통하고(山澤通氣), 젊은 남☶(少男)과 여☱(少女)가 서로 교감하는 것은 만물을 화생하는 형통함이다.

象曰 咸感也 柔上而剛下 二氣感應以相與 止而說 男下女
단왈 함감야 유상이강하 이기감응이상여 지이열 남하녀
是以亨利貞 取女吉也
시이형이정 취녀길야
天地感而萬物化生 聖人感人心而天下和平
천지감이만물화생 성인감인심이천하화평
觀其所感而天地萬物之情可見矣
관기소감이천지만물지정가견의

단에 이르길, 咸은 교감하는 것이다. 柔가 위에 있고 剛이 아래에 있어 두 기운이 감응하여 서로 어울린다. 그쳐서 기뻐하며, 남자가 몸을 낮추어 여자의 아래에 있으니, 이로써 형통하니 바름이 이롭다. 여자를 취함이 길하다. 천지가 교감하여 만물을 생하고, 성인이 인심에 교감하니 천하가 화평하다. 그 교감하는 곳을 보면 천지만물의 정(精)을 볼 수 있으리라.

단전에 이르길, 함(咸)은 강유가 교류하고 천지가 사귀며 서로를 느끼는 교감이니, 이는 천지가 만물을 생화하는 이치이다. 柔(☷음)가 위에 있고 剛(☰양)이 아래에 있으니 두 기운이 서로 더불어 감응한다. 剛☰이 그치고 柔☷가 기뻐하니 이는 양물☰이 음물☷ 속에 들어가 못☰의 윤택함에 젖어 기뻐하는 것이니 곧 생명이 잉태(씨앗)되는 순간을 뜻한다(剛☰이 그친다는 것은 양물(男根)에서 정자가 사정되는 순간이며, 음물☷에서 이를 받아드리며 기쁨을 느끼는 순간이 생명이 생(生)하는 순간으로 이는 천지만물 화생(化生)의 이치를 은유한다). 젊은 남자☰가 젊은 여자☷ 아래에 있으니, 이는 剛☰이 柔☷를 따르는 젊은 남녀의 교감을 의미한다. 이로써 是以亨利貞取女吉也의 뜻을 이룬다.

柔上而剛下 二氣感應以相與

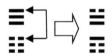

天☰(양)은 그 기운을 山☶(양)을 통해 내려오고, 地☷(음)는 그 기운을 澤☱(음)으로 모으니, 이것은 천지가 서로 교감하며 만물을 생화하는 이치이다.

天地感而萬物化生 聖人感人心而天下和平

천지가 교감하니 만물이 화생한다. 이러한 이치로 성인이 인심, 곧 백성의 마음과 교감하니 천하가 화평하다.

觀其所感而天地萬物之情可見矣

천지가 서로 교감하여 만물을 생화하고, 이를 본받아 성인이 백성의 마음을 교감하여 화평케 하는 것을 들여다보면 천지만물의 정(情)을 알아볼 수가 있다. 정(情)이란 천지가 품은 뜻이다. 정은 만물이 생화하는 근본 이치로서 음양이 서로 부딪히면서 끌리는 이치를 말함이니, 이로써 음양은 서로 교감하며 만물이 만물을 낳는 천지지도(天地之道)를 행한다. 천지만물은 생장수장(生長收藏)의 이치로 만왕만래하면서 한없이 변하지만 그 근본은 움직이지 않는다(萬往萬來用變不動本/천부경).

象曰 山下有澤咸 君子以虛受人
상왈 산하유택함 군자이허수인

상에 이르길, 산 위에 못이 있는 것이 함(咸)이니, 군자는 이를 본받아 자신을 비움으로써 타인을 받아들인다.

상전에 이르길, 산 위에 못이 있는 것이 함(咸)이니, 군자는 이를 본받아 자신을 비움으로써 타인을 받아들인다. 坤☷의 허(虛, 純陰)로 乾☰의 陽(實, 純陽)을 받아드리는 상이 澤山咸(䷞)이다. 천지간의 음양이 서로 교감하며 만물을 생화하는 것은 편협한 사심이나 선입관을 가지고 판단하며 교류하는 것이 아니라 허심(虛心)의 상태에서 천지의 도를 무심히 행하는 것을 말함이니, 남녀 간의 교감도 천지만물지정(天地萬物之情)의 이치를 따라 허심으로써 서로를 받아드리고 교감하며 천지 간에 바른 생명의 도를 이어간다.

天과 地가 合一하여 만물(人)을 생화하는 것은 천지의 도이다. 천지를 따르는 사람(人)도 남녀 둘(二)이 하나가 되어야 비로소 天地之道를 이룬 陰陽之合의 존재로서 진정한 완성을 이루는 것이니, 이것이 인간의 근본인 仁의 道이다. 인(人)은 사람을 말하지만, 인(仁)은 男女가 合一하여 천지의 도를 이룬 존재를 가리키는 것이니, 이는 항구한 부부(夫婦)의 도를 말하는 것이다. 그러므로 인(仁)은 본시 음양이 합일한 中을 말함이니 中의 자리에 마음(心)을 놓으면 충(忠)이 되고, 한결같은(如) 마음(心)이 변하지 않으니 서(恕)가 된다. 허심(虛心)이란 바로 충서(忠恕)를 말함이다.

4. 효사(爻辭)

아직은 삶이 서툰 젊은 남(☶少男) 여(☱少女)가 서로 만나 연애하고 교감(交感)하며 공감(共感)해가는 단계를 신체감각을 이용하여 설명한다. 자신의 몸보다 교감을 리얼하게 느낄 수 있는 것은 없다. 몸의 느낌을 이용하여 교감의 단계를 상징적으로 비유하며, 음양의 이치를 이루는 과정에서 오는 심리적인 상황을 묘사한다.

少男은 단순히 어린 남자만을 상징하는 것이 아니다. 양의 에너지를 보면 [少男<中男<長男] 순서가 되니 이는 능력적인 측면으로도 이해할 수 있다.

▷ 양괘(男)

☶(+1 양)　　☵(+2 양)　　☳(+4 양)
少男　　　　中男　　　　長男
-5　　　　　-3　　　　　+1　(작용력)

마찬가지로 少女도 음의 에너지의 크기로 이해할 수 있다. 에너지의 크기는 [少女<中女<長女]의 순서가 된다. 작용에너지로 보면 남자보다는 여자가 큰 것이 특이하다.

▷음괘(女)

☵(-4음) ☲(-2음) ☴(-1음)

少女 中女 長女

-1   +3   +5 (작용력)

　교감(交感)은 터치에서 시작된다. 내호괘가 천풍구(天風姤☴)이니 건(乾☰)이 처음 음을 만나는 순간으로서, 교감이란 만나고 교류하는 과정에서 처음 터치가 시작됨을 의미한다. 내괘는 교감하고 공감)해가는 과정에서 일어나는 초보 젊은이의 심리적 상태를 묘사하며, 교감하고 공감하는 단계를 높여가는 과정으로 풀이한다. 내괘는 교감이 서툰 초보단계로 初六(발가락)은 마음(뜻)이 너무 앞서 나가 멀리 밖에 있음을 경계하고(咸其拇 志在外也), 六二(종아리)는 유순중정(柔順中正)을 지켜 서둘지 않고 순종하라 경계한다(雖凶居吉 順不害也). 九三은 과거에 집착하여 나아가지 못함을 경계한다(咸其股 亦不處也 志在隨人 所執下也).

　외괘는 공감을 완성해가는 과정을 풀이한다. 九四는 교감이 완성되어 서로 공감하는 단계이고(貞吉悔亡 憧憧往來 朋從爾思), 九五는 최고의 교감 수준으로서 그 뜻이 말단까지 미침을 의미한다(咸其脢 志末也). 上六은 상극에 처하여 교감이 지나쳐 구설(口舌)이 됨을 경계하고 있다(咸其輔頰舌 滕口說也).

初六　咸其拇
초육　함기무

초육, 발가락에 느끼다.

初六의 교감을 신체의 느낌으로 비유하면 발가락에 느끼는 수준이다. 발가락에 느낀다 함은 교감의 수준이 아닌 처음 만남의 단계를 말한다. 교감은 만남으로부터 시작된다(호괘: 天風姤☰). 즉, 교감의 초보단계를 뜻하는 것이다. 발가락은 신체의 맨 아래에 처하여 교감을 정확히 감지할 수 있는 위치가 아니다. 이는 初六이 함(咸)의 맨 아래에 처하여 양의 자리에 음으로 와 자리가 바르지 않고 미약함을 뜻한다.

교감의 첫 단계이니 경거 망동하지 말고, 너무 뜻을 앞세워 김칫국부터 마시지 않는 것이 좋다. 그래서 공자는 "발가락에 느끼는 수준에서 뜻을 너무 멀리 밖에 둔다(象曰 咸其拇 志在外也)"라고 풀이하여 교감이 낮은 수준, 걸음마를 시작하는 만남의 단계에서 마음이 너무 앞서 뜻을 멀리 앞세운 상태, 뜻이 너무 앞서 나감을 경계한다. 山☶의 初六이 효변하면 離火☲가 되니, 이는 땅에 고정된 艮山☶의 初陰이 양으로 효변하면서 저 멀리 하늘에 높이 걸린 해☲가 됨을 뜻한다.

☞ 拇: 엄지 손가락 무, 엄지 발가락 무

六二　咸其腓　凶居吉
육이　감기비　흉거길

육이, 장딴지에 느끼다. 흉하나 거하면 길하리라.

六二는 신체에서 장딴지(종아리)를 상징한다. 장딴지는 발을 따라 움직이며 자신의 뜻대로 움직일 수가 없는 위치에 있다. 장딴지에 느낀다 함은 초보수준을 넘어 본격적인 교감의 단계에 이르는 것을 의미한다. 그러나 六二는 낮은 수준을 넘어 어느 정도 교감의 단계에 이르지만 아직은 자신의 뜻대로 리드할 수 있는 수준은 아니니 진중하게 기다리지 못하면 오히려 흉하다.

六二는 유순중정하며, 九五와는 정응(正應)하는 관계에 있다. 그러므로 初六을 따라 촐랑거리며 따라 움직이지 말고 유순하고 중정正으로 몸통인 乾(九五)에 응하며 몸의 움직임을 기다려 행한다. 변하면 巽風☴으로 대과(大過)의 상이 되어 택멸목(澤滅木)의 뜻이 되니, 바람이 부는 대로 쉽게 따라 움직이면 흉하다.

몸통(九五)의 움직임을 진중하게 기다려 순응하며 움직이면 길하다. 그래서 공자는 "비록 흉하나 거(居)하면 길(吉)하니 乾(九五)에 순종하여 기다려 따르면 해롭지 않으리라(象曰 雖凶居吉 順不害也)"라고 풀이하고 있다.

☞ 腓: 장딴지 비, 종아리 비/ 居: 살 거, 자리잡을 거

九三 咸其股 執其隨 往吝
구삼 함기고 집기수 왕린

구삼, 허벅지에 느끼다. 따름을 집착하니 가면 부끄러우리라.

九三은 하괘의 맨 위에 처하여 양위(陽位)에 양으로 와서 자리가 바르다. 작용적 측면으로 보면 상향하는 양(九三)을 2개의 음이 잡고 있는 모습, 반대로 보면 九三이 지난 과거에 집착하여 나아가지 못하는 모습이 된다.

삼효는 하괘에 맨 위에 처하여 상괘로 넘어가는 위치에서 진퇴를 결정하는 자리로 종일건건(終日乾乾)하며 수고로이 힘쓰는 자리이다. 그래서 진퇴를 선택하는 막중한 자리에서 몸통(乾☰)을 따르지 않고 初六과 六二를 따라 나섬을 경계한다. 즉, 허벅지(股, 九三)는 외호괘인 乾☰(九五)을 따라야 하는데 아래에 있는 발(初六)과 장딴지(六二)에 잡혀 있으니 강건한 양임에도 불구하고 스스로의 뜻을 주장하지 못하고 初六과 六二를 따르며 집착하는 것을 경계하는 것이다.

　내호괘 風☴은 入의 뜻이니 初六과 六二에 대한 집착의 뜻이 나온다(執其隨). 공자는 六三에 대해 "허벅지에 느끼다 또한 머물러 있지 않으니 뜻이 남을 따름에 있어 집착하는 바가 비하(卑下)로다(象曰 咸其股 亦不處也 志在隨人 所執下也)"라고 하여 잘못된 선택을 경계한다.

　중천건(重天乾)의 九三효사가 "君子終日乾乾 夕惕若 厲无咎"이니 자신을 돌아보며 항시 깨어 있음을 강조하고 있다. 허벅지는 발(初六), 장딴지(六二)를 사타구니(九四, 교감이 완성되는 자리)와 연결하는 다리로서 진퇴의 양상에 따라 길흉이 정해진다. 그러므로 공감의 수준에 거의 이르러 다시 初六과 六二에 집착한다면 선택이 비하(卑下)가 되어 부끄러움을 당하는 것이다(執其隨 往吝). 효변하면 택지췌(澤地萃☲☷)가 되니 교감이 모아지는 뜻이 나온다.

　　　　　　　☞ 股: 넙적 다리/ 隨: 따를 수/ 吝: 아낄 린, 인색할 인

九四 貞吉悔亡 憧憧往來 朋從爾思
구사 정길회망 동동왕래 붕종이사

구사, 바르면 길하니 회(悔)가 없다. 왕래가 끊이지 않으면(자주 往來하며 交感하면) 벗이 네 생각을 따르리라.

드디어 음양이 서로 밀고 당기며 싸우고 화해하는 험난한 강을 건너 상괘로 건너왔다. 九四는 교감을 완성하는 자리로서 신체로는 사타구니를 상징한다. 사타구니는 남녀의 성기가 있는 자리로서 음양이 교합하는 최적의 위치이다. 음양이 서로 교합하여 생명을 생화하는 자리이니 음양의 이치 중에 이보다 더 큰 교감이 있겠는가? 九四는 외호괘인 건(乾☰)의 중(中)으로 음양이 서로 교감하는 최고의 자리를 뜻한다. 음의 자리에 양으로 와서 자리는 부당하지만 오히려 교감을 하기 위해서는 양강(陽剛)한 힘이 필요하다.

九四가 효변하면 水☵가 되니 지괘가 수산건(水山蹇☵☶)이 된다. 이는 山☶(양물)이 澤☱(음물)과 交合하여 水☵(액)에 젖어 있는 상으로 최고의 교감상태를 상징한다. 九四는 바로 사타구니(생식기)에 느끼는 것이니 생명을 생(生)하는 최적의 교감의 상태에 있는 것이다.

교감은 바르게 하여야 길하며 회한이 없다. 그러나 바르지 않다면 후회만이 남게 되는 것이 음양의 관계이다. 벗[朋]이란 교감의 대상으로서 남녀 사이, 더 확대하면 사람과 사람이 서로 교류하며 공감하는 관계를 말한다. 서로 자주 오고 가면 교감(交感)이 깊어지니 서로 공감(共感)하는 단계로 나아간다. 벗이 네 생각을 따른다(朋從爾思)함은 교감이 완성되는 공감의 최고점에 이르렀음을 뜻한다. 또한 함(咸)이란 다함(모두)의 뜻이 있으니 서로 느낌을 공유하고 공감하는 것이다.

정길회망(貞吉悔亡)은 남녀 음양의 교감은 그 뜻이 올바르게 이루어져야 후회가 없음을 의미하고, 동동왕래(憧憧往來)는 남녀가 교감하며 교합하는 것을 상징한다. 또한 사람과 사람이 교감하며 교류하는 것을 비유한다. 붕종이사(朋從爾思)는 벗이 너의 생각을 따르는 것이니 서로의 교감이 공감으로 완성되는 단계를 의미한다.

공자는 "정길회망(貞吉悔亡)이니 바르게 교감하는 것은 결코 상대방을 해하지 않음을 말함이요, 동동왕래(憧憧往來)는 사람과 사람이 교류하고, 남녀가 연애하며, 교감하고 교합하는 것을 말함이니 아직 광대함에 이른 것은 아니다(象曰 貞吉悔亡 未感害也 憧憧往來 未光大也)"라고 풀이하여 천지가 교감하여 만물을 내는 것은 그 뜻이 광대하나, 사람이 교감하고 남녀가 사귐은 천지와 비교할 수는 없는 것이다 라고 하였다.

☞ 悔: 뉘우칠 회, 후회할 회/ 憧: 그리움 동(왕래가 끊이지 않는 모양), 마음을 잡지 못할 동/ 爾: 너 이

九五 咸其脢 无悔
구오 함기매 무회

구오, 등에 느끼다. 후회가 없으리라.

九五는 온몸으로 교감하고 공감하는 최고수준으로 함(咸)이 완성된 자리이다. 등에 느낀다는 것은 몸통으로 느낀다는 것을 의미한다. 등[脢]은 몸을 지탱하는 기둥으로 온몸(乾☰)의 신경을 관장하는 등줄기이다. 九五가 변하면 雷☳가 되어 지괘가 雷山小過()가 되니 3,4 양효는 등줄기의 상이 된다. 九五는 강건(剛健)하고 中正한 자리로서 느낌에 일희일비하지 않는 초월의 단계이다. 함기매(咸其脢)는 등은 뒤에 있으므로 교감의 뜻이 말단까지 미침을 의미한다.

효변하면 뇌산소과(雷山小過☳☶)이니 그치고(☶) 동함(☳)은 교감이 절정☱(說)에 이르고 몸이 경직☶(止)되면서 사정☳(動)하는 것으로 비유할 수 있는데, 이는 곧 생명이 잉태(씨앗☶)되는 순간이다(止而說). 그러므로 교감의 뜻이 말초신경에까지 미치는 것이라 한 것이다. 그래서 공자는 "등에 느낀다 함은 등은 뒤에 있으므로 교감의 뜻이 말단까지 미친다(象曰 咸其脢 志末也)"라고 풀이하고 있다.

공자는 여기에서 한발 더 나아가 대상전에서 "山下有澤咸 君子以虛受人"이라 하여 '자신을 비움으로써 타인을 받아들인다'라는 의미로서 강건중정한 군위(君位)로서 남녀의 교감을 넘어 천하를 상대로 교감하는 군자의 상을 표현하고 있다. 坤☷의 허(虛)로 乾☰의 실(實)을 받아드리는 상이 택삼함(澤山咸☶)이니 천지가 교감하는 것이다(君子以虛受人). 그래서 4 효에서 "憧憧往來 未光大也"라고 하여 천지가 교감하여 만물을 내는 것은 그 뜻이 비록 광대(光大)하나, 사람이 교감하고 남녀가 사귐은 천지와 비교할 수는 없는 것이다 라고 설명하고 있는 것이다.

☞ 脢: 등(등심) 매

上六 咸其輔頰舌
상육 함기보협설

상육, 볼과 뺨과 혀에 느끼다.

상육은 함(咸)의 상극에 처하여 교감이 지나쳐 구설(口舌)로 드러나는 것을 뜻한다. 교감이 말로만 이루어지니 남을 감동시킬 수가 없다. 교감(交感)을 입으로만 떠들어대면 진정성이 없어 가벼워 보인다. 兌☱는 입(口)과 말

(言)을 상징한다. 얼굴 표정과 말을 동원하는 교감으로는 타인의 진정한 공감을 얻어 내기가 쉽지 않다(輔頰舌). 교감이란 서로 터치하며 몸과 마음을 직접 느끼는 것이다. 교감이 말로만 이루어져서는 진정성이 없다.

효변하면 천산돈(天山遯䷠)이니, 하늘☰(양)이 땅☷(음)을 가볍게 터치☶(止)하지만 너무 멀리 떨어져 있어 꿈 쩍도 하지 않는다(☶의 九三은 陽이 坤☷을 가볍게 터치한 모습으로 그침止의 뜻이 있다). 기쁨☱(說)에 겨워 홀로 떠들어대니 타인의 공감을 얻어내지 못하는 것이다. 진정한 교감이 이루어지지 않는다. 교감이란 상대방의 공감을 이끌어내 서로 다같이 느끼는 것이니, 함(咸)이란 다(모두) 함(咸)의 뜻으로 함께 느끼는 것, 즉 공감(共感)을 뜻한다. 그래서 공자는 소상전에서 "咸其輔頰舌은 交感을 입으로만 떠들어대는 것이다(象曰 咸其輔頰舌 滕口說也)."라고 하여 교감의 진정성을 강조하였다.

☞ 輔: 광대뼈 보, 도울 보/ 頰: 뺨 협/ 舌: 혀 설, 말 설/ 滕: 물 솟을 등, 거리낌 없이 함부로 말을 할 등/ 騰: 오를 등

32.雷風恒뇌풍항

雷☳震
風☴巽

▶효변(爻變)

과거		미래	현재
☳+5	⇨	☳+1	☳+1
			☴+5

上下작용력: (+5)-(+1)=+4

上下균형력: (+5)+(+1)=+6

恒 亨 无咎 利貞 利有攸往。

象曰 恒久也 剛上而柔下 雷風相與 巽而動 剛柔皆應恒 恒亨无咎利貞 久於其道也 天地之道 恒久而不已也 利有攸往 終則有始也 日月得天而能久照 四時變化而能久成 聖人久於其道而天下化成 觀其所恒而天地萬物之情可見矣

象曰 雷風恒 君子以 立不易方

初六 浚恒 貞凶 无攸利

九二 悔亡

九三 不恒其德 或承之羞 貞吝

九四 田无禽

六五 恒其德貞 婦人吉 夫子凶

上六 振恒凶

1. 괘상(卦象)

하괘 巽風☴의 양효 2효와 3효가 차례로 아래 초음를 뚫고 땅☷ 속으로 들어가 생기(生氣)☵가 되니 뇌풍항(雷風恒)이다. 바람☴은 神의 숨이다. 신의 숨☴이 대지☷를 어루만지며 생기☵를 불어넣으니, 巽☴(入)의 양효 2개가 초음 안으로 파고들어 생명을 포태한 씨앗(☳생명)이 되는 것이다.

震雷☳는 천지만물의 생명을 항구이 보존하고 세대를 지속시키기 위한 씨앗이다. 씨앗이 생명을 품으니 만물은 영원히 그치지 않는다(天地之道 恒久而不已也). 몇 억년 전의 씨앗이 발아하는 경우를 보면 씨앗이 품고 있는 생명력을 알 수 있다. 또한 DNA만 채취해도 멸종된 생물을 복원할 수 있는 것도 같은 맥락이다.

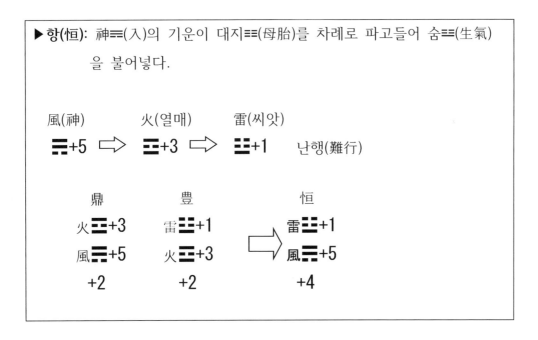

▶항(恒): 神☴(入)의 기운이 대지☷(母胎)를 차례로 파고들어 숨☵(生氣)을 불어넣다.

　☴+5　⇨　☲+3　⇨　☳+1　　난행(難行)

```
   鼎              豊              恒
火☲+3          雷☳+1          雷☳+1
風☴+5          火☲+3    ⇨    風☴+5
  +2              +2              +4
```

≫風☴(숨), 바람의 뜻으로 神이 숨을 음(土)에 불어넣다 라는 입(入)의 뜻이 있다.

≫火☲(열매), 神의 기운이 질서를 잡으니 실체가 되다.

六二(음)를 九三(양)이 이끌고, 初九(양)이 밀며 상향하는 모습으로 실체(實體)가 되다. 음이 중심을 잡고 양의 질서를 세우니 열매가 되고 문명이 되다.

≫雷☳(씨앗), ☲의 九三 양이 음으로 효변하면서 음이 두텁게 쌓이니 양이 저장되어 ☳(子)가 되다.

≫☳(子)는 대지가 품은 씨앗이요, 생기이며 만물의 종자(種子)이니, 만물이 항구이 가는 본(本)으로서 때가 되면 ☴(木)으로 장성하여 대지를 채운다.

▷[난행(難行)]: 생명을 만드는 것은 양(陽)이 하향하여 쌓이는 것으로 난행(難行)이다. 음의 관점으로 보면 음(陰)이 상향하여 양을 가두는 것이다.

▷화풍정(火風鼎): 바람☴이 대지를 파고들어 실체☲를 만들다. 나무☴가 열매☲를 맺다. 내면을 밝혀 실질을 키우다.

▷뇌화풍(雷火風): ☲의 九三양이 음으로 효변☳하여 음을 두텁게 하니 양이 갇히게 되어 쌓인다. 열매☲가 씨앗☳을 땅속에 떨어트리다. 양☴이 쌓이고 쌓여 생명☵이 되니 생명은 신(神)의 숨이다.

[비교] 항(恒)과 익(益)

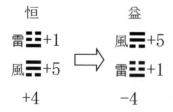

恒: 천지기운☵이 생명☵으로 포태(축적, 비축)

益: 생명☵이 만물☲로 화함(활동)

> ▷恒: 숨(神氣)☰☰이 대지를 파고들며 생기를 불어넣으니 만물의 씨앗☰☰이 된다
> (恒). 씨앗은 삼라만상의 모태이니 이로써 천지의 도가 항구하다(天地之道 恒久
> 而不已也 利有攸往 終則有始也).
>
> ▷益: 뇌성이 대지를 울려 진동시키니 생명☰☰(子)이 깨어나고, 천지가 작용하여
> 만물을 낳아 생육☰☰(木)하여 이어가니, 남녀가 결혼하여 생명을 낳아 이어가
> 듯, 가히 음양지도(陰陽之道)의 덕은 항구(恒久)하리라(天施地生 其益无方).

☰☰(+4)의 강력한 힘(震)이 대지를 들어올려 진동시키니 만물이 깨어난다. 대지가 품고 있던 생기☰☰가 기지개를 펴고 나오니 양은 생명의 지기(至氣)요 씨앗이며, 음은 만물을 품은 모태☰☰이다. 양을 머금은 대지가 생명을 키워내니 천지의 도가 된다. 뇌성☰☰이 땅을 흔들어 깨우고(震), 바람☰☰이 생명을 불어넣으니(入), 생명이란 그치지 않고 항구이 이어가는 것이다(天地之道 恒久而不已也).

☞**天地之道 恒久而不已也** 천지지도 항구이부이야

천지의 도는 항구하여 그치지 않는다.

天地人이 생장수장(生長收藏)의 이치로 춘하추동 사시를 순환하니, 하늘과 땅이 서로 하나가 되고, 그 하나(一)에서 시작되어 만물이 묘리로써 펼쳐지니 삼라만상은 가고 오며 끝없이 변하지만 근본(一)은 변함이 없다. 하나(一)에서 시작하여 하나(一)로 마침이니(一始一終), 천지가 서로 만나 교감하고, 만물을 잉태하여 낳고 기르는 우주 삼라만상의 순환은 항구이 순환하는 천지의 도로다.

☞**運三四成環五七一妙衍萬往萬來用變不動本**

운삼사성환오칠일묘연만왕만래용변부동본   /천부경

> 만물만상(天地人 3)이 생장수장生長斂藏(4) 무위운행無爲運行하니(用 12)
>
> 땅(五)과 하늘(七)이 고리(環)를 이루어 하나(一)를 이루고(體 12)
>
> 그 하나(一)에서 묘리가 한없이 펼쳐진다.
>
> 하나(一)가 시작하여 묘리를 한없이 펼쳐내니,
>
> 삼라만상이 가고 오며 무수히 쓰임을 달리하지만
>
> 근본은 변함이 없다.

항(恒)은 연==이 하늘을 나는 모습으로서, 용이 승천하면서 때(時)를 맞춰 바람==이라는 기류를 타니 천지의 순리를 따라 순행하며 일취월장(日就月將) 하는 모습이다. 상괘 雷==(進)은 전투에 앞장서는 군기(軍旗)의 상이니 모든 병사==가 뒤를 받치며 이를 따른다. 전쟁의 승패는 지휘관의 목표와 전략, 그리고 올바른 명분의 설정이니 앞장선 깃발==이 이를 상징한다. ==(動·進) 의 방향이 잘못되었다면 바르지 않은 길로 인도되어 전투에서 패배하게 된 다. 개인으로는 인생의 길을 안내하는 나침반==으로서 가치관이나 좌우명, 또는 목표가 되니 바른 정신과 바른 정진을 의미한다(剛上而柔下 雷風相與 巽 而動 剛柔皆應恒).

데모대를 이끄는 선동가, 국민을 이끄는 지도자, 전투를 지휘하는 지휘관, 기업을 운영하는 기업가 등등이 이를 의미하는데, 시기(時期)와 시류(時流)== 를 제대로 읽어내어 우레==와 같은 힘으로 이끌고 나아가는 것이 리더가 갖 추어야 할 덕목이다.

바른 좌표==(進)를 설정하여 대중(大衆)==을 정도(正道)로써 인도한다면 목 적하는 바가 성공하게 되고, 또한 그 성공은 보다 나은 미래로 나아가는 동 력(씨앗)이 된다. 신(神)의 숨==을 불어넣으니 땅==을 뚫고 들어가 생기==가 되고, 생명의 씨앗이 되니, 이것은 지도자의 올바른 좌표 설정과 추진력에 의해서 결국 미래로 나아가는 원동력==(動·進)이 되는 것이다.

☞인사(人事)로 보는 괘상의 이해

咸	恒	損	益
澤☱-1 山☶-5 -4	雷☳+1 風☴+5 +4	山☶-5 澤☱-1 +4	風☴+5 雷☳+1 -4
相交	相合	相分	相德
交感, 연애 天地感而萬物化 生二氣感應以相 與)	**交合**, 결혼(부부) 天地之合 日月得天(잉태)	**출산**(出産) 만물(人)을 낳음 以損高德(출산)	**양육**(생육) 만물(人)을 양육함 天施地生(양육)
感	合	分	育

≫咸과 恒, 損과 益은 도전괘로서 하나의 체(體)를 이룬다. 교감하고 포태하는 것, 낳고 기르는 것은 결국 하나의 모습으로 같은 것을 다른 관점에서 바라본 것이다.

≫咸과 損, 恒과 益은 서로 착종 관계이다. 교감에서 출산, 포태에서 양육은 한 단계 더 진행된 모습을 보여준다.

≫咸, 損, 恒, 益은 모두 상하괘가 모두 상응(相應)하고 있으니, 이것은 4 개의 괘

상이 모두 生命의 道를 전하는 것이기 때문이다.

≫咸에서 사귀고, 恒에서 부부가 되어 포태(씨앗)하니, 損에서 낳고, 益에서

양육하다.

≫함(咸)에서 相交하고, 항(恒)에서 相合하여 하나가 되는 것은 만물을 잉태하기 위함이니, 이는 우주만물을 항구이 나아가게 하는 음양지도(陰陽之道)이다(日月得天而能久照).

≫손(損)에서 덜어내는 것(分)은 다른 쪽에서 보면 곧 덕(德)을 쌓는 것이 된다. 나를 덜어내는 손(損)으로써 자식을 얻으니 어찌 익(益)이 아닌가(以損得益)?

▶天地之道 恒久而不已也 利有攸往 終則有始也

天地가 서로 사귀고 만물(人)을 잉태하며, 낳고 기르는 것은 항구이 순환하는 천지의 도로다.

咸: (相交): 天地否에서 서로 교감(交感)을 시작하고 - 연애, 교감(감응),
恒: (相合): 地天泰에서 서로 교합(交合)하여 하나가 되며 - 결혼, 교합
　　　　　　(부부), 잉태(씨앗)
損: (相分): 地天泰에서 만물을 낳고 - 출산
益: (相德): 天地否에서 만물을 기른다. -양육, 생육

천지의 도(天地之道)가 곧 음양의 도(陰陽之道)로서 만물을 화생하여 항구이 우주만물을 순환시키듯이(天地感而萬物化生), 부부의 도가 음양의 도를 따라 자식을 낳고 기르며 후손에 그 덕(德)을 내려주어야 천지의 도가 항구이 그치지 않는 것이다(天地之道 恒久而不已也).

2. 괘변(卦變)

▷호괘 - 澤天夬

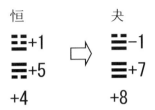

恒 　　　　　 夬
☳+1 　⟹　 ☱−1
☴+5 　　　 ☰+7
+4 　　　　 +8

바람☴(入)이 생명☵(子)을 만들기 위해 대지☷를 파고들어가니(入), 대지는 양의 기운을 가득 머금은 모습(夬☰)이 된다. 풍선처럼 터질 듯 양기를 머금었지만 대지☷는 그 크기가 한량이 없으니 뇌성☳이 대지를 크게 울려 진동시키면 양기는 至氣가 되어 생명☵으로 화생한다.

▷착종괘 - 風雷益

만물은 때를 따라 순환하며 변화하지만 근본은 변함이 없다(萬往萬來用變不動本/천부경).

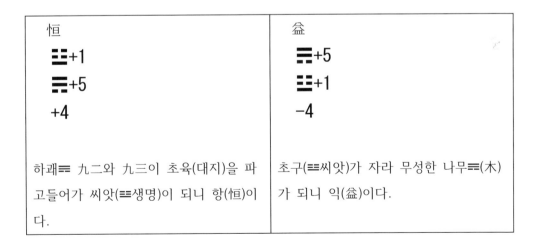

恒	益
☳+1 ☴+5 +4	☴+5 ☳+1 −4
하괘☴ 九二와 九三이 초육(대지)을 파고들어가 씨앗(☵생명)이 되니 항(恒)이다.	초구(☴씨앗)가 자라 무성한 나무☴(木)가 되니 익(益)이다.

▷도전괘: 澤山咸

恒　　　　咸
☳+1　⇨　☱−1
☴+5　　　☶−5
+4　　　　−4

　함(咸)은 음양이 서로 교감하는 상이니 상괘 澤☱은 음괘요, 하괘 山☶은 양괘이다. 양이 음 안으로 깊이 들어가 있는 상이니 음양이 서로 상교(相交)하며 교감(交感)하는 모습으로 젊은 남녀가 연애하는 상이 된다(☱少女, ☶少男).

　항(恒)은 神의 숨☴(入)이 대지(☷母)로 스며들어가 생명☳을 만드는 모습으로서 부부(夫婦)의 상이 된다(☳장남, ☴장녀). 함(咸)은 교감(交感)하고, 항(恒)은 교합(交合)하여 생명을 만드니 咸과 恒은 결국 하나의 체(體)가 된다.

연애	부부	출산	양육
澤☱	雷☳	山☶	澤☱
山☶	風☴	澤☱	雷☳
咸	恒	損	益

　　咸: (相交), 연애, 교감(감응)

　　恒: (相合), 결혼, 교합(부부)

　　損: (相分), 출산

　　益: (相德), 양육

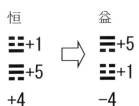

▷배합괘 - 風雷益

恒   益

 생장수장의 이치로 순환하는 자연의 항구한 도는 하늘이 베풀고, 땅이 낳고 기르는 익(益)의 도(益道)이니, 천하를 덮고도 남는다(天施地生 基益无方).

3. 괘사(卦辭)

恒 亨 无咎 利貞 利有攸往
항 형 무구 이정 이유유왕

항(恒)은 형통하니 허물이 없다. 바름이 이로우니 나아가는 바가 이로우리라.

신의 숨결☵이 대지☷를 어루만지며 생기☵를 불어넣으니, 천지만물의 생명을 항구이 보전하고 세대를 지속하기 위한 종자로서 생명☵으로 드러난다. 삼라만상의 모태로서 생장수장(生長收藏)의 이치에 따라 천지의 바른 도가 춘하추동 사시를 순환하고, 만왕만래 끝없이 변화하면서 항구이 나아가는 것이니 항(恒)은 형통(亨通)하고 무구(无咎)하다(四時變化 而能久成).

象曰 恒久也 剛上而柔下 雷風相與 巽而動 剛柔皆應恒
단왈 항구야 강상이유하 뇌풍상여 손이동 강유개응항
恒亨无咎利貞 久於其道也 天地之道 恒久而不已也
항형무구이정 구어기도야 천지지도 항구이부이야
利有攸往 終則有始也 日月得天而能久照 四時變化而能久成
이유유왕 종즉유시야 일월득천이능구조 사시변화 이능구성
聖人久於其道而天下化成 觀其所恒而天地萬物之情可見矣
성인구어기도이천하화성 관기소항이천지만물지정가견의

단에 이르길, 항(恒)은 장구(長久)함이다. 剛(九四)이 위로 하고 柔(初六)가 아래 하니 우레와 바람이 서로 어울리며, 손순(巽順)하게 움직이고, 剛柔가 모두 호응하니 항이다. 恒亨无咎利貞은 그 道를 오래함이니, 천지의 도는 항구하여 그치지 않는다. 나아가는 바가 이로움은 마치면 다시 시작이 있기 때문이다. 해와 달이 하늘[天理]을 얻으니 오래 비출 수 있고, 사시가 변화를 일으키니 오래 이룰 수 있다. 성인이 그 도를 오래하니 천하가 교화를 이룬다. 그 항상(恒常)하는 이치를 깨달으면 천지만물의 실정(實情)을 가히 볼 수 있다.

항(恒)은 장구하여 항상(恒常)함을 말한다(恒久也). 剛上而柔下는 地天泰에서 乾의 초효가 올라가 四에 거하고, 坤의 초효가 내려와 初에 거하여 恒이 되니, 剛☳(震)이 위에 올라가고, 柔☴(巽)가 내려오는 것이다. 우레가 치고 바람이 불어 서로 그 세를 도우니 바람은 巽☴順하고 우레가 震☳動한다(雷風相與 巽而動). 또한 강(剛)과 유(柔)의 효가 모두 서로 응하니 항(恒)의 도가 바름을 말한다(剛柔皆應恒).

剛上而柔下

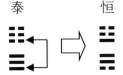

天地之道 恒久而不已也

恒亨无咎利貞은 그 천지의 도가 항상함을 가리킨다. 천지의 도가 바르고 (貞) 허물이 없으며(无咎) 형통(亨通)하니 그 도(道)가 항구(恒久)할 수 있는 것이다(恒亨无咎利貞 久於其道也). 천지의 바른 도가 춘하추동 사시를 순환하고, 만왕만래하며 끝없이 변화하면서 그치지 않고 항구이 나아가는 것이 항(恒)의 상이니(四時變化 而能久成), 나아가는 바가 이롭다.

사시를 순환하며 생장수장의 이치로써 수렴된 양기는 만물의 씨앗이 되고, 다시 봄의 생장력에 의해 발아하는 생명의 씨앗이 되는 것이니, 종(終)은 곧 시(始)를 잉태함인즉, 천지만물의 순환이 끝없이 순환하는 종즉유시(終則有始)의 뜻이 된다(天地之道 恒久而不已也). 그러므로 종(終)이 곧 시(始)이니 나아가는 바가 이로운 것이다(利有攸往 終則有始也).

日月得天而能久照 四時變化而能久成

일월(日月)이 하늘(天)을 얻어 자리하여 능히 오래 비추니(日月得天而能久照), 이는 남녀[日月]가 교합하여 자식[天]을 얻는 음양지도(陰陽之道)를 비유함이니 人의 道가 항상함을 뜻한다. 그러므로 춘하추동 사시의 변화를 일으키고 생장수장, 생명의 이치를 펼치는 천지의 도는 능히 항구함으로 이어진다. 득천(得天)이라 함은 天理를 따름이고, 사시변화(四時變化)라 함은 만왕만래(萬往萬來)하고 용변(用變)하면서 만물이 순환하는 이치를 말함이니 항상(恒常)하는 바가 항구(恒久)이 그치지 않는 것이다. 이는 한민족의 정신적 뿌리를 밝힌 천부경(天符經)의 "一妙衍萬往萬來用變不動本일묘연만왕만래용변부동본"의 이치와 뜻이 상통한다.

聖人久於其道而天下化成

성인이 항구의 도를 행함에 천하가 감화된다. 해와 달이 하늘에서 항구이 비추고(日月得天而能久照), 춘하추동 사시의 변화가 항구이 순환을 이루니(四時變化而能久成), 성인이 자연의 도를 본받아 항구이 천하를 교화(敎化)하는 이치를 보면(聖人久於其道而天下化成), 능히 천지만물의 정(情)을 드려다 볼 수 있다(觀其所恒 而天地萬物之情 可見矣). 그러므로 항(恒)의 이치를 깨닫는다면 천지만물의 뜻을 알 수가 있는 것이다.

象曰 雷風恒 君子以 立不易方

상왈 뇌풍항 군자이 입부역방

상에 이르길, 우레와 바람이 항(恒)이니 군자는 이를 본받아 항의 뜻을 바로 세우면 방소(方所)를 쉽게 바꾸지 않는다.

천지의 도가 항구하듯이, 군자는 천지의 도가 항구한 이치를 알아 움직임을 무겁게 하며 조변석개(朝變夕改)하지 않는다. 세상이 조석으로 변하고, 인심은 물 끓듯 변화하지만 군자는 항구한 천지음양의 본을 받아 그 이치를 따른다. 천지가 만왕만래(萬往萬來)하며 용변(用變)하나 근본은 부동본(不動本)이니 군자는 이를 본받아 세상의 변화를 따라 쉽게 방소(方所)를 바꾸지 않는다.

방소를 바꾸지 않는다 함은 한번 세운 뜻을 쉽게 바꾸지 않는 것을 뜻하니 도의 항구함을 의미한다. 우주원리를 설파한 한민족의 경전인 천부경(天符經)에서는 "一妙衍萬往萬來用變不動本일묘연만왕만래용변부동본"이라 하여 "우주만물은 하나(一)의 이치가 묘리(妙理)로써 펼쳐진 현상으로서 만왕만래하며 한없이 변화하는 것 같지만 그 근본인 하나(一)는 움직이지 않는다"라고 하였으니, 군자는 이러한 이치를 알아 도를 항구하게 하는 것이다.

4. 효사(爻辭)

항(恒)이란 춘하추동 사시가 한없이 변화하면서 만물은 생로병사를 거듭하지만 삼라만상이 하나(一)라는 근본은 변하지 않듯이, 사시가 춘하추동으로 변하면서도 만물을 항구이 순환시키는 항상함을 말한다. 여섯 개의 효를 통해서 항(恒)을 추구하며 그 과정에서 일어나는 변화를 풀이한다.

初六 浚恒 貞凶 无有利

초육 준항 정흉 무유리

초육, 처음부터 항구함을 구함이 깊다. 고집하면 흉하니 이로울 바가 없다.

초육은 하괘의 맨 아래에 처하고 그 힘이 미약하며, 양의 자리에 음으로 와서 자리가 바르지 않다. 항(恒)괘의 맨 아래에 처하여 시초부터 항(恒)을 깊게 파고들어가 집착하는 모습이다(風☴은 入의 뜻이 있다). 항(恒)이란 춘하추동 사시가 천지운행에 따라 변하면서도 그 꾸준함이 장구하고, 만물은 생장수장 이치로써 끝없이 변화하지만 그 본(本)은 부동(不動)한 이치를 품고 있으니, 미약한 初六이 초장부터 따르기에는 너무 뜻이 크다. 그럼에도 불구하고 능력에 비해 처음부터 항(恒)의 뜻을 깊이 파고 들어가고자 함은 오히려 흉이 될 수 있는 것이니 이로울 바가 없는 것이다.

初六은 九四와 응하나 九二와 九三에 가로막혀 있어 응함이 쉽지 않다. 변하면 天☰(乾道)이 되니 乾道는 初六이 처음부터 감당할 수 있는 크기가 아니다. 그러므로 이를 고집하여 깊이 들어가고자 하면 오히려 흉이 되는 것이다(浚恒之凶 始求深也).

도전괘인 함(咸☲)의 初六이 "발가락에 느끼는 낮은 교감의 수준에서 뜻을 너무 멀리 밖에 두다(象曰 咸其拇 志在外也)"라고 하여 걸음마를 시작하는 초기의 단계에 뜻을 너무 멀리 앞세움을 경계하는 것처럼, 恒의 初六도 일의 시초부터 천지운행의 道(☳)인 恒의 큰 뜻에 너무 깊이 들어가려 함은 오히려 감당할 수 없으므로 이로울 바가 없다고 한 것이다. 그래서 공자는 "초육이 항에 깊게 들어감은 흉하니, 이는 시작부터 너무 깊음을 구함이라(象曰 浚恒之凶 始求深也)"라고 풀이하였다.

☞ 浚: 깊게 할 준

九二 悔亡
구이 회망

구이, 회(悔)가 없다.

항(恒)이란 항구(恒久)하게 변치 않는 본(本)을 말한다. 항(恒)은 일관성(一貫性)이다. 그런데 무조건 변하지 않는 것이 恒의 뜻은 아니다. 恒의 본질은 변화이다. 영원히 끝임없이 변화하지만 그 본(本)이 변하지 않는 것을 말한다(一妙衍萬往萬來用變不動本/천부경). 춘하추동 사시는 한없이 변화하고, 만물은 생장수장의 이치로써 순환을 거듭하지만 하나(一)라는 근본은 변하지 않는다(天地之道 恒久而不已也). 九二는 음의 자리에 양으로 와서 자리가 부당하지만 내괘의 中을 지키며 六五에 응한다.

하괘 風☴(流)은 변화를 뜻한다. 바람은 끊임없이 변하며 흐르는 유동성(流動性)이다. 바람☴은 만물을 어루만지며 생기를 불어넣어 만물을 새롭게 한다. 항(恒)은 혁신과 변화를 통해서 한없이 이어진다. 巽☴(齊)은 만물을 새롭게 하며 震☳(進)으로써 앞으로 나아간다.

변화없이 이어지는 항은 구태의연하고 고리타분하다. 과거로의 회귀를 고집하거나 현재에 집착한다면 오히려 흉이 된다. 춘하추동 사시의 변화가 만물을 키워내듯, 변화와 혁신을 통해 항상 새롭게 이어 나가는 것이 항이 드러내고자 하는 진정한 뜻이다. 단전에 "나아가는 바가 이로움은 마치면 다시 시작이 있기 때문이다(利有攸往 終則有始也)"라는 것은 바로 이 뜻이다.

九二가 변하면 지괘가 艮山☶(止)이 되니 中을 굳게 지켜 항구함을 유지하는 뜻이 있다. 九二는 변화하면서도 中을 지켜 본(本)의 항구함을 지키는 뜻이 있는 것이다. 항(恒)은 천지의 바른 도가 춘하추동 사시를 순환시키고, 만왕만래 끝없이 변화해가니 그치지 않고 항구이 나아간다(四時變化 而能久成). 그래서 공자는 소상전에서 "九二가 회(悔)가 없음은 능히 中에 오래 거할 수 있기 때문이다(象曰 九二悔亡 能久中也)"라고 九二효사를 풀이하고 있다.

九二가 효변하면 지괘는 뇌산소과(雷山小過☳☶)로서 九二가 부당위(不當位)이니 다소 지나침이 있을지언정 中의 자리에 거하여 그 과함이 크지 않으니 회(悔)는 사라지리라(九二悔亡).

九三 不恒其德 或承之羞 貞吝
구삼 불항기덕 혹승지수 정린

구삼, 덕(德)이 항상(恒常)하지 않다. 혹 부끄러움으로 이어질 수가 있으니 계속 고집(貞)하면 인색하리라.

九三은 양의 자리에 양으로 와서 자리가 바르나 中을 벗어나 있어 항심(恒心)이 항상(恒常)하지 못하다. 덕(德)이란 항심(恒心)을 뜻한다. 九三은 巽☴의 맨 위에 처하여 中을 벗어나 있고 양강(陽剛)이 지나치니 항심이 일정치 못하고 불안하다. 삼효는 진퇴(進退)의 자리이니 "終日乾乾 反復道也(중천건 구삼효)"하면서도 결정을 내리지 못하고 우왕좌왕하며 바람에 흔들리는 모습을 보인다.

효변하면 내괘가 坎水☵가 되니, 이는 부끄러움(羞)의 뜻으로, 항심(恒心)을 지키지 못하면 수치(羞恥)로 이어질 수가 있다는 것을 경계한다. 그러므로 계속 마음을 잡지 못하고 왔다 갔다 흔들리면 점점 자리가 옹색(壅塞)해진다. 그래서 공자는 이것을 "덕이 항상하지 못하고 계속하여 흔들린다면 받아줄 곳이 없다(象曰 不恒其德 无所容也)"라고 풀이하였다. 그러나 마음을 잡고 항심(恒心)을 지켜 나아간다면 지괘가 뇌수해(雷水解☳☵)가 되듯이 어려움에서 벗어나리라.

☞ 承: 이을 승, 받을 승/ 羞: 부끄러울 수

九四 田无禽
구사 전무금

구사, 사냥터에 짐승이 없다(사냥을 나가 짐승을 잡지 못하다).

九四는 항(恒)을 따르기 위해 하괘의 三효가 험난한 강을 건너 상괘로 넘어온 효이다. 항심(恒心)을 지키고 따르기 위한 많은 노력이 있었음을 뜻한다. 그런데 험난한 투쟁을 하며 항의 뜻을 쫓아 상괘로 건너와 항심을 계속 이어가려 하였으나 막상 사냥터(田)에 사냥감(禽)이 없다(田无禽).

허망하다. 이는 사냥하는 자리가 바르지 않기 때문이다. 항(恒)으로 비유
된 짐승을 잡지 못함은 결국 항을 이루지 못함을 뜻한다. 공자는 이것을 "아
무리 오래 동안 찾아 헤매도 그 자리가 마땅하지 않으니 어찌 짐승을 잡을
수가 있겠는가(象曰 久非其位 安得禽也)?"라고 했다. 사냥감이 없는 자리에서
아무리 오래 동안 사냥을 해봤자 위치가 바르지 않으니 어찌 짐승을 잡겠는
가? 음의 자리에 양으로 와서 자리가 부당(不當)하고 너무 양강(陽剛)함으로
설치는 꼴이다. 아무것도 없는 텅 빈 사냥터에서 혼자 소리치며 꼴값을 떠는
모습이다(雷☳는 動·進의 뜻이다).

항심(恒心)을 지킬 수가 없다. 항심을 찾아 강을 건너 달려왔는데 막상 항
심이 없는 것이다.

九四가 효변하면 地☷가 되어 평지가 되니 짐승이 있을 곳이 못 된다. 지
괘가 지풍승(地風升☷☴)이니, 아직은 숲이 땅 위로 무성하게 자라지 않은 때
로서, 문왕이 기산(岐山)에 있을 때 하늘에 제사를 지내며 때를 기다리듯이
자신의 위치에서 때가 무르익기를 기다리라. 震☳는 움직이는 짐승을 뜻하
고, 坤☷은 전(田)으로 사냥의 뜻이 된다.

☞ 禽: 새 금, 짐승 금, 사로잡을 금/ 安: 편안할 안, 어찌 안 /田: 밭 전, 사냥할
전

六五 恒其德貞 婦人吉 夫子凶

육오 항기덕정 부인길 부자흉

육오, 그 덕을 항구하게 함이 바르니 부인은 길하고 지아비는 흉하다.

항(恒)의 六五는 양의 자리에 음으로 와서 자리가 바르지 않으나 손순(巽順)한 中의 덕을 얻어 지아비인 九二에 순종하며 일부종사(一夫從事)하는 부인(婦人)을 뜻한다. 六五는 九二와 응하며 中을 지킨다. 항의 六五가 효변하면 대과(大過☱☴)의 九五가 된다.

九五 枯楊生華 老婦得其士夫 无咎无譽 /택풍대과
구오, 말라 죽어가던 버드나무 노목(老木)이 꽃을 피우듯, 늙은 부인(老婦)이 젊은 지아비(士夫)를 얻는다. 허물은 없으나 영예로움도 없으리라.

대과(大過)의 九五가 효변하면 항(恒)의 六五가 된다. 대과(大過)괘에서는 '노부(老婦)가 젊은 지아비(士夫)를 얻음에 허물은 없으나 영예로움도 없다' 하였으나, 효변한 恒의 六五는 '婦人이 사내(夫子)를 얻어 일부종사(一夫從事)하니 吉하다'라고 하였다. 항(恒)괘에서는, 婦人이 지아비(夫子)를 얻어 일부종사(一夫從事)하니 巽順☴한 부인으로서는 길이지만, 震剛☳한 사내는 자신의 뜻(義)을 억제하고 부인을 따라야 하니 흉한 것으로 드러난다. 양의 자리에 음으로 와서 자리는 부당하나 九二와 응하므로 부인(음)에게는 길하나 사내에게는 흉이 되는 것이다.
공자는 소상전에서 "부인이 손순하게 바름을 따르면 길하니 하나(一)를 따르며 마침이로다. 지아비(夫子)는 자신의 뜻을 억제(抑制)하며 부인(婦人)을 따라야 하니 흉이다(象曰 婦人貞吉 從一而終也 夫子制義 從婦凶也)"라고 풀이하였다. 六五가 효변하면 震☳이 兌☱가 되어 장부(丈夫)의 덕이 훼절되는 뜻이 나오니 진강(震剛)☳한 지아비에게는 흉이 된다.
또한 지괘가 대과(大過)이니 대과동요(大過棟橈)의 뜻이 되어 기둥이 휘는 뜻이 나오니 진강震剛한 사내의 뜻이 꺾이는 상이 되어 흉하다(夫子凶).
대과(大過)의 九五와 恒의 六五의 효사를 비교하면, 九五는 "늙은 부인이 젊은 사내를 얻었으니 吉이 되나 자식을 낳을 수 없으니 영예로움은 없다"

하고, 九五가 변한 항의 六五에서는 "부인은 吉이 되고 사내는 부인을 따라야 하니 凶이다"라고 풀이한다.

부인을 따라 보았자 자식(결과)을 얻지 못하니 실익이 없는 것이다. 부인(六五)은 상괘의 진강(震剛)한 진체(震體)에 있고, 사내(九二)는 하괘의 유순(柔順)한 손체(巽體)에 처해있으니 흉한 것이다.

☞ 制: 억제할 제, 절제할 제, 義: 뜻 의, 옳을 의

上六 振恒 凶
상육 진항 흉

상육, 항(恒)을 크게 흔드니 흉하리라.

진항(振恒)은 항(恒)을 진동시켜 흔들어대는 것이고, 그래서 항의 위에서 크게 동요하는 것이다. 上六은 음의 자리에 음으로 와서 자리는 바르나 震雷☳(動)의 극에 처하여 항상(恒常)의 덕을 지키지 못하니 크게 흔들린다. 항의 덕은 사시가 춘하추동으로 변하면서도 만물을 항구(恒久)하게 이어 나가듯 항상(恒常)함으로 드러난다. 항상의 덕이 흔들리니 끝내는 공(功)을 이루지 못한다.

소상전은 이를 '항이 위에서 망동(妄動)하니 크게 공(功)을 이루지 못하리라(象曰 振恒在上 大无功也)'라고 풀이한다. 효변하면 火☲가 되어 지괘가 화풍정火風鼎이 되니 흔들림(振)을 끝내 이겨낸다면 오히려 새로움을 창출할 수 있으리라.

☞ 振: 떨칠 진, 진동할 진

33. 天山遯천산돈

天☰乾
山☶艮

▶효변(爻變)

과거	미래	현재
☶-5 ⇨	☰+7	☰+7
		☶-5

上下작용력: (-5)-(+7)=-12

上下작용력: (-5)+(+7)=+2

遯 亨 小利貞

象曰 遯亨 遯而亨也 剛當位而應 與時行也 小利貞 浸而長也

遯之時義大矣哉

象曰 天下有山遯 君子以 遠小人不惡而嚴

初六 遯尾 厲 勿用有攸往

六二 執之用黃牛之革 莫之勝說

九三 係遯 有疾厲 畜臣妾 吉

九四 好遯 君子吉 小人否

九五 嘉遯 貞吉

上九 肥遯 无不利

1. 괘상(卦象)

하늘☰+7 은 저 멀리 위에 있고 산☶-5 은 땅 위에 납작 붙어있으니 서로 멀리 떨어져 있어 닿지 않는 거리(-12)에 있다. 산은 제아무리 높아도 하늘 아래 뫼일 뿐이니 하늘에서 내려다보면 무엇인가에 쫓겨 도망가는 꿩이 머리만 땅에 박고 숨어있는 상이다.

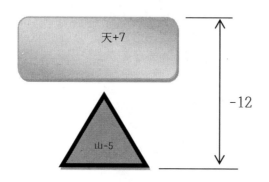

하괘 山☶은 음2개가 양 하나를 땅에 고정시키고 있어 움직임이 없고(-5), 상괘 天☰은 저 멀리 위에 떨어져 있으니 산이 하늘을 피해 숨어있는 모습 이다. 움직임이 자유로운 風☴(流)의 九二 양이 음으로 효변하면서 山☶(止) 이 되니 한자리에 고정이 되어 꼼짝하지 못하고 한 곳에 은둔하는 모습이 된다(山☶은 止의 뜻이 있다). 이러한 자연의 모습에서 인사적 개념을 이끌어내 니 괘명이 돈(遯)이 된다. 우주자연이 변화하는 이치에서 삶의 교훈적 가치 를 끌어내어 도리를 배우는 것이 역(易)이니, 대인은 역상(易象)을 보고 인사 의 가르침을 읽는다.

자유롭게 사회에 참여하고 만나는 적극적인 삶(姤☰☴)에서 한곳에 물러나 고정되어 은둔하는 모습(遯☰☶)의 상으로 효변되니, 나아갈 때와 물러날 때를 알고 실행하는 대인의 도가 읽힌다. 艮☶이 乾☰으로 효변되는 것은 은둔하던 대인이 때가 되면 천하로 나선다는 것을 뜻하니 六二와 九五가 중정(中正)함으로 서로 정응하는 이유이다.

艮☶(六二中正)이 은둔하면서도 천하의 큰 뜻(乾☰九五中正)과 통하고 있으니 천하를 낚기 위하여 때를 기다리며 낚시를 드리우고 있는 강태공의 모습이 그려진다. 지산겸(地山謙☷☶)과 비교하면 겸(謙)은 山☶이 地☷로 변해가는 것으로서 낮아짐이 땅과 같이 되어 서로 하나됨을 의미한다. 자신의 높음(☶)을 드러내지 않고 柔順☷함을 땅과 같이 하여 낮추니 겸손함이 지극하다.

2. 괘변(卦變)

▷호괘 - 天風姤

遯   姤

☰+7   ⟹   ☰+7

☷-5   ☴+5

-12   -2

   하괘는 風☴이니 바람처럼 유동적이고 자유롭다(☴+5). 모든 삶의 양상은 만남에서 시작되는 것이니 음과 양이 서로 만남 없다면 어떤 형상이 일어날 수가 있겠는가? 구(姤)는 새로운 만남을 의미하니 어떤 만남인가에 따라 이어지는 삶의 모습도 달라진다. 돈(遯)은 음이 자라나 양이 점차 사라지는 상이니 군자가 은둔하여 숨은 모습이다(☷-5). 그러나 때가 되면 천하를 만나 대인의 뜻을 펼치게 되니, 나아갈 때는 나아가고 물러설 때는 물러서는 것이 대인의 도로서 돈(遯)에서 진퇴의 때(時)를 배운다(遯之時義大矣哉).

▷착종 - 山天大畜

遯   畜

☰+7   ⟹   ☶-5

☷-5   ☰+7

-12   +12

   돈(遯)은 하늘 아래 납작 엎드린 낮은 산의 모습으로 은둔의 상(-12)이지만(天下有山遯), 대축(大畜)은 하늘을 뚫고 일어난 모습이니 크게 쌓인 모습(+12)이다(天在山中大畜).

▷도전괘 - 雷天大壯

遯   大壯

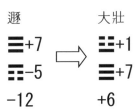

은둔(-12)하던 대인이 때를 만나 세상으로 출사하니 천하☰를 이끌고 크게 나아간다(+6). 건(☰乾)의 지극히 강(剛)함으로 크게 동(☳動)하니 대장(大壯)의 상이다(大壯大者壯也 剛以動故壯). 돈(遯)에서는 나아갈 때를 알고 나아가니 천시(天時)를 읽는 것 또한 대인이 지녀야 할 덕목이다(剛當位而應 與時行也).

▷배합괘 - 地澤臨

遯   臨

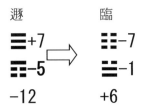

돈(遯)은 음이 자라 양이 멀어지는 모습이고(小利貞 浸而長也), 임(臨)은 양이 자라 크게 쌓이는 모습이다(臨剛浸而長).

3. 괘사(卦辭)

> **遯 亨 小利貞**
> 돈 형 소리정
>
> 돈은 형통하다. 바름의 이로움이 작다.

　천하를 낚기 위하여 낚시를 드리우며 때를 기다리니 돈(遯)은 형통하다. 도피가 아니라 때를 기다리며 은둔을 선택한 것이니 형통한 것이다. 천하를 낚기 위하여 때를 기다리며 낚시를 드리우고 있는 강태공, 아직은 세상에 나서지 않았으니 은둔은 최선이 아니라 차선이다. 그러므로 군자의 은둔은 利貞이 아니라 小利貞으로 표현된다.

　때를 만나 출사하여 세상을 크고 바르게 하니 뇌천대장(雷天大壯䷡)이 된다. 그러므로 대장(大壯)괘의 괘사는 利貞이다(大壯利貞 大者正也).

☞ 遯: 피할 돈, 숨을 돈

> **彖曰 遯亨 遯而亨也 剛當位而應 與時行也**
> 단왈 돈형 돈이형야 강당위이응 여시행야
> **小利貞 浸而長也 遯之時義大矣哉**
> 소리정 침이장야 돈지시의대의재

단에 이르길, 돈형(遯亨)이란 물러남의 형통을 말한다. 강(九五)이 자리를
마땅하게 하여 응하니, 때와 더불어 행한다. 바름의 이로움이 작으니 음이
점점 스며들어 자라나기 때문이다. 돈의 때와 뜻이 참으로 크다.

　　대인이 큰 뜻을 품고 천하를 바르고 이롭게 하고자 하나 소인이 판을 치
는 세상에서 아직 때를 만나지 못하니, 물러나서 때를 기다리니 형통하다(遯
亨). ☰(六二中正)이 은둔하면서도 천하의 큰 뜻(☰九五中正)과 中正함으로
정응하고 있으니(剛當位而應), 천하를 낚기 위하여 때를 기다리며 낚시를 드
리우고 있는 대인이 소인의 모습으로 자신을 감추고 있는 모습이다. 때가 되
면 천하로 나가 대인의 뜻을 펼치니(與時行也), 나아갈 때는 나아가고 물러설
때는 물러서는 것이 대인의 도로서, 돈(遯)에서 진퇴의 때(時)를 배운다(遯之
時義大矣哉).
　　돈(遯)은 음이 점점 자라 양을 멀어지게 하는 뜻이다(浸而長也). 소인이 자
라고 대인이 물러가는 시대를 당하여 바르기만 하면 오히려 소인에게 해를
당할 수가 있으니 무조건 바르게 행한다 하여 그 이로움이 그다지 크지는
않다(小利貞). 그러므로 돈(遯)의 시대에는 때와 더불어 행하는 진퇴의 시기
를 읽는 것이 중요하니(與時行也), 돈의 때와 뜻이 참으로 크다고 할 수 있
다.

　　☞ 浸: 잠길 침 [(물에)담그다. 적시다. 젖다. 스며들다. 배다. 점점. 점차]

象曰 天下有山遯 君子以 遠小人不惡而嚴
상왈 천하유산돈 군자이 원소인불오이엄

상에 이르길, 하늘 아래 산이 있으니 돈(遯)이다. 군자는 이 상의 뜻을
받아 소인을 멀리 하되 미워하지 않고 위엄으로 대한다.

천산돈(天山遯)괘는 하늘 아래 산이 있는 형상이다. 하늘☰은 저 멀리 위에 있고, 山☶은 저 아래에 낮게 엎드려 있으니 서로 떨어져 있다(天下有山遯). 天☰은 대인이요, 山☶은 소인의 상이니 소인과 다투는 것보다는 차라리 소인을 멀리함이 마땅하다. 그러나 소인을 미워함(惡)이 아니라 위엄으로 다스리라(遠小人不惡而嚴). 소인을 멀리하는 도에 있어서 미워하거나 악하게 대한다면 오히려 해함이 있을 것이나, 위엄으로 대한다면 두려워하게 되어 함부로 해하지 못하니 오히려 스스로 간격을 두고 멀리 물러난다. 이는 소인배의 기질이니 올바른 위엄 앞에서는 함부로 나서지 못하고 두려워하여 저절로 물러나게 되는 것이다.

☞ 遠: 멀 원, 심오할 원/ 惡: 미워할 오, 악할 악/ 嚴: 엄할 엄

4. 효사(爻辭)

　돈(遯)은 음이 자라 양을 밀어내는 상이다. 돈(遯)은 '달아나다, 숨다, 피하다'의 뜻으로 은둔(隱遁), 둔세(遁世)를 의미한다. 소인이 자라는 시대를 맞이하여 대인군자가 피해 은둔하는 도를 풀이한다. 初六과 六二는 군자의 물러남을 막는 소인이고, 양효인 三·四·五·六효는 군자를 뜻하는 효이니 소인은 쫓고 군자는 물러난다. 아래 두 음효는 위의 네 양효의 은둔을 훼방하고 붙잡는 소인이며, 네 양효가 은둔하기 위해서 떨쳐내고자 하는 소인이다.

初六　遯尾　厲　勿用有攸往
초육　돈미　려　물용유유왕

초육, 돈(遯)의 꼬리이니 위태롭다. 나아가지 마라.

　초육(初六)은 양의 자리에 음으로 와서 자리가 부당하고, 맨 아래에 처하여 그 힘이 미약하니 물러나는 꼬리에 해당한다. 꼬리는 뒤 쫓는 자에게 잡히기 쉬운 부분이니 그 위치가 위태롭다. 그러므로 자리가 바르지 않으니 섣불리 물러나기 보다는 가만히 있는 것이 낫다. 약한 자가 물러나기 위해 뭔가를 시도하는 것은 차라리 가만히 멈춰 있는 것보다 못할 수도 있다. 소상전은 초육을 "돈(遯)의 꼬리라 위태로우니 나아가지 않는다면 어찌 재앙이 있겠는가?(象曰 遯尾之厲 不往何災也)"라고 풀이하여 섣부른 행동을 하다 위태로움에 처해 오히려 꼬리를 밟히는 재앙이 일어나는 것을 경계한다. 어설프게 물러나 은둔하려다 소인에게 꼬리를 밟혀 해코지를 당하느니 차라리 그 자리에 머물라. 효변하면 火☲가 되어 재(災)의 뜻이 되고, ☷는 ☷이 땅에서 떨어져 나아가는 뜻이 있다.

☞ 厲: 위태로울 려/ 尾: 꼬리 미(꼬리, 뒤, 끝, 뒤를 밟다)

六二 執之用黃牛之革 莫之勝說
육이 집지용황우지혁 막지승탈

육이, 누런 황소의 가죽으로 잡아 묶으니 아무도 벗어날 수가 없다.

六二는 中正한 음효로서 坤☷의 덕이 있으니 색으로는 황(黃)이요, 동물로서는 소(牛)가 되니 누런 소(黃牛)를 뜻한다. 黃은 中의 색이고 소의 가죽은 질겨서 한번 묶이면 벗어날 수가 없다. 初六와 마찬가지로 六二도 군자의 은둔을 저지하는 소인이다. 미약하며 자리가 바르지 않은 初六과 달리 六二는 자리가 바르고 中의 자리에 처하여 누런 쇠가죽처럼 그 뜻이 강하니 군자를 단단하게 잡아 그의 은둔을 저지한다. 六二와 가까이에 있는 九三을 누런 소의 가죽으로 묶듯 강하게 잡으니 九三이 이를 벗어날 수가 없다. 六二는 九三을 꽉 잡고, 九三은 六二에 매여 있는 모습, 六二소인의 세력이 강력하여 가까이에 있는 九三이 잡혀 있는 상이니, 九三은 艮☶(止)의 위에 처하여 멈춰 서있는 모습이다. 六二는 中을 잡아 자리가 바른 中正의 덕이 있어 九五와 정응한다. 그러므로 六二소인의 뜻은 누런 쇠가죽처럼 강하고 질겨 군자가 아무리 애를 써도 이를 벗어버리고 둔세(遁世)하지 못하니, 이는 소인의 뜻이 그만큼 확고하기 때문이다. 그러므로 공자는 "누런 쇠가죽으로 잡아 묶음은 그만큼 뜻을 확고하게 함이다(象曰 執用黃牛 固志也)'라고 풀이하여 六二소인의 소가죽처럼 질긴 뜻을 경계하였다.

☞ 執: 잡을 집/ 勝: 이길 승, 능할 승/ 說: 말씀 설, 벗길 탈/ 莫: 없을 막/
革: 가죽 혁

九三 係遯 有疾厲 畜臣妾吉
구삼 계돈 유질려 휵신첩길

구삼, 인연에 얽매인 은둔이니 병이 있어 위태롭다. 가솔(家率)을 기르니
길하리라.

九三은 쇠가죽처럼 강하고 질긴 六二에게 매여 있어 둔세(遯世)하기 어려
운 상황에 처해있다. 六二가 득세(得勢)하는 소인의 세상에 얽혀 있으니 탈
이 나기 쉽다. 인연에 얽매여 있는 모습으로 학연, 지연 등으로 인하여 부정
부패에 얽혀 탈이나 위태로움에 처하기 쉬우니(有疾厲), 차라리 이도 저도 아
니고 위태롭게 사느니 차라리 속세에 묻혀 가솔을 먹이고 사는 일에 집중하
라. 마음은 소인이 득세하는 세상을 떠나 은둔하고자 하나 현실은 소인에 잡
혀 얽매여 있으니 소인의 세상에 적극적으로 들어가지 않을 바엔 차라리 세
상사에 관여치 말고 자신의 가솔을 먹여 살리는 일에 집중하여 조금이라도
소인들과 거리를 두는 편이 나으리라.

九三은 소사(小事)에 매여 있는 모습, 2개의 음(小人)에 잡혀 있는 모습☳으
로서 대사(大事☰)를 논할 수 있는 그릇이 못 된다. 그래서 공자는 "(세상에)
매여 있는 은둔이 위태로움은 병폐가 있어 고달프기 때문이다. 가솔을 기르
니 길하나 큰일을 할 수는 없다(象曰 係遯之厲 有疾憊也 畜臣妾吉 不可大事也)'
라고 풀이하였다. 효변하면 천지비(天地否☷)이니 탈이 생겨 비색(否塞)해짐
을 뜻한다.

☞ 係: 맬 계, 묶을 계(매다, 묶다, 얽다, 끈)/ 厲: 위태로울 려/ 憊: 고단할 비/ 畜: 기를 휵/ 臣: 신하 신, 하인(종) 신/ 妾: 계집종 첩

九四 好遯 君子吉 小人否
구사 호돈 군자길 소인부

구사, 은둔을 즐기니 군자는 길하나 소인은 비색(否塞)해지리라.

호돈(好遯)이란 九三이 하괘에서의 소인과 얽매인 인연[係遯계돈]을 뿌리치고 험난한 강을 건너 상괘에서 본격적으로 은둔생활을 시작하는 것을 뜻한다. 본격적으로 은둔이 시작되는 것이니 소인들이 찾기 어렵고 방해하기 어려운 곳에 꽁꽁 숨은 것이 된다.

상괘 乾☰의 세 개의 효는 군자가 소인의 득세를 피해 은둔한 3가지 유형을 풀이하며, 군자가 서서히 대세를 잡아가는 모습을 그린다. 상괘에서 소인은 점점 득세하기가 어려워지며 궁지에 몰리게 되는 반면 군자는 은둔에 적응하며 오히려 은둔의 가치를 점차 키워 나가게 된다.

호돈(好遯)이란 좋아서 하는 것이며 스스로 은둔을 선택한 것이니 둔세(遁世)를 즐기는 것이다. 그러므로 군자는 길하나 둔세(遁世)를 가로 막고자 하는 소인은 오히려 장애를 만나게 되니 막히게 된다. 공자는 소상전에서 "군자가 은둔을 좋아하며 즐기니 소인은 비색(否塞)해진다(象曰 君子好遯 小人否也)"라고 풀이하여 '은둔이 완벽하게 성공하면서 오히려 소인이 서서히 궁지에 몰리게 되고 막히게 된다'라고 하였다.

은둔을 좋아서 즐긴다 함은 어떤 의미일까? 소인들이 득세(得勢)하는 세상을 피해 낙향한 선비들이 재야에 묻혀 둔세(遁世)하면서도 스스로 서당을 운

영하며 인재를 교육하고 양성하는 것이 이에 해당될 것이다. 은둔에 적응하여 스스로 은둔을 즐기며 키우는 상태에 이른 것이다.

효변하면 풍산점(風山漸䷴)이니 천지가 음양을 주고받으며, 서로 좋아하며 점진적으로 그 뜻을 키워 나가는 상이 된다. 본격적으로 은둔에 들어가면서 서서히 뜻을 키워 나가는 것이 호돈(好遯)이니 점(漸)이 품은 뜻이다.

☞ 好: 좋을 호(좋아하다, 사랑하다)/ 否: 막힐 비/ 塞: 막힐 색

九五 嘉遯 貞吉
구오 가돈 정길

구오, 은둔을 아름답게 하니 바르고 길하리라.

九五는 강건중정한 자리에서 임금의 덕을 갖추고 있으며 六二 유순중정과 정응하는 아름다운 효이다. 九五의 은둔이 아름다움은 中正한 임금의 덕으로 밝게 만물과 백성을 비추기 때문이다. 소인이 감히 근접하기 어려운 강건중정한 대인의 위엄이 있으니 그 뜻이 바르고 길하다. 그러므로 비록 둔세(遁世)하고 있으나 임금의 中正한 덕을 베푸니 소인이 막아서기 어렵다. 이는 비록 은둔하고 있지만 九五의 크기가 군왕의 자리이고 대인의 덕이 있기 때문이고, 이미 그 은둔을 아름답게 변모시켰기 때문이다.

효변하면 화산려(火山旅䷷)로서 소인☷의 무리 위에서 밝게 비추는 모습(☲明,正)이니 그 뜻이 바르고 모습이 아름답다. 공자는 이를 "嘉遯貞吉함은 뜻을 바르게 하기 때문이다(象曰 嘉遯貞吉 以正志也)"라고 풀이하였다.

☞ 嘉: 아름다울 가(아름답다. 즐기다, 맛 좋다)

上九 肥遯 无不利
상구 비돈 무불리

상구, 돈(遯)을 살찌우니 이롭지 않음이 없다.

비돈(肥遯)이란 은둔을 살찌우는 것을 말하니 은둔하고 있던 군자의 도가 커지는 것을 의미한다. 군자가 추구하는 가치가 대세를 이루니 소인의 득세를 압도하는 것이다. 숨어있던 군자의 도가 지배적인 가치가 되니 소인의 설자리가 작아진다. 그러므로 군자가 소인을 피해 숨을 이유가 없어지고 둔세(遯世)할 필요성이 사라진다. 소인의 세상이 끝나가고 군자의 세상이 열리는 단계에 이른 것이니 은둔상황이 자연스럽게 종료되어 간다. 군자의 은둔 세상이 커져 소인의 득세를 압도하니 자연스럽게 소인의 가치가 힘을 잃게 되고 사라져가면서 군자는 몸을 숨길 이유가 없어지는 것이다. 上九는 비록 음의 자리에 양으로 와서 자리가 부당하나 돈(遯)의 맨 위에 처하여 양강(陽剛)함으로 군자의 도를 행하여 자연스럽게 국면을 전환시키는 것이다.

은둔세력이 커지니 지배세력이 된다. 소수(小數)가 커져 다수(多數)로 전환된다. 야당이 집권 여당이 된다. 은둔해 있던 군자의 도를 온 백성이 받아드리니 대세(大勢)의 가치가 되는 것이다. 그러므로 "은둔이 커지니 이롭지 않음이 없음은 의심할 여지가 없다(象曰 肥遯无不利 无所疑也)"라고 공자는 풀이한다.

효변하면 택산함(澤山咸☱☶)이니, 이는 하늘☰(군자)과 땅☷(소인)이 서로 교감(交感)하는 것을 의미한다. 은둔해 있던 군자의 도가 비로소 세상과 교감하며 그 뜻이 펼쳐지는 것이다.

☞ 肥: 살찔 비(비옥하게 하다, 넉넉해지다)

34. 雷天大壯 뇌천대장

雷☳震
天☰乾

▶효변(爻變)

과거		미래		현재
☰+7	⇨	☷+1		☷+1
				☰+7

上下작용력: (+7)-(+1)=+6

上下균형력: (+7)+(+1)=+8

大壯 利貞

象曰 大壯 大者壯也 剛以動 故壯 大壯 利貞 大者正也 正大而天地之情可見矣

象曰 雷在天上 大壯 君子以非禮弗履

初九 壯于趾 征凶 有孚

九二 貞吉

九三 小人用壯 君子用罔 貞厲 羝羊觸藩 羸其角

九四 貞吉 悔亡 藩決不羸 壯于大輿之輹

六五 喪羊于易 无悔

上六 羝羊觸藩 不能退 不能遂 无攸利 艱則吉

1. 괘상(卦象)

☱은 ☰의 九二, 九三 양효가 음효로 효변하니 양이 2개의 음에 눌린 형상이 된다. 당연히 2개의 음에 눌린 양은 벗어나려는 상향력이 커질 수밖에 없다. 양이 두 개의 음을 뚫고 위로 탈출하려는 몸부림은 동(動)으로 표현되니 震☳의 성질이다. 하괘의 乾☰을 이끄는 상괘 震☳은 大壯으로 천하를 이끈다. 그러나 대장(大壯)의 과욕이 지나치면 택천쾌(澤天夬䷪)가 되니 과유불급(過猶不及)의 상이 된다.

▷ 震雷☳가 상향하면서 만들어지는 괘명의 원리

땅☷ 속 깊은 곳에 양☳이 돌아오니 복(復)이다. 돌아온 양이 드디어 땅☷을 박차고 세상 밖으로 뛰쳐나와 포효☳하니 예(豫)가 되고, 드디어 천명을 따라 대망의 꿈을 안고 푸른 창공☰을 향해 비행☳하니 무망(无妄)이요, 드디어 꿈을 성취☰하고 계속 전진☳하니 대장(大壯)이다.

六五군자는 九二대신을 이끄는 어진 지도자이다. 六五는 九二의 강건함을 이끌고 크게 나서는 상이니 상응하며 서로 통한다. 六五가 양의 자리에서 음인 것은 자기를 내세우는 독단적 리더십이 아닌 九二와 서로 상응하며 소통하는 중도의 리더십(leadership)임을 말한다. 九二 양의 강함을 六五 음의 부드러움으로 끌어안는 화합형 리더십으로서 조화와 화합을 중시하는 부드러우면서도 강력한 리더십이다.

그러나 六五가 중도를 버리고 과욕을 내면 澤天夬(䷪)가 된다. 쾌(夬)는 九二와 九五가 서로 응하지 않으니 다툼이 되고 분열되고 과열되는 상이다. 대장(大壯)의 六五는 하괘의 九二와 상응하니 양강한 세력을 조화롭게 이끄는 지도자이나, 쾌(夬)는 九二 세력과 상응하지 않는 독재자의 유형이다. 쾌(夬)의 九五는 양강한 세력을 자기 주장대로 이끌고 나아감으로써, 음의 자리에서 양강함으로써 중(中)을 잡은 九二의 거친 강함과 부딪히게 되니 상통하지 않는다. 자기를 내세우는 독단적 리더십은 과욕으로 인해 서로 소통하지 않고 자기만을 주장하며 분열하게 되니 결국 무너지고 마는 것이 쾌(夬)의 상이다

2. 괘변(卦變)

▷호괘 - 澤天夬

大壯   夬
☳+1   ⟹   ☱−1
☰+7   ☰+7
+6   +8

　하괘의 乾을 이끄는 상괘 震은 大壯으로 천하를 이끄는 형상이다. 大壯의 과욕이 지나치면 택천쾌(澤天夬)가 되니 과유불급의 상이다. 화천대유(火天大有☲)도 호괘가 택천쾌이다. 大壯은 크게 이끌고, 大有는 크게 있음이지만 대인으로서 중도를 잃으면 쾌(夬)가 되어 크게 흉한 모습이 된다. 쾌(夬)는 九五☱와 九二☰가 서로 응하지 않고 다투니 분열에 직면한다(剛決柔也).

▷착종 - 天雷无妄

大壯   无妄
☳+1   ⟹   ☰+7
☰+7   ☳+1
+6   −6

　무망(无妄)은 세상으로 나아가는 상이다. 큰 뜻을 이루기 위해 배움의 길을 나서니, 거친 황야로 당당히 전진하는 청년의 모습이다(无妄之往 得志也). 대장(大壯)은 세상으로 나아가 큰 뜻을 펼치는 상이다. 천하에 출사하여 만물을 바르게 하니 이롭다. 지도자의 모습, 천하를 이끌며 소통하는 덕장의 모습이다(大壯利貞 大者正也).

▷도전괘 - 天山遯

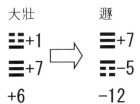

大壯   遯
〓〓+1 ⟹ 〓+7
〓+7   〓〓−5
+6   −12

대장(大壯)은 대인이 때를 만나 출사하면서 천하를 크게 이끄는 상이다. 六五 덕장이 九二강건을 포용하여 이끈다(大壯 大者壯也 剛以動故 壯). 돈(遯)은 대인이 때를 만나지 못하여 은둔하는 모습이다. 六二는 九五와 서로 中正함으로 정응하니 은둔하고 있으나 큰 뜻을 품고 때를 기다리고 있는 모습이다(剛當位而應 與時行也).

▷배합괘 - 風地觀

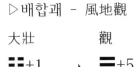

大壯   觀
〓〓+1 ⟹ 〓〓+5
〓+7   〓〓−7
+6   −12

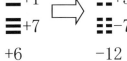

대장(大壯)은 천하를 이끄는 덕장의 모습으로 중(中)의 자리에서 六五와 九二가 서로 응한다(剛以動故 壯). 관(觀)은 九五와 六二가 중정(中正)함으로 서로 정응하니 군자가 천하를 살피는 모습이다(順而巽 中正以觀天下).

3. 괘사(卦辭)

> **大壯 利貞**
>
> 대장 이정
>
> 대장은 바르게 함이 이롭다.

　대인이 세상에 출사하여 자신의 뜻을 펼쳐 세상을 크고 바르게 하니 이롭다(大壯 利貞). 그러나 대인이 때를 만나지 못해 뜻을 펼치지 못한다면, 아무리 큰 뜻을 마음에 품고 은둔하고 있다 하더라도 이는 비록 천하를 품고 있을 뿐 세상을 바르게 함이 아니다. 그러므로 천산돈(天山遯☰☷)은 그 뜻은 형통하지만 小利貞이다(遯亨 小利貞).

　이정(利貞)은 바름(正)이라야 이롭다는 뜻으로 만일 바르지 않다면 결코 이로울 수가 없다는 경계사로서의 의미가 함유되어 있다. 대장(大壯)의 과욕은 결국 택천쾌(澤天夬☰☰)괘로 이어져 스스로 위험에 처하게 되니 기본적으로 바를 정(正)을 가슴에 품고 있어야 한다.

　낚시를 드리우고 월척을 기다리던 강태공이 드디어 때를 만나 세상으로 출사하니 대장(大壯)의 상이다. 부드러운 六五(中)의 리더십으로 강한 九二(中)에 응하여 이끄니 천하가 크게 이롭다.

☞ 壯: 장할 장, 씩씩할 장

象曰 大壯 大者壯也 剛以動 故壯
단왈 대장 대자장야 강이동 고장
大壯利貞 大者正也 正大而天地之情可見矣
대장이정 대자정야 정대이천지지정가견의

단에 이르길, 대장(大壯)은 큰 것이 건장(健壯)함이니, 剛으로써 動하니 고
로 壯이로다. 大壯利貞은 큰 것이 바름을 말한다. 바르게 커야만 천지의
실정을 가히 볼 수 있으리라.

大는 陽을 이름이니 네 陽이 장성(壯盛)하여 자라므로 대장(大壯)이다. 陰
은 小이고 陽은 大가 되니, 양이 장성함은 큰 것이 장성함이 된다(大者壯也).
大壯이란 陽의 건장(健壯)함이니, 乾☰의 지극히 강건(剛健)함을 크게 이끄
는 우레☳(動)의 당당한 기상을 뜻한다.

하늘☰ 위에서 우레☳가 치니 그 위세가 천하를 떨게 한다. 군자의 기상
이 이와 같으니 소인이 어찌 설칠 수가 있겠는가? 乾☰은 剛하고 震☳은 動
한다. 양강(陽剛)☰으로써 크게 움직여 나아가니 大壯☳의 기상이다.

大壯利貞 大者正也 正大而天地之情可見矣

대인이 세상으로 나아가 만물을 바르고 이롭게 하니 大壯利貞이다. 대(大)
라는 것은 천하를 이끄는 대인의 우레와 같은 큰 기상(大壯)을 말하는 것이
니, 大壯利貞은 바로 우레와 같은 위엄과 결단으로 세상과 사회정의를 바르
게 세우는 것을 말한다(大壯利貞 大者正也). 이렇듯 바름(正)을 크게 함으로써
천지가 운행하는 삼라만상의 참뜻을 들여다볼 수가 있는 것이다(正大而天地
之情可見矣).

큰 것이 바르다(大者正也)함은 그 바탕이 바르지 않으면 큰 것이 성립될
수가 없음을 뜻한다. 큰 것은 그 기본이 바르기 때문에 바로 설 수가 있는

것이며, 바르지 않다면 사상누각에 불과하여 크게 일어날 수가 없다. 하괘 乾☰(생명)은 크고 바르다. 또한 바르지 않으면 생명은 다음 세대로 전해지지 않는다. 그래서 乾을 이끌고 나아가는 震☳은 대장(大壯)이다. 대(大)가 바르면 장(壯)이요, 大가 바르지 않으면 상(傷)이다(大傷). 큰 것이 바르지 않다면 오히려 강포하여 상(傷)하게 한다. 천지는 크고 또한 바르다. 그래서 우주만물은 존재하는 것이다.

정대(正大)라함은 正해야만 大할 수 있음을 뜻한다. 그래야만 천지의 본(本)을 볼 수 있다. 바름(正)을 크게(大) 한 것이 天地이니, 천지(大)는 근본이 바르지(正) 않으면 성립될 수가 없다. 天地는 그 모습이 大正이다.

象曰 雷在天上 大壯 君子以 非禮弗履
상왈 뇌재천상 대장 군자이 비례불리

상에 이르길, 우레가 하늘 위에 있는 것이 大壯이니 군자는 이로써 예(禮)가 아니면 행하지 않는다.

우레☳가 하늘☰ 위에 있는 것이 대장(大壯)이니, 그 당당함이 대인(大人)의 상이다(雷在天上 大壯). 震☳은 乾☰을 크게 이끌고 나아간다. 그러므로 천하를 품고 이끄는 대인은 소인과 이익을 다투지 않으니 예(禮)로써 만물을 대하며, 예(禮)가 아니면 행하지 않는다(非禮弗履). 급하다고 뛰지 않으며, 편하다고 게으르지 않는다. 강하다고 굽히지 않으며, 약하다고 얕보지 않으니 오히려 하늘 위의 우레처럼 기상이 당당하다. 예(禮)는 바름(大正)을 뜻한다.

4. 효사(爻辭)

　돈(遯)은 물러나 세상을 피해 은둔하는 도이고, 대장(大壯)은 세상으로 크게 나아가는 도이다. 乾☰(剛健)을 이끌고 震☳(動·進)으로 움직여 나아가니 그 전진(前進)이 과강(過剛)하다. 바르게 나아가면 장(壯)이지만, 지나치면 상(傷)이다. 거친 숫양(양)이 울타리(음)를 들이 받는 모습으로 효를 풀이한다.

初九 壯于趾 征凶 有孚
초구 장우지 정흉 유부

초구, 발가락에 장(壯)을 쓰니 나아가면 흉하다. 그래도 믿음이 있으리라.

　初九는 양의 자리에 양으로 와서 자리가 바르다. 그러므로 初九는 크고 바르게 나아가는 大壯의 도를 따라 과강(過剛)하게 나아가려는 뜻이 있다. 그러나 맨 아래에 처하여 위치가 발가락에 불과하고 그 뜻이 낮고 하찮으니 자신을 과신하여 섣불리 나섬은 오히려 흉이다. 大壯의 도를 행함에 있어 初九 양(陽)은 나아가는 뜻은 있으나 자신의 처지를 모르고 섣불리 힘을 써서 지나치게 행하니 흉한 것이다. 그래서 공자는 "가장 낮은 자리에 처해있으면서도 위치에 맞지 않게 과강(過剛)하게 나아가면 흉하다. 그럼에도 불구하고 이에 미련(믿음)을 버리지 못한다면 헛된 것이니 곤궁하다(象曰 壯於趾 其孚窮也)"라고 하였다.

　효변하면 뇌풍항(雷風恒☳☴)이니 初九는 비록 낮은 곳에 처하여 있으나 大壯의 도로써 나아가려는 뜻만큼은 항구하다. 다만 나아가려는 믿음을 탓할 것은 없으나 그 믿음이 처지에 맞지 않아 망상에 불과하다면 흉할 뿐이다.

☞ 壯: 굳셀 장, 씩씩할 장/ 趾: 발가락 지/ 窮: 궁할 궁

九二 貞吉
구이 정길

구이, 바르면 길하리라.

九二는 음의 자리에 양으로 와서 자리는 바르지 않으나 하괘의 乾〓(剛健)을 이끄는 중심이다. 크게 나아가는 大壯의 도에 있어서 震☳이 이끄는 乾〓은 그 힘이 과강(過剛)하여 바르지 않으면 오히려 대장(大壯)은 강포한 대상(大傷)이 된다.

九二가 변하면 火☲가 되니 밝음(明)이고 바름(正)이다. 그러므로 六二가 中正을 잡아 ☲(正明)으로 나아가며 길하다. 大壯의 도는 바르면 이롭다 (大壯利貞). 그러나 大壯이면서도 中과 正을 얻지 못한다면 강포한 거친 기운이 될 뿐이다. 그래서 공자는 "九二가 바르면 길하다는 것은 中으로써 행하기 때문이다(象曰 九二貞吉 以中也)"라고 하였다. 지괘가 뇌화풍(雷火豊䷶)이 되니 바른 大壯의 도가 크게 쌓인다.

☞ 傷: 다칠 상, 해할 상

九三 小人用壯 君子用罔 貞厲 羝羊觸藩 羸其角

구삼 소인용장 군자용망 정려 저양촉번 리기각

구삼, 소인은 장(壯)을 쓰고, 군자는 망(罔)을 쓴다. 이를 고집(貞)하면
위태로우리라. 숫양이 울타리를 들이받으니 제 뿔이 고달프다.

九三은 크게 나아가는 大壯괘에 있어 양의 자리에 양으로 와서 자리가 바
르나 中을 벗어나 있어 그 힘을 쓰는 것이 과강(過剛)하다. 소인은 양이 3개
가 연속하는 상황에 고무되어 더욱 강하게 행동에 나선다. 소인은 힘을 숭상
하여 용맹을 쓰고, 군자는 지나치게 뜻이 강하여 상대방을 무시할 정도로 교
만하다(小人用壯 君子用罔). 그러므로 이를 고집하면 위태로움에 처하게 된다
(貞厲). 소인이든 군자이든 강함을 제어하지 못한다면 위태로움에 빠지게 되
는 것은 마찬가지이다.

용장(用壯)은 장(壯)을 쓰는 것이요, 용망(用罔)의 망(罔)은 '없을 망'으로
상대방의 존재를 아예 없는 것으로 개 무시하는 뜻이 있다(象曰 小人用壯 君
子罔也). 이것을 숫양의 만용과 객기에 비유한다. 숫양은 내면적으로는 유약
하나 외적으로는 거칠고 강하며, 성질을 이기지 못해 울타리의 강약(强弱)을
무시하고 과강하게 들이받는다. 그러다 결국 뿔이 울타리에 끼는 곤궁(困窮)
에 처하게 되니 제 뿔이 고달프게 될 뿐이다. 자기절제를 하지 못한다면 결
국 스스로 위태로움에 처하게 되는 것이다(羝羊觸藩 羸其角).

九三이 효변하면 兌☱가 되니 지괘가 뇌택귀매(雷澤歸妹䷵)가 된다. 이를
상으로 풀어보면 하괘 兌☱는 양(羊)이 되고, 乾☰에서 나온 것이니 숫양이
다. 그리고 상괘 震☳(竹)은 울타리가 되니 양(羊)이 울타리를 들이 받는 상
이 나온다(羝羊觸藩). 大壯의 九四효는 귀매의 내호괘 離☲(角)의 三효이니
뿔이 걸리는 뜻이 되고, 외호괘의 坎☵(困)의 二효가 되니 곤궁에 빠진 상황
이 된다(羸其角).

못☰(澤)을 벗어난 잉어☳(進·動)가 퍼덕이며 힘들어하는 모습이며, 안락한 집☰을 떠나 개 고생☳(進·動)하는 형상이니, 곤궁에 빠진 것이다. 잉어☳는 성질이 급하고 양강(陽剛)하여 중도를 지키지 못하고 안정된 못☰을 뛰쳐나가니, 이는 힘쓰기를 좋아하고 조급하여 울타리를 들이 받는 숫양의 지나친 객기와 같고, 밖에 나간 잉어가 숨을 헐떡이며 힘들어하듯 숫양이 들이받은 울타리에 뿔이 걸려 곤궁에 빠지게 됨이니 고달플 뿐이다. 九三의 양강함이 중도 벗어나 과강하게 행함으로써 위태로움에 처하게 되는 것이다.

☞ 壯: 장할 장, 굳셀 장, 씩씩할 장/ 罔: 없을 망, 그물 망/ 厲: 위태로울 려/ 羝: 숫양 저/ 觸: 닿을 촉/ 藩: 울타리 번/ 羸: 고달플 리(지치다)/ 角: 뿔 각

九四 貞吉悔亡 藩決不羸 壯于大輿之輹
구사 정길회망 번결불리 장우대여지복

구사, 정(貞)하여 길(吉)하면 회(悔)가 없으리라. 울타리가 터져 뿔이 걸리지 않으니 큰 수레의 바퀴살이 건장(健壯)하다.

大壯괘에서 하괘 乾은 大正이다(大者正也). 그러므로 乾☰을 이끄는 震☳이 정정(貞正)해야 길(吉)하며 회(悔)가 없다(貞吉悔亡). 震은 하늘 위의 우레로서 乾을 이끄는 大壯이니 바르지 않으면 함께 나아갈 수가 없는 것이다.

울타리가 터져 고달프지 않고 지치지 않는다 함은 장애(☷울타리)가 없어 큰 수레☰(大輿)의 전진이 거침이 없다는 뜻이다(象曰 藩決不羸 尙往也). 九四가 효변하면 震☳(竹)이 坤☷(平地)이 되니 울타리가 사라진 것이며 큰 수레☰가 달리기 쉬운 평지☷가 된 것이다. 乾☰은 일반 수레가 아닌 군자를 상징하는 큰 수레(大輿)를 상징한다.

82　　　주역원리강해(하)

▷藩決不羸 壯于大興之輹

　　地☷坤 (平地)

　　天☰乾 (大興)

　큰 수레의 바퀴살(輹)이 건장(健壯)하다는 것은 乾☰과 三효의 剛健함을 말함이고, 지천태(地天泰☷☰)가 되면 큰 수레(天☰)인 양(陽)의 전진이 힘차다는 뜻이다(壯于大興之輹). 군자☰는 나아가는 바가 大正하니 울타리가 없는 하늘 위를 우레가 행하듯 行☳(進)에 거침이 없는 것이다.

☞ 藩: 울타리 번, 경계 번, 지경(地境) 번/ 決: 터질 결, 열릴 결, 결단할 결/ 興: 수레 여/ 輹: 바퀴살 복

六五 喪羊于易 无悔
육오 상양우역 무회

육오, 양(羊)을 잃어버리는 지경(地境)에 있음이나 회(悔)는 없으리라.

　외호괘 兌☱가 상징하는 양(羊)은 六五(中)의 유순(柔順)함으로 과강(過剛)하게 나아감을 자제하게 한다. 그러나 六五는 中의 자리에 있으나 양의 자리에 음으로 와서 자리가 바르지 않고, 효변하면 택천쾌(澤天夬☱☰)가 되어 과강이 지나치게 되니 ☱(羊)을 잃을 지경에 도달하게 된다.
　쾌(夬)는 마지막 上六이 효변하면 중천건(重天乾☰)이 되니 ☱(羊)을 잃어버리게 되는 경계점이다. 또한 쾌☱☰는 전체적으로 태☱의 상이 되니 양의 상이 나온다.
　또한 4 효까지는 양이 지속되다가 5 효부터 음으로 전환되니 경계점이다.

회(悔)가 없음은 ☰(羊)을 잃어버린다는 것이 곧 건(乾)이 됨을 뜻하기 때문이다. 양을 잃어버릴 수도 있는 상황에 처하지만 군자의 나아감은 떳떳함(☰)이기에 회(悔)가 없는 것이다. "六五는 ☰(羊)을 잃어버리게 되는 지경(喪羊于易)에 있음이니 이는 자리가 마땅치 않기 때문이다(象曰 喪羊于易 位不當也)"라고 공자는 풀이한다.

☞ 喪: 잃을 상/ 易(場): 지경(地境) 역, 국경 역 (『漢書』「食貨志」에 場이 易으로 되어 있다.)

上六 羝羊觸藩 不能退 不能遂 无攸利 艱則吉
상육 저양촉번 불능퇴 불능수 무유리 간즉길

상육, 숫양이 울타리를 들이받으니 물러설 수도 없고 뚫고 나아갈 수도 없다. 뚫고 나아가는 것은 이로울 바는 없으나 어렵지만 결국은 길하리라.

나아감이 멈추다(不能退 不能遂)

거친 숫양이 울타리를 들이받는 것을 하괘의 양강한 乾☰이 상괘에 부딪히는 모습으로 설명한다. 上六은 상극에 처한 울타리, 음의 자리에 음으로 와서 자리가 바른 울타리를 의미한다. 그래서 숫양의 뿔이 울타리에 걸려 오도가도 못하고 나아감이 멈춘 모습으로 그려진다(羝羊觸藩 不能退 不能遂).

九四(震☳)가 하괘 乾☰을 이끌고 음2개(五·六)가 가로 막고 있는 튼튼한 울타리를 과강하게 들이 받는 모습이 大壯(䷡)이다. 그리고 六五가 동하여 효변하면 드디어 울타리 하나(六五)를 무너트리고 나아가는 모습이 되니, 夬(䷪)가 됨으로써 양의 과강한 힘이 터질 지경이 된다.

上六이 효변하면 火☲가 되니, 양효 하나(上九)가 울타리(六五)를 뚫고 밖으로 나간 모습이 되니(大有䷍), 이는 上九가 몸통인 4개의 양효와 분리되어 六五밖으로 나가 울타리(六五)에 걸린 모습이 된다. 하늘☰ 위에 해☲가 떠 있음은 나아갈 만큼 나아간 것이고, 양효의 과강함이 六五를 뚫고 하나가 새어 나갔으니 강(剛)의 지나침이 순해졌음을 뜻한다. 대유괘(大有䷍)의 외호괘가 兌☱이니 양(羊)의 뜻이 나온다. "羝羊觸藩 不能退 不能遂"는 숫양의 거친 과강한 힘이 약해지고 순해졌음을 의미한다.

차라리 쾌(夬)에서 울타리(上六)를 과감하게 척결하여(羝羊觸藩) 중천건(重天乾䷀)을 만드는 것이 상책이나, 中의 자리에 있는 六五의 울타리가 유순해지는 틈을 타 과강한 힘을 주체하지 못하고 숫양이 울타리(六五)를 들이받아 결국 뿔 하나(上九)가 내걸린 상이 되었으니 이로울 바가 없다(无攸利). 上九가 六五를 뚫고 밖으로 나가 있는 것이니 울타리(六五)에 걸려 멈춘 상이 되는 것이다.

제대로 헤아리지 못하여 처하게 된 어려운 상황이지만, 여전히 상하작용력은 +4로서 그 상황이 오래가지는 않을 것이니 처지를 가벼이 여기지 않는다면 끝내는 길할 것이다. 왜냐하면 대유(大有䷍)의 상이기 때문이다(大有 元亨). 그래서 공자는 효사를 "오도가도 못하게 됨(不能退 不能遂)은 제대로 헤아리지 못했기 때문이다. 그러나 이를 어렵게 여긴다면 길하리니 허물이 오래가지는 않으리라(象曰 不能退 不能遂 不詳也 艱則吉 咎不長也)"라고 하였다. 시간이 흘러가면서 상황이 안정된다면 모든 것은 좋아질 것이다.

▶음양 에너지의 비교

괘 명	음의 에너지(울타리)	양의 에너지(숫양)
大壯䷡	-48	+60
夬䷪	-32	+62
大有䷍	-16	+61

▶大壯: 과강한 에너지(+60)가 강한 울타리(-48)와 부딪힌다

► 夬: 울타리가 약해지고(-32), 양의 에너지가 극강으로 치닫는다(+62).

► 大有: 울타리가 약해지니(-16), 양의 에너지가 빠져나가다 걸리고 만다(上九+1).

▶상하작용력의 비교

하괘: 강건(剛健), 숫양(羝羊), 양효

상괘: 울타리(藩), 음효

大壯	夬	大有
+1	−1	+3
+7	+7	+7
+6	+8	+4

▷ 上下작용력

大壯: +7-(+1)= +6

夬:　 +7-(-1)= +8

大有: +7-(+3)= +4

► 大壯(전진) = +6

양의 과강한 전진

► 夬(팽창) = +8

양이 가득하여 터질 지경

► 大有(균형) = +4

 양 하나를 내어주고 안정을 이루다.

음(六五)의 울타리를 뚫고 양이 하나 새어 나감으로써 양의 힘이 조절되고 힘의 균형을 이루면서 적당히 대치하는 상황(大有), 그러나 여전히 작용력은 +4이니 이 상황을 어렵고 신중하게 여기면 길하다. 즉, 가벼이 처신하지 않고, 신중하고 바르게 한다면 상황은 오래가지 않으니 마침내 길하리라(艱則吉 咎不長也).

☞ 詳: 헤아릴 상, 자세할 상/ 遂: 나아갈 수/ 艱: 어려울 간

35. 火地晉_{화지진}

火 ☲ 離
地 ☷ 坤

▶효변(爻變)

과거	미래	현재
☷ -7 ⟹	☲ +3	☲ +3
		☷ -7

上下작용력: (-7)-(+3)=-10

上下균형력: (-7)+(+3)=-4

晉 康侯用錫馬蕃庶 晝日三接

彖曰 晉進也 明出地上 順而麗乎大明 柔進而上行 是以康侯用錫馬蕃庶
晝日三接也

象曰 明出地上 晉 君子以 自昭明德

初六 晉如摧如 貞吉 罔孚 裕无咎

六二 晉如愁如 貞吉 受玆介福 于其王母

六三 衆允 悔亡

九四 晉如鼫鼠 貞厲

六五 悔亡 失得勿恤 往吉 无不利

上九 晉其角 維用伐邑 厲吉 无咎 貞吝

---

1. 괘상(卦象)

해☲가 땅☷을 뚫고 중천에 떠있는 모습으로, 밝음☲이 어둠☷을 뚫고 땅 위로 솟아올라 천하를 비추는 상이다(明出地上 順而麗乎大明). 땅 위에 밝은 해가 솟아 밝은 세상이 되니 천하가 태평하다.

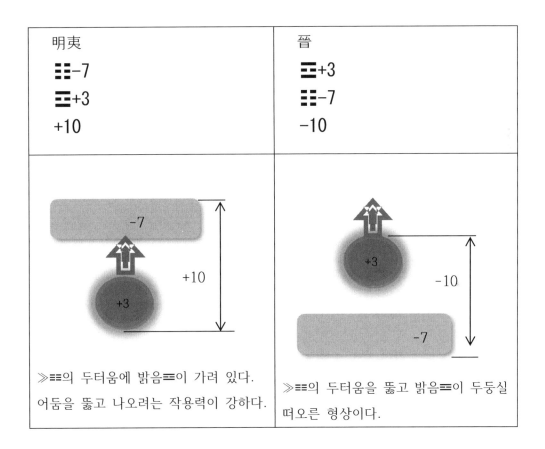

明夷	晉
☷-7	☲+3
☲+3	☷-7
+10	-10
≫☷의 두터움에 밝음☲이 가려 있다. 어둠을 뚫고 나오려는 작용력이 강하다.	≫☷의 두터움을 뚫고 밝음☲이 두둥실 떠오른 형상이다.

▷柔進而上行

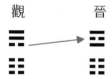

　　풀려나간 2 개의 양☳을 六四 음(陰)이 상향하여 파고드니 ☲가 된다(柔進
而上行). 자유로운 양기☳(流)를 음이 파고들어 붙잡으니 하늘에 걸린 대명
(☲大明)이 된다. 이는 바람☴이 대지☷ 위를 운행하며 어루만지듯 양기(九
五)가 음(六四)을 파고든 모습이니 밝은 해☲가 천하☷를 어루만지며 이롭게
하는 상이 된다. 晉은 進이니, 밝은 해☲가 땅☷ 위로 나아가 중천에 떠올라
천하를 밝게 비추니 밝고 평안한 세상이 되었음을 뜻한다(晉進也 明出地上 順
而麗乎大明).

2. 괘변(卦變)

▷호괘 - 水山蹇

晉
☷+3 ⇨ ☵-3
☷-7   ☶-5
-10   -2

　밝음이 어둠을 뚫고 나오는 것은 온갖 어려움을 헤치고 나오는 것이니 말로 다할 수 없다. 호괘가 수산건(水山蹇)이니 그 어려움은 말하지 않아도 짐작할 수 있다. 헤엄을 쳐 건너가려고 뛰어들었으나 물에 빠져 꼼짝 못하고 있다. 천신만고 끝에 물에서 빠져나와 땅 위로 솟아오르니 천하가 大明☲으로 빛난다. 바다에 빠져 있던 태양이 험난(險難)을 벗어나 하늘로 떠오르니 만물이 이롭다.

▷착종 - 地火明夷

晉
☷+3 ⇨ ☷-7
☷-7   ☲+3
-10   +10

　밝음☲이 힘을 잃으면 다시 어둠☷이 세상을 지배한다. 천하 삼라만상은 끊임없이 순환하며 변하는 것이 이치이니, 밝음☲을 잃지 않으려면 하늘☰의 뜻을 따라야 한다(同人☲).

▷도전괘 - 地火明夷

晉   明夷

☷+3   ☷-7

☷-7   ☲+3

-10   +10

► 明出地上 晉

  세상은 양면성을 가지고 있다. 밝은 촛불도 그 속은 검듯이 태양도 어둠을 태우며 빛난다(明晦而明).

► 明入地中 明夷

  그림자는 밝은 태양이 비추고 있음을 의미한다. 아무리 어두운 세상도 그 이면을 들여다보면 밝음의 씨앗이 있고, 밝은 세상도 어두움을 가지고 있으니 군자는 이로써 항상 밝음을 닦아 스스로 수심정기(守心正氣)한다(自昭明德).

▷배합괘 - 水天需

晉   需

☲+3   ☵-3

☷-7   ☰+7

-10   +10

  화지진(火地晉)이 어둠☷을 뚫고 밝음☲이 떠올라 천하를 이롭게 비추는 상이라면, 수천수(水天需)는 밝음☰ 위에 어둠☵이 깔리고 있는 상이다. 물☵은 아래로 내려가는 성질이 있으니 하늘☰ 위에서 기다리다 때가 이르면 맺히게 되고, 맺히면 비☵가 되어 내린다.

3. 괘사(卦辭)

晉 康侯用錫馬蕃庶 晝日三接

진 강후용석마번서 주일삼접

진(晉)은 강후(康侯)가 말을 주어 무리를 번성하게 하다. 밝은 대낮에 三德을 베풀다.

아침 점심 저녁은 해☰가 땅☷ 위로 나아가면서 진(晉)이 만들어내는 시간이다(晉進也, 明出地上). 사람이 얼굴을 맞대는 가장 좋은 방법으로는 하루 세끼 식사보다 더 큰 것이 없다. '밥 한번 먹자'라는 인사 속에는 '서로 만나자' 라는 의도가 들어있다. 왕이 나라를 다스림에 있어 제후의 역할이 크니 백성을 편안케 하는 제후에게 포상을 내리고 자주 접견하여 격려하는 것은 좋은 방법이 될 수 있다. 요즘도 청와대에서 식솔들을 불러 가끔 밥을 먹는 걸본다. 하루 세끼 밥을 같이 먹는 관계를 식구(食口)라 하니, 군주와 제후가하루 세끼 밥을 같이 먹는 식구처럼 된다면 이보다 더 좋은 관계가 있을까? 군주가 제후에게 포상으로 말(馬)을 많이 내린다는 것은 먼 곳에 나가 있는 제후와 서로 함께 밥을 먹으며 정사를 논할 수 있는 접견의 기회를 자주 만들고자 함이다(晝日三接).

三은 3번이라는 뜻 외에 天人地, 陽中陰 등 천지만물을 이루는 가장 기본적인 삼수(三數)를 뜻한다. 단군조선은 천하를 진한 번한 마한 등 三韓으로 나누고 제후를 두어 다스렸으며, 영의정 우의정 좌의정 등은 三公을 의미하고, 행정부 입법부 사법부 등 삼권분립을 의미하는 수이기도 하듯이, 三은 가장 안정된 수로서 삼덕(三德)이라 칭한다. 괘상으로는 離火☲가 坤地☷(만물)에게 번성하여 나아갈 수 있도록 빛(明)을 내려주듯이, 괘사에서는 강후(康侯)가 말(馬)을 주어 무리≡≡를 번성하게 하는 것으로 비유한다(康侯用錫馬蕃庶). 晝日三接에서 晝日은 밝은 대낮, 또는 대낮이 상징하는 평화의 때를 뜻하고, 三은 천하백성(人)을 상징하는 坤≡≡의 세 효(三)를 가리킨다.

밝은 평화의 시대에 大明≡≡은 아침 점심 저녁(三)으로 상시 베풀며 공평무사하게 골고루 행한다. 진(晉)은 나아가는 것이니, 大明≡≡(강후)이 하늘 위에서 中德을 비추고 아래에 있는 坤≡≡(백성)이 이를 따라 나아간다. 강후(康侯≡≡)는 백성≡≡을 평안하게 해주는 군주를 뜻한다.

상으로 보면 상괘 離≡≡가 강후(康侯)이며 하괘 坤≡≡이 백성이니, 강후가 말(馬)을 내려주어 백성≡≡을 번성하게 한다는 것은 大明≡≡이 땅 위의 백성≡≡에게 광명을 내려주어 번성하도록 도움을 주는 것을 말한다.

☞ 晉: 나아갈 진/ 康: 편안할 강/ 錫: 줄 석/ 蕃: 번성할 번, 많을 번/ 庶: 여러 서, 무리 서/ 接: 대접할 접, 사귈 접

象曰 晉進也 明出地上 順而麗乎大明 柔進而上行
단왈 진진야 명출지상 순이리호대명 유진이상행
是以 康侯用錫馬蕃庶晝日三接也.
시이 강후용석마번서주일삼접야

단에 이르길, 진(晉)은 나아가는 것이다. 밝음이 땅 위로 올라와 유순(柔順)함으로 大明에 자리하니 유(柔)가 나아가 위(六五)에 오른다. 이로써 康侯用錫馬蕃庶晝日三接也의 뜻을 이룬다.

진(晉)은 나아가는 것이다. 밝음☲이 대지☷ 위로 솟아올라 천하를 비추니 진(晉)이다. 坤☷地는 유순하고 離☲火는 밝음으로 하늘에 걸려 광명하다. 六五는 인군의 자리로서 유(柔)가 나아가 위로 행하여 외괘의 中에 자리하니 천하의 만물을 이롭게 하는 大明☲이 된다(柔進而上行). 六五 음(陰)의 유순함이 양효인 4효와 6효를 이끌어 大明☲을 이루니 어진 인군의 뜻이 된다. 이로써 천하를 살펴 인재를 등용하고 그 공을 치하하니, 인군으로서 "康侯用錫馬蕃庶晝日三接也"의 뜻을 행한다.

☞ 麗: 고울 려, 붙을 려

象曰 明出地上 晉 君子以 自昭明德
상왈 명출지상 진 군자이 자소명덕

상에 이르길, 밝음이 땅 위로 나옴이 진이니 군자는 이 상을 본받아 스스로 밝은 덕을 밝힌다.

밝음☲이 땅☷ 위로 솟아올라 천하를 광명으로 밝게 비추는 상아 진(晉)이다. 군자는 하늘에 올라 광명으로써 천하를 비추는 진(晉)의 상을 본받아 스스로 하늘로부터 부여받은 천성의 밝은 덕을 밝혀 만백성을 비춘다.

☞ 昭: 밝을 소, 밝힐 소

4. 효사(爻辭)

진(晉)은 땅ꊠ 아래에 갇혀 있던 해ꊠ가 위로 떠오르는 과정을 효사로 풀이한다. 初六은 해가 서산으로 넘어간 저녁, 六二는 한 밤중, 六三은 여명이 비치기 전 이른 새벽녘이다. 九四는 해가 떠오른 오전, 六五는 중천, 上九는 해가 기울기 시작하는 오후로 비유할 수 있다.

初六 晉如摧如 貞吉 罔孚裕无咎
초육 진여최여 정길 망부유무구

초육, 나아가기도 하고 꺾이기도 하네. 바르게 하면 길하니, 믿음이 없더라도 여유롭게 하면 무탈하리라.

진(晉)은 위로 나아감(進)이다(晉進也 明出地上). 初六은 양의 자리에 음으로 와서 자리가 부당하고 진(晉)의 맨 아래에 처하여 그 힘이 미약하다. 그러므로 나아감의 아래에 처하여 밝음으로 나아가려 하나 그 힘이 미약하여 나아가기도 하고 때로는 꺾이기도 하지만 그래도 바름을 지킨다면 길하다.

비록 갈 길이 멀고 험하여 나아감에 믿음을 잃는다 해도, 설사 남들에게 신뢰를 얻지 못한다 해도 일희일비하며 너무 조급해하지 않고 여유를 갖는다면 무탈하다. 이는 아직 아래에 처하여 위(上)의 부름(命)을 받지 못했기 때문이다. 그래서 공자는 '나아가기도 하고 꺾이기도 하니 비록 혼자 있음에도 행함을 바르게 하라. 너무 조급해하지 않고 여유롭게 하면 무탈하리니 아직은 명(命)을 받지 못했기 때문이다(象曰 晉如摧如 獨行正也 裕无咎 未受命)'

라고 풀이한다. 효변하면 화뢰서합(火雷噬嗑䷔)이니 이는 뚫고 나아가야 할 장애물(九四)이 가로막고 있음을 뜻한다.

☞ 摧: 꺾을 최/ 罔: 없을 망/ 裕: 넉넉할 유, 느긋할 유

六二 晉如愁如 貞吉 受玆介福 于其王母
육이 진여수여 정길 수자개복 우기왕모

육이, 나아가면서도 수심(愁心)이 가득하구나. 바르게 하면 길하니, 보이지 않는 큰 복을 王母에게 받으리라.

위로 나아가지만 六二는 六五와 응하지 않으니 근심이 가득하다. 효변하면 坎水☵이니 수심(愁心)의 뜻이 되고, 또한 수(水☵)는 깜깜한 한밤중이 된다. 지괘가 미제(未濟)로서 아직은 갈 길이 멀고 험하여 어려움이 많으니 생각이 많고 수심도 깊어진다.

그러나 六二는 中正하여 무리의 중심에서 나아감을 바르게 하니 길하다. 六五는 자리가 바르지 않으나 음으로 상괘의 中을 잡아 천하를 大明☲으로 밝게 비추게 하는 유순(柔順)한 왕모(王母)를 상징한다. 한밤중☵(月)과 한낮☲(日)은 무리의 中으로 서로 통한다. 그러므로 마침내 六二는 王母(六五)에게 큰 복을 받게 된다. 王母는 상괘의 六五로서 中에 있는 祖母, 女王 등 여인의 성질을 가진 大人을 상징한다.

受玆介福에서 자(玆)는 '검다. 흐리다'의 뜻으로 이해하면 '보이지 않는 곳에서 내려주는 생각지도 못한 큰 복을 받다'라는 뜻이 된다. 왕모는 할머니 또는 임금의 어머니가 되니 직접적으로 지위를 행사하여 상을 내리는 자리라기보다는 보이지 않는 뒤에서 임금이나 아버지에게 상을 주도록 영향을

행사할 수 있는 음(陰)의 품성을 지닌 어머니의 자비로운 음덕(陰德)을 의미한다. 음덕(陰德)이란 보이지 않는 곳에서 내려주는 덕을 뜻한다. 공자는 "보이지 않는 곳에서 내려주는 음덕으로 큰 복을 받음은 中正하기 때문이다(象曰 受玆介福 以中正也)"라고 풀이하였다.

☞ 王母: 할머니, 임금의 어머니/ 愁: 근심할 수/ 玆: 이 자, 여기 자, 검을 자/ 介: 클 개, 크다, 굳게 지키다. 갑옷

六三 衆允 悔亡
육삼 중윤 회망

육삼, 무리가 믿고 따르니, 회(悔)가 사라지리라.

六三은 나아감에 있어 상괘로 나아가야 할지 그대로 머물러야 할지를 결정하는 위치로서 "終日乾乾 反復道也(중천건괘 3효사)"하며 진퇴의 한복판에 서 있는 효이다. 양의 자리에 음으로 있고 자리가 바르지 않으며 中을 벗어나 있으니 회(悔)가 있다. 그러나 음의 무리☷가 서로 믿고 따르니 회(悔)가 사라진다. 머지않아 여명이 밝아오고 해는 떠 오를 것이다. 六三은 여명이 비쳐오기 전 새벽녘을 뜻한다. 六二의 나아감의 근심스러운 단계(晉如愁如)를 지난 것이다.

효변하면 땅☷이 산☶이 되니, 이는 밝음(양)이 어둠(음)에 터치한 상이다. 천지비(天地否☰☷)괘에서 하늘(☰九五)이 땅(☷六三)을 터치하여 평지☷가 볼록☶해지는 형상으로 무리☷가 밝음☶을 따르는 모습이 된다.

艮☶은 乾☰의 九五가 내려와 땅☷을 터치한 모습이고, 離☲는 坤☷의 六三이 올라가 九五에 자리하여 大明☲이 하늘에 걸린 상이 된 것이니 무리☷

가 일어나 밝음==을 서로 믿고 나아가는 晉(䷢)의 뜻이 나온다. 소상전은 이를 "중윤(衆允)의 뜻은 위로 가는 것이다(象曰 衆允之志 上行也)"라고 풀이한다.

☞ 衆: 무리 중/ 允: 믿을 윤/ 悔: 뉘우칠 회, 후회할 회

九四 晉如鼫鼠 貞厲
구사 진여석서 정려

나아감이 다람쥐(鼫鼠)와 같으니 바르더라도 위태로우리라.

석서(鼫鼠)는 날랜 동물이지만 날지 못하며, 작고 힘이 없어 나아감에 한계를 지닌 동물(다람쥐)이다. 이것은 땅을 뚫고 떠오른 아침 해가 아직 만물에 지극한 기운을 주기에는 힘이 약함을 뜻한다. 또한 九四는 음의 자리에 양으로 와서 자리가 바르지 않고 외호괘의 坎水==에 처하여 다람쥐처럼 나아가지만 곤궁함을 벗어나기는 쉬운 일이 아니다. 또한 九四는 외호괘의 水==(險)와 내호괘의 山==(止)에 잡혀 있는 상으로서, 건(蹇䷦)에 걸려 있기 때문에 물==(險陷)에 빠져 꼼짝 못하고 있는 모습==(止)이 된다. 건(蹇)은 다리를 저는 뜻이 있으니 물에 빠져 험난에 처해있음을 말한다.

그러므로 九四는 하괘에서 상괘로 건너와 계속 나아가지만 不正位로서 바르게 나아가더라도 위태로운 상황을 완전히 벗어나기란 쉽지 않다. 九四는 밝음==의 아래에 처해있어 해가 떠오르는 오전을 가리키며, 효변하면 산지박(山地剝䷖)이 되니 여전히 위태로운 상황이다. 즉, 어둠을 완전히 벗어버리지 못한 상태로서 아직은 大明에는 이르지 못하고 있는 것이다. 그러므로 공자는 이를 "석서정려(鼫鼠貞厲)는 자리가 부당하기 때문이다(象曰 鼫鼠貞厲 位

不當也)"라고 풀이하고 있다.

☞ 鼫: 석서 석(다람쥐과에 속하는 동물), 鼠: 쥐 서(쥐과의 포유동물),
  厲: 위태로울 려, 사나울 려

▶석서(鼫鼠): 다람쥐과에 딸린 작은 동물. 다람쥐와 같으나 몸 빛은 황갈색에 검은빛이 나고,
눈의 가장자리에 다색(茶色)의 둥근 무늬가 둘러 있음. 꼬리의 끝이 희고, 배쪽은 회황색이며
특히 볼에는 볼주머니가 있음. 만주 특산종. 바위 산에 살며 낮에는 굴에서 자고 밤에 나다니
며 곡물에 해를 끼친다.

六五 悔亡 失得勿恤 往吉无不利
육오 회망 실득물휼 왕길 무불리

육오, 회(悔)가 사라진다. 득실을 걱정하지 말라. 나아가면 길하니 이롭지
않음이 없으리라.

  양의 자리에 음으로 와서 자리가 바르지 않으나 中에 자리하여 두 개의
양을 잡아 大明☲의 상을 이루었으니, 中德☲으로 아래를 밝게 비추고 백성
☷은 유순(柔順)히 따른다. 득실(得失)을 근심하지 않으니 나아가면 길하고
이롭지 않음이 없기 때문이다. 회(悔)가 없음은 어둠의 흔적을 벗어버리고
완전한 대명(大明)을 이루었음을 의미한다. 효변하면 離☲(大明)이 乾☰(剛健)
이 되니 둘 다 크게 밝음의 뜻이 있어 득실(得失)을 근심할 이유가 없다. 그
러므로 "잃고 얻음을 근심하지 않음은 나아가면 경사가 있기 때문이다(象曰
失得勿恤 往有慶也)"라고 소상전은 풀이하고 있다.

☞ 恤: 근심할 휼

上九 晉其角 維用伐邑 厲吉 无咎貞吝
상구 진기각 유용벌읍 려길 무구정린

상구, 뿔을 세워 나아감이니 오로지 읍을 정벌하는데 쓴다면 위태로우
나 길하다. 허물은 없으나 고집하면 부끄러우리라.

각(角)은 강함의 상징으로 위에 있으니, 이는 上九가 강함으로 나아가는
진(晉)괘의 상극에 처해 있어 나아가는 기세를 사나운 뿔(角)에 비유한다. 해
가 기울어가기 전 오후의 햇살은 뜨겁다. 上九는 음의 자리에 양으로 와서
자리가 바르지 않으니 쓰임이 과강하다.

읍(邑)을 정벌한다 함은 천하가 아닌 사사로움에 씀을 뜻한다. 大明☲이
뿔을 들이대고 진격하나 기껏해야 작은 읍을 정벌하는 것에 불과하다면 그
뜻이 빛을 잃는다. 大明을 大義에 쓰지 못하고 사사로움에 쓴다면 기세가
사납기만 한 것이다. 천하를 구제하는 데 쓰는 것이 아니라 안으로 스스로
를 다스리는 것에 쓰는 격이니 그 모습이 사납기는 하지만 허물은 없으니
길하다. 그러나 이를 계속 고집한다면 부끄러운 일이다.

大明☲은 천하☷(백성)를 비추는 데 써야 하지만, 나아감이 뿔처럼 사납고
오직 사사로이 읍(邑)을 정벌하는데 쓰인다면 그 도가 밝게 빛나지 않는다.
효변하여 ☳가 ☷의 상이 되면 밝음이 빛을 잃어가는 모습이 되어 도가 빛
나지 않는다.

지괘인 뇌지예(雷地豫☷☳)는 상괘의 ☲가 ☳으로 효변한 것으로서, ☳의 모
습은 지평선에 기울어진 해☲가 뜨거운 빛을 잃은 모습이 되니, 도미광(道未
光)이라 하여 道가 光大함에 미치지 못하고 빛을 잃어감을 의미한다.

또한 예(豫)는 생명☳이 땅☷을 박차고 나와 위로 진격하는 뜻이 있고, ☳
은 뿔(角)의 뜻이 있다. 길☳(道)은 있으나 밝음☷(光)이 작으니 도미광(道未
光)이다. 그러므로 공자는 "大明☲을 백성☷(邑)을 위하여 大義(光)를 비추는

데 쓰지 못하고, 震☳의 사나움(角)으로 백성☷(邑)을 향하여 진격한다면 그 길(道)이 빛나지 않는다(象曰 維用伐邑 道未光也)"라고 풀이하였다. 마침내 빛을 감추는 명이(明夷䷣)의 시대로 접어들게 되는 것이다.

☞ 維: 벼리 유, 밧줄, 오로지 유(唯)

36. 地火明夷 지화명이

地☷坤
火☲離

▶효변(爻變)

과거	미래	현재
☷+3 ⟹	☷-7	☷-7
		☷+3

上下작용력: (+3)-(-7)=+10

上下균형력: (+3)+(-7)=-4

明夷 利艱貞

象曰 明入地中 明夷 內文明而外柔順 以蒙大難 文王以之 利艱貞

晦其明也 內難而能正其志 箕子以之

象曰 明入地中 明夷 君子以莅衆 用晦而明

初九 明夷于飛 垂其翼 君子于行 三日不食 有攸往 主人有言

六二 明夷 夷于左股 用拯馬壯 吉

九三 明夷于南狩 得其大首 不可疾 貞

六四 入于左腹 獲明夷之心 于出門庭

六五 箕子之明夷 利貞

上六 不明晦 初登于天 後入于地

1. 괘상(卦象)

동쪽 하늘에 해가 떠올라 만천하를 비추는 것이 진(晉)이라면, 서쪽 하늘로 해가 지면서 어둠이 천하에 드리우는 것이 명이(明夷)이다. 진(晉)의 밝고 평화로운 시절이 가고, 명이(明夷)의 암흑같이 혼란한 때가 도래하는 것이다.

땅속에 불이 들어가 있고 해가 묻혀 있는 것이 明夷의 象이니 밝음이 침몰하고 탄압을 받는 모습이다(明入地中). 선이 악에 눌려 있는 것이다. 불의가 정의로 둔갑하니 악이 오히려 추앙을 받고 개판을 치는 시대이다. 그러므로 어둡고 암울한 난세를 만나면 시류에 영합하지 말고 오히려 더욱 바르게 처신하는 것이 현명하다고 괘사는 말한다(利艱貞).

明☲이 어둠을 뚫으려는 노력과 이를 제어하려는 暗☷의 세력은 당연히 강하게 작용한다. 上下괘가 서로 부딪히고 작용하는 힘이 +10이 되니 혼란스럽고 어지러운 세상임에는 틀림없다. 그런데 明夷괘를 '빛이 기울고 어둠에 갇히는 암흑의 시대이니 인내하고 기다리며 바르게 처신해야 한다' 라는 뜻으로 읽어야만 할까? 명(明)☲(+3)은 암(暗)☷(-7)의 두터움을 어떻게 뚫고 나갈 수 있을까? 불의가 정의로 읽히고, 얄팍한 처신이 현명함이 되는 세상을 어떻게 헤쳐 나갈 수 있을까? 지화명이(地火明夷) 괘상은 우리에게 무엇을 보여주고자 하는가?

내부의 문명(文明)☲함을 감추고, 유순(柔順)☷함으로 어려운 시대를 견디며, 정도로써 때를 기다리라고 효사는 문왕과 기자의 비유를 들어 가르침을 전하고 있다. 어두운 시대에는 밝음을 드러내면 오히려 소인배들의 표적이 되어 상하기 쉬우니 자기의 재능을 감추는 것이 현명하다고 말한다. 明夷에서 夷는 상(傷)의 뜻으로 '밝음이 상하다'라는 뜻이 있다. 부정한 六五 혼군(昏君)☷이 中을 차지하고 세상에 어둠을 드리우고 있으나, 六二는 바른 자리에서 中을 잡아 中正함으로써 밝음≡≡을 지키고 있으니, 언젠가 때가 이르면 어둠을 뚫고 떠 올라 밝음으로 천하를 비추게 될 것이다(火地晉).

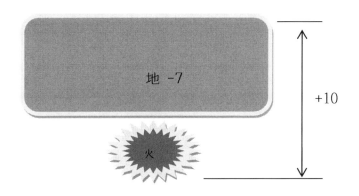

利艱貞 晦其明也 內難而能正其志

▶도광양회(韜光養晦): 빛을 가리고 어둠 속에서 힘을 기르다.

명이(明夷)의 세상에서 '사느냐, 죽느냐'는 결국 자기자신의 선택과 결정에 달려있다. 현재의 선택과 결정, 그리고 그에 따른 올바른 태도에 따라 미래는 변화되어 간다. 미래는 고정되어 있는 것이 아니라 현재를 바꿈으로써 얼마든지 변화시킬 수 있다. 밝음이 어둠에 가려 있으나, 밝음(明)을 잃지 않고 바름(正)으로써 지키며, 안으로는 文明≡≡하나 어둠과 대면하는 밖으로는 柔順≡≡하게 하여 큰 어려움을 이겨낸다(內文明而外柔順 以蒙大難). 내면은 강하나 외면은 부드러우니 어둠에 상하지 않으며 밝음을 잃지 않는다(外柔內剛). 사술가들의 사변에 마음을 두지 말고 나(人)의 중심(中)에 마음(心)을 두라. 人은 中이니 天地가 하나(一)된 자리라(人中天地一/천부경). 그 자리(中)에 마음(心)을 놓은 것을 忠이라 하니 곧 천지만물(天地人)을 돌리는 一心이다.

2. 괘변(卦變)

▷ 호괘-雷水解

　明夷의 괘상의 내부를 들여다보면 의외의 모습이 들어있다. 바로 호괘가 雷水解이기 때문이다. 밝음이 침몰하여 나아갈 길이 보이지 않는 암울한 세상인데 그 안에는 의외로 해결의 열쇠(解)가 들어 있는 것이다.

明夷　　　解

䷣ -7 　⟹　 ䷧ +1
　+3　　　 -3
+10　　　 -4

　불의가 정의로 행세하는 세상, 어둡고 암울하여 살아가기 어려운 시절을 만나면 어떤 선택을 하며, 어떤 자세로 살아가야 하는가? 기회주의적 처신은 당장은 살아남기 위한 임기응변이 될 수는 있지만 오히려 그로 인하여 더 큰 위험을 초래할 수 있다. 이때에는 오히려 바르게 처신하여야 살아남는다 라고 괘사는 말한다(明夷 利艱貞).

　明夷의 내부에 解가 들어있는 것은 참으로 의미심장하다. 하늘이 무너져도 솟아날 구멍은 있고, 호랑이에 물려가도 정신만 차리면 살아날 방법은 있는 법, 하늘이 무너지고 땅이 꺼지는 천재지변 속에서도 죽는 이가 있는 반면 살아나는 이도 있다. 아무리 캄캄한 어둠 속이라도 해결의 묘안은 어딘가에 있기 마련이다. 어떻게 하느냐는 본인의 선택과 태도에 달려있는 것이다. 雷水解는 물☵에서 헤엄쳐 나와 계속 힘차게 전진☳하는 모습이니, 어둠☷ 속에서도 저 멀리 어디선가 다가오는 빛☲은 있는 법이다.

▶인효(人爻)의 선택

天地의 변화는 어찌할 수 없다 하더라도 자신(人)의 뜻과 의지는 스스로 선택하고 결정할 수가 있다. 진인사대천명盡人事待天命은 인간이 할 수 있는 최고의 지선(至善)이다. 하늘은 스스로 돕는 자를 돕는 법. 天理를 따르고 地利를 살펴 人事를 결정하는 것이다.

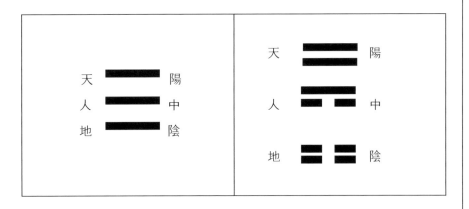

인효(人爻) 중 地에 속한 3효는 육신, 天에 속한 4효는 정신을 의미한다. 효는 하나하나가 우주의 극성을 표시하는 기호이니 하나의 효가 변하면 천지의 뜻이 변하고 작용이 변한다(三極之道 六爻之動也/계사전). 즉, 나(人爻)를 변화시키면 天地가 이를 따라 작용하는 것이다. 나비의 날개 짓 하나가 태평양 건너 폭풍을 일으킬 수 있다는 현대 양자역학 이론도 이를 뒷받침한다.

나(人)는 우주를 구성하는 구성요소로서 우주와 일체를 이루는 하나(一)이니 내가 변하면 곧 우주가 변한다. 하나(一)에서 비롯(一始)된 삼라만상(三)은 천변만화(千變萬化)이지만 서로 영향을 주고받으며 일체(一體)로 존재하니 一卽三이요, 三卽一이다. 그러므로 변화무쌍하게 생로병사(生老病死)를 거듭하는 천하만물도 결국은 하나(一)이니 그 궁극(一)을 들여다보면 서로가 한 지체(本)임이 드러나는 것이다.

▷ 一妙衍萬往萬來用變不動本

하나(一)가 시작하여 묘리妙理를 한없이 펼쳐내니

삼라만상이 가고 오며 무수히 쓰임을 달리하지만

본本이 되는 하나(一)는 변함이 없도다.   /천부경

☞3효 효변

明夷   復

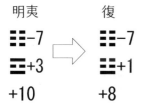

人효인 3 양이 효변하여 음이 되면 지뢰복(地雷復(이 된다. 미약하지만 천하를 바꾸는 힘은 저 밑바닥 속에 감춰줘 꿈틀거린다. ☲이 ☷으로 변함은 빛을 땅 속 깊이 감추고 전진하는 모습이 된다. 빛을 감추고 몸을 낮추어 스스로를 굽히면서 힘을 기른다. 잠시의 수치는 얼마든지 참을 수 있다. 文王이 옥에 갇힌 채 때를 기다리며 역(易)의 이치를 천하에 밝힌 것은 바로 地火明夷의 가르침을 따른 것이다.

☞4효 효변

明夷   豊

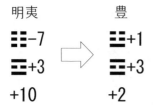

인효(人爻) 중에 4 음이 양으로 효변하면 뇌화풍(雷火豊)이 된다. 억울함을 참지 못하고 양기를 높이면 화가 쌓이고 결국은 스스로 폭발하여 파멸에 이르게 된다. 雷火豊의 호괘가 澤風大過이니 억울하다 하여 화를 축적하고 분기를 참지 못하면 결국은 스스로 무너지는 법이다. 양기를 낮추고, 몸을 굽혀 스스

로의 힘을 기르는 것이 현명하다.

☞3, 4효 효변

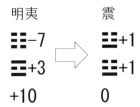

    明夷   震
    ☷-7   ⇨   ☳+1
    ☳+3   ☳+1
    +10   0

　　3효와 4효가 동시에 변하면 중뢰진(重雷震)이다. 震은 형통함이니(震亨), 정신을 바르게 고양(4양)시키고 몸을 낮춘다면(3음) 진(震)으로 크게 나아가는 상이 되니 때를 기다리면 된다. 그러나 옥에 갇힌 상황(明入地中)에서 자중하지 못하고 섣불리 움직임을 크게 한다면 아마도 제 명(命)을 다하지는 못할 것이다. 모든 것은 때와 장소를 가려 순리를 따라야 한다. 그래서 重雷震의 대상전은

　　象曰 洊雷震 君子以 恐懼修省
　　상왈 천뢰진 군자이 공구수성

이라 하여 '우레가 거듭하니 진震이다(洊雷 震). 백리를 두려움에 떨게 하는 우레소리에 놀라 도망치는 것은 평시 중도(中道)를 잃은 소인의 모습이니, 오히려 군자는 두려움에 닥쳐서도 수양(修養)하고 성찰(省察)하며(恐懼修省), 근본을 잃지 않는다(震驚百里 不喪匕鬯)'라고 공자님을 통해 전하고 있다.

▶착종괘-火地晉

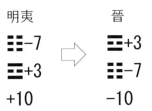

明夷   晉
☷-7   ⇨   ☲+3
☳+3   ☷-7
+10   -10

착종하면 화지진(火地晉)이 된다. 밝음이 어두움을 뚫고 높이 떠오르는 모습, ☲(+3)가 두터운 음☷(-7)을 뚫고 하늘로 치솟은 것은 결코 쉬운 과정이 아니다. 화지진(火地晉) 속에는 수산건(水山蹇)이 들어있으니 그 어려움을 짐작할 수 있다. 밝은 해가 떠 올라 천하에 문명을 전할 수 있는 것은 건(蹇)의 수난(水難)을 견디고 헤쳐 나왔음을 의미하니, 明夷의 때를 맞이하여 올바른 선택과 태도, 그리고 때를 기다림이 옳았기 때문일 것이다.

▶도전괘- 火地晉

明夷   晉

☷-7   ⇨   ☲+3

☲+3   ☷-7

+10   -10

▶**明入地中 明夷**: 밝음☲이 어둠☷속에 들어감이 명이(明夷)이다.

≫도광양회(韜光養晦): 칼날의 빛을 칼집에 감추고 어둠 속에서 인내하며 힘을 기르다.

    <삼국지연의>에서 유비가 조조의 산하에서 머무르며 은밀하게 힘을 기르던 것에서 유래한 고사성어로 '빛이 가려진 어둠 속에서도 정도(正道)를 지키며 자신의 재능을 드러내지 않고 힘을 기른다'라는 의미로서 내실을 기하자는 소극적 의미가 있다(晦其明也 內難而能正其志).

(1980년대 덩샤오핑(鄧小平)시절의 대외정책을 가리키는 중국의 발전전략으로 자주 인용됨. 이런 정책은 당시 서구열강들에 대항할 만한 국제적 위상을 갖추지 못한 중국의 처지에서 매우 현실적인 방법론이었으며, 이후 1990년대 고도 경제성장을 통해 중국이 오늘날과 같은 경제대국의 위상에 오르는데 중요한 역할을 하였다.)

▶**明出地上 晉**: 밝음☲이 어둠☷을 뚫고 위로 솟아오른 것이 진(晉)이다.

≫화평굴기(和平堀起): 평화롭게 우뚝 서다.

　드넓은 대지 위로 해가 떠올라 만물을 화평하게 하듯, '평화롭게 스스로 우뚝 성장하다'라는 의미로 주변에 대한 위협없이 평화적으로 성장해 나간다는 적극적 의미가 있다(晉進也 明出地上 順而麗乎大明).

(2000년대 후진타오(胡錦濤)가 추진한 중국의 외교노선으로서 경제대국의 위상에 걸맞게 평화와 자주성을 견지하자는 유연한 외교전략)

▶배합괘 - 天水訟

明夷　　　　　訟

☷-7　⇒　☰+7

☷+3　　　☵-3

+10　　　−10

　명이(明夷)는 빛이 어둠에 가려 있는 상이니, 어리석은 六五혼군(昏君☷) 아래에서 정의가 사라지고 불의가 정의인 양 판을 치는 암울한 세상에 백성이 험난에 처해있음을 의미한다. 송(訟)은 대명천지(大明天地)에 하늘이 구름에 의해 가리워져 있으나 이는 손바닥으로 하늘☰을 가리는 격이니 곧 구름☵이 흩어지고 강건(剛健)☰함이 천하에 드러난다, 명이(明夷)는 자리가 바르지 못한 六五 음(陰)이 中을 차지하고 있으니 세상이 불의와 암흑☷ 아래에 처해있음을 상징하나, 송(訟)은 九五 양(陽)이 中正함으로써 바른 자리를 지키니 정의☰가 불의를 몰아내고 어두움☵이 사라짐을 표징한다.

3. 괘사(卦辭)

明夷 利艱貞
명이 이간정

명이(明夷)이니, 어려움 속에서도 바르게 하면 이로우리라.

밝음이 땅 속에 갇힌 듯 암흑같은 어두운 불의의 시대를 맞이하니, 어려운 때일수록 바르게 함이 이롭다. 어리석은 六五혼군이 천하를 불의로 채우고 백성은 도탄에 빠지니, 六二대인은 자신을 감추고 낮춤으로서 오히려 어려움을 감내하며 바름을 지킨다(利艱貞). 밝음이 땅속으로 들어가 있어 밝은 빛을 발휘하지 못하니 스스로 빛을 감추는 그믐의 지혜로써 자신을 숨긴다(晦其明也). 이는 중국 은나라 말기 주(紂)임금이 폭정하던 시대의 사회상을 비유한 것이다.

象曰 明入地中 明夷
단왈 명입지중 명이
內文明而外柔順 以蒙大難 文王以之
내문명이외유순 이몽대난 문왕이지
利艱貞 晦其明也 內難而能正其志 箕子以之
이간정 회기명야 내난이능정기지 기자이지

단에 이르길, 밝음이 땅 속에 들어가는 것이 明夷로다.

안으로는 문명하고 밖으로는 유순하게 함으로써 큰 어려움을 무릅쓰니 문왕이 그리하였다. 어렵더라도 바르게 함이 이로우니 자기의 밝음을 어둠으로 가려 안이 어려워도 능히 자기의 뜻을 바르게 하다. 기자가 그리하였다.

밝은 것☷이 땅속☷ 가운데 들어감이 명이(明夷)이니 밝은 빛을 발휘하지 못한다. 어둠이 밝음을 가리니 온 천하가 암흑 속에 갇혀있다. 단전에서는 어려운 때를 당해서도 자신을 굳건히 지키고 빛을 밝힌 사람으로 '기자와 문왕'의 예를 들어 풀이한다.

內文明而外柔順 以蒙大難 文王以之

은나라 서쪽 지방의 제후인 문왕(서백)은 선정을 베풀어 백성들의 칭송을 받지만, 폭정을 일삼는 은나라 마지막 왕인 주(紂)왕에게 간하다 노여움을 사게 되고, 유리옥이라는 감옥에 유폐당한다. 그러나 문왕은 신세를 한탄하지 않고 감옥 속에서 우주의 이치와 뜻을 담은 주역 64괘를 짓는다. 내면으로는 문명(文明)☲한 덕을 감추고, 외면은 유순(柔順)☷함으로써 어둠과 부딪힘을 피하며 큰 어려움을 무릅쓰며 이겨내니 내문명(內文明)하고 외유순(外柔順)함으로써 이몽대난(以蒙大難)함은 이를 말한다.

利艱貞 晦其明也 內難而能正其志 箕子以之

밝음은 어두울수록 빛을 내니 암울한 시절일수록 군자, 현인은 저절로 빛을 낸다. 그러므로 밝음으로 인하여 오히려 해함을 당하게 되니, 밝음을 그믐으로 하여 스스로를 낮추고 빛을 어둡게 함으로써 해를 피한다. 자신의 밝음을 그믐으로 낮추니 해(害)를 당하지 않고 어두움 속에서도 그 뜻을 바르게 지킬 수가 있는 것이다. '빛이 가려진 어둠 속에서도 정도(正道)를 지키며(利艱貞), 자신의 재능을 드러내지 않고 힘을 기른다(晦其明也)' 라는 의미로서 내면은 어렵지만 능히 뜻을 바르게 할 수 있음을 기자(箕子)의 예를 들어 설명한다(內難而能正其志).

은나라 주(紂)왕이 폭정을 일삼던 암울한 시기에 할 수 있는 것은 바름을 간하다 죽거나, 피해 도망치거나, 숨거나, 갇히거나 선택의 여지가 없는 시절이었다. 어떻게 난세를 헤쳐 나갈 수 있을까? 기자(箕子)의 선택은 거짓으로 미친 척하며 자신의 밝음을 그믐처럼 어둡게 하여 주왕의 의심을 벗어나는 것이었다(晦其明也). 그는 죽음을 면하기 위하여 안으로는 지혜를 감추고, 밖으로는 거짓으로 미친 척하면서도 자기의 뜻을 바르게 지켰으니, 후세에 홍범구주(洪範九疇)를 남겼다(內難而能正其志).

象曰 明入地中 明夷 君子以 莅衆 用晦而明
상왈 명입지중 명이 군자이 리중 용회이명

상에 이르길, 밝음이 땅 속에 들어가는 것이 明夷니, 군자는 이를 본받아 뭇사람에 임할 때 어두움을 써서 밝게 하다.

밝음==이 땅== 가운데 들어감이 명이(明夷)니, 군자는 이로써 그 어두운 동시대를 살아가는 무리를 대함에 그믐의 지혜로써 한다. 六二는 음으로서 자리가 바르고 中正하니, 그믐처럼 자신을 드러내지 않고 낮춤으로서 오히려 주변을 밝게 하니 어두운 세상일수록 오히려 사방이 밝아진다.

소인이 천하를 가득 채우고 불의가 득세하는 세상일수록 군자는 자신을 그믐달처럼 작게 하여 빛을 드러내지 않으니 어둠에 가리며 그 밝음이 상함을 피한다. 어둠이 지배하는 불의한 시대에 군자는 무리를 대함에 자신을 낮추어 지혜를 감추니, 이는 그믐의 지혜로 무리를 교화하여 밝게 깨우쳐 세상을 밝히는 뜻이다(莅衆 用晦而明). 빛은 어두울수록 주변을 밝힌다.

☞ 夷: 상할 이/ 艱: 어려울 간/ 蒙: 어두울 몽, 무릅쓸 몽/ 衆: 무리 중/ 晦: 그 믐 회/ 莅: 임할 이

4. 효사(爻辭)

初九는 동이 트는 이른 새벽으로 땅에서 떠오르는 햇살이 비치기 시작하는 하루의 시작점을 가리킨다. 六二는 중천이며, 九三은 해가 기울기 시작하는 오후의 시간대를 가리킨다. 밝음☲(明)이 어둠☷(暗)에 묻혀있어 빛이 상해있는 모습으로 세 효사 모두 明夷로 시작한다. 明夷는 '밝음이 상(傷)하다'라는 뜻이다.

六四는 해가 서산에 기울어 어두워지기 시작하는 때이고, 六五는 한 밤중이며, 上六은 어둠이 치닫는 최고의 정점으로 칠흑같이 어두운 시기를 가리킨다. 그러나 더불어 머지않아 어둠을 물리칠 새벽이 서서히 다가오고 있음을 또한 내포하고 있다.

初九 明夷于飛 垂其翼 君子于行 三日不食 有攸往 主人有言
초구 명이우비 수기익 군자우행 삼일불식 유유왕 주인유언

초구, 새는 날고자 하나 밝음이 상해 있으니 날개를 접어 드리운다. 군자는 행하고자 하나 삼 일을 먹지 못하다. 나아가면 주인의 부름이 있으리라.

밝음이 완전하지 않은 이른 새벽의 미명(微明), 새가 날개를 편다. 어둠이 채 가시기도 않은 이른 아침에 하늘을 난다. 그러나 완전히 걷히지 않은 어둠 때문에 날개를 활짝 펴지 못한다. 아직은 어둠에 의해 밝음이 상해 있는 때이니 자유롭게 완전히 날 수가 없는 것이다. 이는 아직 불의☷가 완전히

걷히지 않은 때를 상징한다. 어둠☷이 완전히 걷히지 않은 시대, 군자가 의(義)를 행하고자 하나 그 뜻을 완전히 펴기 어렵다. ☲(明)의 初九가 효변하면 ☶(止)이 되니 새가 날개를 반쯤 접은 상으로 높이 날지 못하고 자신을 낮추어 나는 모습이다(地山謙☷☶). 初九는 양의 자리에 양으로 와서 비록 자리는 바르나 明夷의 때에 맨 아래에 처하여 그 힘이 미약하고 어둠 속을 벗어나지 못한 상태에 있다.

明夷의 시절, 군자가 나아가 의를 펼치고자 하나 세상은 아직 그를 몰라준다. 삼 일을 먹지 못한다 함은 오랫동안 나라의 녹을 먹지 않았음을 뜻하며, 군자가 의를 행하고자 하나 세상이 받아드리지 않았음을 가리킨다. 그래서 공자는 "군자는 행하고자 하나 그의 의가 나라의 녹을 먹지 못하였다(象曰 君子于行 義不食也)"라고 우회적으로 풀이하였다. 밝음이 상해 있는 이른 아침에 離火☲로 날아가고자 하나 初九가 변하여 艮山☶이 되니 날개를 반쯤 접은 상, ☲(明)이 ☶(止)로 효변하는 것은 의가 밝음☲을 접고 산☶으로 들어가는 모습이 된다. 백이 숙제의 고사를 가리킨다.

어둠을 뚫고 아침 해가 떠올라 중천을 거쳐 점차 석양으로 넘어가는 해의 하루를 새가 하늘을 나는 모습, 군자가 세상으로 나아가 의를 행하는 모습으로 상징화하였다. 상향하던 離☲가 변하여 山☶이 되어 그치니 새가 날개를 반쯤 접은 모습, 군자가 밝은 뜻을 세상에 펴지 못하고 산으로 은거하는 모습이다. 새가 미명(微明)으로 인해 날개를 완전히 펴지 못하고 낮게 날개를 드리우며 날듯이, 세상이 아직 미명에 갇혀 군자를 몰라주고 받아드리지 않아 의를 펼치지 못하니, 삼 일(하루 종일, 오랜 시간)을 먹지 못한다. 즉 나라의 녹을 먹지 못한다. ☲(明)은 상괘☷(暗)의 세 효가 상징하는 해가 진 저녁, 밤중, 동트기 전 칠흑 같은 어둠의 정점을 거치는 동안 밤새 세 번의 끼니(☷)를 굶었다. 그럼에도 ☲(明)는 하늘로 떠 올라 하루를 돌고, 새는 하늘을 비상하니, 군자는 이를 본받아 세상으로 나아가 의를 행하여야 한다.

군자는 비록 어둠☷의 시대를 거치는 동안 의로써 녹을 먹지 못하였더라도 뜻을 잃지 않는다. 해≡≡가 어둠≡≡을 뚫고 나와 결국 세상을 밝음으로 비추듯, 새가 아침의 미명을 뚫고 날개를 반쯤 접으며 조심스럽게 하늘로 날아오르듯, 군자는 비록 불의가 뒤덮은 시대≡≡에 오랫동안 부름을 받지 못해 녹을 먹지 못했더라도 나아가야 한다. 이것은 해가 天理를 따르듯 군자는 天命을 잃지 않아야 하는 것을 뜻한다. 의를 잃지 않는다면 결국 주인의 부름이 있으리니 백성을 위해 일하며 나라의 녹을 먹을 때가 오리라(君子于行 三日不食 有攸往 主人有言).

주인(主人)은 나를 불러주는 왕(王)을 뜻하지만, 현대적 개념으로 보면 국민이며, 철학적 개념으로 보면 의를 잃지 않은 자기자신(君子)이다. 즉, 主人은 군자를 상징하는 나(我)이며, 言은 天明을 뜻하니 主人有言이란 어떠한 상황에서도 나(군자)는 天命을 놓지 않는다는 뜻이다. 해는 밤중을 거쳐 아침 점심 저녁으로 천하를 유랑해도 변치 않는 천리(天理)를 놓지 않는다(有攸往 主人有言). 해가 돌고 돌아도 다시 돌아갈 곳이 있듯이, 군자는 천하를 유랑해도 천명(天命)을 놓지 않으니 돌아갈 주인이 있다. 주인(主人)이란 천명(天命)을 말함이니 언제든 때가 이르러 주인이 부르면 군자는 나아가 의를 행한다.

☞ 飛: 날 비/ 垂: 드리울 수/ 翼: 날개 익

六二 明夷 夷于左股 用拯馬壯 吉
육이 명이 이우좌고 용증마장 길

육이, 밝음이 상하는 명이의 때, 왼쪽 허벅지를 상함이니, 말馬의 도움을 써서 힘을 얻으면 길하리라.

밝음이 상하는 明夷의 때, 해가 중천에 떠 오른 대낮, 六二가 유순중정(柔順中正)함으로 빛을 발한다. 그러나 밝은 해가 비추는 한낮이긴 하지만 괘상이 가리키는 때는 밝음을 가리는 明夷의 시절이다. 그래서 六二효사는 밝음이 상함을 신체적으로 왼쪽 허벅지가 상한 것으로 비유하고 있다(明夷 夷于左股). 오른 쪽이 아닌 왼쪽 허벅지는 크게 상하지 않았음을 의미한다. 이것은 해가 어둠을 헤치고 중천으로 밝게 떠 오르듯이 언제든 박차고 일어날 수 있음을 뜻한다. 明夷의 때에 지나치게 강건(剛健)하면 오히려 해를 입는다. 그래서 유순(柔順)함으로 中을 지키고 바름(正)을 견지하는 것이 군자의 현명한 태도라 할 수 있다. 왼쪽 허벅지를 상함은 오히려 어두운 불의☷의 세력에게 자신의 밝음☲을 감추는 군자의 지혜로운 선택일 수도 있는 것이다.

離☲의 六二가 효변하면 乾☰된다. ☰은 강건한 말을 상징하며, 天理, 天命을 의미한다. 이것은 어둠 속에 갇혀 있던 해☲가 天理☰를 따라 어둠을 뚫고 중천으로 떠오르듯이, 때를 만나지 못했던 군자☲가 강건한 증마(拯馬☰)의 도움으로 힘을 얻어 어디든 행할 수 있음을 말한다(用拯馬壯). 증마(拯馬)란 도움을 주는 말, 조력자를 의미한다. 해☲가 天理☰를 따르듯이 군자☲는 天命☰을 따른다. 공자는 이것을 "六二의 길함은 天命☰(則)에 순응하기 때문이다(象曰 六二之吉 順以則也)"라고 설명하였다.

☞ 股: 허벅지 고 / 拯: 건질 증, 도울 증 / 壯: 씩씩할 장

九三 明夷于南狩 得其大首 不可疾貞
구삼 명이우남수 득기대수 불가질정

구삼, 明夷가 남쪽을 사냥하여 우두머리(大首)를 붙잡다. 병이 깊어져 바르게 함이 불가하리라.

九三은 양의 자리에 양으로 와서 자리가 바르나 中을 벗어나 있고 그 힘이 강하다. 해☲가 서산☶으로 기울어가는 오후 시간대에 처해있다. 九三은 해가 기울기 전의 늦은 오후의 강한 햇볕을 의미한다. 그러나 내호괘 水☵(暗)에 가려져 있는 모습으로 시간이 흐르면서 점차 어둠☷ 속으로 사라지게 될 것이다.

밝음을 상하게 함(☷☲明夷)의 뜻은 남쪽☲(明)을 사냥하는 것으로 비유한다(明夷于南狩). 즉 明夷☷(暗)가 밝음☲(明)을 사냥하는 것이다. 남쪽의 해☲(南)가 서쪽☶(西)으로 기울어져가는 모습에서 뜻을 가져온 것으로 ☲의 九三은 밝음(明)의 맨 위이니 효변하면서 밝음이 가려지는 ☶의 상이 된다. ☶은 해☲가 기울어 어둠☷으로 들어가는 상으로 2개의 음에 1개의 양이 가려진 모습이다.

효사에서 ☲는 南, 明, 해(日), 正의 뜻으로 九三이 明☲의 머리로서 대수(大首)가 된다. 그러므로 南☲을 정벌하여 大首를 잡는다(于南狩 得其大首)함은 明, 正을 얻는다는 뜻이다. 공자는 이를 "남쪽을 사냥하는 뜻이니 크게 얻음이 있다(象曰 南狩之志 乃大得也)"라고 하였다.

그러나 늦은 오후의 강렬한 양기를 상징하는 九三을 얻음은 역설적이게도 어둠을 재촉하는 시발점이 된다. 大首를 잡음은 곧 어둠이 시작됨을 의미하기 때문이다. 결국 해는 서산으로 기울어 넘어갈 것이다. 크게 이루었음에도 불구하고 결국은 그것으로 인하여 긴 어둠 속으로 들어가게 되는 패러독스적 운명을 맞이하게 되는 것이다. 질(疾)이란 병(病), 불의(不義), 어둠(暗)을 뜻하니 不可疾貞이란 오랜 동안 바르게 지키는 것이 어렵게 된다는 뜻이다. 得其大首에서 득(得)이란 좋은 의미로는 '正, 明을 획득하다, 큰 뜻을 성취하다'라는 뜻이 되지만 밝음의 극인 '九三(大首)을 침몰시키다'라는 뜻도 된다. 사냥이라는 의미는 '☲(明)을 침몰시키다'라는 뜻이 되어 큰 일을 성취하였으나 결국은 어둠이 깊어지고 병이 깊어지니 빨리 회복하기 어려워지는 것이다(不可疾貞).

고사에서는 해☳가 땅☷ 속으로 기울어지는 것을 서쪽☷(기주)에서 무왕이 남쪽☷을 정벌하는 것으로 비유한다. 무왕은 은을 멸한 후 3년 동안 강하게 저항하는 반란세력을 정벌한다. 明夷☷의 입장에서는 九三은 강하게 저항하는 반란세력의 大首이다. 무왕은 이들을 차례로 멸하고 제압한다. 그러나 결국은 정벌로 인한 과로로 병에 붙잡혀 죽게 된다. 큰 뜻을 이루었으나 결국은 해가 기울듯 어둠 속에 들어가게 되는 것이다. 그러므로 明夷于南狩 得其大首 不可疾貞는 '큰 뜻을 성취하였으나 해가 기울듯 어둠 속으로 들어가다. 병이 깊어지다. 밝음이 사라지다, 빠르게 회복하기 어렵다'라는 뜻이 되는 것이다.

병을 빠르게 치료하는 것은 불가하다(不可疾貞). ☷가 ☳가 되는 것이니 大首를 잡는 것이요, 양이 깊이 갇히는 상이니 온전히 빠르게 회복하는 것은 어려워지는 것이다. 3효가 효변하면 地火明夷(䷣)에서 地雷復(䷗)이 된다. 해가 완전히 저무는 것이고 한 겨울이 되는 것이니 완전히 어둠에 들어가게 되는 것이다. 그러나 동시에 복(復)은 다시 회복하는 상이다. 坤地☷(西)는 빛을 가리는 어둠(暗)의 상이니 명이(明夷)의 뜻이요, 離火☲(南)는 밝음이니 명(明)의 상이 되고, 삼효는 밝음의 극치인 大首가 된다.

☞ 狩: 사냥할 수/ 疾: 병 질, 빠를 질

六四 入于左腹 獲明夷之心 于出門庭
육사 입우좌복 획명이지심 우출문정

육사, 왼쪽 배로 들어가서 明夷의 마음을 얻으니 出門하여 궁을 나서리라.

六四는 어둠이 시작된 明夷☷로 들어가는 때로서, ☷은 인체로는 배(腹)를 의미한다. 효변하여 ☳가 되면 후천팔괘 방위로는 동쪽이니 왼쪽이 되고 왼쪽 배(左腹)에 해당하게 된다. ☷은 밝음을 상하게 하는 明夷이니 ☳은 明夷의 왼쪽 배에 들어감이 된다(入于左腹). 震☳의 初九는 坤☷의 뱃속에 양효 하나가 들어가 있는 모습이니 明夷☷의 마음을 얻은 것이다(獲明夷之心). 明夷의 마음을 얻었다 함은 양효 하나가 明夷☷의 왼쪽 뱃속에 슬그머니 들어가 있음을 뜻하는 것이니 明夷의 은밀한 마음을 간파한 것이 된다. 그래서 공자는 "왼쪽 배로 들어감은 마음과 뜻을 얻었음이다(象曰 入于左腹 獲心意也)"라고 풀이한다. 왼쪽 배는 어둠이 눈치채지 못하는 은밀한 곳을 상징한다. 六二의 좌고(左股)처럼 六四의 좌복(左腹)은 드러내놓고 주로 쓰지 않는 곳을 뜻한다.

☷은 폭군 주왕(紂王)이 다스리는 은나라를 의미하며, 밝음이 상해 있는 명이(明夷)를 뜻한다. 明夷☷의 마음을 얻었다(獲明夷之心)함은 폭군 주왕의 서형(庶兄)인 미자(微子)가 은나라☷의 상징이자 심장(心)인 신주☷(神主)를 훔쳐 은나라의 문을 열고 나섰다는 것을 고사로 비유한다. 震☳(進)이 동하여 나아감이니 언젠가 해☳가 어둠☷을 헤치고 밖으로 나아가듯 어둠☷의 문을 열고 밝은 뜰로 나아가리라(于出門庭).

☞ 獲: 얻을 획

六五 箕子之明夷 利貞
육오 기자지명이 리정

육오, 기자(箕子)가 명이(明夷)로 들어가다. 바름을 지킴이 이로우리라.

箕子之明夷이라 함은 기자(箕子)가 자신의 밝음(正明)을 감추고자 스스로 빛을 상하게 하여 어둠 속으로 들어가 몸을 숨기는 명입지중(明入地中)을 뜻한다. 그러므로 之는 소유격인 '의' 또는 '가다'의 뜻으로도 이해할 수 있다.

　육오☷가 효변하면 ☷(暗)이니 어둠 속에 밝음을 숨기는 뜻이 있다. 또한 ☷은 어둠 속에서도 밝음을 지키는 뜻이 된다. 그래서 공자는 이를 "기자의 바름은 밝음을 꺼트리지 않고 지켰음이다(象曰 箕子之貞 明不可息也)"라고 풀이한다. 기자(箕子)는 은나라 주왕이 통치하던 암흑같은 시절, 거짓으로 미친 척하며 자신을 그믐처럼 어둡게 하여 주왕(紂王)의 의심을 벗어난다(晦其明也). 그래서 안으로는 지혜를 감추고, 밖으로는 거짓으로 미친 척하면서도 자기의 뜻을 바르게 지킬 수가 있었다(內難而能正其志).

　감(坎)☵은 밝음☲이 땅☷ 가운데로 들어가는 명이(明夷)의 상이니, 이는 밝음을 그믐으로 하여 스스로를 낮추고 빛을 어둡게 함으로써 해(害)를 피해 가는 뜻이 있다(用晦而明). 자신의 밝음을 그믐처럼 낮추니 해를 당하지 않고 어둠 속에서도 뜻을 바르게 지킬 수가 있으니 바로 利貞의 뜻이다.

☞ 息: 쉴 식

上六 不明晦 初登于天 後入于地
상육 불명회 초등우천 후입우지

상육, 밝아지지 못하고 어둑해지다. 처음에는 하늘에 올랐다가 나중에는 땅으로 들어가다.

　上六은 새벽이 밝아오기 전의 칠흑 같은 어둠의 정점을 의미한다. 밝아오기 직전이 더 어두운 법, 上六은 음으로서 자리가 바르나 어둠의 정점에 처해있다. 정점이란 곧 전환이 시작되는 극점이기도 하다.

上六은 은나라 주왕(紂王)이 천하의 주인이 되어 밝음으로 사해(四海)를 비추다 교만이 극에 달해 어느덧 빛을 잃고 칠흑 같은 어둠 속으로 세상을 끌고 들어가는 것을 비유한다. 처음에는 밝은 해가 하늘에 떠올라 천하를 비추다 나중에는 빛을 잃고 어둠 속으로 들어가는 것과 같은 이치이다. 공자는 이것을 '처음에 하늘로 오름은 천하를 비추는 것이고, 후에 땅으로 들어감은 法道☷(正·明)를 잃었음이다(象曰 初登于天 照四國也 後入于地 失則也)'라고 풀이한다.

初登于天은 하괘☲(明)를 가리키고, 後入于地은 상괘☷(暗)를 가리킨다. 失則也에서 칙(則)이란 ☲을 말함이니 正·明을 잃은 것을 뜻한다. 그러나 어둠의 정점은 곧 어둠의 끝이니 해가 떠오를 것임을 예고하는 것이기도 하다. 上六이 변하면 산☶이니 마침내 밝음은 어둠☷을 넘어 저 멀리서 어렴풋이 다가오고 있는 것이다(☶은 양 하나가 어둠을 터치한 모습이다). 그러므로 불의한 자는 어둠 속에 묻히게 되고, 어둠에서도 바름을 지킨 정의로운 자는 암울했던 삶이 끝나고 밝은 새날을 맞이하게 되는 것이다.

☞ 晦: 그믐 회, 어두울 회/ 則: 법칙 칙

37. 風火家人 풍화가인

風 ☴ 巽
火 ☲ 離

▶효변(爻變)

과거	미래	현재
☷+3 ⇨	☳+5	☵+5
		☴+3

上下작용력: (+3)-(+5)=-2

上下균형력: (+3)+(+5)=+8

家人 利女貞

象曰 家人 女正位乎內 男正位乎外 男女正 天地之大義也 家人有嚴君焉

父母之謂也 父父子子兄兄弟弟夫夫婦婦 而家道正 正家而天下定矣

象曰 風自火出 家人 君子以 言有物而行有恒

初九 閑有家 悔亡

六二 无攸遂 在中饋 貞吉

九三 家人嗃嗃 悔厲 吉 婦子嘻嘻 終吝

六四 富家 大吉

九五 王假有家 勿恤 吉

上九 有孚 威如 終吉

1. 괘상(卦象)

初九 양이 상향하여 자연스럽게 해방되는 순행과정을 보여준다. 하괘(☲)의 초양이 六二을 뚫고 상향하니 상괘의 風☴이 되어 풍화가인(風火家人)이라는 대성괘가 만들어진다. 대성괘는 하괘가 효변하면서 상괘가 만들어지는 과정의 한 순간(현재시점)을 포착한 것으로 뜻을 품고 있다.

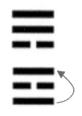

外, 불길, 流動, 남편, 외부활동, 九五(剛健中正)

內, 불덩이, 明, 正, 文明, 근원, 질서, 균형, 중심, 아내, 집안, 가정, 단체, 조직, 六二(柔順中正),

하괘☲(火)의 初九 양이 六二 음을 뚫고 상향하면서 상괘☴(風)이 만들어진다. ☴의 초음은 바로 ☲의 六二이다. 즉, 風☴은 火☲의 二음에 뿌리를 내리고 있는 모습으로 ☲을 떠나면 바람처럼 사라지는 불길이다. 불길은 불덩이를 떠나서는 존재할 수가 없다. 가인의 상에서 ☴는 ☲의 근원이다. 근원이 사라지면 형상도 사라진다. 형상은 그림자에 불과하기 때문이다

불덩이☲가 바르면 불길☴도 수그러들지 않고 활활 타오른다. 불덩이와 불길은 하나의 몸이다. 불덩이☲에서 불길☴이 활활 타오르는 모습은 火☲의 에너지가 밖으로 방출☴되고 있음을 뜻한다(風自火出). 불덩이에 불길이 붙어있는 모습은 불길이 불덩이에 근거하고 있는 하나의 체(體)임을 뜻하는 것이다.

바람☴은 초효가 음으로 땅☷에 붙어 있는 모습이다. 그러므로 바람처럼 자유로우나 땅에 붙어있는 것이다. 땅☷을 떠나 상향하는 ☴를 붙잡으니 ☴

이 된다. 火☲은 첫째 효가 양이니 땅에서 떨어져 있음이며, 風☴은 자유로우나 첫째 효가 음으로 땅(土)에 근본을 두고 있다.

　가인(家人)괘는 상하괘가 불덩이와 불길의 관계로 서로 한 지체가 되는 가정에 비유된다. 가정은 허공에 붕 떠있는 것이 아니라 근본에 정착되어 있어야 한다. 음양지합(陰陽之合)으로 남녀가 서로 교감하며 하나를 체를 형성하여 자식을 낳아 천도(天道)를 이으니 바로 가정(家庭)으로서 가인(家人)이 추구하는 바른 도(道)이다. 그러므로 가인(家人)은 "父父子子兄兄弟弟夫夫婦婦而家道正 正家而天下定矣"을 추구한다. 부모는 부모다워야 하고, 자식은 자식다워야 하며, 형의 형다워야 하고, 아우는 아우다워야 하며, 남편은 남편다워야 하고, 부인은 부인다워야 가도(家道)가 바로 서는 것이며, 가정(家庭)을 올바로 세워야 천하가 바로 정(定)해지는 것이다.

　九五는 中正의 자리에서 외부에서 중심을 지키는 남편으로, 六二는 역시 中正의 자리에서 가정의 중심을 지키는 부인으로서 정응하니 서로 한 지체로서 완전한 가정을 이룬다. ☴(入)은 외부에서 안을 들여다보며 가정을 살피고, ☲(明)은 안을 밝혀 서로가 상호작용을 통해 바른 조화를 이루니 천지의 道가 바로 선다(女正位乎內 男正位乎外 男女正 天地之大義也).

　가정에서는 여자가 현명함(明)과 바름(正)으로 中正을 지키고, 밖에서는 남자가 중심을 지키며 中正함으로 활동한다. 가정☲이 밝음으로 文明하니 불길☲이 외부로 타오르듯 그 힘은 밖으로 나가 문명한 사회를 만들고 나라를 만든다. 불길☲은 불덩이☲를 떠나서 존재할 수 없듯이 남녀도 음양의 이치를 벗어날 수 없으니 천하의 근본은 가정에 있는 것이다.

　☴은 양 에너지의 자유로운 활동을 의미하지만 초음에 근원을 두고 있어 ☰처럼 순양(純陽)의 대자유(大自由)가 아니다. 乾☰은 큰 陽으로서 우주적 에너지이지만 巽☴은 땅에 붙어있는 양기로 지구적 에너지이다.

　☲은 두 개의 양 가운데에서 이음(二陰)이 중심을 잡고 있는 모습이고, ☴은 양이 밖으로 나가 활동하면서도 초음(初陰)에 붙어있는 모습이다. 六二는

柔順中正한 아내의 상이 되고, 九五는 剛健中正한 남편의 상이 된다. 그러므로 ☲은 안(內)에서 밝음(明)과 바름(正)으로 가정의 중(中)을 지키는 바른 가도(家道)의 뜻이 된다. ☴은 아내☲(六二)에 뿌리를 두고 밖에서 중정(中正)함으로 활동하는 남편(外)의 상이 되니, 바로 가인(家人)의 괘가 추구하는 뜻이다. 그러므로 만물의 근원으로 비유되는 女☲가 바르면 천하가 이로운 것이다(家人 利女貞).

▶**효변의 이해** - 순행과 난행

▶-순행(順行)이란 풀리는 것이다.

  풀린다는 것은 양은 상향하고 음은 하향하며 서로 멀어지는 것이다.

▶난행(難行)이란 맺히는 것이다.

  맺힌다는 것은 양은 하향하고 음은 상향하며 서로 부딪히는 것이다.

순행   -4   -2

             睽   家人

           +3   +5

           -1   +3

           -4   -2

난행   +2   +4

             鼎   革

           +3   -1

           +5   +3

          +2   +4

2. 괘변(卦變)

▷호괘 - 火水未濟

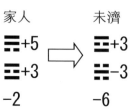

家人   未濟

☲+5 ⟹ ☲+3
☵+3   ☵-3
-2   -6

　가인(家人)은 절정의 순간을 의미한다. 가정의 구성원들이 바로 서고 밝음 ☲이 꽃☲을 피우니 모든 것이 풍요롭다. 그러나 마른 장작은 화력이 좋지만 어느새 사그라들고 재만 남는다. 절정☲의 순간은 곧 지나가고 타고난 재만 이 그 문명☲이 있었음을 증언하게 되니 한번에 모든 것을 탕진하는 것은 어리석은 짓이다. 꽃☲을 피우는 문명☲의 내면에 미제(未濟)가 숨어있음은 어리석은 문명☲의 환락☲에 던지는 경고장이다. 미제(未濟)란 기제(旣濟)가 무너진 모습이니 다시 처음부터 시작해야 하는 뜻이 있다. 결코 쉬운 일이 아니다.

　남녀가 서로 만나 가족을 이루는 가정은 천지를 이루는 기본이다. 그런데 괘의 내부에 미제가 들어있음은 매사에 초심으로 임해야 함을 뜻한다. 미제 는 모든 효가 不正位이니 家人을 이루는 노력이 쉬운 일이 아님을 뜻한다. 未濟란 일의 시작이요, 초심이니 갈 길이 멀다.

▷착종 - 火風鼎

家人   鼎

☲+5 ⟹ ☲+3
☴+3   ☴+5
-2   +2

家人은 6효를 제외하면 모든 효가 正位를 지킨다. 모든 것이 완전함을 의미하니 이것은 완전연소, 완전소진으로 이대로 진행이 되면 문명의 쇠퇴, 문명의 해체를 불러올 수도 있음을 의미한다. 그러므로 中道를 지키며 밝음☲이 지속적으로 타오르게☲ 한다면 결실과 문명을 이루는 화풍정(火風鼎)으로 완성이 되는 것이다.

▷도전괘 - 火澤睽

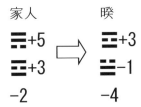

가인(家人)은 나무에 붙은 불이 훨훨 타오르는 모습으로 일체의 상을 뜻하니 서로가 지체를 이루고 있는 부부의 모습이다. 이에 반하여 규(睽)는 바다에서 태양이 떠 오르는 일출의 상이니 서로 어긋나는 모습이 된다.

▷배합괘 - 雷水解

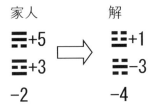

▶ **풍화가인(風火家人)**: 생명의 완성, 절정
  가인(家人)은 남녀가 하나로 합쳐 가정을 이루고, 하나의 지체로서 완성된 존재를 의미한다.
▶ **뇌수해(雷水解)**: 생명의 초기, 시작

해(解)는 모태에 있던 태아가 드디어 세상 밖으로 나오는 상이니, 험난에서 벗어나 움직여 전진하는 모습으로 사물의 초기모습이다.

3. 괘사(卦辭)

家人 利女貞
가인 이여정

가인이로다. 여자가 바르면 이로우리라.

우주 삼라만상은 하나(一)에서 음양(二)의 작용이 펼쳐낸 천지인(三)의 모습이다. 음양은 만물을 생(生)하는 생성원리로서 상호작용을 통하여 삼라만상을 펼쳐낸다. 식물이나 동물, 미세한 생물도 음양의 이치를 벗어나지 않으니, 물건이란 음양의 작용으로 그 형상을 갖춘 것이기 때문이다.

하나의 가정을 이루어 남녀가 음양의 바른 이치로 자녀를 낳아 기르니, 곧 태극(一)에서 음양(二)의 이치로 만물(三)이 나오는 이치이다(一은 태극, 二는 음양, 三은 만물을 칭하는 수이다). 남녀가 하나가 되어 서로 사랑으로 교감하고 자녀를 낳아 바르게 천도(天道)를 이어 나가니 바로 가인의 상이다(男女正天地之大義也). 음양이 하나가 되어 물건을 만들듯, 남녀도 양과 음으로서 합해질 때 비로소 천도를 따르는 완전한 하나가 된다. 가정은 천지의 기본형태로서 천지가 물건을 생하며 계속 이어가는 시스템이다.

가인(家人)은 남녀가 만나 가정을 이루는 가도(家道)를 설명한다. 남녀가 만나 자녀를 낳고 가족을 이루는 기본단위가 가정이며, 이는 천지가 음양의 작용으로 만물을 이어가는 근본이다. 땅(음)이 하늘(양)의 정기를 받아 만물을 낳아 기르듯, 女(음)는 男(양)의 정기를 받아 자식을 낳아 기른다. 땅이 만물의 모토(母土)이듯이, 女(음)는 사람의 모태이다. 불길의 근원인 불덩어리가 바르면 불길이 활활 타오르듯, 땅이 바르면 만물이 바르고, 여(女)가 바르면 바른 사람을 낳는다. 근원이 바르면 현상이 바르고, 여(女)가 바르면 자식이 바르고, 가정(家)이 바르면 나라(國)가 바르게 선다. 그러므로 가정은 천하의 근본(根本)이며 근원(根源)이니 가정이 바르게 서면 천하의 도가 바르게 정해지는 것이다(正家而天下定矣).

문왕팔괘에서 만물이 사시순환을 마치고 바르게 쉬는 곳이 감수(坎水)☵이며, 낙서의 수리는 1이 되고, 지지(地支)에서 자수(子水)가 수리적으로 1이 되는 이치로서 만물의 시작은 음(陰)에서 비롯된다.

風☴은 火☲의 六二 음에 뿌리를 두고 있으므로 火☲가 바르면 불길☲이 힘을 얻고, 바르지 않으면 힘을 잃고 사그라지니 남편☲은 아내☴하기 나름이다. 불길☲의 근원이 불덩이☲이듯이, 만물의 근원은 땅이며, 사람의 근원은 어머니(女)이다. 가인(家人)에서 여(女)는 모든 것의 근원임을 상징적으로 비유한다. 그러므로 만물의 근원인 여(女)가 바르면 천하가 이롭다고 설파하는 것이다(家人 利女貞).

象曰 家人女正位乎內 男正位乎外 男女正天地之大義也
단왈 가인여정위호내 남정위호외 남녀정천지지대의야
家人有嚴君焉 父母之謂也
가인유엄군언 부모지위야
父父子子 兄兄弟弟 夫夫婦婦 而家道正 正家而天下定矣
부부자자 형형제제 부부부부 이가도정 정가이천하정의

단에 이르길, 가인은 여자는 안에서 위치가 바르고, 남자는 밖에서 위치가 바르니, 남녀의 바름은 천지의 큰 뜻이로다.
가인은 위엄이 있는 어른이 있으니 부모를 이름이라.

> 부모는 부모다워야 하고 자식은 자식다워야 하며, 형은 형다워야 하고 아우는 아우다워야 하며, 남편은 남편다워야 하고 부인은 부인다워야 한다. 그리해야 가도(家道)가 바로 서리니 집안이 바로 서면 천하의 틀이 정해지리라.

家人은 가정의 근본인 남녀(夫婦)를 뜻한다. 양과 음이 따로 떨어져서는 그 기운을 잃듯, 남녀도 따로 떨어져 있으면 천도를 이을 수 없고, 천하만물은 곧 소멸되고 만다. 남녀의 바른 위치란 음양의 이치에 따라 서로 交感하고 交습하며 하나의 가정을 이루고 자식을 낳아 天道를 이어감을 말한다. 아내 ☲는 안에서 바르게 中을 잡아 中正함을 지키며, 남편은 밖에서 中正함으로써 행하니 六二와 九五의 中正함은 바로 가인(家人)이 추구하는 가정(家庭)의 바른 모습이다. 그러므로 천지의 근본인 남녀가 바름은 천지의 큰 뜻을 바르게 세우는 것이다(男女正天地之大義也).

九五는 中正의 자리에서 외부에서 중심을 지키는 남편으로, 六二는 역시 中正의 자리에서 가정의 중심을 지키는 부인으로서 정응하니 서로 한 지체로 완전한 가정을 이룬다. 부모가 내외(內外)에서 바르게 중심을 지킬 때 어떠한 경우에 있어서도 흔들림이 없는 것이니 부모는 자식의 중심으로서 위엄이 있어야 한다.

부모는 부모다워야 하고, 자식은 자식다워야 한다. 형은 형다워야 하고, 아우는 아우다워야 한다. 또한 남편은 남편다워야 하고, 부인은 부인다워야 한다. 모두가 제 자리에서 바름을 지켜야 가도(家道)가 바르게 선다. 천하의 근본인 가정이 올바로 서야 비로소 천하의 큰 틀이 정해지는 것이다(正家而天下定矣). 수신제가(修身齊家)가 선행되어야 치국평천하(治國平天下)를 이룰 수가 있는 것이다.

象曰 風自火出家人 君子以 言有物而行有恒

상왈 풍자화출가인 군자이 언유물이행유항

상에 이르길, 불☲에서 바람☴이 나오니 가인이다. 군자는 이로써 말에는 근거(사실)가 있고 행함에는 항상함이 있다.

불길☴이 불덩이☲로부터 나옴을 나타내는 것이 가인(家人)의 상이다(風自火出 家人). 근원이 바르면 상(象)이 바르게 나타나듯, 안이 바르면 밖으로 바름이 드러나고, 안이 밝으면 밖이 밝아지니 가인은 안에서 시작하는 도를 뜻한다. 바깥세상을 바꾸는 기운은 집안에서부터 시작된다. 불길이 불덩이에서 나오듯, 말은 사실에서 나와야 하며, 진실이 세상을 바꾸듯 진실을 행함에 있어서는 굽히지 않는 항상(恒常)함이 있어야 한다(言有物而行有恒).

4. 효사(爻辭)

하괘는 六二(음, 여자)가 중심을 잡은 정명(正明)한 집안☲을 의미하고, 상괘는 하괘의 六二(음)에 근본을 둔 九五(양, 남자)의 활동을 상징한다. 내부를 꾸리는 여자(음)가 바르지 않으면 외부 활동하는 남자(양)가 힘을 잃는다. 현대 사회에서는 이것을 조직의 내부 구성원이 正明하지 않으면 그 조직이 제대로 된 활동을 할 수 없음으로 이해할 수 있다.

> **初九 閑有家 悔亡**
> 초구 한유가 회망
>
> 초구, 가정을 꾸리고 집의 틈새를 막고 방위하며 가도(家道)를 바로 세우니 후회가 없으리라.

初九는 맨 아래에 처하여 비록 미약하지만 양의 자리에 양으로 와서 자리가 바르며, 하괘 ☲(正)의 바탕이 된다. 初九는 집(家)의 시작이 되는 기초이다. 집은 바르게 서야 한다. 그러므로 집을 지을 때는 기본을 튼튼히 하고 틈새를 막아 틀을 바르게 하는 것이 기본이다. 기둥은 기초부터 바르게 세워야 한다. 틈새가 생겨 기울게 되면 아무리 집을 멋지게 지어도 쉽게 무너질 수밖에 없다. 한(閑)은 집(家)의 문(門)을 가로질러 막는 빗장(木)을 의미한다. 가(家)는 개인적으로는 집안을 의미하며, 크게는 사회조직이나 국가(國家)를 가리킨다.

하괘의 ☲은 집안, 즉 가정을 의미하며, 밝음(明)과 바름(正)을 뜻한다. 유가(有家)란 집이 있음이니 남녀가 만나 가정을 꾸리고 일가(一家)를 일으키는 것을 뜻한다. 그러므로 한유가(閑有家)란 남녀가 결합하여 가정을 꾸리고 집안을 바르게 세워 무너지지 않게 방위함을 말하는 것이다. 初九는 비록 자리는 바르나 그 힘이 미약하기 때문에 집안의 기초를 튼튼히 해야 회(悔)가 없게 된다.

한 집안의 가풍(家風)은 어린아이 때부터 보고 배우며 익히는 과정에서 자연스럽게 습득한다. 위엄을 갖춘 어른이 있는 가정과 그렇지 못한 가정에서 자란 아이는 가도(家道)가 근본적으로 다르다. 하괘 ☲는 명(明)과 정(正)을 뜻한다. 집이나 가정은 그 바닥이 바름(正)을 기초하고 밝음(明)으로 교육하지 하지 않으면 사상누각에 불과하여 쉽게 흔들린다. 그래서 공자는 "정명(正明)으로써 집을 방비해야만 뜻이 변하지 않는다(象曰 閑有家 志未變也)"라고 하였다. 初九가 효변하면 艮山☶이 되니 기초가 튼튼한 집의 상이다.

☞ 閑: 막을 한, 보위할 한, 법도 한, 틈새 한

,

六二 无攸遂 在中饋 貞吉
육이 무유수 재중궤 정길

육이, 이루는 바가 없으니 집안(中)에 머무르며 먹이고 기르라. 바름으로 하면 길하리라.

무유수(无攸遂)는 밖에 나가서는 일을 이룰 수 없음을 뜻하고, 재중(在中)은 집 안에 머무름을 뜻한다. 그러므로 无攸遂 在中饋는 오히려 안에 머물러 내실을 기하며 구성원에게 좋은 것을 먹이며 바르게 키우는 것을 뜻한다.

在中饋는 육체적으로는 영양가 있는 음식을 제공하여 육신을 튼튼하게 하는 것이며, 바른 교육을 시행하여 가도(家道)를 바르게 세워 만사의 근원인 가정을 바르게 세우는 것을 의미한다. 폭넓게는 단체나 조직으로 확장 해석할 수 있다.

六二는 집안의 중심인 여자를 뜻한다. 가정은 집안의 중심인 부인의 역할이 가장 크다. 부인(女)은 치우침 없이 中正해야 한다. 여자가 바르지 못하여 가정을 지키지 못한다면 가정은 쉽게 무너지게 되고 남자는 밖에서 지속적으로 건강한 활동을 할 수가 없다. 六二는 하괘 火☲의 중심이다. 그러므로 불씨☲가 지속되기 위해서는 중심인 六二가 올바르게 서야 한다.

六二 음(陰)은 ☲의 중심으로 정위(正位)에 자리하고 유순(柔順)하며 중정(中正)하다. 2개의 양효를 치우침 없이 바르게 잡고 있는 것이 六二이다. 즉, 밝음☲(明)의 중심인 음이 치우침 없이 바르게 中을 잡고 있어야 불길☲(활동)이 바르게 지속적으로 유지될 수가 있는 것이다. 가정을 폭넓게 확장하면 단체나 조직, 크게는 기업이나 국가조직이 될 수가 있다. 외부로 보이는 활동은 내부의 조직이 바르게 서 있어야 하며, 그 내부 조직을 운영하는 자는 치우침 없이 균형 잡힌 자이어야 하고, 유순(柔順)하고 중정(中正)하며, 활동성 있는 양보다는 침착한 음의 성정이 더 요구된다. 불길☲(流動)로 표현되는 외부활동도 불덩이☲(正明)가 바르게 서서 근본이 되어주지 못한다면 오래 지속될 수가 없기 때문이다. 六二는 밖에 나가서 일을 이루는 것이 어려우므로 조직의 내부 또는 집안에서 외부 활동을 하는 남편, 또는 외부에서 활동하는 조직 구성원을 유순하고 중정하게 내조하거나 뒷받침하는 것이 오히려 크게 성공할 수 있는 지름길이다. 그래서 공자는 소상전에서 "六二의 길함은 유순하고 공손하기 때문이로다(象曰 六二之吉 順以巽也)"라고 풀이하였다.

☞ 遂: 이룰 수/ 饋: 먹일 궤

九三 家人嗃嗃 悔厲吉 婦子嘻嘻 終吝
구삼 가인학학 회려길 부자희희 종린

구삼, 가인(家人)에게 엄격하고도 엄격하게 하면 회(悔)가 되기도 하고
위태롭기도 하지만 길하리라. 반면에 부인과 자식이 시시덕거리면
마침내는 부끄러움을 당하리라.

九三은 양의 자리에 양으로 와서 비록 자리는 바르지만 중中을 벗어나 있
으며, 상괘로 나아갈 것인지 그대로 머물 것인지를 선택하는 자리에 있다.
인생이란 매 순간 선택하는 자리이다. 九三은 자리는 바르나 중中을 벗어나
양강하다. 그러므로 종일건건(終日乾乾)하며 저녁마다 자신을 돌이켜보며 위
태로움으로 깨어 있어야 한다. 그만큼 어려운 자리로서 중천건重天乾괘 九
三효사처럼 항상 종일건건 반복도야(終日乾乾 反復道也)하는 마음으로 스스
로를 반신(反身)하며 자신과 가족에게 엄격해야 한다(家人嗃嗃).

▷중천건重天乾 九三효사

君子 終日乾乾 夕惕若 厲无咎
군자 종일건건 석척약 려무구

구삼, 군자가 종일 갈고 닦으며 힘쓰고 또 힘쓴다. 저녁에 이르러 두려움 마음으
로 돌아보며, 위태로움으로 깨어 있으니 무탈하리라.

가정이든 사회 조직이든 내부 규율이 너무 풀려 있거나 도덕적 기준이 무
너지게 되면 정명(正明)이 바로 서지 못한다. 효사에서는 이것을 가족 구성
원인 부(자婦子)가 시시덕거리는 것으로 설명한다(婦子嘻嘻 終吝). 부자(婦子)

는 여자와 자식, 여자(부인)가 꾸려가는 식솔, 가족 구성원, 단체 조직원 등, 내부 구성원을 의미한다. 그러므로 부자희희(婦子嘻嘻)란 구성원이 본분을 잊고 정명을 잃어버리는 모습, 내부 규율이 무너지는 모습으로 조직이 안으로부터 붕괴되어가는 소리를 뜻한다. 그러므로 엄격하게 대하면 때로는 회(悔)할 수도 있겠지만, 비록 위태로움은 있을지 언정 마침내는 그것이 올바른 선택이라는 것을 알게 될 것이다.

"가인家人(처자식이나 구성원)을 엄격하게 대하면 그 구성원을 잃지는 않는다. 반면 너무 관대하게 대하여 正明이 무너지게 되면 집안의 절도를 잃게 된다(象曰 家人嗃嗃 未失也, 婦子嘻嘻 失家節)"라고 공자는 말한다. 일가一家를 일으키는 것보다 지키는 것이 더 어렵다. 그래서 '일가一家를 일으키고 지키고자 하는 초심에 가졌던 뜻이 변치 말아야 한다'라고 初九부터 경계하고 있는 것이다(초구, 象曰 閑有家 志未變也).

☞ 嗃: 엄할 학/ 悔: 뉘우칠 회/ 厲: 위태로울 려/ 嘻: 웃을 희

六四 富家 大吉
육사 부가 대길

육사, 집을 부유(富有)하게 하니 크게 길하리라.

유순중정한 六二가 중심을 바로잡은 하괘☲는 근본이 正明한 집, 단체, 조직 더 넓게는 국가를 의미한다. 불덩이가 제대로 갖추어져야 불길이 활활 타오르듯 근본이 제대로 된 집은 흥성한다. 六四는 음의 자리에 음으로 와서 자리가 바르고 유순하다. 또한 외괘 ☴의 초음은 正明을 뜻하는 하괘☲의 六二 음에 뿌리를 두고 있다. 이것은 六四가 내부와 외부를 연결하는 고리

임을 가리킨다. 그러므로 내부의 ☲이 바르면 그것을 근본으로 하는 외부의 불길☲이 힘을 얻게 되고, 바르지 않으면 힘을 잃고 사라지게 된다.

正位로서 유순한 六四는 내부와 외부를 연결하는 역할을 한다. 효사는 이를 부가(富家), 즉 집을 부유하게 하는 것으로 비유하며 大吉하다라고 설명한다. 4효가 자기 자리에서 바르게 처신했기 때문이다(象曰 富家大吉 順在位也). 또한 六四가 효변하면 천화동인(天火同人☲)이니, 이는 근본을 바르게 하며 천명을 따르는 것을 뜻한다.

九五 王假有家 勿恤吉
구오 왕가유가 물휼길

구오, 왕이 천하를 얻어 아름답게 하니 근심치 마라. 길하리라.

九五는 상괘의 강건중정한 군주의 자리에서 六二의 유순중정과 정응하는 자리에 있다. 그러므로 火☲는 중심이 바르게 잡힌 正明한 모습으로 가정, 더 나아가 조직이나 국가로 그 의미를 확장할 수가 있으니 유가(有家)란 군주☲(九五)가 천가(天家☲)를 얻은 뜻이 된다. 천가는 왕의 집, 곧 천하를 의미한다. 九五대장부☲는 正明한 가정☲을 얻은 것이고, 九五군왕☲은 천하☲(백성)를 얻은 것이다.

有家란 天家를 얻음이요, 王假란 왕이 아름답게 함이니 왕가유가(王假有家)란 왕이 천하(백성)를 얻어 아름답게 하는 것이고, 작게는 지아비가 가정을 얻어 아름답게 하는 것이다. 九五가 효변하면 산화비(山火賁☲)가 되니 아름답게 꾸미는 뜻이 있다. 그러므로 공자는 이를 "왕이 천하를 얻어 아름답게 하니 서로 사랑하는 것이다(象曰 王假有家 交相愛也)"라고 풀이한다.

☞ 假: 아름다울 가/ 恤: 불쌍할 휼, 근심할 휼

142   주역원리강해(하)

하괘 ☲는 바름(正)과 밝음(明)을 근본으로 하는 가도(家道)를 상징한다. 家道☲는 믿음과 위엄을 근본으로 한다. 믿음이 없으면 근본이 무너지고, 위엄이 없으면 예(禮)가 서지 않으며, 家道☲에서 멀어져 방종하게 된다.

上九는 상극에 처하여 음의 자리에 양으로 와서 자리가 부당하다. 그러므로 집안의 어른을 의미하는 上九는 항상 스스로를 반신(反身)하며 돌아보아야 한다. 그러나 양강(陽剛)에 취해 일가(一家)를 이룬 자기자신에 대한 자부심과 믿음이 지나치게 되면 家人(처자식, 구성원)에게 위엄은 오히려 폭력과 다름없는 위력이 되어버리기 쉽다.

위엄은 신뢰를 기본으로 한다. 家道는 신뢰를 바탕으로 바르게 서야 예가 서게 되고 질서를 갖추게 되어 위엄이 선다. 신뢰를 근본으로 하지 않는 위엄은 위력이 될 뿐이다. 자신이 일군 일가에 대한 자부심과 자기자신에 믿음이 과도해지면 오히려 家人에게는 자신의 의사와는 관계없이 따라야 하는 위력이 되어버리는 것이다.

그러나 효변하면 기제(既濟☵)이니 이는 일의 완성을 의미한다. 그러므로 마침내 길하다. 공자는 "위엄이 있음이 길하다는 것은 자신을 돌아보게 되는 반신(反身)의 계기가 되기 때문이다(象曰 威如之吉 反身之謂也)"라고 했다. 자신을 돌이켜 스스로를 반성하고 다스리면 만인이 두려워하고 복종하게 되니, 이는 곧 믿음(孚)와 위엄(威)을 바르게 세우는 것이 된다(有孚威如). 이것이 바로 가도(家道)를 바르게 세워 일가(一家)를 항구하게 보존해 가는 이치이다.

☞ 孚: 믿을 부/ 威: 위엄 위

38. 火澤暌화택규

火☲離
澤☱兌

▶효변(爻變)

과거	미래	현재
☷-1 ⇨	☳+3	☳+3
		☷-1

상하작용력: (-1)-(+3)= -4
상하균형력: (-1)+(+3)= +2

暌 小事 吉

象曰 暌火動而上 澤動而下 二女同居 其志不同行 說而麗乎明 柔進而上行
得中而應乎剛 是以小事吉 天地暌而其事同也 男女暌而其志通也 萬物暌而
其事類也 暌之時用大矣哉

象曰 上火下澤 暌 君子以同而異

初九 悔亡 喪馬 勿逐自復 見惡人 无咎

九二 遇主于巷 无咎

六三 見輿曳 其牛掣 其人天且劓 无初有終

九四 暌孤 遇元夫 交孚 厲无咎

六五 悔亡 厥宗噬膚 往何咎

上九 暌孤 見豕負塗 載鬼一車 先張之弧 後說之弧 匪寇 婚媾 往遇雨則吉

1.괘상(卦象)

▶어긋남은 일의 완성을 이루고자 함이다.

하괘☱의 九二가 六三을 뚫고 상향☲하면서 화택규(火澤睽)가 만들어 진다. 이것은 六三에 갇혀 있던 양☲이 시간의 흐름에 따라 밖으로 분출☲하는 과정을 표현한 것이다. 하괘에서 상괘로 변화하는 과정에서 현재의 한 순간을 포착한 것이 대성괘인데, 하괘가 과거라면 상괘는 미래가 되고, 상하괘가 합쳐진 대성괘는 과거와 미래가 만나 어우러진 현재의 모습이 된다.

땅 아래 갇혀있던 태양이 떠오르는 형상으로 바다☱에서 태양☲이 떠오르는 상이다. 작용력으로 보면 하괘☱가 -1, 상괘☲가 +3이니 ☲는 아래로 향하고, ☱는 상향하여 서로 어긋나게 된다. 시위를 놓은 활에서 화살이 나가는 모습이니 서로 어긋난다 하여 규(睽)가 되는 것이다.

만물은 원래 하나인 태극(一)에서 시작하여 음양(二)으로 어긋나 서로 작용하면서 만물만상(三)을 펼쳐내는 것이니, 태극과 만물은 본래가 하나(一)의 존재(存在)이다(天地睽而其事同也).

存이란 우주만물의 근본인 실재적 하나(一)로서 本體를 의미하고, 在란 본체인 하나(一)가 발현하여 펼쳐진 현상(三)으로 우주 삼라만상(三)은 본래 하나(一)의 자기복제 현상이다. 즉, 존(存)이 萬物을 잉태하고 있는 형이상학적 씨앗(子)이라면, 재(在)는 씨앗이 발아하여 지상에 펼쳐진 형이하학적 萬象이다. 萬物이란 만(萬)가지로 어긋나 있는 만(萬) 가지의 상(象)을 말하니 서로 어긋나 있어 모습은 다르나 출발은 본시 하나(一)에서 시작하였으니 원래 하나(一)인 것이다. 하나(一)이지만 작용으로서는 음과 양으로 서로 어긋나 있으니 상생과 상극을 반복하고, 서로 갈마들면서 팔괘를 펼쳐낸다(剛柔相摩 八卦相盪 강유상마 팔괘상탕/계사전). 결국 하나에서 시작된 어긋남은 만물을 키우고 기르는 만유(萬有)의 법칙인 것이다. 규(暌)의 어긋남은 일의 완성을 이루고자 함이다.

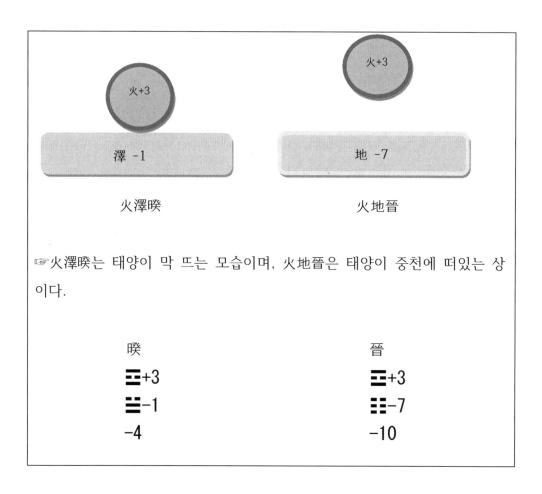

☞火澤暌는 태양이 막 뜨는 모습이며, 火地晉은 태양이 중천에 떠있는 상이다.

인간사나 동물이나 모든 삼라만상은 그 속성을 들여다보면 근원에서는 음양으로 나뉘어 서로 작용하고 있음을 알 수 있다. 모두가 양이거나 또는 음이라면, 모두가 동일하다면 그 순간 우주는 아주 평화롭게 고요히 종말을 고하게 될 것이다. 우주가 존재하면서 지속되고 있는 원리는 무엇인가? 그것은 만물만상으로 어긋나 있어 서로가 다름으로 인하여 밀고 당기고 부딪히면서 소음을 내며 새로움을 만들어내는데 있는 것이다. 즉, 음양이 서로 갈마들면서 밀고 당기며 대립과 화해를 반복하고, 생명을 창조하며 만물을 펼쳐내는 것이다(剛柔相推而生變化강유상추이생변화/계사전). 세상이 혼란스러워 보이고, 때로는 악이 득세하는 것 같지만 그것은 태극의 본성이 陰陽이기 때문이다. 그러므로 그 근원을 들여다보면 결국 본(本)은 하나(一)라는 것을 알 수 있으니 깨달은 자는 고요하면서도 역동적인 태극(一)을 본다. 음양은 공평무사(公平無私)하다. 그러므로 서로 갈지자(之)로 갈마들면서 세상은 그렇게 만왕만래(萬往萬來)하며 용변(用變)하지만 그 근본은 움직이지 않는다(萬往萬來用變不動本/천부경). 상생과 상극, 대립과 화해는 우주만물을 기르며 키워내는 법칙이다.

헤어짐은 만남의 또 다른 약속이다. 만남은 이별의 시작이며 만남이 있기에 이별이 있는 것이니, 근원을 깨달으면 만남과 이별도 결국 하나(一)의 현상일 뿐이라는 것을 알게 된다(天地暌而其事同也). 그러므로 수많은 인연들이 오고 가며 수없이 변하지만 그 본(本)은 변함이 없으니 대인은 인생을 덧없다 슬퍼하지 않는다.

☱(說)은 하늘의 양을 가득 담고 있으니 평안하고 안락하며 기쁘고 충만하다. 그곳을 떠남☲(離)은 아쉬우나 그것이 자연의 이치이니 집착은 오히려 흉(凶)이다. 기쁜 마음☱(說)으로 밝고 가볍게 떠나니☲(離), 그럼으로써 새로움이 生化하는 까닭이다. 돌고 도는 것이 음양의 이치이니 길(吉)하다.

2. 괘변(卦變)

▷호괘 - 水火旣濟

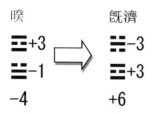

睽 → 旣濟

-4 → +6

　　규(睽)로서 어긋남은 서로가 상생과 상극을 통하여 만물을 이루고자 하는 **만유(萬有)의 법칙이다**. 활은 시위를 당겨 서로 어긋나야 화살을 내보내며, 씨앗은 모체를 떠나 땅에 떨어져야 다시 生하는 법이다. 자식이 부모를 떠나 다시 부모를 이루니 인간의 존재가 항구이 유지된다. 서로 어긋나고 다시 합하기를 반복하는 것은 태양이 일출과 일몰을 반복하면서 만물을 생(生)하는 것과 같다(正反合). 규(睽)의 호괘가 기제(旣濟)이니 바로 어긋남은 일의 완성을 이루고자 함이다. 그러므로 규(睽)의 어긋남은 자연스러운 음양의 이치로서 吉한 것이다. 때가 되어 태양이 바다를 박차고 위로 떠올라 천하를 비추니 만물의 작용이 제대로 이루어 진다.

▷착종 - 澤火革

睽 → 革

-4 → +4

하괘☲의 九三이 六二 아래로 파고 들어감으로써 양을 가득 담은 ☱이 되니 澤火革이 만들어진다. 양이 가득하여 팽창하니 상향하면서 탈피하려는 것이 革의 기본 괘의(卦意)이다. 바다☱에서 태양☲이 떠 오르면 지상의 모든 만물은 제각기 다른 삶의 행로를 시작한다. 고전주역에서는 어긋남(睽)으로 인문학적 해석을 하고 있는데, 어긋남이란 음과 양은 서로 부딪히고 마찰하면서 생명의 작용을 하는 것을 의미한다. 태양이 바다 위로 떠오르고(火澤睽☲), 다시 바다 밑으로 들어가는(澤火革☱) 서로 어긋나는 행위는 사실은 만물을 변화시키고 완성하기 위한 자연의 순환 이치인 것이다.

▷도전괘 - 風火家人

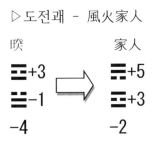

睽   家人

☲+3   ☴+5
☱-1   ☲+3
-4   -2

규(睽)는 하나(一)서 어긋나 둘(二)이 되어 서로 다른 길을 가지만, 입장을 바꾸어 보게 되면, 즉 睽를 거꾸로 놓고 보면 家人으로서 결국 둘은 원래가 하나(一)였음을 알 수 있다. 그러므로 규의 어긋남은 결국은 일을 함께 이루고자 함이 된다(睽而其事同也). 그러므로 규(睽)는 시종(始終)이 있는 것이다.

태극(一)에서 음양(二)으로 나뉘어 만물(三)을 만드니, 만물(三)은 본래가 하나(一)이다(一卽三 三卽一). 천강(千江)에 비친 달은 천 개의 모양을 하고 있지만 하늘의 달이 모습을 감추면 천 개의 달도 그 모습이 사라지고 마니 본래 달은 하나이기 때문이다.

▷배합괘 – 水山蹇

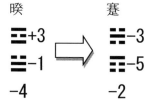

睽   蹇

☲+3 ⟹ ☵−3
☱−1   ☶−5
−4   −2

　火澤睽는 처음은 어긋나지만 결국은 일의 완성을 위함이니 시종(始終)이
있다. 반대인 水山蹇은 내부가 火水未濟(䷿)로서 모든 작용을 멈추고 험함☵
에 빠져 꼼짝 못하고 있는 모습☶으로서 利見大人의 상이 된다.

▶시간의 흐름

易이란 시간이 흐르면서 변화하는 순간을 포착하여 표현한 기호로서 만물
의 변화를 나타낸다.

과거   현재   미래
☱−1 ⟹ ☲+3 ⟹ ☲+3
☱−1
−4

　하괘☱의 九二가 六三을 뚫고 상향☲하는 과정 중에서 현재의 한 순간을 포착
하여 대성괘[火澤睽]가 만들어지는 과정을 설명한다. 작용성이란 상하괘가 서로
부딪히거나(凝結力응결력), 멀어지는 힘(解決力해결력)을 말한다. ☲는 −1, ☱는 +3
이니 하괘는 하향하고 상괘는 상향한다. 서로 나아가려는 방향이 다르니 어긋나
는 것이다.

　하괘의 효가 변하면 상괘가 만들어진다. 즉, 하괘의 효가 변화하면 그 결과가
상괘에 드러나게 되며, 이것이 대성괘로서 전체 의미를 만들어 낸다. 시간의 흐름

상 하괘는 과거가 되고, 상괘는 미래가 되며, 과거에서 미래로 변화해가는 흐름의 과정에서 상하괘가 현재시점에 동시에 공간적으로 존재하게 된다. 즉, 시간 흐름의 정지순간이 대성괘가 되며, 과거와 미래를 동시에 상으로써 표현하게 된다. 현재란 과거와 미래가 만나는 순간이며, 현재 속에는 과거와 미래, 前과 後가 함께 들어있는 것이다.

과거에서 미래로의 시간적 변화(흐름)를 파악하고, 현재의 정지순간을 이해한다. 현재의 정지순간이 대성괘로서 과거에서 미래로 흘러가는 현재의 한 순간이 포착된 것이다.

즉, 상하괘로 구성된 대성괘란 하괘에서 상괘로 시간이 흘러가는 변화과정의 한 순간을 사진기로 포착해낸 것으로 이해하자. 그러므로 효의 시간적 흐름에 따른 변화(작용)를 이해하고, 상하괘가 만들어내는 괘상의 원리를 파악해야 괘의 의미를 제대로 이해할 수가 있는 것이다.

▶자연계의 모든 사물은 붕괴로 향하는 도중에 일시적으로 존재한다.

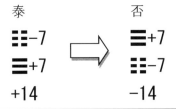

3. 괘사(卦辭)

睽 小事吉
규 소사길

규(睽)는 작은 일에 길하다.

　萬物은 萬象으로 서로 어긋나 있으니 萬物이다. 서로 어긋나 있으니 대립과 화해를 반복하면서 상생과 상극의 오행작용을 통해 우주만물의 생성과 소멸을 이끈다. 음양의 상대적(相對的), 그리고 상보적(相補的) 작용은 생명을 낳고 기르는 자연의 이치로서 어긋남(睽)이란 음양의 이치를 순리대로 따르는 것이므로 사물의 완성을 위한 우주만물 순환의 이치는 자연스러운 근원적 음양원리에 충실한 것으로 오히려 길하다. 그러므로 인사(人事)에 있어 어긋난다 함은 일의 끝이 아니라 완성을 위한 시작일 뿐이다.

象曰 睽火動而上 澤動而下 二女同居其志不同行
단왈 규화동이상 택동이하 이녀동거기지부동행
說而麗乎明 柔進而上行 得中而應乎剛 是以小事吉
열이리호명 유진이상행 득중이응호강 시이소사길
天地睽而其事同也 男女睽而其志通也 萬物睽而其事類也
천지규이기사동야 남녀규이기지통야 만물규이기사유야
睽之時用大矣哉
규지시용대의재

단전에 이르길 규(睽)는 불이 움직여서 위로 향하고, 못이 움직여서 아래로 내려가며, 두 여자가 한 곳에 같이 살고 있으나 그 뜻을 같이 행하지 아니한다. 기뻐함이 충만하니 밝음으로 빛나고, 유(柔)가 나아가 위로 향하니 중(中)을 얻어 강(剛)에 응한다. 이로써 작은 일에 길하다. 천지가 어긋나 있어도 그 하는 일은 같으며, 남녀가 어긋나 있어도 그 뜻은 통하고, 만물이 어긋나 있어도 그 목적 하느 이은 같으니, 규(睽)의 때를 활용하는 효용은 참으로 크다.

불(☲+3)은 상향하고 못(☱-1)은 물로서 하향한다. 서로 어긋나니 규(睽)이다. 하괘는 소녀☱, 상괘는 중녀☲로서 두 자매가 한 곳에 살고 있으나 그 뜻까지 같은 것은 아니니 결혼을 하게 되면 전혀 다른 인생길을 가게 된다.

내면은 양기가 충만하여 기쁨☱(說)이 넘치니 밖으로는 광채☲麗(려)로 밝게 빛난다(性通光明). 양기가 충만☱하면 자연스럽게 밖으로 넘쳐 아름답게 빛나는 법☲이니 이 또한 규(睽)로서 만물에 쓰임이 크다. 기쁜 마음☱(說)으로 만사에 늘 밝게☲(明) 대하라.

五효가 음으로 中을 얻고, 二효가 양으로 中이 얻어 서로 응한다. 인군의 자리인 다섯 번째 효, 六五가 음으로써 中正하지 못하니 소(小)이다. 六五가 음(柔)으로써 九二 양(剛)에 응하니 대사(大事)는 길할 수 없고 소사(小事)에 길하다. 천지가 어긋남은 만물을 기르기 위함이나, 人事가 어긋나면 小事에 충실이 임하여 合意를 내어 기르는 것이 吉하다. 기쁜 마음(☱)으로 기꺼이 밝게 나아간다면(☲) 어긋남이 합하여 새로움을 生하니 오히려 吉하리라.

陰陽이 어긋나 서로 다르나 서로 합하여 中을 이루고(人中天地一/천부경), 天地는 서로 달라도 그 하는 일이 같으니 서로 합하여 萬物(人)을 生하고(天地睽而其事同也), 男女가 서로 달라도 그 뜻이 통하니 자식을 生하여 천륜을 이으며(男女睽而其志通也), 萬物이 萬物萬象으로 서로 달라도 그 일의 목적하는 바가 같으니 종(種)으로써 무리를 지어 천하를 채운다(萬物睽而其事類也).

만물을 종(種)별로 무리를 지어 분류하는 것을 류(類)라고 한다. 그러므로 규(睽)의 어긋남은 우주만물 생화의 이치이니 규를 이용하는 때와 쓰임이 크다. 서로 다르나 하나에서 시작됨(一始)은 같으니 만물은 본래가 같은 것이다. 이처럼 대립(正反)하고 화해(合)하면서 생명을 창조하고 기르는 것은 경이로움 그 자체이니, 규(睽)를 이용하는 때와 쓰임은 매우 크다(睽之時用大矣哉).

▶萬物睽而其事類也

　만물은 서로 어긋나 있는 것 같아도 그 목적하는 일은 같다.

　세상 각지에는 다양한 인종과 동물 그리고 사물들이 존재한다. 지방에 따라 기후와 환경조건이 다르며, 그에 따라 그곳에 사는 사람이나 동물 식물의 모습과 개성이 달라진다.
　지방이 다르면 거기서 생장하는 식물이나 동물의 분포가 달라지는 것은 당연하다. 계사전에 '方以類聚 物以群分방이유취 물이군분'이란 말이 있는데 방이유취(方以類聚)란 지역에 따라 서로 다른 동식물의 종들이 무리 지어 분포하고 있는 것을 말한다. 방(方)은 지역을 의미하고 류(類)는 종류별로 나뉘어 분류되는 것을 의미한다.
　물(物)이란 정해지지 않은 막연한 일반적인 사물을 가리킨다. 이 사물들은 종(種)별로 층층이 나뉘거나 종류별로 분류된다. 다양한 종들은 지방에 따라 기후와 조건에 적응하는 사물들로 서로 무리(群)을 이루고 나뉘며 각기 다른 사회를 이룬다는 의미이다.
물이군분(物以群分)으로 인해 이견이 생기고 이견은 분쟁을 유발시키고 이 분쟁으로 말미암아 길흉이 생긴다(吉凶生矣). 이렇게 본다면 길흉(吉凶)이란 종(種)에 따라 각기 다른 사회를 형성한 후 나타날 수밖에 없는 필연적인 결과이다. 천하의 어지러운 분쟁은 인력으로 어찌할 수 없는 불가피한 일이다. 그러나 이러한

시끄러움은 결국 균형과 조화를 이루기위한 상호작용이니 상충하고 화해하며 덜고 채우는 손익영허(損益盈虛)의 과정을 통해 중화(中和)를 이룬다.

象曰 上火下澤暌 君子以 同而異
상왈 상화하택규 군자이 동이이

상전에 이르길 위에는 불, 아래에는 못이 있는 것이 규暌이니, 군자가 이로써 같되 다름을 안다.

물과 불, 성질이 다른 두 요소가 같이 있어도 섞이지 않고 각자의 본성을 유지하면서 서로 부딪혀 새로움을 생하는 것을 보면서 군자는 이로써 같되 다름을 안다. 태극(一)에서 시작되어 만물(三)로 나뉘니 모습은 서로 다르지만 본시 하나(一)이니 같으면서도 다르다(一卽三 三卽一). 천하의 도는 같지만 그 도를 행함에 있어서는 서로 다르다. 다르지만 그 목적하는 바는 같은 것이다. 물과 불은 성질이 달라 어긋나 있지만 서로 합하여 만들어내고자 하는 뜻은 같으니, 군자지행(君子之行)이 천하를 구하고자 하는 뜻에 있어서는 항상 같은 것이다.

☞ 暌: 어긋날 규, 사팔눈 규/ 麗: 고울 려/ 아름다울 려, 빛날 려

4. 효사(爻辭)

물☵과 불☲은 성질이 달라 서로 어긋나 있다. 그러나 서로 합하여 만들어내고자 하는 뜻은 같다. 즉, 규(睽)는 어긋나고 다시 만나 합하는 것이니, 어긋남은 일의 완성을 위한 새로운 시작이다. 해☲가 바다☱와 어긋나 하늘로 향하는 것은 아래를 비추어 만물을 기르고자 하는 목적에 있으니 군자가 세속과 뜻을 달리하는 것은 다름아닌 만민(萬民)을 기르고자 함에 있는 것이다.

初九 悔亡 喪馬勿逐自復 見惡人无咎

초구 회망 상마물축자복 견오인무구

초구, 유감스러워 말라. 말을 잃더라도 쫓지 마라. 스스로 돌아오리라. 싫어하는 자를 만나더라도 허물은 없다.

규(睽)의 어긋남은 서로 목적하는 바가 같다. 서로 어긋나는 것 같지만 다시 하나를 만들고자 함이니 쫓지 않아도 스스로 돌아온다. 해☲가 땅을 떠나 하늘로 향하는 것은 땅 위의 만물을 기르고자 함이니 이는 땅☷이 목적하는 바와도 같다. 그러므로 火☲와 澤☱의 어긋남은 서로 작용하여 하나의 뜻을 이루고자 함에 있어서는 같은 것이니 떠난다 하여 굳이 분하게 여겨 쫓아갈 일이 아니다. 말(馬)이란 타고 길을 나서는 물건이니 '말을 잃었다(喪馬)' 하는 것은 서로 갈 길이 어긋나 있음을 뜻한다.

태극은 양과 음으로 서로 어긋나지 않으면 서로 만나 작용할 수가 없다.

해와 달이 서로 나뉘어 어긋나 있는 것은 그 뜻이 만물을 길러 항구이 하고자 함에 있고, 사람이 男女로 나뉘어 어긋나 있음은 서로 만나고 합하여 자식을 생하고자 하는 궁극의 이치가 있는 것이다. 견오인(見惡人)이라 함은 나와는 다른 자를 만나는 것을 뜻하니 양(陽)은 음(陰)을 만나야 하고, 남(男)은 여(女)를 만나야 허물이 없다. 플러스(+) 마이너스(-)가 만나야 서로 전기작용을 일으켜 동력을 만들어낼 수가 있는 것이니 같은 것끼리 만나면 무슨 작용이 일어나리요. 어긋난 이를 만나야 음양의 이치에 맞는다. 여기서 오인(惡人)은 바로 나와는 다른 어긋난 이를 은유한다. 어긋나 있는 初九 양은 맨 아래에 처하여 힘은 미약하지만 양으로써 상향해야 하니 가로 막고 있는 六三 음을 뚫고 나아가려 하면 반드시 六三을 만날 수밖에 없다. 여기에서 오인(惡人)이라 함은 바로 六三을 가리킨다. 어긋남을 해소하기 위하여는 어긋남을 만나야 해소할 수 있다. 만나지 않고서야 허물을 해소할 수 있겠나? 그래서 나(陽)와 어긋난 자(陰)를 만나고자 함이니 허물할 것이 없는 것이다(見惡人无咎). 공자는 소상전을 통해 "오인(惡人)을 만나는 것은 허물을 피하기 위함이다(象曰 見惡人 以辟咎也)"라고 풀이하고 있다. 만나지 않는 것이 오히려 이치를 거스르는 것이니 허물이 되는 것이다.

☞ 悔: 뉘우칠 회, 스스로 꾸짖을 회, 분하게 여길 회/ 喪: 잃을 상/ 逐: 쫓을 축
辟: 피할 피 /惡: 싫어할 오, 악할 악

九二 遇主于巷 无咎
구이 우주우항 무구

구이, 후미진 소로(小路)에서 六五인군을 만나도 허물은 없다.

九二와 六五는 서로 응한다. 그러나 규(睽)의 때를 당하여 서로 자리가 바르지 않으니 정응하지는 못한다. 서로를 응하는 것은 어긋남을 해소하고 서로 하나가 되어 만물(천하)를 구하고자 하는 뜻에 있다.

우주우항(遇主于巷)이란 비록 자리는 바르지 않으나 서로 응하고 있음을 은유한다. 항(巷)은 곧고 바른 길이 아닌 굽은 길로서 대로(大路)가 아닌 골목의 후미진 길을 뜻한다. 九二는 음의 자리에 양으로 오고, 六五는 양의 자리에 음으로 와서 비록 中의 자리를 지키나 자리가 바르지 않다. 그래서 九二선비가 六五인군을 만나는 장소를 大路가 아닌 후미진 小路로 표현한 것이다. 후미진 소로는 대인군자가 서로 만나는 장소로는 적당치 않으나 규(睽)의 때를 당하여 서로 만나 합하고자 하는 뜻은 이치에 어긋나지 않으니 허물할 것은 없는 것이다.

어쨌든 이러한 만남은 사적인 것이 아니라 어긋남을 해소하여 천하만민을 위하고자 하는 높은 뜻에 있으니 어찌 허물이 있다 하겠는가? 그래서 공자는 이를 "九二가 六五 인군을 후미진 소로에서 만나는 것은 결코 도(道)를 잃어서가 아니다(象日 遇主于巷 未失道也)"라고 풀이한다.

해☲가 바다☱를 떠나는 것이 하늘에 올라 천하만물을 비추어 기르고자 하는 높은 뜻에 있듯이 九二가 六五인군을 골목길에서라도 만나는 것은 천하를 구하고자 함에 있는 것이니 비록 길은 굽고 좁아 만남은 험난하나 대인으로서는 반드시 가야 하는 길인 것이다. 어긋남을 해소하기 위하여 다시 합하는 도가 있고, 또 서로 합하고자 하는 간절함이 있으니 골목길에서라도 만나고자 함은 결코 도를 이루고자 함이지 뜻을 굽히는 것이 아니다. 九二가 효변하면 화뢰서합(火雷噬嗑☲☳)이니 장애물을 부수고 돌파하여 나아가 서로 합하는 상이 된다.

九二와 六五가 비록 中을 지키지만 자리가 바르지 않음은 규(睽)의 어긋나는 때를 말하는 것이고, 서로 양과 음으로 응하는 것은 다시 합하는 도가 있음을 뜻하는 것이다.

六三 見輿曳 其牛掣 其人天且劓 无初有終
육삼 견여예 기우체 기인천차의 무초유종

육삼, 수레를 끌어당기며 그 소를 막아서는 것을 보도다. 사람이 머리, 또 코를 베이는 격이니 처음은 없으나 유종(有終)을 거두리라.

3효는 결정하고 선택하는 자리로서, 하괘의 맨위에 처하여 상괘로 건너가기 위하여 終日乾乾 反復道也(重天乾 九三효사)하는 자리이다. 그런데 六三은 양의 자리에 음으로 와서 자리가 부당하고 또한 中을 얻지 못하였으니 규(暌)의 상황에 있어서 가장 어려운 처지에 있다. 어긋남을 해소하려 上九에 응하고자 하나 뒤에서 九二가 수레를 끌어 잡아당기고 앞에서는 九四가 그 소를 막아서니 사면초가에 처해있는 것이다.

六三이 효변하면 내호괘가 乾☰으로 하늘이니 머리가 되고, 외호괘가 兌☱가 되니 훼손의 의미가 있다. 여기에서 머리와 코가 베이는 뜻이 나오니, 六三의 오도가도 못하고 훼손당하는 곤궁한 처지이다. 내호괘 離☲에서 수레(輿)와 소(牛), 견(見)의 뜻이 나오며, 九二가 뒤에서 수레를 잡아당기는 뜻이 나오고(曳), 외호괘 坎☵(險)에서 막아서는 저지(沮止)의 뜻이 나온다(掣).

그러나 결국에는 上九에 응하여 서로 어긋난 것을 합하고자 나아가니, 처음에는 어려우나 마침내 합하는 뜻이 있으니 유종(有終)을 얻을 수 있다. 六三이 효변하면 대유(大有☲)이니 뜻을 얻는 것이다. 그래서 공자는 "여예(輿曳)을 당함은 자리가 마땅치 않기 때문이요, 无初有終은 剛(上九)을 만나기 때문이다(象曰 見輿曳 位不當也 无初有終 遇剛也)"라고 하였다. 규(暌)의 호괘가 기제(旣濟)이니 어긋남은 일의 완성을 이루고자 하는 큰 뜻이 들어있는 것이다.

☞ 輿: 수레 여/ 曳: 끌 예/ 掣: 막을 체/ 且: 또 차/ 劓: 코벨 의/ 遇: 만날 우

九四 睽孤 遇元夫 交孚 厲无咎
구사 규고 우원부 교부 려무구

구사, 어긋나 홀로 외롭다. 원부(元夫)를 만나 믿음으로 교류하면 위태로
우나 무탈하리라.

九四는 하괘의 양이 하괘를 벗어나 상괘로 건너온 자로서 처음으로 어긋
난 자리이다. 음의 자리에 양으로 와서 자리가 바르지 않고 험함(險陷☵외호
괘)에 빠져 외롭게 처해있다. 九四는 처음으로 어긋나 하괘를 벗어난 홀로
坎☵에 빠져 있는 자이니 규고(睽孤)라 했다. 규(睽)의 때를 당하여 자리가
부당하니 거함이 편안하지 않고, 또한 응이 없이 두 음의 사이에 처해있으니
어긋나 홀로 외롭게 처해있는 것이다.

그러나 어긋났으나 결코 완전한 결별이 아니라 다시 합하여 서로 이롭게
작용하려 함이니 자신의 원래의 자리인 元夫(초구)를 만나 믿음으로 교류하
여야 한다. 서로 응(應)이 없어 위태롭기는 하지만 규(睽)를 해소하고자 교부
(交孚)하는 그 뜻은 허물이 없다. 九四가 동하면 여섯 개의 효가 모두 응하
게 되니 교부(交孚)의 뜻을 행하게 된다. 그래서 공자는 소상전에서 "교부무
구(交孚无咎)함은 뜻을 행하기 때문이다(象曰 交孚无咎 志行也)"라고 하였다.

☞ 孤: 외로울 고/ 厲: 위태로울 려

六五 悔亡 厥宗噬膚 往何咎
육오 회망 궐종서부 왕하구

육오, 회(悔)가 사라지리라. 종당宗黨(九二와 六五)이 서로 깊이 합하니
나아감이 어찌 허물이 되겠는가?

궐종(厥宗)이란 같은 친족의 무리인 종당(宗黨)을 의미하니 같은 中의 자
리에 거하는 九二와 六五의 가까운 관계를 표현하는 뜻이 있다. 살을 깨물
다(噬膚)함은 서로 응하여 깊이 합하는 모습을 뜻한다. 중위(中位)에 자리하
는 종당(宗黨)으로서 九二와 六五는 서로 응하는 관계이니 규(睽)의 때에 서
로 합하여 작용하는 중심이 된다. 九二가 효변하면 서합(噬嗑☲)이니 장애
물을 깨물어 서로 하나로 합하는 뜻이 있다. 서로 같은 中의 자리에 거하는
종당(宗黨)인 九二가 六五를 깊이 깨무는 것은 서로 합하는 뜻이 있는 것이
다.

또한 六五가 효변하면 ☵에서 ☰이 되니 서로 합하는 뜻이 되고, 지괘는
천택리(天澤履☱)가 되어 만물을 이롭게 하고자 하는 높은 뜻을 따라 가는
의미가 있으니 나아감이 어찌 허물이 되겠는가? 어긋남을 해소하고자 험난
함을 뚫고 여기까지 와 드디어 합하는 도가 있으니 어찌 회(悔)가 있겠는가?
그러므로 공자는 "궐종서부(厥宗噬膚)하니 나아가서 경사가 있으리라(象曰
厥宗噬膚 往有慶也)"라고 하였다.

☞ 厥: 그 궐/ 宗: 마루 종/ 噬: 씹을 서/ 膚: 살갗 부

上九 睽孤 見豕負塗 載鬼一車 先張之弧 後說之弧 匪寇婚媾
상구 규고 견시부도 재귀일거 선장지호 후설지호 비구혼구

往遇雨則吉
왕우우즉길

상구, 어긋나니 외롭다. 진흙을 짊어진 돼지가 귀신이 한 수레 가득히 실려 있는 것처럼 보이니 먼저 활을 당기다 후에 활시위를 놓으니, 도적이 아니라 혼인을 청하는 자이다. 나아가 직접 비(雨)를 만나면 길하리라.

六三이 九二와 九四에게 앞뒤로 둘러 쌓여 上九와 응하는 것을 저지당하니, 괘의 끝에서 六三(음)을 간절히 기다리는 上九(양)는 어긋남을 해소하지 못하고 홀로 외롭다. 上九는 외괘 밝음☲(明)의 끝에 있으니 지나치게 밝아 의심이 많다. 六三이 응해오는 것을 간절히 기다리는 上九의 눈☲(目)에 九二와 九四의 온갖 방해를 무릅쓰고 응해오는 六三의 모습은 마치 진흙을 뒤집어쓴 더러운 모습의 돼지(☵외호괘)로 마치 귀신이 수레에 가득히 실려오는 형상처럼 보인다.

그래서 처음에는 자신을 해치려 오는 도적으로 오인하여 활시위를 당기지만 나중에 알고 보니 온갖 어려움을 감수하며 上九 자신을 만나 합하고자 오는 것임을 알고 활시위를 내려 놓는다. (上九가 효변하여 震☳이 되면 화살인 離☲가 사라지니 이는 화살이 벗겨지는 뜻이 된다). 이는 혼인을 청하러 오는 모습이니 나아가 雨(☵)를 만나면 길하리라. 雨(☵)는 비록 진흙을 뒤집어쓴 돼지처럼 더러운 모습이고 한 수레 가득히 실려 있는 귀신처럼 보이지만 실은 온갖 시련을 겪으면서도 마치 신랑(上九)에게 혼인을 청하러 오는 아름다운 신부(六三)이니 신랑(上九)은 나아가 맞이하여 서로 어긋남을 해소하고 하나로 합하여야 길하다. 坎☵은 비(雨)를 상징하며 돼지(豕)가 되

고 귀신(鬼)이 되며 의심하는 마음이 된다. 坎☵은 혼란, 생각, 번민, 어두움 등을 뜻한다. 또한 수레(車)가 되고 도적(寇)이 되며 진흙(塗)이 된다.

규(睽)의 어긋남을 해소하는 마지막 장벽은 마음의 의심이다. 上九에 응하고자 다가오는 六三은 진흙을 뒤집어쓴 돼지로 오인되고, 마치 수레에 가득 실려 있는 귀신 취급을 당한다. 밝은 체☲의 맨 위에 홀로 있는 上九는 六三을 간절히 기다리지만 지나친 밝음이 오히려 의심을 낳게 된다. 홀로 어긋나 있는 上九는 외롭게 있어 그 판단이 자구적일 수밖에 없고 스스로 밝음이 지나쳐 독선적이고 외골수적이다. 규고(睽孤)의 뜻이다. 어긋남을 합하는 마지막 장벽은 바로 의심하는 마음이다. 그래서 공자는 "비(雨☵)를 만나는 것이 길하다 함은 모든 의심이 없어짐을 말함이다(象曰 遇雨之吉 群疑亡也)"라고 풀이하였다. 보이지 않으면 의심하는 마음이 일어나지만 이런 경우 직접 만나보게 되면 의구심이 풀리게 된다. 귀신(雨☵)으로 오인되지만 막상 만나보면 귀신이 아님을 알게 되니 가서 직접 만나 대면하여 모든 의심을 해결하는 것이 길한 것이다(往遇雨則吉).

귀신으로 오인받은 진흙투성이의 돼지가 비를 만나면 깨끗이 씻겨 제모습을 드러내게 되니 상구의 의심이 사라지게 된다. 비가 내려 짙은 안개가 걷히면 시야가 밝아져 허상이 사라지고 의심이 걷히게 되니 진상이 제대로 파악되는 것이다.

☞ 豕: 돼지 시/ 負: 짐질 부/ 塗: 진흙 도/ 載: 실을 재/ 鬼: 귀신 귀/ 車: 수레 거/ 張: 베풀 장, 크게 할 장/ 弧: 활 호/ 說: 벗길 탈(脫), 말씀 설, 기쁠 열/ 匪: 아닐 비/ 寇: 도적 구/ 婚: 혼인할 혼/ 媾: 화친할 구/ 群: 무리 군/ 疑: 의심할 의

39. 水山蹇 수산건

水☵坎
山☶艮

▶효변(爻變)

과거	미래	현재
☷-⇨	☷-3	☷-3
		☷-5

上下작용력: (-5)-(-3)=-2
上下균형력: (-5)+(-3)=-8

蹇 利西南 不利東北 利見大人 貞吉

象曰 蹇難也 險在前也 見險而能止知矣哉 蹇利西南 往得中也 不利

東北 其道窮也 利見大人 往有功也 當位貞吉 以正邦也 蹇之時用大

矣哉

象曰 山上有水 蹇 君子以 反身修德

初六 往蹇 來譽

六二 王臣蹇蹇 匪躬之故

九三 往蹇 來反

六四 往蹇 來連

九五 大蹇 朋來

上六 往蹇 來碩 吉 利見大人

---

1. 괘상(卦象)

　九三이 작은 힘(☶+1양)으로 六二 아래로 뛰어드니, 험함☵(坎)에 빠져 꼼짝 못하고 서있는 상☶(止)이다. 간신히 산☶을 넘어서니 급류가 흐르는 강물☵이 앞을 가로막는다. 물☵에 빠지면 그쳐야(☶止) 사니 급박하다고 해서 허우적거리면 오히려 깊이 빠져 헤어나오지 못한다. 건너지 못할 바에는 전진을 그치고☶(止) 자신을 돌아보며 지혜롭게 상황을 판단(외호괘☲明)하는 것이 길하다(反身修德).

　건(蹇)은 험함☵에 빠져 꼼짝 못하고 있는 모습(☶止)으로 호괘가 미제(未濟)이니 내부도 모든 작용을 멈추고 서있는 모습이다. 그러므로 처음 시작하는 마음으로 하나부터 다시 시작을 해야 한다. 도움을 줄 大人을 만나면 길(吉)하다(利見大人 往有功也). 물에 빠지면 스스로 나오기보다는 외부의 도움을 받는 것이 더 효과적인 것이다.

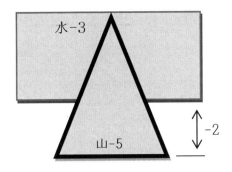

　건(蹇)은 초효 외에 모든 효가 정위(正位)를 지키고 있으므로 안으로 그쳐 반성하고 바름(貞)으로 나아가면 吉하니 모든 것이 바로 서게 된다(當位貞吉). 또한 구오(九五)와 육이(六二)는 서로 중정(中正)하므로 어려움에 빠져서도

상하가 협력하는 지혜를 발휘하고 각자가 제자리를 지키면 능히 헤쳐 나가지 못할 일이 없다. 앞을 가로 막은 험함☵(坎)을 보고 그쳐서☶(止) 판단할 수 있는 지혜(외호괘☲明)가 있으니 어려움은 충분히 극복될 수가 있는 것이다(險在前也 見險而能止 知矣哉). 어려운 시절에는 부화뇌동(附和雷同)하지 말고 中心을 바로잡아 도리(道理)를 지키며 시의적절하게 대응해야 한다(蹇之時用大矣哉). 앞에 어려움을 만나면 먼저 자신을 돌아보고 반성하며 덕을 닦기에 힘쓰는 것이 건(蹇)의 시대에 처한 대인의 자세이다(反身修德).

▶人의 선택과 결정

천지는 내가 바꿀 수 없지만 천지를 변화시킬 수 있는 방법은 있다. 바로 나를 뜻하는 인효(人爻)인 3,4효를 변화시키는 것이다. 효가 하나라도 바뀌면 우주(괘)가 달라진다. 천지는 움직일 수는 없어도 나는 스스로를 바꿀 수는 있는 것이다. 3,4효는 스스로 선택하고 결정할 수 있는 자리이다. 天時(天)를 기다리고 地利(地)를 살피며 人事(人)를 선택하고 결정하는 것이 大人의 바른 자세이다. 천하에 진인사(盡人事)하고 대천명(待天命)하는 것보다 더 큰 것은 없다.

험함에 빠져 작용을 멈추고 서있다 하여 세상에 종말이 온 것은 아니다. 우주 삼라만상은 항시 변화의 과정에 있다. 선택과 결정을 통해서 얼마든지 변화의 과정에 능동적으로 참여할 수가 있다. 3효는 땅(地)에 속하며 육신을 의미하고, 4효는 하늘(天)에 속하여 정신을 의미한다. 人은 천(天一)과 지(地二)의 화합작용으로 生化된 존재(人三)이기 때문이다.

▶環存(환존)

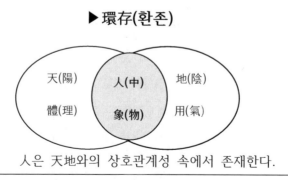

人은 天地와의 상호관계성 속에서 존재한다.

166   주역원리강해(하)

☞人中天地一

人은 中이니 天地가 하나(一)된 자리로다. /천부경

▶3효가 동하면 수지비(水地比)

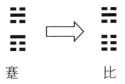

蹇   比

▶3효가 동하면 수지비(水地比)가 되니 천지가 서로 만나 친하게 된다. 대지 위의 물은 대지로 스며들어가 서로 하나가 되는 친밀성이 있다. 작용은 가까워짐으로써 시작된다.

▶4효가 동하면 택산함(澤山咸)

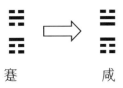

蹇   咸

▶4효가 동하면 함(咸)이 되니 상하괘가 서로 응(應)함으로써 새로움을 생화(生化)하는 계기가 만들어진다. 六四 음효(정신)를 양으로 바꾸면 澤山咸(䷞)이 된다. 생각하나 바꾸었을 뿐인데 천지가 이에 응하니 우주의 작용이 변하고 뜻이 달라진다. 나는 건(蹇)이라는 나의 우주를 만들고 그 험함(險陷)에 갇혀 있는 상태에서 생각을 의미하는 4효 음을 양으로 변화시켰을 뿐인데 건(蹇)에서 함(咸)이라는 전혀 다른 우주로 바뀌는 것이다. 함(咸)은 교감 작용을 통해 새로움을 창조하는 멋진 괘이다. 내가 하늘과 땅을 바꿀 수는 없지만 나 자신을 바꿈으로써 천지의 작용을 변화시킬 수가 있는 것이다.

▶3,4효를 동시 효변하면 택지췌(澤地萃)

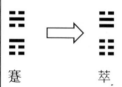

蹇   萃

▶人효를 동시 효변시키면 췌(萃)가 된다. 서로 가까워지고(比), 서로 교합하고 느끼니(咸), 생명의 요람(萃)에서 서로 모여 화합하게 된다.

▷물이 땅 위를 흐르며(比), 모이니 연못이 되고(萃), 땅 위의 생명이 모여들어 서로 교감(交感)하고 작용(咸)하는 장소가 된다. 물은 대지를 흐르고 만물을 생육시키며, 연못이 되고 호수가 되어 文明을 일으키는 기원이 되는 것이다.

2. 괘변(卦變)

▷호괘 - 火水未濟

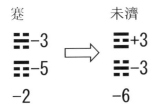

蹇
☷-3
☵-5
-2

未濟
☲+3
☵-3
-6

　건(蹇)의 호괘는 미제(未濟)로서 내부의 모든 작용이 멈춰 있음을 의미한다. 물☵(坎)에 빠져 꼼짝 못하고 있는 건(蹇)도 멈춰 있는 모습☶(止)이다. 내부의 상하작용이 멈추니(未濟), 건(蹇)은 꼼짝할 수가 없는 것이다. 수산건(水山蹇)은 험함☵에 빠져 꼼짝 못하는 모습☶으로 어렵게 빠져나가도 결국은 山水蒙(착종)이니 어려운 상황이다. 처음부터 시작하는 마음으로 다시 해야 한다. 未濟는 서로 작용함이 없어 멀어져 있고, 모든 효의 위치도 제 자리를 지키지 못하고 부정(不正)하니 일단은 초심으로 돌아가 처음부터 다시 시작해야 하는 것을 의미한다.

▷착종괘 - 山水蒙

蹇
☷-3
☵-5
-2

蒙
☶-5
☵-3
+2

´水山蹇은 물에 빠져 꼼짝 못하고 있는 현재의 모습이고, 착종인 山水 蒙
은 장차 험함☵에서 벗어나지만 갈 길을 정하지 못하고 멍하니 서있는 모습
☶이다. 물☵(險)을 건너가 서있는 모습☶(止), 험(險)을 건넜으나 어찌할 바
를 모르고 서있는 것이다. 산☶ 위에서 흘러내리는 물☵이 물길을 못 찾고
이리저리 헤매며, 아이가 부모 품에서 나와 길을 잃어버리고 멍하니 서있다.
계몽(啓蒙)이 필요한 상황이다.

▷도전괘 - 雷水解

蹇

☵-3
☶-5
-2

解

☳+1
☵-3
-4

건(蹇)은 험함☵에 빠져 꼼짝 못하고 있는 상황☶에서 내부의 작용도 멈추
고 어려운 상황이다. 그러나 다른 쪽에서 바라보면 건(蹇)은 해(解)가 되니
험함☵에서 빠져나와 힘차게 전진☳하는 모습이 된다. 어려움 속에서 자신의
상황을 객관적으로 바라보기란 쉽지 않다. 그러나 시선을 조금만 돌려 관점
을 바꿔보면 헤쳐 나갈 길은 오히려 쉽게 찾아질 수도 있는 법이다

▷배합괘 - 火澤睽

蹇

☵-3
☶-5
-3

睽

☲+3
☱-1
-4

건(蹇)은 물≡≡(坎水)에 빠져 그 안에서 꼼짝 못하고 멈춰 서있는 상황≡≡(止)으로 자신의 몸조차 돌보기 어려운 상황이지만, 건(蹇)의 반대인 규(睽)는 물≡≡에서 나와 상향하여 천하의 만물을 비춰 생동(生動)≡≡하게 하는 상이다. 양이 있으면 음이 있듯이 어둠이 있으면 밝음이 있는 법이다.

화택규(火澤睽)의 호괘는 수화기제(水火旣濟≡≡)이다. 그리고 규(睽)의 배합괘인 건(蹇)의 호괘는 기제(旣濟)의 반대인 미제(未濟≡≡)가 된다. 규(睽)는 처음에는 어긋났으나 그것은 일의 완성을 위함이고 호괘도 완성을 의미하는 기제가 된다. 이에 반하여 규(睽)의 반대인 건(蹇)괘는 험함≡≡(坎)에 빠져 꼼짝 못하고 있는 상≡≡(止)으로 호괘도 미제가 되어 작용을 멈추고 서있는 모습이 된다.

▷물≡≡(險)에 들어가고 나오는 모습

(1) 난행(難行)

▷水山蹇

≫≡≡(+1 양)의 작은 힘으로 물≡≡(險)에 뛰어들어 꼼짝없이 갇히다.

≫험수(險水)≡≡(險)에 빠져 꼼짝 못하다≡≡(止). (소극적인 모습)

≡≡-3
≡≡-5
-2

▷山水蒙

≫물≡≡(險)에서 벗어났지만 갈 바를 잃고 멍하니 서있다≡≡(止).

≫험함≡≡에서 벗어나 길을 잃어버리고 서있다(≡≡). (소극적인 모습).

≡≡-5
≡≡-3
+2

(2) 순행(順行)

▷水雷屯

≫☳(양+4)의 큰 힘으로 물☵(險)에 뛰어 들어 적극적으로 헤엄치다☳(動).

≫험함☵에 자신 있게 뛰어들다☳(적극적인 모습)

☵-3

☳+1

+4

▷雷水解

≫물☵(險)에서 벗어나서 갈 바를 정하고 적극적으로 나아가다☳(進).

≫험함☵에서 벗어나 자신 있게 나아가다☳(적극적인 모습).

☳+1

☵-3

-4

3. 괘사(卦辭)

蹇 利西南 不利東北 利見大人 貞吉
건 이서남 불리동북 이견대인 정길

건(蹇)은 西南이 이롭고 東北은 불리하다. 大人을 봄이 이로우니 바르면
길하리라.

건(蹇)은 坎☵(險陷)에 빠져 오도가도 못하는 어려운 상황(艮☶止)을 의미
한다. 인생은 순탄한 길을 가는 자가 있는 반면 태어나면서부터 험난한 길을
가는 자가 있으니 누구를 탓하랴(利西南 不利東北). 문왕팔괘에서 西南은 坤
☷에 해당되어 평평한 땅이 되고, 東北은 산☶이 되어 험준한 의미가 있다.
중지곤괘 괘사 '西南得朋 東北喪朋'을 참고하라.

山戰☶ 水戰☵ 다 겪으며 어려움에 처해 있을 때 도움의 손길을 내미는
자가 있다면 얼마나 좋겠는가? 인생길에서 누구를 만나느냐에 따라 방향이
달라지는 것이니 大人을 만날 수 있다면 그것도 자기의 복이다(利見大人). 유
유상종(類類相從)이라, 바르게 길을 간다면 바른 자를 만날 것이요, 바르지
않다면 바르지 않은 자와 어울리게 되니 모든 만남은 자신의 탓이다(利見大
人 貞吉).

彖曰 蹇難也 險在前也 見險而能止知矣哉

단왈 건난야 험재전야 견험이능지지의재

蹇利西南 往得中也 不 利東北 其道窮也

건이서남 왕득중야 불리동북 기도궁야

利見大人 往有功也 當位貞吉 以正邦也 蹇之時用大矣哉

이견대인 왕유공야 당위정길 이정방야 건지시용대의재

단에 이르길, 건은 어려움이라. 험함(險陷)이 앞에 있음이로다. 험함(險陷)을 보고 능히 그칠 수 있으니 지혜롭다.
건(蹇)은 西南이 이로움은 나아가 中을 얻음이요. 東北이 이롭지 않음은 그 道가 궁하기 때문이라.
대인을 봄이 이로움은 나아가 공을 이루기 때문이라. 자리가 마땅하고 바르며 길하니 이로써 나라를 바르게 하리라. 건(蹇)의 때와 쓰임이 크다.

하괘 九三☶이 六二 아래로 뛰어들어 꼼짝없이 갇혀버린 상황☵이 건(蹇)이다(蹇難也). 산☶ 하나를 넘으니 험한 급류☵가 가로막는 상이니 지혜로운 자는 나아갈 때 나아가되 험함을 보고 그칠 때는 능히 그칠 수 있어야 한다 (險在前也 見險而能止).

부화뇌동하여 앞을 보지 못하고 험함에 뛰어드는 것은 小人의 만용(蠻勇)이다. 험함☵(외괘)을 미리 지혜롭게 판단하고(외호괘☲明), 능히 그쳐서(내괘☶止) 그 험함에 빠지지 않는다(見險而能止知矣哉).

문왕팔괘에서 西南은 坤☷으로 평평하고 평이(平易)한 땅을 상징한다. 기후가 온화하고 평평하여 왕래가 쉽고 사람들의 성정도 온화하다. 상괘 ☵는 양(陽)이 西南☷으로 나아가 得中한 모습으로 中正하다. 그런데 東北은 산☶

이 높고 험준하다. 북방으로서 기후가 춥고 산세가 험하여 왕래하기가 어렵다. 양(陽)이 나아가 中을 얻지 못하고 위로 치우친 모습으로 험준한 산☶의 상이 되니 그 道가 궁하다.

산(山)☶을 넘어서니 물(水)☵이 가로막는다. 산전수전(山戰☶, 水戰☵) 다 겪고 난 후 삶의 정점에 서면 어느덧 구불구불 험한 인생 길은 곧고 평탄하게 펴지며 중정(中正)해진다. 험난한 인생의 파도를 헤치고 나와 평탄한 길에 들어서니 득중(得中)이요(利西南 往得中也), 험준한 산과 거친 물살에 길이 막히니 그 도가 궁(窮)해진다(不利東北 其道窮也). 건(蹇)은 험함(險陷)에 갇힌 난관을 뜻하니 나아가고 물러남은 오로지 자신의 선택과 결정이다.

깊고 험한 물에 빠졌다면 밖에 있는 사람의 도움이 절실한 법이니 아무도 없는 첩첩 산중에서 깊은 물에 빠졌을 때 구해줄 수 있는 대인이 나타난다면 이보다 내게 더 이로운 것이 무엇이랴. 대인을 만나니 공(功)을 이루리라(利見大人 往有功也). 대인을 봄이 이로움은 어려움에 빠진 상황에서도 六二와 九五가 中正함으로 서로 正應하고 있음을 뜻한다. 九五는 험함 속에서도 六二에 應하며 중심을 지키고 있는 인군으로 剛健中正한 大人이다. 외호괘 離☲에서 명견(明見)의 의미가 나온다.

건(蹇)은 초효를 제외한 나머지 효가 정위를 지키고 있다. 이는 어려운 상황에서도 도리(道理)를 잃지 않고 제자리를 지키고 있음을 말하니 이로써 가정과 나라가 올바로 선다(當位貞吉 以正邦也). 또한 험함☵(坎)에 빠져 있을 때에는 나아갈 때 나아가고, 그칠 때 그치는(☶止) 지혜(외호괘☲明)가 필요하니 그 건(蹇)의 시용(時用)이 매우 크다.

象曰 山上有水蹇 君子以 反身脩德
상왈 산상유수건 군자이 반신수덕

상에 이르길, 산 위에 물이 있는 것이 건(蹇)이니, 군자는 이로써 몸을 돌이켜 덕을 닦는다.

가로막은 산☶을 하나 넘어서니 험한 내☵가 가로막는다. 산 위에 물이 있는 것이 건(蹇)의 상이니, 험함☵(坎)에 뛰어들어 꼼짝없이 갇혀 서있는 모습☶(止)으로, 이는 지혜롭게 예견(외호괘☲明)하지 못한 자신의 탓이요, 만용이며, 부화뇌동한 소인의 객기로다. 군자라면 마땅히 스스로 몸을 돌이켜 반성하고 덕을 닦는다(反身脩德). 맹자가 이르길, "행하여도 얻지 못함이 있으면 모두 자신에게 돌이켜 잘못을 구하라. 자신이 바르면 천하가 돌아오리라(行有不得者 皆反求諸己 其身正而天下歸之)"라고 하였다.

☞ 蹇: 절름발이 건, 다리를 절 건/ 窮: 다할 궁, 궁할 궁/ 邦: 나라 방

4. 효사(爻辭)

험준한 산☶을 넘어서니 이번엔 험한 물☵이 막아선다. 험함이 앞에 놓여 있는 상이 건(蹇)이니 섣불리 나아감을 경계한다. 건의 상황에서는 섣불리 앞으로 나아가는 것보다는 차라리 험함(險陷☵)을 향해 나아가던 길을 되돌려 나오는 것이 최소한의 명예를 지키는 일이다. 험함☵(坎)에 처하여서는 나아갈 때 나아가지만 그칠 때는 그칠 수 있는(☶止) 밝은 지혜(외호괘☲明)가 필요하다.

수산건(水山蹇☵☶)괘를 거꾸로 보면 뇌수해(雷水解☳☵)가 된다. 이는 坎☵(險水)에서 빠져나와 전진☳(進)하는 상이니 세상사 난관에 처했을 때는 한번쯤 관점을 바꿔보는 여유도 필요하다. 예견된 험(險)을 앞에 두고 나아가는 것과 되돌아 나오는 것의 선택은 오로지 자신의 몫이다. 건(蹇)의 상황에서는 용기와 만용을 구분할 수 있는 지혜가 필요한 법이다.

初六 往蹇來譽
초육 왕건래예

초육, 나아가면 건험(蹇險)에 처하고, 나오면 명예는 지키리라.

나아가면 험(險)에 빠지게 된다. 이러한 사실을 예견하고 있다면 제자리에 그치거나 가던 길을 되돌아 나오는 것이 최소한의 명예나 체면을 지킬 수도 있다. 이는 결코 용기의 부재(不在)가 아닌 지혜로운 자의 처신이다. 산☶을 하나 넘으면 급류가 흐르는 험한 내(☵)가 앞을 가로막으니 미약한 初六이 이를 알고 나아가지 않는다면 험한 꼴에 처하는 것은 최소한 피할 수 있다. 험(險)한 구덩이(坎☵)에 빠지는 처참한 몰골은 피할 수 있으니 최소한 체면은 구기지 않는다.

初六은 양의 자리에 음으로 와서 자리가 부당하고 힘이 미약하므로 건(蹇)의 시대에 섣불리 나아간다면 험한 상황에 쉽게 처하게 된다. 차라리 제 자리를 지키거나 나아가던 길을 되돌려 나온다면 그나마 명예는 지킬 수 있다. 그러므로 마땅히 험함(險陷)을 건널 때는 적당한 시점을 기다리는 것이 현명하다. 험함을 알고도 섣불리 나아가는 무리수를 둔다면 이는 소인의 만용이다. 그래서 공자는 소상전에서 "왕건래예(往蹇來譽)하니 마땅히 때를 기다리라(象曰 往蹇來譽 宜待也)"라고 조언한다.

☞ 譽: 명예 예/ 待: 기다릴 대, 대접할 대

六二 王臣蹇蹇 匪躬之故
육이 왕신건건 비궁지고

왕의 신하가 건험(蹇險)을 거듭하니, 내 탓에서 비롯된 연고는 아니로다.

六二는 건(蹇)의 시대에 柔順中正을 지키며 剛健中正한 인군을 정응(正應)하며 따른다. 六二는 험함에 처했음에도 불구하고 中正한 九五인군을 따르며 신임을 얻으니 왕신(王臣)이다. 아래에 처하여 나아가는 길이 험하고 험하여 비록 건건(蹇蹇)을 거듭하나 이는 유순한 六二의 탓만은 아니다. 때가 그러한 것이다.

六二의 앞에 놓인 내호괘와 왜괘가 坎☵(險)으로 험함(險陷)을 거듭하니 건건(蹇蹇)이라 한다. 소상전에서 이르길, "九五인군의 신임을 받으며 정응하는 六二 王臣이 비록 험함을 거듭하나 中正하니 끝내 허물은 없는 것이다 (象曰 王臣蹇蹇 終无尤也)"라고 하였다.

☞ 匪: 아닐 비, 비적 비/ 躬: 몸 궁/ 故: 연고 고, 이유 고

九三 往蹇來反
구삼 왕건래반

나아가면 건험(蹇險)에 처하니 가던 길을 돌이키라.

九三은 상괘로 건너기 위하여 선택과 결정을 하며 終日乾乾 反復道也(重天乾 3효사)하는 자리이다. 양이 위로 나아가다 2개의 음에 붙잡혔으니 꼼짝없이 험(내호괘☵)에 빠져 그쳐 있는 상이다. 中을 지나쳐 陽剛에 치우쳤으니 만용으로 섣불리 나아간다면 반드시 험함에 빠지게 되니 차라리 몸을 돌이켜 돌아오라. 건(蹇)의 때에 험함에 지치고 지친 九三을 안(內)에서 기쁨으로 맞이하리라. 안(內)이라 함은 初六, 六二를 말한다. 산☶은 집의 상이니 初와 二는 나의 가족, 동료, 동지, 무리가 되니, 험난 속에서 어려움에 처했을 때 진정한 친구가 드러나는 법이다.

九三이 효변하면 수지비(水地比☵☷)가 되니 땅☷은 물☵을 안으로 받아드리고, 물☵은 땅속☷으로 스며드니 안에서 서로 하나가 되는 친밀한 기쁨이 있다. 그래서 공자는 "험(險)에 나아가던 길을 돌이킨다면 안에서 기쁨이 있으리라(象曰 往蹇來反 內喜之也)"라고 하였다.

六四 往蹇來連
육사 왕건래연

나아가면 건험(蹇險)에 처하나 되돌아 나오면 오히려 다리가 연결
되리라.

六四는 하괘에서 상괘로 홀로 강을 건너 나아가 험함에 처해있는 상태이
다. 다시 되돌아 나오는 것은 쉽지 않다. 나아가면 험하나 되돌아 나오면 다
리가 연결된다(往蹇來連) 함은 음의 자리에 음으로 와서 자리가 마땅하니 길
이 튼튼해짐을 뜻한다. 효변하면 외호괘 離☲가 乾☰이 되니 내실이 있는
것이며, 허(虛)가 실(實)이 되는 것이다. 즉, ☵(坎)은 二陰에 의해 一·三양효
가 서로 분리되어 있는 것이니, 二효가 효변함으로써 2개의 양효가 연결되
어 乾☰이 되는 것을 의미한다. 험한 곳에 다리가 놓여 교류가 이루어지는
것이다.

또한 六四가 변하면 지괘가 택산함(澤山咸)이 되니 상호교감이 이루어지
며 내실(內實)함을 만들어 내게 되는 것이다. 그래서 공자는 "왕건래연(往蹇
來連)은 자리가 마땅하니 내실(內實)이 있다(象曰 往蹇來連 位當實也)"라고 하
였다.

☞ 連: 잇닿을 연, 연결할 연

九五 大蹇朋來
구오 대건붕래

큰 건험(蹇險)에 처하나 벗들이 다가오리라.

九五는 剛中하고 中正한 九五인군이다. 험함(險陷)에 처해있으면서도 역시 같은 험(險)에 처해있는 柔順中正한 六二와 응하며 剛健中正함으로 이끈다. 험한 속에서도 중심을 잃지 않으니 많은 벗들이 다가온다. 五가 효변하면 坤☷이 되니, 건(蹇)의 시대에 "利西南 往得中也"라 함은 重地坤의 利西南 得朋을 뜻하고, 得中은 바로 得朋을 의미한다.

五가 동하여 효변하면 험(險)☵이 坤☷이 되니 유순(柔順)하고 평이(平易)한 평지가 된다. 또한 坎(☵險)괘가 坤☷괘가 됨은 험한 가운데 벗들이 다가오는 뜻이 있다. 바로 得朋이라 함은 어려울 때 다가오는 벗☷을 뜻하기도 하고 주변의 조건이나 상황이 도움을 주는 방향으로 호전되는 것을 뜻한다. 그래서 공자는 소상전을 통해 이를 "대건붕래(大蹇朋來)하니 이는 九五가 인군으로 강건중정하고 절도를 지킴이로다(象曰 大蹇朋來 以中節也)"라고 풀이하였다. 九五가 효변하면 지산겸(地山謙)으로 건험(蹇險)의 시대에 처한 大人君子의 자세가 되니 君子有終이라 할 수 있다(謙亨 君子有終).

上六 往蹇來碩吉 利見大人
상육 왕건래석길 리견대인

나아가면 건험(蹇險)에 처하나 되돌아 나오면 큼이니 길하다. 대인을 따르면 이로우리라.

나아가서는 크게 위험하고 이룸이 없으나 돌아오면 오히려 크고 길하니 어려운 때에는 밖으로 나아가는 것 보다는 안의 내실을 기하는 것이 좋다. 나아가 건험에 처하는 것보다는 뜻을 되돌려 안의 내실을 기하는 것이 큼을 이룰 수 있다. 이는 뜻이 밖에 있는 것이 아니라 안에 있기 때문이다. 이견대인(利見大人)은 건(蹇)의 때에 강건중정(剛健中正)함을 지키는 九五대인의 지도력을 따르는 것이 오히려 길한 것임을 뜻한다. 九五는 대인을 뜻하기도 하지만, 험함에 빠져 있을 때에도 안에 강중(剛中)하게 품고 있은 존귀한 뜻을 의미한다. 그래서 공자는 "往蹇來碩는 뜻이 안에 있음이로다. 大人을 봄이 이로우니 九五大人의 존귀함을 따르라(象曰 往蹇來碩 志在內也 利見大人 以從貴也)'라고 하였다. 귀(貴)란 바로 건험(蹇險)의 시대에도 中正함을 지키는 九五의 존귀함을 존칭하는 표현이다. 上六이 효변하면 풍산점(風山漸)이니 건험(蹇險)에 막혀 있던 길이 열리며 만물이 점차 생육한다.

☞ 碩: 클 석

40. 雷水解_{뇌수해}

雷☳震
水☵坎

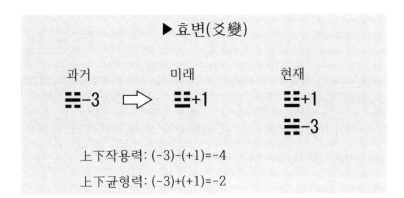

▶효변(爻變)

과거	미래	현재
☵-3 ⇨	☳+1	☳+1
		☵-3

上下작용력: (-3)-(+1)=-4
上下균형력: (-3)+(+1)=-2

解 利西南 无所往 其來復吉 有攸往 夙吉

象曰 解 險以動 動而免乎險解 解利西 往得衆也 其來復吉 乃得中也

有攸往 夙吉 往有功也 天地解而雷雨作 雷雨作而百果草木皆甲坼

解之時大矣哉

象曰 雷雨作解 君子以赦過宥罪

初六 无咎

九二 田獲三狐 得黃失 貞吉

六三 負且乘 致寇至 貞吝

九四 解而拇 朋至斯孚

六五 君子維有解 吉 有孚于小人

上六 公用射隼于高墉之上 獲之 无不利

1. 괘상(卦象)

雷水解(☳☵)는 水雷屯(☵☳)의 初九☵가 힘차게 물☵로 뛰어들어가 건너편을 향해 헤엄쳐가는 적극적인 모습으로서 그 결과 건너편에 도달해 계속 전진하는 상이다.

둔(屯)은 스스로 어려움☵에 뛰어들어 험함(險陷)에 들어있는 상이지만, 그것은 어려움을 해결하고자 하는 적극적 의지에서 나온 도전☵의 모습이다. 그 결과 어려움☵은 해결되고 도전☵(進)은 계속된다(解☳☵). 바로 해(解)는 둔(屯)의 착종괘로서 도전이 성공하여 어려움에서 벗어났음을 보여준다.

하괘☵의 初六과 六三에 갇혀 인고(忍苦)의 시기를 보내던 九二가 그 험함에서 벗어나 풀려나니 계절로 보면 북방의 추운 겨울☵(冬)이 지나고 봄☳(春)이 오는 상으로 얼어붙었던 만물이 해빙(解氷)되어 백과초목의 싹이 자라나는 모습이다.

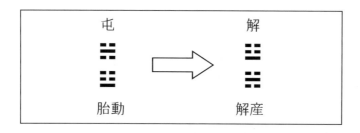

어머니의 배속만큼 안전한 곳은 없다. 인류의 기억 속의 잃어버린 에덴동산이 바로 어머니의 배 속이 아닌가? 그래서 다시 돌아가고 싶은 기억 속의 천국이다. 둔(屯)은 태반의 양수☵ 속에서 헤엄을 치고 있는 태아☳의 모습으로 어머니의 보살핌 속에서 힘을 기르고 있는 모습이다. 힘을 충분히 기르며 열 달의 때를 기다린 보람이 있어 드디어 난관☵(險)을 뚫고 세상 밖으로 나서니≡≡(進) 해(解≡≡)의 상이 된다. 기다릴 때는 기다리고 나아가야 할 때는 나서는 것이 대인의 성정이니 모든 것에는 때가 있는 법이다(解之時大矣哉).

봄에 싹을 내는 것은 꽁꽁 얼어붙은 추운 겨울을 밤낮으로 견디며 이겨냈다는 것을 뜻한다. 모든 뿌리가 싹을 내어 따뜻한 세상과 만날 수 있는 것이 아니니, 해(解)는 험한 시기(≡≡)를 견뎌내고 이겨낸 자(≡≡)만이 누리는 포상이다(解險以動 動而免乎險解). 싹을 낸 나무는 제철에 맞게 성장해야 많은 열매를 맺을 수 있으니 모든 것은 정도를 걸어야 한다(解利西南 往得衆也). 또한 가는 바가 정해졌다면 망설이지 말고 가고자 하는 길을 가서 공(功)을 이루는 것이 대인의 자세이다(有攸往夙吉 往有功也).

▶ 난행(難行)

상향성의 양이 하향을 하면 상향하는 것보다는 더 많은 힘을 필요로 한다. 고무줄을 당길수록 힘이 커지는 것과 같은 이치이다. 활을 당기면 당길수록 화살은 점점 더 강하게 나갈 것이요, 물이 하늘 높이 올라가면 갈수록 떨어지는 힘은 더 강해진다. 양은 하향할수록 양의 위치에너지가 커져 상향하려는 陽氣가 강해지고, 음는 상향할수록 음의 위치에너지가 커져 하향하려는 陰氣가 강해진다.

(A)　　　　(B)
≡≡ (1) ⇨ ≡≡ (2) ⇨ ≡≡ (3)
+1　　　　+2　　　　+4

(A) 어려움에 빠진 모습

≡≡의 九三이 준비되지 않은 작은 힘(≡≡+1 양)으로 물≡≡에 뛰어드니 힘이 부쳐 꼼짝 못하다. 우주의 혼돈≡≡ 속에서 양기(+1)가 미약하여 작용하지 못하고 그 속에서 멈춰서 있는 모습(≡≡)

(B) 어려움☵에서 벗어나 움직이는 모습☳

물☵에서 벗어나 힘차게 나아가다(☳+4 양).

우주의 혼돈☵ 속에서 양기(+4)가 강한 힘으로 질서☳를 잡아 나아가는 모습

괘상으로 표현하면

(A) 水山蹇: 물☵에 뛰어 들어 꼼짝 못하고 서있는 모습☶

►작은 힘(☶+1 양)으로 九三이 아래로 파고들어 꼼짝없이 갇히다(☶).

(B) 雷水解: 물☵을 벗어나 계속 나아가는 모습(☳)

►하괘☵ 九二가 물을 건너 힘차게 나아가는 모습(☵+4 양)이다.

2. 괘변(卦變)

▷호괘(互卦) - 水火旣濟

解   旣濟

☵+1   ⇒   ☵-3

☵-3   ☲+3

-4   +6

호괘가 水火旣濟이니 어려움에서 벗어나 모든 것이 제자리를 찾아 정상적으로 작동되고 있음을 의미한다. 어려움☵에서 벗어났지만 가야 할 길은 이제 시작☵이다. 모든 것이 정상적이니 정도를 걷는다면 큰 공을 이룰 것이다.

▷착종괘 - 水雷屯

解   屯

☵+1   ⇒   ☵-3

☵-3   ☳+1

-4   +4

해(解)는 둔(屯)의 착종이다. 屯은 어려움☵ 속에서도 꿋꿋하게 자신의 힘☳을 키워나가고 있는 모습, 비☵는 억수같이 쏟아지는데 설상가상으로 천둥번개☳가 치니 상황이 험악하다. 그러나 초구☳(+4 양)는 강하니 그 험함 속에서도 유유히 헤엄을 치면서 힘을 기르며 때를 기다린다(險以動). 그러므로 때가 되면 험함☵을 벗어나 자신의 길☳을 가게 될 것이다(動而免乎險 解). 둔(屯)은 스스로 물에 뛰어드는 모습으로 어려움 속에서도 때를 기다리며 힘을 기르는 상이요, 해(解)는 물(險)에서 나와 길을 나서는 상이다.

▷도전괘 - 水山蹇

解   蹇

☳+1 ⟹ ☵-3

☵-3   ☶-5

-4   -2

    屯에서 힘을 길러 험함을 벗어나니 解가 된다. 解는 물☵에서 헤엄을 치던 용☳이 물을 벗어나 승천하는 상이다. 하늘의 때를 만나니 그 동안의 어려움을 훌훌 털고 벗어나는 것이다. 그러나 자중하며 때를 기다리던 어려웠던 시기를 잊어버리면 다시 땅에 떨어진 이무기가 되어 험수☵에 갇혀 꼼짝못하는 험한 꼴☶을 당하게 된다(蹇). 그러므로 험함☵에서 벗어나는 때에는 오히려 자중하고 난관을 헤아리는 밝은 혜안(내호괘☲明)을 가져야 하니, 그렇지 못하다면 주위의 시기와 질투, 방해공작(외호괘☵暗) 등으로 인하여 용이 제때 승천하지 못하고 다시 이무기로 전락하게 된다. 해(解)의 다른 편에서 보면 건(蹇)이 되니 시사하는 바가 크다.

▷배합괘 - 風火家人

解   家人

☳+1 ⟹ ☴+5

☵-3   ☲+3

-4   -2

    수뢰둔(水雷屯)은 태☵ 속에서 자라고 있는 태아☳의 상이다. 세상 밖으로 나가기 위하여 몸을 만들고 힘을 기르며, 고뇌의 시간☵을 견디고 열 달을 기다린 끝에 드디어 출사☳를 하게 되니 뇌수해(雷水解)이다. 엄마와 한 몸으로 존재하다가 드디어 분리되어 독립체로 세상으로 나아가는 모습이다. 해

(解)의 반대는 가인(家人)이니 분리가 아닌 한 몸이고, 하나의 가족이 됨을
의미한다. 하나로 뭉쳐 있는 모습이니 반대는 해(解)가 되는 것이다.

3. 괘사(卦辭)

解 利西南 无所往 其來復吉 有攸往夙吉
해 이서남 무소왕 기래복길 유유왕숙길

解는 西南이 이롭도다. 나아갈 바가 없으면 돌아오는 것이 吉하고, 나아가는 바가 있으면 속히 행하는 것이 吉하리라.

험함☵에서 벗어났으니 正道☳를 가는 것이 이롭다. 어려움에서 벗어났다하여 正道를 벗어나 기고만장하면 다시 험함(險陷)에 갇히게 된다(배합괘 水山蹇). 가는 길(正道)이 없다면 다시 돌아오는 것이 차라리 좋다. 그러나 가는 방향과 길이 정해졌다면 망설이지 말고 가라.

象曰 解險以動 動而免乎險解
단왈 해험이동 동이면호험해
解利西南 往得衆也 其來復吉 乃得中也 有攸往夙吉 往有功也
해이서남 왕득중야 기래복길 내득중야 유유왕숙길 왕유공야
天地解而雷雨作 雷雨作而百果草木皆甲坼 解之時大矣哉
천지해이뇌우작 뇌우작이백과초목개갑탁 해지시대의재

움직임으로써 험(險)을 해소한다. 움직여서 險을 면하는 것이 解로다.

解는 西南이 이로움은 나아가서 무리(衆)를 얻음이라. 다시 돌아옴이 吉함은 이에 中을 얻기 때문이다. 나아가는 바가 있을 때는 속히 행하는 것이 吉함은 나아가서 功을 이루기 때문이다.
天地가 풀림에 우레와 비가 일어나고, 우레와 비가 일어남에 백과초목의 씨앗이 모두 터져 열려 나오니 解의 때가 참으로 크다.

생명은 모태 속☷에서 열 달을 기다리며 어려움을 겪어야 비로소 사람☳이 되어 밖으로 나온다. 어려움 없이 저절로 사람의 모습이 갖추어지는 것이 아니다. 식물이나 나무조차도 땅 속에서 추운 겨울☵을 씨앗으로 견디어 내야 비로소 봄☳에 땅을 뚫고 나올 수가 있는 것이다. 겨울☵을 견디지 않은 씨앗☵이 어디 있겠는가? 험함 속에서 어려움을 겪어야 비로소 어려움을 면하게 되는 이치가 바로 해(解)이다. 解는 험함(險陷) 속에서 움직이는 것이다.

어려움☵에서 벗어나 천하를 다시 얻어도 정도(正道)를 가지 않는다면 승천하던 용☳이 이무기로 떨어지듯 다시 나락으로 떨어진다. 正道란 中道를 말함이니 정점에 이르러서도 中을 지켜 바른 길을 가는 것이 이로운 것은 나아가면 많은 무리가 따르게 됨을 말한다.

물☵이 흘러 땅☷으로 가듯, 坎☵의 九二가 변하면 坤☷이 된다. 坤은 무리(衆)이니 득중(得衆)이다. 물이란 평이(平易)한 땅으로 흘러 들어가는 것이 순리이니, 겨울(☷)이 지나고 봄(☳)이 오듯 순리대로 험함☵이 극복되고 평평하게 닦여진 땅☷이 됨을 뜻한다. 또한 하괘의 險☵을 헤치고 상괘로 나아간 九四☳가 효변하면 地水師(䷆)가 되니 이는 하괘의 물이 상괘의 땅으로 스며드는 것을 의미하므로 무리(衆)가 따르는 것을 뜻한다. 西南이란 문왕팔괘도에서 坤方☷을 의미한다. 북방의 水☵가 西南의 地☷으로 효변하니 백성의 무리(衆)가 된다. 西南의 백성(衆)을 북방의 춥고 험난한 험지☵에서 벗어나게 하여 西南方의 살기 좋은 平易한 땅☷(坤)으로 인도함이니 "解利西南 往得衆也"란 바로 이 뜻이다. 西南이란 바로 백성을 상생(相生)의 바른 길(正道)로 이끌어가는 방향성을 의미하는 것이므로 만일 정도로 나아가는 것이 어렵다면 차라리 가던 길을 돌려 되돌아오는 것이 낫다. 나아가지는 못하더라도 中(九二)을 지킬 수 있기 때문이다(其來復吉 乃得中也).

시간으로 보면 坤≡≡은 미시(未時)로 相生으로 전환되는 지점이다. 양의 세력이 왕성한 여름(火)에서 음의 세력이 주도하는 가을(金)로 전환되는 금화교역(金火交易)은 未時의 坤의 중재로 이루어진다. 양이 주도하는 상쟁의 분열·성장의 시대가 기울고, 음이 주도하는 상생의 통합·수렴의 시대로 전환되는 것이다. 火와 金은 상극의 관계에 있으나 土의 중재로 '火生土 土生金 金生水'로 전환되어 坤道가 주관하는 음의 상생 후천시대로 접어들게 되는 것이다.

가는 길이 정해졌다면, 그리고 그것이 正道라면 망설이지 말고 가라. 가면 뜻하는 바를 이루리라(有攸往夙吉 往有功也).

解之時大矣哉

막혔던 천지가 풀렸다. 추운 겨울≡≡을 보내고 봄≡≡이 오니 날이 풀리고 우레와 비가 일어난다. 우레가 땅을 뒤흔들고 비를 내려 대지에 스며드니 땅속에서 인고의 시간을 보내던 백과초목이 모두 땅을 열고 하늘을 향해 나온다. 인고(忍苦)≡≡의 시간을 견디지 못하면 결코 봄≡≡을 만나지 못하니 해(解)가 가지는 때의 의미가 매우 크다. 봄은 저절로 오나 그 때를 만나는 것은 누구에게나 해당되는 것이 아니다. 그러므로 인고(忍苦)의 시간을 견뎌낸 자만이 누리는 해(解)의 때는 위대한 것이다.

▷인문학적 개념의 지지(地支) 배치도에 대한 심층이해

寅은 甲木의 성질로 1월이 되고, 8괘로는 震☳木의 성질을 가지고 있다. 그런데 문왕8괘도를 12시간으로 균등 배분하면 寅이 艮土에 위치하게 되므로 마치 寅木이 艮土의 성질을 부여받은 것으로 잘못 이해할 수가 있다. 그러나 이것은 평면상에 그려진 원도(圓圖), 또는 구궁도(九宮圖)에 배치된 8괘를 균등하게 나누어 시간을 배치하는 작업에서 비롯되는 오해이다. 8괘의 성질과 지지의 성질이 서로 맞지 않는 다른 경우도 같은 이유이다. 그러나 간지는 오차 없는 자연과학적 시간이라기 보다는 글자 하나하나에 철학적 의미를 내포한 인문학 철학적 시간의 관점에서 고려하는 것이 옳다(시간의 측정에서는 균등하게 나누어야 하겠지만(자연과학적 시간), 해석에 있어서는 인문학적 개념의 시간을 고려해야 한다(인문철학적 시간). 그러므로 자연과학적 시간의 관점에서 보면, 艮☶土는 축(丑)이 인(寅)으로 전환하는 시점으로서 12월(丑)에서 한 해를 마치고 새로운 1월(寅)이 시작되는 종시(終始)의 뜻을 품고 있으므로 인(寅)이 艮☶土와 의미적으로 전혀 무관하다고 볼 수는 없다(丑의 지장간 癸辛己와 寅의 지장간 己丙甲을 보면 己土를 서로 공유하고 있어 자연시간적으로는 늦겨울 丑에서 초봄 寅으로 전환하는 환절기임을 알 수 있다.)

▷[심층이해] 인문학적 개념의 12지지 배치도

巽☴木 卯(辰)	離☲火 巳午	坤☷土 未
震☳木 寅	土	兌☱金 申
艮☶土 丑	坎☵水 子亥	乾☰金 酉(戌)

-辰戌丑未는 4계절 사이의 계절 전환기를 의미한다.

象曰 雷雨作解 君子以 赦過宥罪

상왈 뇌우작해 군자이 사과유죄

상에 이르길, 우레와 비가 일어나는 것이 해(解)이니 군자는 이로써 과실을 용서하고 죄를 감해준다.

　우레와 비가 일어나는 것이 解이니, 군자는 이로써 허물은 용서하고 죄는 감형해준다. 어려운 상황에서는 많은 죄와 허물들이 만들어진다. 매서운 겨울☵☵(冬)이 지나고 우레☳☳(春)와 비가 천지를 적시니 만물이 생화한다. 군자는 험난에서 벗어나 만물이 생화하는 것을 보며, 어려운 상황에서 빚어질 수 있는 많은 죄와 허물을 감해주고 사회적 통합을 이끌어 활력을 불어넣어주는 것이 이 시기이니 8.15 광복절 등 국가적 기념일을 기해 대대적인 사면을 행사하는 것도 바로 이러한 의미이다.
　어려움을 극복하고 앞으로 나아가기 위해서는 사회적 통합이 필요하고 통합을 위해서는 어려운 시기를 인(仁☳☳)의 관점에서 어루만지는 것이 필요하다. 어려운 시기의 죄☵☵(하괘)를 밝음☲☲(내호괘)으로 비추고 仁☳☳(상괘)으로 어루만진다. 震☳☳은 계절로는 만물이 회생하는 봄으로 四德(仁義禮智인의예지) 가운데 인(仁)의 뜻이 있다.

☞ 夙: 일찍 숙/ 皆: 모두 개/ 赦: 용서할 사(일반적인 용서)/ 宥: 용서할 유(벌을 경감하는 용서)/ 坼: 터질 탁

4. 효사(爻辭)

解괘는 험난≡≡에서 벗어나 아직 혼란스러운 상태에서 中道로써 기강을 바로잡고 질서를 바르게 세워가는 과정에서 일어나는 상황을 묘사한다. 험난에서 벗어난다고 해서 질서가 바로 잡히는 것은 아니다. 해방(解放), 해결(解決), 해동(解冬)된 직후는 아직 제대로 정리가 되지 않은 혼란한 상태가 여전히 지속된다.   해(解)괘는 효사를 통해 그 질서를 잡아가는 과정을 보여준다.

坎≡≡(險)은 험함(險陷), 소인(小人), 불의(不義)…등을 의미하고, 震≡≡(進)은 그것들을 벗어나거나 멀리하는 것을 뜻한다. 그러므로 해(解)는 험(險)에 묶인 것을 풀어버리거나 제거하는 해감(解坎)의 의미를 가진다. 1·2·3효는 소인, 4·5·6효는 대인의 관점에서 해(解)를 이해한다.

初六 无咎
초육 무구

초육, 허물이 없다

初六은 풀림의 시작이다. 험난에서 풀리는 시점은 오히려 질서가 잡히지 않아 혼란스럽다. 初六은 양의 자리에 음으로 와서 자리가 바르지 않다. 그러나 험난(險難)에서 풀리는 때의 초기로서 자리가 바름을 얻지 못해 혼란스러우나 위로는 九四에 응하니 그가 품은 생(生)의 뜻은 허물이 없다. 그래서 공자는 이를 "강유(剛柔)가 사귀니 그 뜻은 허물이 없다(象曰 剛柔之際 義无咎也)"라고 하였다.

겨울≡≡에서 봄≡≡으로 그 기운이 전이되면서 꽁꽁 얼은 땅이 해동(解冬)되니 땅이 질서를 잃고 물러진다. 그러나 이때가 오히려 땅 속에서 힘을 축적하던 씨앗(屯≡≡)이 그 때를 놓치지 않고 땅을 헤치고 나와 새싹으로 돋아난다(解≡≡). 初六은 비록 자리가 바르지 않고 아래에 처하여 아직 힘은 미약하지만 풀리는 초기의 혼란스러움 속에서 어린 싹임에도 불구하고 장차 곧고 바르게 자라가려는 뜻을 품고 있으니 허물이 없는 것이다.

☞ 際: 사귈 제

九二 田獲三狐 得黃失 貞吉
구이 전획삼호 득황시 정길

구이, 여우 세 마리를 잡으니 중도를 얻음이라. 곧고 바르게 해야 길하리라.

일제치하의 압제에서 벗어난 해방 직후는 좌우익의 대결로 혼란스러운 시기였다. 비록 더 나은 한민족의 미래를 꿈꾸며 나아가는 시기이기도 했지만 좌우익을 이끄는 지도자들이 서로 옳음을 주장하며 오히려 혼란을 부추기는 때이기도 했다. 여우 세 마리는 혼란스러운 시기에 오히려 혼란을 주도하는 주범, 괴수를 상징한다. 전획삼호(田獲三狐)이란 혼란의 괴수를 잡아 기강을 세우고 질서를 바로잡는 것을 의미한다. 그런데 이러한 혼란스러운 상태를 종식시키는 것은 中道로써 바르게 하지 않으면 안 된다. 좌우로 치우치거나 중심을 잃으면 공정성을 잃게 되어 오히려 여우가 창궐하게 된다. 황(黃)은

中이요, 시(矢)는 바른 道이니 黃矢란 中道의 뜻이다. 九二가 효변하면 重地坤(☷☷)이 된다. 坤괘 六二 효사를 보자.

六二 直方大 不習无不利
육이 직방대 불습무불리

육이, 곧고 방정(方正)하며 크도다. 익히지 않아도 저절로 이루어지니 이롭지 않음이 없도다.

六二 효사는 땅의 성정(性情)을 설명한다.
직(直) - 곧고 바름(貞正)
방(方) - 방정(方正), 반듯함(義)
대(大) - 땅의 덕(德)이 무한함

공자가 得黃矢를 得中道也라 풀이했듯이 坤괘의 성정을 뜻하는 直方大에서 中道를 인용하였다. 中道란 의도하여 익히지 않아도 본성에 내재되어 저절로 흘러나오는 무위자연의 힘이다. 풀리는 상황에서 오는 혼란스러움을 부추기는 괴수를 中道로써 바로잡으니 이 시기는 그렇게 하지 않으면 중심을 잃게 된다. 그래서 공자는 "九二가 바르게 해서 길함은 中道를 얻었기 때문이다(象曰 九二貞吉 得中道也)"라고 하였다.

九二는 중(中)의 자리에서 양강(陽剛)함으로 六五 인군에 응하니, 하괘 활 ☳(弓)에 내호괘 화살☵(矢)을 매겨 외괘 ☳(震)으로 여우를 쏜다. 해(解)괘를 보면 하괘 坎☵, 외호괘 坎☵, 그리고 九二가 효변하면 大坎☵의 상이 되니 여우 세 마리가 되고, 九二가 변한 하괘가 坤☷☷(土)이니 사냥터가 되고, 또한 전(田)은 사냥의 뜻이 있다.

☞ 田: 밭 전, 사냥할 전/ 獲: 잡을 획/ 狐: 여우 호/ 矢: 화살 시

六三 負且乘 致寇至 貞吝

육삼 부차승 치구지 정린

육삼, 소인이 양(陽)을 짊어지고 또 양을 올라탔으니 스스로 도둑을 부르는구나. 바르더라도·부끄럽다.

六三은 하괘에서 상괘로 강을 넘어가는 혼란스러운 시기에 처해 있다. 이러한 시기에 六三은 양의 자리에 음으로 와서 자리가 부당하고, 또한 中을 얻지 못하고 上六에도 응하지 못한다. 그런데 아래로는 九二 양을 깔고 앉았으며, 위로는 九四 양을 짊어지고 있으니 소인이 대인의 자리에 거하여 군자인양 행세를 하고 있는 모습이다.

六三은 양의 자리에 음으로 와서 하괘의 맨 위에 처한 소인이다. 소인에 불과한 자가 감히 대인의 자리에 거하여 그 역할을 하려 하니 아래로는 九二를 깔고 앉아 위로는 九四 양을 기만하니 그 꼴이 흉하다. 소인의 그릇으로 군자의 그릇을 흉내를 내어 담으려 하니 스스로 도둑을 불러들이는 상이다. 소인이 군자인양 바르게 행하더라도 그릇이 되지 않으니 부끄러울 뿐이다. 그래서 공자는 "소인(음)이 군자(양)를 짊어지고 또 올라 탐은 또한 추함이로다. 나로 인해 도둑을 이르게 하였으니 또 누구를 허물하겠는가?(象曰 負且乘 亦可醜也 自我致戎 又誰咎也)"라고 주석하였다. 하괘도 坎☵이요, 외호괘도 坎☵이며, 또한 六三이 동하면 전체의 상이 대감(大坎☵)의 상이니 도둑(寇)의 상이 된다. 六三은 대인의 자리에서 군자인 양하는 소인배일 뿐이다.

☞ 負: 질 부/ 且: 또 차/ 乘: 탈 승/ 致: 이를 치/ 寇: 도적 구/ 戎: 도적 융, 병기 융

九四 解而拇 朋至斯孚
구사 해이무 붕지사부

구사, 엄지 발가락을 풀으라. 벗이 이르니 이는 믿음의 무리들이니라.

九四는 하괘에서 강을 건너 상괘로 건너와 아래에 처하였으니 六五 임금을 섬기는 대신의 자리이다. 그러나 음의 자리에 양으로 와서 자리가 바르지 않고, 초육과 상응하나 서로 바름(正)을 얻지는 못한 상태이다. 무(拇)는 엄지발가락이니 아래에 있는 初六을 상징한다. 九四는 임금을 섬기며 백성을 구휼하는 자리이고, 初六은 해(解)의 때를 맞이하였으나 낮은 자리에 처하여 군자의 손길이 제대로 미치지 못해 그 혜택을 누리지 못하는 백성의 자리이다. '너의 엄지발가락을 풀어버리라'는 의미는 엄지발가락에 해당되는 낮은 자리에 있는 자신의 백성을 험(險)에서 풀어주라는 해감(解坎)의 뜻이다. 이에 공자는"너의 엄지발가락을 풀어야 주어야 함은 자리가 마땅하지 않기 때문이로다(象曰 解而拇 未當位也)"라고 그 이유를 설명한다.

九四가 효변하면 地水師≣≣가 되니 백성≡≡이 따르고 군자≡≡가 모이는 뜻이 된다. 이는 믿음을 바탕으로 하는 것이다(朋至斯孚). 곤(坤)은 만물을 품어주는 모태로서 군자의 도량을 비유하다. 九四≡≡가 효변하면 坤≡≡이 되어 살기 좋은 평이(平易)한 西南方으로 변한다. 진≡≡이 坤≡≡(朋)으로 효변함은 벗들이 다가오는 것을 의미한다. 중지곤(重地坤)괘 단사에 利西南得朋이라 했으니 坤≡≡(朋)은 군자들이 모여드는 朋至의 뜻이다. 또한 지괘가 地水師≡≡≡≡이니 물≡≡이 땅 속≡≡으로 스며들어오는 상으로 백성≡≡(衆)이 군자≡≡(西南)를 따르는 모습이 된다. 九四가 효변하면 물≡≡이 땅≡≡으로 스며들어가는 모습이니 백성≡≡(衆)이 군자≡≡(西南)을 향해 따르는 상이 되니 괘단사의 解利西南 往得衆也의 뜻이다.

☞ 而: 너 이, 어조사 이/ 拇: 엄지발가락 무/ 朋: 벗 붕/ 斯: 이 사(지시대명사)

六五 君子維有解 吉 有孚于小人
육오 군자유유해 길 유부우소인

육오, 군자에게는 오로지 풀리는 일만 있으니 길하리라. 소인에게는 믿음이 있으리라.

六五는 존위에 거하여 해(解)의 주체로써 소인을 풀어버린다. 六五는 유순(柔順)한 인군이니 양강(陽剛)한 권위보다는 음유(陰柔)한 문덕(文德)으로써 소인을 다스린다. 이에 군자의 덕에 스스로 압도되어 소인은 저절로 물러간다. 六五인군이 九二와 응하면서 부드러우나 강한 중도로써 소인을 멀리하니 소인 스스로 군자의 문덕에 압도되어 이에 믿음이 생기니 저절로 물러가는 것이다(象曰 君子有解 小人退也). 六五가 효변하면 택수곤(澤水困☵)이다. 소인☷이 군자의 큰 그릇(德)☶에 빠져 곤궁한 처지가 됨을 뜻하니 이는 소인이 저절로 물러가는 뜻이다.

☞ 維: 오직 유(唯)

上六 公用射隼于高墉之上 獲之 无不利
상육 공용사준우고용지상 획지 무불리

상육, 공(公)이 높은 담 위에 있는 새 매를 쏘아 잡으니 이롭지 않음이 없다.

上六이 효변한 火☲는 새를 상징하고, 준(隼)은 맹금류인 사나운 새매이니 해로운 짓을 하는 소인을 뜻한다. 수(水)☵는 화살을 장착한 활의 상이 된다. 용(墉)은 담장이니 대인과 소인을 구분하는 경계이며, 상육은 높은 곳이지만 군위(君位)는 아니므로 공(公)이라 표현했다.

上六은 해(解)의 극에 처해있고, 효변하면 화수미제(火水未濟☲☵)가 되니 질서가 흐트러지고 경계가 어지럽게 되는 시점이다. 이런 시기를 틈타 높은 담장 위에 맹금류인 새매(隼)가 출몰하듯 소인들이 담장 위를 넘어올 수 있다. 그러므로 군자는 덕(德)으로써 다스리는 높은 담장 안으로 넘어서려 준동하는 소인의 무리를 제압하기 위해서는 담장 위의 새매를 활로 쏘아 잡듯이 군자 스스로 덕을 길러 언제든지 새매(소인)를 쏘아 잡을 수 있는 기물(器物)이 되어야 한다. 이는 군자 자신이 새매를 쏘아 잡는 활과 화살이 되어야 함을 뜻한다. 군자 스스로가 활과 화살이 되어 때를 기다려 동하니 높은 담장을 넘어오는 소인의 무리를 쏘아 제압할 수가 있는 것이다.

스스로 활과 화살이라는 기물이 된다는 것은 소인을 제압하는 높은 덕을 기르는 것을 의미한다. 군자가 덕으로 쌓은 높은 담장을 넘어서는 소인의 무리는 해(解)의 극에 처하여 언제든 출몰할 수 있다. 그러나 군자의 덕(德)이 담장이 되고, 활과 화살이 되면 담장 위를 넘어 출몰하는 새매(소인)를 언제든지 제압할 수 있는 것이다. 군자의 높은 덕에 소인이 압도되면 저절로 물러나니 쏘지 않아도 떨어진다. 군자가 덕을 행하니 소인이 저절로 담장에서 떨어진다. 덕을 행함이 바로 활을 쏘는 것이다. 그래서 공자는 "공이 새 매를 쏘니 이로써 어긋남이 풀리리라(象曰 公用射隼 以解悖也)"라고 풀이하였다.

☞ 射: 쏠 석/ 隼: 새매 준/ 墉: 담 용/ 獲: 잡을 획/ 悖: 어그러질 패

41. 山澤損_{산택손}

山 ☶ 艮
澤 ☱ 兌

▶효변(爻變)

과거	미래	현재
☷-1 ⇨	☵-5	☵ -5
		☶ -1

上下作用力: (-1)-(-5)=+4

上下均衡力: (-1)+(-5)=-6

損 有孚 元吉无咎 可貞 利有攸往 曷之用 二簋可用享

象曰 損 損下益上 其道上行 損而有孚 元吉无咎 可貞 利有攸往

曷之用 二簋可用享 二簋應有時 損剛益柔有時 損益盈虛 與時偕行

象曰 山下有澤 損 君子以 懲忿窒欲

初九 已事遄往 无咎 酌損之

九二 利貞 征凶 弗損益之

六三 三人行 則損一人 一人行 則得其友

六四 損其疾 使遄有喜 无咎

六五 或益之十朋之龜 弗克違 元吉

上九 弗損益之 无咎 貞吉 有攸往 得臣无家

1. 괘상(卦象)

못☱ 안에 산☶이 앉아 있는 상으로 못의 깊이가 -1, 산의 높이가 +5로서 +4만큼 밖에 나와 있는 모습이다.

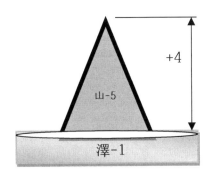

☶의 양이 상향하여 소진되면서 음이 자라는 모습☷이다. 상으로 보면 양☶이 하나 둘, 차례로 음(陰) 밖으로 나가 고정되는 상으로, 떠오르던 양☶이 음에 붙잡혀 고정☷되고 있다. 음의 관점에서 보면 음이 내려와 양을 단단히 고정시키는 상이다.

양☶이 음 밖으로 나가 실체☷가 되니 출산(出産)의 상이다. 어미 품☷ 안에 있는 아기☷의 모습이다. 아래 숫자는 양효의 크기를 나타낸 것이다.

☞**산택손(山澤損)**

떠오르던 양이 음에 붙잡혀 고정되는 상으로 출산(出産)의 상이다.

☷+6 ⇨ ☵+3 ⇨ ☶+1

임신　　　　아기　　　　출산

►태☰ 속의 아기가 밖☰으로 나와 실체☷를 드러낸 모습이다.

☞**택산함(澤山咸)**

양이 아래로 파고 들어 안정되는 모습으로 임신의 상이다.

☷+1 ⇨ ☷+2 ⇨ ☷+6

교합   수정   임신

►어머니의 자궁 속☷에서 편안히 쉬고 있는 태아☷의 모습이다.

지천태(地天泰☷)에서 내괘(☰) 九三(양)을 덜어 상괘(☷)로 올리니 山澤損(☶)이 되어 아래가 손해를 보며 위를 보태는 모습이다. 이것은 澤☱이 자신을 덜어 희생(損)시킴으로 山☶을 키우는 모습이 된다(損下益上 其道上行). 못☱이 자신을 덜어내는 작은 희생(-1)에도 불구하고 +4만큼의 산☶을 만들어내는 것이니 작은 도움이나 희생이 의외로 많은 이를 살리는 큰 힘이 된다. 믿음과 뜻(有孚)으로 자신을 덜어 내어주면(分), 손(損)은 손해(損害)가 아니라 앞으로 더 큰 이익(損以高德)이 되어 되돌아오니 타인을 돕는다는 것은 마땅히 크게 길(吉)한 것이다(損 有孚元吉). 元吉은 무조건 크게 길한 大吉이 아니라 善之長(仁)의 뜻으로 손익타산을 넘어 타인을 위해 자신을 덜어냄으로써 타인을 도울 때 마땅히 길하다는 의미이다. 선지장(善之長)이란 만물이 생성하는 근원으로서 사랑을 뜻하는 인(仁)을 의미한다. 어머니가 자신의 몸을 덜어냄으로써 자식을 생산하니 어찌 이해타산이 앞설 수 있겠는가?

기쁜 마음☱(兌)으로 자신을 덜어 德☷을 쌓으니 그 덕(德)이 공(功)이 되어 내게 돌아온다. 당장은 손해를 보는 것 같지만 쌓은 덕으로 인해 앞으로 살아가면서 길이 열리고 도움을 받으니 나아가는 바가 이로운 것이다(利有攸往). 내가 쌓은 덕은 쌓은 만큼 나를 둘러싼 울타리가 되어 보호막이 되어주

니 타인에 대한 베풂은 오히려 자신에게 베푸는 것이다. 산☶ 위의 물은 아래로 흘러 못☱에 쌓여 만물을 이롭게 하니 하늘에 쌓은 덕은 티끌 하나도 새는 법이 없다. 그릇☱에 뚜껑☶을 덮어 안전하게 보호하고 있는 상이다.

외세의 침략을 받아 나라가 위태할 때 의병으로 일어나 기꺼이 자신을 희생함으로써 나라☱를 구한 백성☶ 또한 손(損)의 상이다. 나 하나의 희생이지만 나라☱(國)를 구함으로써 가족은 물론 만 백성과 후세들이 안전☶(安)하게 삶을 영위할 수 있으니 손(損)으로써 익(益)을 얻은 것이 아닌가(以損得益)? 또한 백성☱들은 세금을 국가☶에 내니 개인으로서 당장은 손해이나 국가는 그 세금으로 나라를 운영하고, 백성은 그 나라의 울타리☶(國) 안에서 보호를 받으며 평화롭고 안전한 삶☱(安)을 영위할 수가 있으니 이 또한 손(損)의 도이다(損下益上 其道上行).

☞생명에 관한 괘상의 이해

恒   益

雷☳+1   風☴+5

風☴+5   雷☳+1

+4   −4

항(恒): 천지의 기운이 생명(씨앗)으로 포태(수정)

익(益): 씨앗이 만물로 생화함 (생육)

咸   損

澤☱−1   山☶−5

山☶−5   澤☱−1

−4   +4

함(咸): 임신, 태아(☶실체),

손(損): 출산, 아기(☱실체),

屯   解

水☵−3   雷☳+1

雷☳+1   水☵−3

+4   −4

둔(屯): 태아(胎兒), 태 속(양수)에서 자라고 있는 태아

해(解): 해산(解産), 태 속(양수)에서 나옴, 생명의 탄생

2. 괘변(卦變)

▷호괘 - 地雷復

損 　　　　　　 復

☷-5　⇨　☷-7

☳-1　　　 ☳+1

+4　　　　　 +8

　산☶을 쌓는 것은 한번에 이루어지는 것이 아니다. 한 삽 한 삽 흙을 퍼 올리는 오랜 과정과 노력이 필요하다. 또한 자신의 희생과 노력 없이는 결코 이루어질 수 없다. 산택손(山澤損)에 이러한 오랜 시간과 노력을 요하는 지뢰복(地雷復)이 들어가 있으니 그 의미가 매우 크다.

▷착종 - 澤山咸

損 　　　　　　 咸

☷-5　⇨　☱-1

☱-1　　　 ☶-5

+4　　　　　 -4

　함(咸)은 못☱안에 산☶이 깊이 들어와 있는 것이니 음양이 서로 교합(交合)하는 모습으로서 서로를 교감(交感)하면서 교류(交流)하는 상이다. 삼라만상이 서로 교감하고 작용하면서 만왕만래용변(萬往萬來用變)하는 것이니 강유(剛柔)가 서로를 주고받으면서 만물을 내어놓는다(剛柔相推而生變化也/계사전). 음양이 서로 내 것을 덜어주고 받으면서 ☳때(時)와 더불어 실체☶를 만들어가게 되니 바로 산택손(山澤損)의 뜻이다.

▷도전괘 - 風雷益

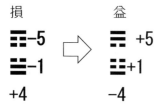

損   益

☷−5 ⟹ ☴ +5

☶−1   ☳+1

+4   −4

    자신을 덜어서 타인을 돕는 것이 손(損)이다. 그러므로 손(損)은 당장은 자신에게 손해(損害)가 되지만 베풀어 쌓은 덕(德)이 내 삶의 울타리☶가 되어 다시 내게 베푸니 결국은 이로운 행위가 된다. 산☶에 둘러 쌓인 연못☱은 평화롭고 안전하다. 손(損)이란 뒤집어 보게 되면 결국은 익(益)이 되는 것이니 이는 손(損)의 숨은 뜻이다(有孚元吉). 損과 益은 서로 같으면서 다르니(同異) 하나의 체(體)를 달리 바라본 것이다. 손(損)은 해(害)가 아니라 익(益)이다. 기쁜 마음으로 나☱를 덜어내는 損으로써 덕(德)☶을 얻으니 어찌 益이 아닌가(以損得益)?

▷배합괘 - 澤山咸

損   咸

☷−5 ⟹ ☱−1

☶−1   ☶−5

+4   −4

    손(損)의 반대도 착종괘와 같이 함(咸)이 되니 서로의 나눔을 통하여 실체를 만들어낸 손(損)의 이면에는 강유(剛柔)가 서로 부딪히고 교합하는 함(咸)의 작용이 있음을 의미한다(剛柔桑麻 八卦相盪/계사전).

3. 괘사(卦辭)

損 有孚 元吉无咎 可貞 利有攸往 曷之用 二簋可用享
손 유부 원길무구 가정 이유유왕 갈지용 이궤가용향

손은 믿음이 있음이니 크게 길하고 허물이 없다. 가히 바르게 하여 나아가면 이로우리라. 어찌 쓸 것인가? 두 대의 그릇으로 가히 제사를 지내다.

손(損)은 그 도(道)를 행함에 있어 뜻에 믿음을 두니 크게 길하고 허물이 없으며 가히 바르다. 고로 나아가는 길이 이롭다. 뜻에 믿음을 둔다는 것은 손(損)으로써 행하는 것이 나를 덜어 타인과 나눔으로써 오히려 덕을 쌓는 깨달음을 뜻하니, 당장의 작은 손해는 앞으로 더 큰 익(益)이 되어 돌아온다는 의미이다(損 有孚 元吉无咎). 그러므로 손(損)의 도로써 바르게 나아가는 것은 이로운 것이다

曷之用 二簋可用享

어찌 이용할 것인가? 두 대의 그릇으로 가히 제사를 지낼 수 있다. 두 대의 그릇이란 地天泰(䷊)의 地☷와 天☰을 말하니 덜어내는 그릇☰과 보탬을 받는 그릇☷, 곧 하늘과 땅이다. 損의 道를 행함은 곧 덕(德)☷을 쌓음이니 무슨 허식이 필요하겠는가? 하늘과 땅이 서로를 덜어 채우니 손(損)의 도를 말함이고, 곧 성경이자(誠敬二字)를 말함이니 두 대의 그릇이로다. 아래☷를 덜어 위☷를 보태는 모습이 하늘에 제사를 지내는 모습으로 비유하여 두 대의 그릇을 인용하였다. 이는 곧 하괘 天☰와 상괘 地☷를 말함이니(地天泰),

이 두 개의 그릇으로 損의 도를 설명한 것이다.

☞ 曷: 어찌 갈/ 簋: 제기 이름 궤/ 享: 제사드릴 향

象曰 損 損下益上 其道上行 損而有孚 元吉无咎 可貞 利有攸往
단왈 손 손하익상 기도상행 손이유부 원길무구 가정 이유유왕
曷之用 二簋可用享 二簋應有時 損剛益柔有時 損益盈虛 與時偕行
갈지용 이궤가용향 이궤응유시 손강익유유시 손익영허 여시해행

단에 이르길, 損이란 아래를 덜어 위를 더함이니 그 도가 위로 행한다. 덜어냄(損)이 오히려 보탬(益)이라는 믿음이 있으면 크게 길(元吉)하고 허물이 없는 것(无咎)이니 가히 바른 道가 되므로 나아가는 바가 이로우리라. 曷之用 二簋可用享은 두 대(天地)의 그릇이 서로 응하는 때가 있으니 강(剛)을 덜어 유(柔)를 더하는 때가 있음이라. 덜고 더하며 채우고 비우며 모두 때와 더불어 행하다.

단 가로되, 손(損)이란 아래를 덜어 위를 보탬이니 그 도가 위로 행한다. 地天泰에서 하괘 乾☰의 九三을 덜어 상괘 坤☷에 上六☷을 세우니 곧 산택손(山澤損)이라. 고로 손(損)의 道는 아래☰를 덜어 위☷를 보태는 것이니 위로 향하는 도가 된다(損下益上 其道上行).

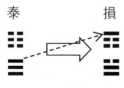

泰　　　　　損

損下益上　其道上行

210　　　　주역원리강해(하)

그러므로 자신을 덜어내 위로 보태는 손(損)의 뜻(益)에 믿음을 두면(損而有孚) 크게 길(元吉)하고 허물이 없는 것(无咎)이니 가히 바른 도가 되므로 나아가는 바가 이로운 것이다(可貞 利有攸往). 왜냐하면 위로 보낸 덕(德)이 산처럼 쌓여 울타리☷가 되고 다시 나☳에게 베풂으로 돌아오니 손(損)의 도는 나아가는 것이 이로움이 되는 도이다. 손(損)이란 궁극적으로 익(益)이 되는 것이니 이는 무위자연(無爲自然)의 이치이다(損極必益 理之自然).

九二와 上九가 大離☲(大明)를 만드니 損而有孚(믿음)의 뜻이다. 나를 덜어 위에 더함이 궁극적으로는 다시 나에게 익(益)이 되는 손(損)의 뜻에 대한 믿음(有孚)을 두면 마땅히 元吉하니 비록 나를 덜어내더라도 허물이 없다. 원길(元吉)의 元은 선지장(善之長)의 뜻이 있으므로 무조건적인 大吉이 아니라 善의 으뜸 조건이 성립되어야 하는 吉이다(元 善之長也/계사전). 그러므로 선지장(善之長)을 조건으로 하는 元이 성립되지 않는다면 오히려 큰 허물이 되는 것이며, 도가 바르지 않으므로 나아가는 것이 오히려 이롭지 않은 결과를 초래하게 된다.

두 대의 그릇으로 가히 제사를 지낼 수 있다(二簋可用享) 함은 두 개의 그릇인 天☰과 地☷가 서로 응하는 때가 있으니 강(剛)☰을 덜어 유(柔)☷에 더하는 때가 있음을 말함이다(損剛益柔有時). 이는 덜고 더하고 채우고 비움(損益盈虛)이 자연의 변화와 마찬가지로 천지의 때와 더불어 함께 행하는 것을 뜻한다(與時偕行). 천지가 곧 제사를 지내는 두 대의 그릇이니 어떤 허식과 요식행위가 필요하겠는가? 춘하추동 시간의 흐름에 따라 더하고 덜며 때에 따라 응하니 손익영허(損益盈虛) 여시해행(與時偕行)이라. 하괘☱와 상괘☶의 각효가 서로 응하고 있으니 덜어내고 보태는 損의 도는 사시사철 자연의 변화를 따라가며 순리대로 서로 함께 해야 하는 것이다.

☞ 盈: 찰 영/ 虛: 빌 허/ 偕: 함께 해

象曰 山下有澤損 君子以 懲忿窒欲

상왈 산하유택손 군자이 징분질욕

상에 이르길, 산 아래 못이 있는 것이 손(損)이니 군자는 이로써 분(忿)을 징계하고 욕(欲)을 막는다.

소인은 나눔으로써 해(害)를 얻지만, 대인은 나눔으로써 익(益)을 얻는다.

상(象) 가로되, 산〓〓아래에 못〓〓이 있는 상이 손(損)이니, 大人은 나를 덜어냄(分〓〓)으로써 덕(德〓〓)을 쌓는 손(損)의 깊은 뜻을 헤아려 분(忿)을 덜어내고 욕(欲)을 막아 손(損)의 道로써 천하에 덕(德)을 베푼다. 損의 道는 나를 덜어냄(分)으로써 해(害)가 되는 것이 아니라 오히려 덕(德)을 쌓음이 되는 것이니 이를 알면 분(忿)이 사라지고, 나를 채우고자 하는 욕(欲)이 없어진다.

나를 덜어냄〓〓으로써 오히려 높이 쌓이니〓〓 어찌 분함이 일겠는가? 덜어냄은 나를 나누어 주는 것이니 분(分)이 되고, 나를 덜어내어 손해(損害)가 나는 마음(心)이 분(忿)이니, 분(分)이 곧 고덕(高德)임을 알게 된다면 어찌 분(忿)이 생기겠는가(損以高德)?

샘〓〓은 나그네의 목을 축이고, 주변으로 흘러 만물을 이롭게 한다. 퍼내어 주면 퍼내어 줄수록 샘〓〓은 채워지니, 어찌 채우려는 욕(欲)의 마음(心)인 욕(慾)이 생기겠는가? 샘은 덜어내어 서로 나누지 않으면 상해서 오히려 해(害)가 되니 나눔(損)은 천지의 자연스런 이치인 것이다.

기쁜 마음〓〓으로 나(心)를 덜어내어 나누어 주는(分) 손(損)으로써 德〓〓을 얻으니(得) 어찌 益이 아닌가(以損得益)? 손(損)이란 나눔을 뜻하니, 나눔의 손(損)은 해(害)가 아니라 익(益)인 것이다.

道는 마음을 비움이다(道之虛心). 비움으로써 德☰이 높아지니 이는 대인지도(大人之道)이기 때문이다(以虛心高德). 소인은 나눔으로써 해(害)를 얻지만, 대인은 나눔으로써 익(益)을 얻는다.

☞ 損: 덜 손, 잃을 손/ 曷: 어디 갈, 어찌 갈, 언제 갈/ 簋: 대그릇 궤/ 享: 제사 올릴 향/ 盈: 찰 영, 虛; 빌 허/ 與: 더불 여/ 偕: 함께 해, 懲: 징계할 징/ 分: 나눌 분/ 忿: 성낼 분, 窒: 막을 질, 欲: 하고자 할 욕/ 忿: 성낼 분/ 慾: 욕심 욕, 탐낼 욕

4. 효사(爻辭)

나를 덜어 德을 쌓음이 損의 뜻이다. 하괘는 나를 덜어 남을 더해주는 이
치를 설명하고, 상괘는 남을 더해줌으로써 오히려 얻는 이치를 설명한다(以
損得益). 初九는 적절하게 덜어야 함을 말하고, 九二는 양강함으로 과욕을 삼
가함을 말하고, 六三은 3人行이면 하나를 덜어내고, 1人行이면 둘을 얻는 이
치를 설명한다. 六四는 병(어둠)을 덜어내어 이로움을 더해주며, 九五는 나
를 덜어내어 줌으로써 열 사람의 벗을 더하고, 上九는 천하를 얻는 이치를
말한다(得臣無家).

하괘는 나를 덜어내는 이치를 말하고, 상괘는 더해줌으로써 오히려 내가
얻는 이손득익(以損得益)의 이치를 말하고 있다.

初九 已事遄往 无咎 酌損之
초구 이사천왕 무구 작손지

초구, 損의 뜻이 결정되거든 머뭇거리지 말고 속히 나아가야 허물이 없다.
적절하게 損을 행하라.

자신을 덜어 타인을 채워주는 것이 損의 뜻이니 이왕지사(已往之事) 損의
뜻이 정하거든 머뭇거리지 말고 속히 나아가 損을 행하라. 그러나 損은 적
절하게 행해져야 한다. 자신을 적절하게 덜어 위를 채움이 損이지 자신을
몽땅 내어주는 것이 損의 진정한 뜻은 아니다. 이는 어리석은 객기일 뿐이
니, 공자는 "속히 나아가 적절하게 자신을 덜어 損의 뜻을 행하는 것은 위

와 뜻을 합하는 것이다(象曰 己事遄往 尙合志也)"라고 損의 진정한 의미를 설명하고 있다. 효변하면 하괘가 물☵이 되니 외호괘 땅☷으로 스며들어가 상괘의 산☶(실체)을 만드는 뜻이 나온다.

☞ 己: 이미 이, 그칠 이/ 遄: 빠를 천/ 往: 갈 왕/ 酌: 참작할 작

九二 利貞 征凶 弗損益之
구이 이정 정흉 불손익지

구이, 바름을 지키는 것이 이로우나 남의 것을 쳐서 (덜어내면) 흉하리라. (損의德은) 덜어내는 것이 아니라 더해주는 것이다.

九二는 비록 中이 자리를 지키고 있으나 자리가 바르지 않다. 음의 자리에 양으로 와서 그 양강(陽剛)함이 지나치니 자신을 덜어 위를 채우는 損의 도를 벗어나 타인의 것을 덜어내어 자신의 것에 더하는 우를 범할 수가 있다. 그러므로 九二는 제자리를 바르게 지켜야 이로우니 이는 中을 뜻으로 삼아야 함을 경계한다. 그래서 공자는 "九二가 바르게 제자리를 지키는 것이 이로우니 中으로써 뜻을 삼아야 함이다(象曰 九二利貞 中以爲志也)"라고 하였다. 남의 것을 덜어내는 것이 아니라 더해주는 것이 損이 품고 있는 진정한 뜻이니, 이는 바로 中을 굳게 지켜 바름을 벗어나지 않아야 하는 것이다. 九二가 효변하면 산뢰이(山雷頤☲☳)가 되니 만물을 기르는 뜻이 있다.

損은 상대방을 덜어내어 내게 더하는 것이 아니라 내 것을 덜어내어 상대방에게 득이 되게 하는 것이니, 불손익지(弗損益之)란 이를 경계한 것이다. 損은 2가지의 의미가 있으니 내 것을 덜어내는 것과 상대방의 것을 덜어내는 것이다. 정(征)한다는 것은 바르지 못한 상대방을 가서 쳐 바로잡아 덜어

내는 것을 뜻하는 것이니, 九二의 損이 征과 연결되어 상대방의 것을 빼앗음으로써 내게 이득이 되게 하는 뜻이 생긴다. 내호괘 震☳(進)이 나아간다는 뜻이 있으니, 그러므로 스스로 자중하지 못하고 나아간다면 흉하리라. 바로 정흉(征凶)의 뜻이다.

☞ 征: 칠 정, 치고 나아가 바르게 하다/ 弗: 아니 불

六三 三人行 則損一人 一人行 則得其友
육삼 삼인행 즉손일인 일인행 즉득기우

육삼 세 사람이 가면 한 사람을 덜게 되고, 혼자서 가면 벗을 얻는다.

六三효사는 地天泰에서 山澤損으로 효변하는 모습을 설명한다. 泰괘에서 하괘☰의 九三이 홀로 위로 나아가 상괘☷의 上六에 자리하니 산택손山澤損이다. 즉, 損의 六三은 上九와 서로 자리바꿈을 한 자리로서 乾☰의 九三이 행하여 坤☷을 만나 上九☶가 되어 서로 응하는 것이 벗을 만난 격이다.

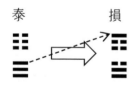

泰　　　　損

損下益上 其道上行
損이란 아래를 덜어 위를 더함이니 그 道가 위로 행한다.

地天泰에서 하괘 3개의 양효가 행하다 九三 양이 六三 음으로 변한다. 그리하여 1,2 효는 양효로써 음효인 3,4 효를 만나고, 3 효는 음효로써 上九 양

효를 만난다. 하괘☰의 세 효 중에서 하나가 성질을 달리하는 것이다. 즉, 삼인이 行하다 하나를 덜어내는 격이니 三人行 則損一人의 뜻이다. 또한 泰(☷)괘에서 九三이 홀로 나아가 上六에 자리하니 一人行 則得其友의 뜻이다. 태괘 구삼효가 혼자서 위로 가면 육사, 육오 두 음효를 벗으로 얻는 반면 하괘의 세 양효가 한꺼번에 모두 위로 가게 되면 天地否(☷)괘가 되어 막히게 된다. 작용이 멈추는 상황이 벌어지는 것이다.

공자는 "혼자 행하니 셋이면 의심하기 때문이다(象曰 一人行 三則疑也)"라고 하였는데 이는 地天泰(☷)에서 山澤損(☶)으로 변하는 과정에서 인사적 교훈을 이끌어낸 것이다. 損괘는 상하괘의 효가 서로 음양의 짝을 이루어 상응하고 있다. 천지나 만물은 모두 음양의 짝을 이루고 있는데 셋이면 그 뜻이 지나치고 음양의 짝이 맞지 않는다. 그래서 공자는 '셋이면 의심한다(三則疑也)'라고 하여 '하나를 덜어냄'을 損의 뜻으로 취한다. 지나친 것은 덜어내고 모자라는 것은 보태 주어 서로 음양의 짝을 이루게 하는 것이 損의 진정한 도인 것이다. 사회조직, 구성원 간의 이익이 충돌하고 의견이 엇갈리는 현실 상황에서 이를 대처하는 지혜를 설명한다.

홀로 나아가 배우자를 만나 음양의 짝을 이루어 부부가 되니 일인행 즉득기우(一人行 則得其友)이고, 부부(음양)가 잉태하여 아이를 출산하니 삼인행 즉손일인(三人行 則損一人)의 뜻이다.

▶ **택산함(☲)**, 구사효사(交感)

九四 貞吉悔亡 憧憧往來 朋從爾思
구사 정길회망 동동왕래 붕종이사

▶ **산택손(☶)**, 육삼효사(出産)

六三 三人行 則損一人 一人行 則得其友
육삼 삼인행 즉손일인 일인행 즉득기우

하괘 첫번째 괘인 택산함 九四효에서 동동왕래(憧憧往來) 교감하고, 10 달이 되는 산택손의 六三효에서 출산하게 되는데 택산함 九四효에서 시작하여 60 번째 효가 된다. 60 이란 천간(天干)과 지지(地支)가 서로 교감하며 甲子로 시작하여 한 바퀴 순환을 완료하는 시점인데 그 이치가 오묘하다.

六四 損其疾 使遄有喜 无咎
육사 손기질 사천유희 무구

육사, 병을 덜어내다. 덜어내는 것을 빠르게 하면 더하는 기쁨이 있으니 무탈하리라.

六四가 효변하면 외호괘가 坎水☵이니 질병(疾)의 뜻이 된다. 그리고 내호괘가 火☲, 외괘가 火☲가 됨으로써 疾(☵)을 둘러싸는 형국이 되니 질병☵(疾)을 밝게 비추어 몰아내는 뜻이 나온다.

지괘가 화택규(火澤睽☲)가 되니, 어두운 바다☵ 속에서 밝은 태양☲이 떠오르듯 밝은 태양이 떠 올라 만물을 비추는 뜻이 있으니 질병이 뜻하는 어둠☵(疾)을 빨리 덜어내어 생육의 이로움을 더해주는 기쁨이 있다. 손기절(損其疾)은 해로운 요소(탐욕, 과욕)를 덜어내어 제거하는 뜻이 있다.

어둠☵(疾)을 덜어내는 것은 가급적 빨리 하라. 그래야 새벽이 오듯 바다☵에서 밝은 태양☲(喜)이 떠 올라 만물을 길러내는 기쁨이 있는 것이니, 공자는 이를 "병을 덜어내니 또한 기쁨이로다(象曰 損其疾 亦可喜也)"라고 설명하고 있다.

☞ 疾: 병 질/ 使: 하여금 사, 시킬 사/ 遄: 빠를 천/ 喜: 기쁠 희/ 亦: 또 역

218   주역원리강해(하)

六五 或益之 十朋之 龜弗克違元吉
육오 혹익지 십붕지 귀불극위원길

육오, (더함을 받는 때에) 혹 나를 덜어 (남을) 더해준다면 열명의 벗을 얻으리라. 거북이(점)도 하늘의 뜻을 거스르지 못하니 크게 길하다.

혹(或)은 경우의 수를 의미한다. 重天乾 九五효사에 나오는 혹약재연(或躍在淵)의 혹(或)과 같은 의미이다. 혹익지(或益之)는 그 의미가 元吉과 연결된다. 원길(元吉)이란 무조건적 吉인 大吉이 아니라 善之長(仁)이 충족되어야 하는 조건부 吉이다. 그러므로 혹(或)은 조건부로서 일어날 수 있는 다양한 경우의 수를 뜻한다.

"或益之 十朋之"는 이해타산없이 나를 덜어 남을 더해주는 손(損)의 도를 행한다면 10명의 벗을 얻는다 라는 의미이다. 십(十)이란 최고, 최상, 완성의 수이니 더 이상 바랄 것이 없다는 뜻이다. 나(心)를 덜어내어 나누어 주는 (分) 손(損)으로써 십붕(十朋)을 얻으니(得) 어찌 益이 아닌가(以損得益)?

소인은 나눔으로써 해(害)를 얻지만, 대인은 나눔으로써 익(益)을 얻는다. 인(仁)이란 만물의 생하는 근본으로 사랑을 의미하니, 陰陽이 교감하여 中을 생하고 天地가 교합하여 人(만물)을 생하는 근원이 된다.

귀불극위원길(龜弗克違元吉)는 善之長(仁)이 충족되는 경우의 손도(損道)가 행해지면 하늘의 뜻을 물어보는 점도 마땅히 길하게 나올 수밖에 없음을 의미한다. 損의 도가 善之長(仁)으로써 마땅하게 행해지는 경우 하늘은 최상의 결과(吉)를 내놓을 수밖에 없는 것이니 거북이로 상징되는 점도 이 결과(元吉)를 거스를 수는 없는 것이다.

六五가 효변하면 중부(中孚☲☱)괘가 되니 거북이(☳☶龜귀)의 상이 나온다. 그러므로 공자도 "六五元吉은 위로부터 도와주는 것이다(象曰 六五元吉 自上祐也)"라고 하여 六五가 손도(損道)를 행함으로써 혹익지(或益之)하면 마땅히

元吉한 것이니 이는 하늘(上九)로부터 도움이 있는 것이다 라고 주석하고 있다.

☞ 龜: 거북 귀/ 弗: 아니 불/ 克: 이길 극/ 違: 어긋날 위

> 上九 弗損益之 无咎貞吉 有攸往 得臣无家
> 상구 불손익지 무구정길 유유왕 득신무가
>
> 상구, 덜어내지 않고 보태 주다. 무탈하리니 바르게 함이 길하리라. 나아가면 사람을 얻으니 천하가 내 집이로다.

損은 내 것을 덜어 남을 더해주는 뜻이 있으니, 九二에서와 마찬가지로 불손익지(弗損益之)는 남을 덜어내는 것이 아니라 나의 것을 덜어 더해주는 것이다. 즉, 남을 덜어내어 내게 보태는 것이 아니라 내 것을 덜어 남을 보태는 것이다. 그런데 損의 도는 비록 나를 덜어내었으나 오히려 득이 되는 뜻을 품고 있다(以損得益).

九二의 불손익지(弗損益之)는 상괘의 것을 덜어내어 내 것에 더하는 것이 아니라 내 것을 덜어 상괘에 더하는 것이고, 이와는 반대로 上九의 불손익지(弗損益之)는 하괘를 덜어 내 것에 더하는 것이 아니라 상괘인 나를 덜어내어 하괘에 더하는 뜻이 있으니 허물이 없다.

이를 바르게 하면 길하니 나아가면 천하에서 사람을 얻으리라(有攸往 得臣无家). 천하가 곧 내 집이 되니 공자는 이를 "弗損益之는 뜻을 크게 얻음이다(象曰 弗損益之 大得志也)"라고 풀이하였다. 득신(得臣)이란 나를 지지해주고 도와주는 사람(忠臣)을 얻음의 뜻이고, 무가(無家)는 상하를 구별하지 않고 경계가 없고 귀천의 차별이 없는 천하를 뜻한다.

六三은 損의 도를 위로 행하여 벗을 얻지만(得其友), 上九는 위에 처하여
損의 도를 아래로 행하니 천하와 충신을 얻는 것이다(得臣无家).

42. 風雷益 풍뢰익

風 ☴ 巽
雷 ☳ 震

▶효변(爻變)

과거	미래	현재
☳ +1 ⇨	☵ +5	☵ +5
		☳ +1

上下작용력: (+1)-(+5)=-4

上下균형력: (+1)+(+5)=+6

益 利有攸往 利涉大川

彖曰 益 損上益下 民說无疆 自上下下 其道大光 利有攸往 中正有慶
利涉大川 木道乃行 益動而巽 日進无疆 天施地生 其益无方 凡益之道
與時偕行

象曰 風雷 益 君子以見善則遷 有過則改

初九 利用爲大作 元吉 无咎

六二或益之十朋之龜 弗克違 永貞吉 王用享于帝 吉

六三益之用凶事 无咎 有孚中行 告公用圭

六四中行告公從 利用爲依遷國

九五有孚惠心 勿問元吉 有孚惠我德

上九莫益之 或擊之 立心勿恒 凶

---

1. 괘상(卦象)

하늘이 부여한 초양☳+1이 때와 더불어 험함(險陷)☵-3을 뚫고 나무☴+5로 성장하는 상이다. 양☳(씨앗)이 자라 무성☴해지니 만물은 서로에게 이롭다. 만물의 성장은 눈에 보이지는 않으나 때를 놓치지 않으니 때(時)를 알아 더불어 행하는 것은 만물이 갖추어야 할 도리이다(凡益之道 與時偕行).

初九☳가 자라 험함☵을 이겨내고 무성☴해지니 益의 뜻이다. 씨앗이 싹을 내면 저절로 자라는 것이 아니니 봄에 뿌리☵를 내리고 여름의 작열과 수해의 험난☵을 이겨내야 비로소 포상처럼 주어지는 것이 과실☴이니, 큰 내☵(險)를 건너는 것이 이로움은 이것이 생명이 생장하는 도(木道)이기 때문이다(利涉大川 木道乃行).

생명☴을 품은 과실☴은 계절의 때를 따라 다시금 땅☷에 씨앗☴을 내리고 씨앗은 대지를 파고들어 만물의 근원☷이 되니 만물의 순환은 항구한 천지의 도이다. 만물은 가고 오며 끝없이 순환하지만 근본은 변함이 없는 것이다(萬往萬來用變不動本/천부경).

바람☴은 만물에 이로우니 대지☷에 숨결을 불어넣어 생명☴을 심는다. 神☴의 숨결☴(神命)이 닿는 곳마다 생명☷이 움튼다. 바람☴처럼 만백성☷을 어루만지고 보듬어 생명☷이 자라도록 이롭게 하는 것은 대인이 마땅히 가져야 할 도리이다. 사악한 바람이 대지 위를 스치면 닿는 곳마다 생명이 죽어나가니 대인은 마땅히 익도(益道)를 잃지 말고 목도(木道)를 지켜 때를 거스르는 지나침이 없어야 한다(與時偕行).

▶목도(木道)

☞利涉大川 木道乃行

생명(☵)이 진통(☳)을 겪으며 세상으로 나오다(☴).

씨앗　　　험함(險陷)　　나무

☷+1 ⇨　　☵-3 ⇨　　☴+5　　　순행(順行)
　　　屯　　　　　　환(渙)

水☵-3 ⇨　　風☴+5
雷☳+1 　　　水☵-3
　屯　　　　　　渙

▶風☴+5(나무): 험함을 이겨낸 나무는 만물이 되고(益), 때가 되면 다시 열매를 맺고 대지에 씨를 심는다(恒).

▶水☵-3(험함): 씨앗은 추운 겨울을 이겨내고 딱딱한 대지를 뚫고 나와야 비로소 나무가 된다.

▶雷☳+1(씨앗): 대지가 품고 있는 씨앗으로 만물의 근원이 된다.

☞순행(順行): 생명이 깨어나 자라는 것은 양이 상향하는 모습으로 천지의 때를 따르는 것이므로 순행(順行)이다(與時偕行).

▷수뢰둔(水雷屯): 초양☳이 상향하여 험함☵에 들어가다. 씨앗☳이 험함☵ 속에서 자라고 있다. 생명☵이 세상으로 나오기 위해 진통☳을 겪다. 생명☵이 세상으로 나오기 위해서는 반드시 진통☳을 겪어야 하니 험함은 반드시 통과해야 하는 음양의 이치이다.

> ▷풍수환(風水渙): 2개의 음에 갇혀있던 九二(양)가 상향하여 세상 밖☳으로 나오다. 험함☵을 이겨내고 드디어 세상으로 나와 나무☴가 되다.

초양☳+1이 상향하다 험지(險地☵-3)에 빠져 어려운 상황이다(屯). 그러나 어려운 상황에서도 위축되지 않고 움직이며 힘을 기르다 결국 험지(險地☵-3)를 헤쳐 나와 성장(成長☴+5)하여 과실(果實)을 이룬다(渙).

初九와 九五가 大離(☲大明)를 만드니 初九☳가 六二를 뚫고 험함☵에 들어가도 큰 밝음(☲大明) 안이라는 믿음이 있다. 이로써 初九☳가 믿음☲(大明) 안에서 험☵(暗)에 뛰어드니 坎☵(險水)를 거쳐 산도(産道)☴(믿음, 밝음)의 안내를 통해 밖으로 나와 씨앗을 맺는 나무☴(木)로 성장한다. 이것이 천지 사이에서 만물이 만왕만래(萬往萬來)하며 이섭대천(利涉大川)하는 천지지도(天地之道)로서 목도(木道)의 뜻이다. 익(益)이란 가만있으면 저절로 얻어지는 것이 아니라 험한 大川☵을 건너야 비로소 성취할 수 있음을 뜻하니, 그것이 인생이고 자연의 이치 아닌가?

둔(屯)은 험(險)☵에 빠져 있는 상황에서 위축되지 않고 계속 움직이며☳(動) 힘을 기르고 있는 상이고, 환(渙)은 배☴(木)를 타고 大川☵(險水)를 건너가 공(功)을 이루는 모습이다(利有攸往 中正有慶).

[비교] 양이 상향하는 과정의 비교

소성괘에서 양효의 상향은 아래 그림이 자연스럽다.

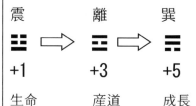

震   離   巽
+1   +3   +5
生命   産道   成長

☵+5: 양기가 땅에 뿌리를 내려 크게 성장하다.

☳+3: 양기가 땅을 뚫고 나오다.

☶+1: 땅 속 깊이 양기가 파고 들어 생명(씨앗)이 되다.

그러나 대성괘인 6효에서의 상향은 상황이 다르다. 초양은 음효인 2,3,4효의 험난을 거쳐 큰 나무로 성장한다. 그러나 밝음이라는 大離(☲大明)의 틀 안에 들어있음을 알 수 있다.

益
風☴+5
雷☳+1

震   坎   巽
+1   -3   +5
씨앗 (屯) 險水 (渙) 나무

2. 괘변(卦變)

▷호괘 - 山地剝

益 ䷩ +5 ䷖ 剝 -5
䷩ +1 ䷖ -7
−4 −2

　대지☷에 심어진 씨앗☷이 자라 솟아오르니(☳) 점차 자라나 큰 나무(☶)가 될 것이다. 마지막 남은 양(씨앗)을 덜어 대지☷에 불어넣으니 만물의 씨앗☷이 된다. 마지막 남은 씨앗은 다음 세대를 위한 생명이니 먹지 않고 항구한 생명의 순환을 위해 남기는 것이 삶의 지혜이다.

▷착종괘 - 雷風恒

益 ䷩ +5 ䷟ 恒 +1
䷩ +1 ䷟ +5
−4 +4

　씨앗☷이 자라 험함☵을 헤치며 거목☴으로 자라니, 이는 신의 숨결☴이 대지를 파고들어 생명이 된 生氣☷가 발아된 모습이다(益). 착종괘인 항(恒)은 하괘☴의 九二와 九三이 초육(대지)을 파고들어가 씨앗(☷生命)이 된 모습으로 때가 되면 땅을 뚫고 일어나게 되니 만물이 생육하는 근본이 된다. 비록 삼라만상은 가고 오며 끝없는 변화를 만들어내지만 생장수장(生長收藏)하는 우주 생명의 본(本)은 변함이 없는 것이다(萬往萬來用變不動本/천부경).

▷도전괘 - 山澤損

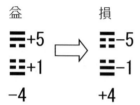

益
☷+5
☳+1
-4

損
☶-5
☱-1
+4

▷도전괘의 비교: 益과 損

▶風雷益

☳+1 ⟹ ☴+5

-양이 자라 무성해짐(양이 자람)
-양☳이 자라 무성☴해지니 익(益)이다.

▶山澤損

☱-1 ⟹ ☶-5

-양이 줄어들고 음이 커짐(음이 자람)
-양☱이 줄어들고 음이 커지니☶ 손(損)이다.

비록 나를 덜어 위로 보태는 행위(損)는 당장은 손해를 보는 것 같지만 다른 관점에서 보면 결국은 자신을 위하여 덕을 세우는 행위(益)가 된다. 損과 益은 하나의 체를 다르게 봤을 뿐이다.

▷배합괘 – 雷風恒

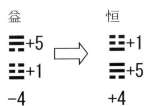

益   恒

☳+5   ⟹   ☶+1

☶+1   ☳+5

−4   +4

    익(益)의 배합괘는 항(恒)이다. 만물이 성장☳하고 다시 씨앗☶으로 수렴되니 생명의 순환은 항구하다. 雷와 風은 하늘의 움직임으로 風은 雷를 따르고 雷는 風을 따르며 함께 움직이니 천지 사이에서 우레와 바람이 함께 휘돌면서(雷風相與) 만물을 이롭게 하기 위하여 서로 돕는다(雷風二物 相益者也).

3. 괘사(卦辭)

益 利有攸往 利涉大川
익 이유유왕 이섭대천

익(益)은 나아가는 바가 이로우니 大川을 건넘이 이롭다.

익(益)은 나아가는 바가 이로운 것은 큰 내☵(險水)를 건너면 비로소 과실(果實)의 이로움을 맛볼 수 있기 때문이다. 봄의 생명☳은 험난☵한 비바람을 건너야 비로소 과실☶을 맺는다. 익(益)은 천지자연이 주는 혜택으로, 만물은 저절로 그 과실의 기쁨을 누리는 것이 아니라 사시사철 계절에 맞는 風雨☵(險水)을 겪어내야 비로소 과실을 맺을 수가 있는 것이다. 즉, 익(益)은 나아가는 바 이로움이 있으니 大川☵(險難)을 건너야 비로소 이로움을 얻게 되는 이치이다.

彖曰 益 損上益下 民說无疆 自上下下 其道大光
단왈 익 손상익하 민열무강 자상하하 기도대광
利有攸往 中正有慶 利涉大川 木道乃行
이유유왕 중정유경 이섭대천 목도내행
益 動而巽 日進无疆 天施地生 其益无方 凡益之道 與時偕行
익 동이손 일진무강 천시지생 기익무방 범익지도 여시해행

단에 이르길, 익(益)은 위를 덜어 아래에 더하는 것이니, 백성의 기뻐함이 끝이 없다. 위에서 아래로 내려오니 그 도가 크게 빛난다.

나아가는 것이 이로움은 中正하여 경사가 있음이요, 大川을 건너는 것이 이로움은 木道가 행해 짐이로다.

익(益)은 움직이며 손순(巽順)하니 날로 나아감이 무한하다. 하늘이 베풀고 땅이 낳아 기르니 그 유익함이 천하만방에 미치다. 무릇 익(益)의 도는 때를 따라 함께 행한다.

익(益)은 위☰를 덜어 아래에 더함이니 백성☷의 기뻐함이 한량(限量)이 없다. 천지비(天地否☰☷)괘의 九四를 덜어 아래의 곤(坤)괘☷에 더하여 初九가 되니 이는 위로부터 아래로 내리는 하늘의 덕이다. 이로써 위를 덜어 아래를 두텁게 하는 익(益)의 도가 천하를 크게 비춘다.

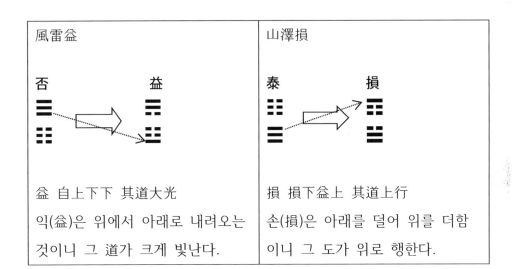

風雷益	山澤損
否　　　　　　益	泰　　　　　　損
益 自上下下 其道大光	損 損下益上 其道上行
익(益)은 위에서 아래로 내려오는 것이니 그 道가 크게 빛난다.	손(損)은 아래를 덜어 위를 더함이니 그 도가 위로 행한다.

비(否)의 天氣☰는 위에 머물고 地氣☷는 아래에 머물러 있어 서로 작용하지 못하고 떨어져 있으니 위아래가 막혀 소통하지 못한다. 이에 하늘☰이

자신(九四)을 덜어 아래에 더하니 땅☷은 생기(生氣)가 돌고 生命☵을 머금으며 봄의 기운(木)을 시작한다(木道乃行).

▷神命(☵)를 듣고 에고(ego)의 껍질(☷)을 벗어버리며 미몽(迷夢)에서 깨어나다(☳).

天☰이 자신을 덜어 아래☷에 내려주니 神命☵(logos)을 듣고 無明☷에서 깨어나 영적으로 부활☳을 하는 모습이다. 하늘☰이 神命☵을 내려 無明☷에 속한 인간에게 生命☵을 주니 깨어나 영적으로 부활☳한다.

'하늘☰이 말씀☵(神命)을 내리니 無明☷(암흑)에서 그 소리를 듣고 깨어나 각성(覺性)☳(부활)하다'라는 뜻으로 기독교적 교리가 이에 해당된다. 또한 부활☳하여 하늘☰로 가기 위해서는 험난(險難)☵(십자가)을 지고 진리의 여정을 통과해야 성인(聖人)의 모습으로 비로소 하늘☰에 들어갈 수 있다는 의미도 익(益)의 괘상을 통해 묵상할 수가 있다.

利涉大川 木道乃行

나아가는 바가 이로운 것은 六二와 九五가 中正함으로 正道를 지켜 서로 응하니 좋은 일이 있기 때문이며, 大川☵(險)을 건너는 것이 이로움은 그것이 木道☴를 행하는 것이기 때문이다.

☳+1 ⇨ ☵-3 ⇨ ☴+5

씨앗 　　　　　 險 　　　　　 木

木道라 함은 씨앗☳+1이 험난☵-3을 뚫고 나무☴+5로 성장하는 무위자연(無爲自然)의 道를 뜻한다. 목(木)은 씨앗☳이 자라 거목☴으로 완성된 존재이니 험난☵을 건너는 배☴가 된다(利涉大川 木道乃行). 인간사로 보면 보면 아이☳가 세상풍파☵를 이겨내며 성장하여 어른☴이 되는 것을 의미한다.

天施地生

용(龍)☷이 움직이면서 바람☴을 타고 날로 나아가니 益이 미치는 한계가 없다(動而巽 日進无疆). 이는 하늘☰이 베풀고☴, 땅☷이 낳아 생육☷하니 그 익(益)의 덕이 한량없이 천하만방에 미친다. 하늘☰은 위에서 생명☴을 내리고 땅☷은 그것을 받아 만물☴로 길러내니 天☰地☷가 베푸는 유익(有益)이 미치지 않는 곳이 없다(天施地生 其益无方).

益의 도는 木道로서 무위자연(無爲自然)의 도이니 사시사철 춘하추동 자연의 변화를 따라 더불어 순리대로 행한다(與時偕行). 木道는 무위의 도로 생명이 생장수장하는 이치이니 그 힘은 미약해 보이나 천하의 사시를 돌리는 도이다. 봄에는 씨앗이 뿌리를 내리고, 여름의 작열과 수해를 건너 가을의 과실을 이루어 만물을 이롭게 하며, 겨울에 저장하고 휴식을 취하는 일은 계절의 때를 따라 행하는 生命之道로서 木道인 것이다(利涉大川 木道乃行).

☞損: 덜 손, 줄어들 손/ 益: 더할 익, 넘칠 익/ 說: 기뻐할 열/ 疆: 지경 강(한계, 끝, 가장자리)/ 自: ~로 부터, 스스로 자

象曰 風雷益 君子以 見善則遷 有過則改
상왈 풍뢰익 군자이 견선즉천 유과즉개

상에 이르길, 바람과 우레가 익(益)이니, 군자는 이로써 선(善)을 보면 옮기고, 허물이 있으면 고친다.

상 가로되, 바람(風)☴과 우레(雷)☳가 익(益)이니 군자가 이로써 착한 것을 보고 널리 행하여 전하고(☴), 허물이 있으면 고친다(☳). 바람☴은 대지☷를 어루만지며 순한 기운으로 生氣☴를 불어넣으니 바람의 본질은 선(善)

함이다. 바람☰은 神의 뜻을 전하는 전령이니, 선(善)☷함을 보고 그 뜻☰을 만방☷에 전하여 펼친다. 우레☳는 악함에 진노하는 하늘☰의 소리이니 이로써 허물이 있다면 마음을 돌이켜 반성하며 고친다(改過遷善).

☞ 凡: 무릇 범/ 與: 더불 여/ 偕: 모두 해 則: 만일 ~라면(즉), 곧 즉, 법칙 칙/ 遷: 옮길 천

4. 효사(爻辭)

손(損)은 아래를 덜어 위를 더해주는 상이나, 도전괘인 익(益)은 위를 덜어 아래를 더해주는 뜻이 있다. 하늘이 무위자연의 도를 내리니 대지가 생기☵를 받아 만물을 끝없이 순환시키고(天施地生 其益无方), 왕이 자신을 덜어 백성에게 더하니 위를 덜어내어 아래를 두터이 함으로써 천하백성을 이롭게 한다(自上下下 其道大光).

初九 利用爲大作 元吉无咎
초구 이용위대작 원길무구

초구, 일을 크게 하고자 함이 이로우니 크게 길하고 허물이 없다.

初九는 양의 지리에 양으로 와서 자리가 바르고 또한 상괘의 六四와 응한다. 비록 낮은 자리에 처하여 힘은 미약하나 初九는 대지☷가 품은 하늘☰의 뜻이다. 비(否)괘의 하늘☰이 자신(九四)을 덜어 땅☷에 뜻☰(初九)을 품게 하였으니 그 하고자 하는 뜻이 커 대작(大作)을 일으키는 것이 이롭다. 호랑이를 그리다 보면 최소한 고양이라도 그리게 되는 법, 하늘이 내려준 큰 뜻에 비해 하고자함이 작다면 마땅하지 않으니 오히려 흉하다. 그러므로 하고자 하는 대작(大作)이 마땅하면 길하고 허물이 없다. 爲大作이라 함은 '큰 일을 해낼 것'이라는 미래사적 의미가 있다. 즉, 初九가 품은 큰 뜻, 또는 그의 해낼 수 있는 능력을 의미하며 그것을 제대로 용(用)하는 것이 이롭다는 의미이다. 元吉이란 善之長으로 그 뜻이나 능력이 마땅히 善해야 함을 전제로 하며 그래야 허물이 없는 것이다. 그렇지 않으면 위대작(爲大作)은 대사기극이 되고 만다.

이에 공자는 "初九는 큰 일을 하고자 하는 뜻이 마땅히 元吉해야 허물이 없는 것이니, 아래는 본래 힘이 작은 자라 일을 크게 할 수 없기 때문이다 (象曰 元吉无咎 下不厚事也)"라고 하였다. 처음은 비록 작고 미약하지만 선(善)한 뜻을 크게 품는다면 그 끝은 창대하게 일어나리라.

☞ 爲: 할 위

六二 或益之 十朋之 龜弗克違 永貞吉 王用享于帝 吉
육이 혹익지 십붕지 귀불극위 영정길 왕용향우제 길

육이, 혹 더해주면 열 명의 벗을 얻는다. 거북이(점)도 뜻을 거스르지 못하니 영원토록 바르게 하면 길하리라. 왕이 천제께 제를 올리니 길하다.

六二는 음의 자리에 음으로 와서 자리가 바르고 中의 자리를 지켰으니 中正하다. 六二는 아래에 처하여 위에서 더함을 받는 자리이지만 剛健中正한 九五人君과 서로 정응하는 柔順中正한 하괘의 리더로서 혹여 자신을 덜어 남을 더해 준다면 10명을 벗을 얻는다. 이렇게 할 수 있는 것은 六二가 中正하고 九五와 正應하기 때문이다.

다만 아래에 처하여 유순하고 그 힘이 강건(剛健)하지 못하니 영정(永貞)함을 지켜야 길하다. 六二가 효변하면 중부(中孚☲)괘가 되니 거북(☲龜귀)의 상이 나온다. 유순하지만 中正한 六二가 영정(永貞)하게 익(益)의 도를 행한다면 거북점도 길하게 나올 수밖에 없다.

六二가 더함을 받는 때에 오히려 자신을 덜어 남을 더해준다면 10명의 벗을 얻으니, 공자는 "이러한 익(益)의 도는 상괘(外)의 九五人君으로부터 오는 것이로다(象曰 或益之 自外來也)"라고 하였다. 십(十)이란 수의 완성을 뜻한다.

하늘의 더함을 받은 왕이 상제(天)께 진심을 다해 제사를 지내는 모습(王用享于帝)은 하늘이 자신을 덜어내 아래를 더해주는 익(益)의 뜻에 보은하는 것으로 비유된다. 도전괘인 손(損)괘 六五효사의 소상전은 "象曰 六五元吉은 위로부터 도와주는 것이다(六五元吉 自上祐也)"라고 하여 '나를 덜어 위를 더하니 하늘(上)이 도와준다'라고 하였다.

[비교] 손(損)괘의 六五효사

六五 或益之 十朋之 龜弗克違元吉

육오 혹익지 십붕지 귀불극위원길

육오, (더함을 받는 때에) 혹 나를 덜어 (남을)더해주니 열명의 벗을 얻는다. 거북(점)도 뜻을 거스르지 못하니 크게 길하다.

☞ 龜: 거북 구/ 弗: 아니 불/ 克: 이길 극/ 違: 어긋날 위, 거스를 위

六三 益之用凶事 无咎 有孚中行 告公用圭

육삼 익지용흉사 무구 유부중행 고공용규

육삼, 익(益)으로 흉사를 다스리니 허물이 없다. 믿음으로 中을 行하니 公에게 告하여 규(圭)를 사용하다.

益之用凶事 无咎

익(益)이란 유익을 더해주는 것이니 모자란 것을 보태 주고 더해주어 충족
시키는 것을 의미한다. 흉사(凶事)란 모자람이고 또한 어려움이니 益이란 바
로 이러한 곳에 쓰는 것이니 허물이 아니다

有孚中行

흉사(凶事)는 당사자간들의 합의를 통해 해결점을 찾아가야 한다. 이러한
과정은 서로의 신뢰를 바탕으로 해야 하며 한쪽으로 치우치지 않는 공정한
합의점을 찾아야 한다. 합의점이란 中을 의미하며 中을 찾아 타협하며 나아
가는 행위를 中行이라 하니 또한 中道의 뜻이다. 上과 下의 합치되는 부분
이 中이며, 陽과 陰의 교집합이 中이다. 天과 地가 하나(一)되는 부분이 人
이니 『천부경』의 "人中天地一"에서 人中이란 바로 이 뜻이다.

中이란 A 와 B 의 合一 지점인 교집합이니 中行이란 이를 찾는 행위이며,
中道를 行하는 것이다. 당연히 이러한 中行은 양 당사자간의 신뢰를 바탕으
로 하지 않으면 권위가 인정되지 않는다.

告公用圭

믿음을 가지고 서로 합일점을 찾으니 公(九五)에게 공식적으로 알려 인준
을 받는다. 공(公)이란 최종 인준권자를 말하니 九五가 된다. 中行에 대한
인준을 받는 것이다. 규(圭)란 도장이며 공적으로 인정된 인준권자의 도장이
찍힌 신임장을 뜻한다. 공적으로 인정된 이 서류의 효력은 나라를 옮길 수도
있는 힘이 된다. 고공(告公)이란 공적기관에 알려 공인받는 것이며, 용규(用
圭)는 그러한 공인된 합의서를 사용하는 것을 뜻한다.

六三은 양의 자리에 음으로 자리가 부당하고 中을 벗어나 있으니 흉(凶)하
다. 六三이 동하여 九三이 되면 내호괘가 坎水☵(險)가 되어 흉사(凶事)가
된다. 그런데 九三은 동시에 외호괘 火☲(孚)와 하괘 火☲(孚)가 만나는 中

心이 되어 行하니 中行(中道)의 자리가 된다. 九三은 험(險)☵한 가운데 신뢰(孚)를 뜻하는 2 개의 離火☲가 만나는 지점이니 上下가 만나는 지점이고, 陽陰이 合一이 되는 지점이다. 合은 서로 신뢰를 바탕으로 하는 것이니 또한 中行은 有孚의 뜻이 된다(有孚中行).

합의는 신뢰를 바탕으로 하는 것이며 당사자간의 상반된 입장을 조율하며 어려운 가운데 서로 일치되는 합의점을 찾아 신뢰를 표시하는 것이다. 합의된 것을 표현한 서류에 대한 권위를 주는 것은 바로 공인된 도장을 찍는 것이니 하괘☲(孚信)와 외호괘☲(孚信)가 만나는 九三효는 신뢰의 징표인 규(圭)가 된다.

규(圭)는 옥으로 만든 것으로 옛날 중국에서 천자(天子)가 제후를 봉하거나 신(神)을 모실 때 사용하던 신인(信印)이다. 離☲은 옥(玉)의 뜻이 있으니 하괘 離☲(玉)와 외호괘 離☲(玉)가 합치되는 中心인 九三은 규(圭)가 되어 믿음의 증표인 신인(信印)의 뜻이 되는 것이다.

합의는 공적기관에서 공인을 받아야 권위가 선다. 규(圭)란 바로 공인(公印)을 뜻하며, 용규(用圭)란 공인된 권위를 실행하는 것을 의미한다. 당사자간의 신뢰의 증표는 바로 공적기관에서 공인된 도장이 찍힌 서류, 즉 합의된 계약서, 합의서, 공인된 신임장 등등이니 바로 九三의 자리이다. 이러한 익(益)의 도는 인간이 짐승이 아닌 인간으로 살아갈 때부터 삶 속에 있어왔던 것이고 앞으로도 있어야 할 도로서, 공자는 이를 "익(益)을 흉사(凶事)에 씀은 예로부터 있던 것이다(象曰 益用凶事 固有之也)"라고 주석하고 있다.

六四 中行告公從 利用爲依 遷國
육사 중행고공종 리용위의 천국

육사, 中을 行하고 공(公)에게 告하여 공인(公印)받은 합의를 따르다. 합의에 의거하여 이행하는 것은 이로우니 이는 나라를 옮길 수도 있음이다.

中行이란 절충하고 조정하며 당사자가 인정하고 받아드리는 合意의 과정이며, 告公從이란 공(公)에게 알려 공인받은 합의를 따르는 것을 의미한다. 공(公)에게 알렸다는 의미는 공적인 기관에 의해 공인받았음을 의미하며, 공인된 합의는 따르지 않으면 안 되는 권위가 있음을 뜻한다.

신뢰를 바탕으로 합의된 내용이 공인받는 경우, 그 공인된 합의서는 나라를 옮길 수도 있는 힘이 생긴다. 천국(遷國)이란 공인받은 합의서, 또는 상호간의 도장(圭)이 찍힌 계약서가 가지는 힘을 은유적으로 표현한 것이다. 상호간의 도장이 찍힌 서류는 국가가 인정한 공적기관, 또는 헌법이 인정한 법률에 의거하여 막강한 힘을 가지게 된다. 막강한 힘을 표현한 것이 바로 천국(遷國)이라는 은유적 표현이다. 천지비(天地否䷋)괘에서 天☰의 九四가 아래로 내려가 坤☷의 初九가 되어 震☳이 되니 국가, 나라의 뜻을 가진 내호괘 坤☷(國)을 들어올리는 상으로 나라를 옮기는 천국(遷國)의 뜻이 나온다.

개인간의 계약은 물론 천도와 같은 국가의 중대사를 비롯하여 국가와 국가 간의 합의도 상호간의 신뢰를 바탕으로 공인된 도장이 찍힌 서류 한 장에 의거하여 실행된다. 이 합의내용에 의거하여 이행하는 것이 이로운 것이며, 합의대로 이행하지 않는다면 이 공인된 도장이 찍힌 계약서에 의거하여 처벌을 받게 된다. 그래서 공자는 "공(公)에게 告하여 공인된 합의를 따르는 것이 익(益)의 뜻이다(象曰 告公從 以益志也)"라고 주석하였다.

九五 有孚惠心 勿問元吉 有孚惠我德
구오 유부혜심 물문원길 유부혜아덕

구오, 믿음으로 마음을 은혜롭게 하다. 묻지 않아도 마땅히 크게 길하리라. 믿음으로 나의 덕을 은혜롭게 하리라.

九五는 인군의 자리로서 양의 자리에 양으로 와서 자리가 바르고 강건중정(剛健中正)하며 六二의 유순중정(柔順中正)과 서로 응한다. 그러므로 익(益)의 때를 맞이하여 믿음으로 아래에 더함을 베푼다. 九五인군과 六二백성이 서로 응하니 인군(人君)은 백성을 믿음 안에서 은혜로운 마음(惠心)으로 익도(益道)를 베푼다(九五 有孚惠心). 고로 지극히 善하고 마땅히 大吉함은 의심할 바 없이 묻지 않아도 알 수 있으니(勿問元吉), 이에 백성은 믿음 안에서 인군의 덕을 은혜롭게 한다(有孚惠我德).

공자는 "믿음 안에서 마음을 은혜롭게 베푸니 결과는 물을 필요도 없으리라. 백성이 나의 덕을 은혜롭게 여기니 뜻을 크게 얻었음이다(象曰 有孚惠心 勿問之矣 惠我德 大得志也)"라고 하여 백성이 九五인군의 베풂을 은혜롭게 여김은 곧 益의 뜻을 크게 얻은 것이라 하여 백성의 마음을 얻은 것을 대득지(大得志)로 표현했다.

九五가 동하면 산뢰이(山雷頤䷚)가 되니 크게는 믿음(☵孚信)의 상이 되어 군자가 덕으로써 백성을 기르는 뜻이 된다. 이(頤)괘의 호괘가 重地坤(䷁)이니 백성의 뜻이 나온다.

☞ 惠: 은혜 혜/ 勿: 말 물(말라, 아니다, 없다, 아니하다)/ 矣: 어조사 의(~도다, ˋ리라, ~였다, ~느냐, ~여라, ~이다)

上九는 음의 자리에 양으로 와서 자리가 부당하고 상극에 처하여 치우침
이 강하다. 그래서 아래에 익(益)을 베푸는 아량이 없고 스스로 이익을 위해
편향된 핑계에 급급하다. 동(動)하면 坎水≡≡가 되어 험(險)이 되고 도적(盜賊)
이 되니 스스로의 욕심만 가득하여 더해주기는커녕 아래를 치게 된다. 친다
는 것은 도움을 주는 것이 아니라 오히려 빼앗는 것이 되고 피해를 주게 됨
을 뜻한다. 그래서 익(益)의 시대에 맨 위에 처하여 욕심으로 마음이 편향되
게 되면 아무리 마음을 다잡고 바르게 세워도 항상하지 못하여 흉한 꼴을
당하게 된다.

아래(六三)는 받음을 극으로 하고, 위(上九)는 더해줌의 극이니 더함을 받
지 못한 자의 공격으로 險難≡≡에 빠지는 형상이다. 자리가 바르지 못한 上
九는 욕심에 마음이 치우쳐 아래에 베풀지 못하고 오히려 피해를 주게 되며,
그래서 반대로 피해를 받은 자들의 들이침을 당하게 되는 것이다. 그래서 공
자는 "남을 더해주지 않고 자기에게 치우쳐 핑계대기에 급급하다. 혹 친다
함은 밖으로부터 오는 것이다(象曰 莫益之 偏辭也 或擊之 自外來也)"라고 경계
하였다.

혹격지(或擊之)는 마음이 욕심에 기울어 아래에 베풀지 못하고 피해를 주
게 되니, 그래서 도리어 밖(백성)에서 들이침을 당하게 되는 것을 의미한다.
자신이 뿌린 대로 되받으니 자외래야(自外來也)의 뜻이다. 上九가 응하는 六
三은 외호괘 坤≡≡(백성)의 중심이며 하괘의 맨 위에 처하여 자리가 부당(不
當)하다. 그러므로 上九의 더함이 없다면 오히려 上九를 들이치는 상황이 벌

어질 수도 있는 것이다(莫益之 或擊之). 그래서 마음을 바르게 세워 오래하지 않으면 흉하다 경계하는 것이다(立心勿恒 凶).

☞ 莫: 없을 막/ 擊: 칠 격/ 恒: 항상 항/ 偏: 치우칠 편, 기울 편/ 辭: 말씀 사, 핑계 사

43. 澤天夬 _{택천쾌}

澤☱兌
天☰乾

▶효변(爻變)

과거		미래	현재
☰+7	⇨	☷-1	☷-1
			☰+7

上下작용력: (+7)-(-1)=+8

上下균형력: (+7)+(-1)=+6

夬 揚于王庭 孚號有厲 告自邑 不利卽戎 利有攸往

象曰 夬決也 剛決柔也 健而說 決而和 揚于王庭 柔乘五剛也 孚號有厲

其危乃光也 告自邑 不利卽戎 所尙乃窮也 利有攸往 剛長乃終也

象曰 澤上於天夬 君子以 施祿及下 居德則忌

初九 壯于前趾 往不勝爲咎

九二 惕號 莫夜有戎 勿恤

九三 壯于頄 有凶 君子夬夬獨行 遇雨若濡 有慍 无咎

九四 臀无膚 其行次且 牽羊悔亡 聞言不信

九五 莧陸夬夬 中行无咎

上六 无號 終有凶

1. 괘상(卦象)

시속 200km로 달리던 차가 갑자기 브레이크를 밟으면 어떻게 될까? 강력한 양(陽)이 확장을 갑자기 멈춘다면 어떻게 될까? 굉장한 압력이 발생하여 견디기 어려울 것이다. 음(上六) 하나가 다섯 개의 양을 가두고 있어 터지기 직전의 풍선의 모습이 쾌(夬)의 상이다.

천하에 가득한 陽☰이 한 순간 울타리에 갇히게 되니 터질듯하다. ☱는 上六 음효 하나가 달리는 열차 앞을 막아선 격이니 어리석다. 천하의 백성☰(陽剛)을 소인☱(少女)이 통제하는 상이니 곧 척결된다. 다만 백성이 어리석고 上陰이 현명하여 과욕을 내려놓으면 그 덕이 자연스럽게 아래로 흘러 천하에 미치게 되니 만백성이 따르는 위대한 지도자가 될 수 있다(雷天大壯).

하늘☰을 가로 막고 있는 상이니 흉하다. 하늘을 막는다 하여 그치는 것이 아니고, 백성☰을 가둔다 하여 갇히지 않으니 결단의 시간은 멀지 않다. 上下괘가 서로 부딪히는 작용력이 +8임에도 불구하고 한 개의 음효로 다섯 개의 양효의 상향력을 누르고 있으니 그 힘을 통제하기 어렵다. 소인☱이 윗자리에서 대인☰을 가르치고 호령하니 흉한 꼴이다.

夬	復
▦ −1	▦ −7
▦ +7	▦ +1
+8	+8
☞위치에너지(내재에너지)	☞위치에너지(내재에너지)
−上六(음1개): −32	−初九(양1개): +32
−양5개: +62	−음5개: −62
▷利有攸往 剛長 乃終也	▷利有攸往 剛長也
☞上下작용력: +7−(−1)=+8	☞上下작용력: +1−(−7)=+8
☞上下균형력: (+7)+(−1)=+6	☞上下균형력: (+1)+(−7)=−6

►위치에너지는 양의 관점(↓)과 음의 관점(↑)으로 표시한다. 복희팔괘도는 양의 관점(↓)을 견지한다.

►상하작용력은 음양을 동시에 본 것이다. 음양을 동등하게 보는 中의 관점으로 (↓↑)으로 인역(人易)에서 사용한다. [주역원론, 초운 김승호]

►음양의 축적

(음이 축적되어가는 과정)

坤	復	臨	泰	大壯	夬	乾
−63 ⇦	−62 ⇦	−60 ⇦	−56 ⇦	−48 ⇦	−32 ⇦	0
▦−7	▦−7	▦−7	▦−7	▦+1	▦−1	▦+7
▦−7	▦+1	▦−1	▦+7	▦+7	▦+7	▦+7
0 ⇨	+32 ⇨	+48 ⇨	+56 ⇨	+60 ⇨	+62 ⇨	+63

(양이 축적되어가는 과정)

►양이 축적되어가는 과정의 반대 방향은 음이 축적되어가는 과정이 된다.

> ►음이 축적되면 양이 소비(활동)되고, 양이 축적되면 음이 소비(활동)된다. 음양은 서로 동등하게 작용하며, 전체 에너지는 항상 불변한다.

　　연못☱이 욕심이 지나쳐 하늘☰을 몽땅 담아버렸으니 넘쳐흐르다 못해 둑이 터진다. 上六은 음1개의 에너지가 -32(음)로서 양5개의 에너지 +62(양)를 모두 한꺼번에 담고 있으니 크기에 비해 과욕을 부리고 있는 모습이다. 못은 하늘을 담고자 하는 작은 그릇☱에 불과하니 어찌 하늘☰을 몽땅 담을 것인가? 소인의 과욕이 일을 그르치니 군자는 대의를 위해 결판을 내야 하는 때이다.

2. 괘변(卦變)

▷호괘 - 重天乾

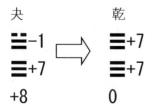

夬   乾

☱ -1   ⟹   ☰ +7
☰ +7   ☰ +7
+8   0

　건(乾)은 천하에 가득한 양으로 만물에 깃드는 생명지기(生命至氣)를 말한다. 이 양이 음 하나에 갇히게 되는 것이 쾌(夬)이니 천하가 두렵게 바라본다.

▷착종 - 天澤履

夬   履

☱ -1   ⟹   ☰ +7
☰ +7   ☱ +1
+8   -6

　하늘을 막아서는 어리석음이 쾌(夬)라면 하늘을 따르는 것은 천택리(天澤履)이다. 못은 땅 위의 하늘로서 하늘을 담고 있다. 하늘을 있는 그대로 따라 담으니 순리를 따르는 것이다. 순리대로 하늘을 못 안에 담는 것이 리(履)의 상이니, 욕심이 지나쳐 하늘을 몽땅 담으려 한다면 쾌(夬)가 되어 흉하게 된다.

▷도전괘 − 天風姤

夬   姤

☱−1 ⇒ ☰+7
☰+7   ☴+5
+8   −2

　세상 모든 현상은 만남으로부터 비롯된다. 그 만남이 불온한 것이라면 처음부터 자라지 못하도록 묶어두어야 한다. 만일 그렇지 못하다면 작은 기운이 크게 자라 대사를 그르치게 되니 그 대가가 크다. 소인이 대사를 가로막고 횡포를 부리니 제때 결단하지 못한다면(夬) 결국 불온한 기운은 어디에선가 또다시 똬리를 틀게 된다(姤).

▷배합괘 − 山地剝

夬   剝

☱−1 ⇒ ☶−5
☰+7   ☷−7
+8   −2

　쾌(夬)가 천하를 가로막고 있는 소인(上六)의 모습이라면, 그 반대인 박(剝)은 소인들이 지배하는 암울한 세상에서 그들에게 몰려 제거당할 위치에 있는 대인(上九)을 말한다. 나설 때가 아님을 아는 것도 대인의 도리이니 스스로 낮은 곳으로 물러나 겸(兼)의 지혜를 따른다(地山謙☷☶).

3. 괘사(卦辭)

夬 揚于王庭 孚號有厲 告自邑 不利卽戎 利有攸往
쾌 양우왕정 부호유려 고자읍 불리즉융 이유유왕

쾌, 왕에 뜰에서 기세를 드날리다. 믿음을 호소하나 위태로움이 있으리라.
읍으로부터 고(告)함이 있으나 군사를 일으키는 것은 이로움이 없고, 나아
가는 것이 이로우리라.

상육(上六)이 왕(九五)의 위에 올라서서 천하를 다스린다. 소인(小人)이 천
하의 주인 노릇을 하는 것으로 여우가 호랑이 없는 틈을 타서 호가호위(狐
假虎威)하는 상이다. 왕정(王庭)이란 왕이 사는 곳으로 九五왕의 코 앞을 의
미한다. 왕을 궁전 깊이 왕좌에 앉혀 두고, 上六이 왕의 거처인 궁전 뜰에서
왕 노릇하면서, 왕의 권력으로 위세를 떨치며 호령하는 모습이다(揚于王庭).
☱(上六)이 왕의 눈과 귀를 막고 왕(九五)을 대신하여 뜰에 나와 왕의 기세
를 드날리니 백성과 소통이 되지 않는다. 왕의 뜰에서 드날린다는 것은 왕을
누르고 왕의 문전에서 上六이 九五왕의 행세를 하는 것을 뜻한다.
　부호유려(孚號有厲)는 대의명분을 백성에게 부르짖는 것이다. 믿음을 호소
한다고 해서 上六이 九五인군이 될 수는 없다. 그러므로 항시 위태로움에
처해있는 것이 쾌(夬)의 상이다. 매국노나 역적 간신들도 항상 백성을 위하
여 정치를 한다고 여론에 호소한다. 역사를 살펴보면 환관이나 십상시들이
이런 역할을 한 경우가 많으니 현 정치의 모습도 별반 다르지 않다.
　왕정(王庭)은 왕이 사는 곳이요, 읍(邑)은 백성이 사는 곳이다. 백성은 上
六이 九五인군를 누르고 왕 노릇을 하는 것을 알고 있다. 上六을 결단(決斷)

하도록 백성들로부터 무수한 부르짖음이 있으나(告自邑), 上六이 왕정(王庭)을 장악한 상황에서 군사≡를 일으키는 것은 모두를 상하게 하니 이롭지 않다(不利卽戎). 그러나 어찌하든 결단을 내려 上六을 척결해 나아가야 나라와 백성이 안정될 수가 있는 것이니 모두에게 이로운 것이다(利有攸往).

九五인군은 中正하나 上六에 눌려 있고, 또한 하괘 九二와는 서로 상응하지 않으니 왕의 명에 따라 군사(≡백성)가 일어나지 않는다. 九五는 강하나 강함이 오히려 독선이 되고, 그 독선은 스스로 자신의 눈과 귀를 가리게 되니, 백성의 리더인 九二와도 상응하지 않는다. 이에 백성이 따르지 않으니 십상시같은 소인배들이 득세하게 된다.

☞ 揚: 날릴 양/ 庭: 뜰 정/ 孚: 미쁠 부/ 號: 부르짖을 호/ 厲: 위태로울 려
告: 고할 고/ 自: 스스로 자, ~서 부터/ 邑: 고을 읍/ 卽: 곧 즉, 만약 즉/ 戎: 병장기 융, 군사 융

象曰 夬決也 剛決柔也 健而說 決而和
단왈 쾌결야 강결유야 건이열 결이화
揚于王庭 柔乘五剛也 孚號有厲 其危乃光也
양우왕정 유승오강야 부호유려 기위내광야
告自邑不利卽戎 所尙乃窮也 利有攸往 剛長乃終也
고자읍불리즉융 소상내궁야 이유유왕 강장내종야

단에 이르길, 쾌는 결단이라. 양강(陽剛)이 上六(陰柔)를 결단하는 것이다. 강건하면서 기쁨이 있으니 결단하여 화합함이라. 왕의 뜰에서 기세를 드날림은 유(柔)가 다섯 개의 강(剛)을 올라탔음이다. 믿음을 호소하

나 위태로움이 있으니, 그 위태로움은 (잠시) 빛난다. 읍으로부터 고함
은 있으나 군사를 일으키는 것이 이롭지 않음(告自邑不利卽戎)은 숭상
하는 바가 궁(窮)하기 때문이다. 나아가는 바가 이로움은 강(剛)이 자라
마침내 (乾으로) 마침이로다.

쾌(夬)는 결단(決斷)이니, 양강(陽剛)═이 음유(陰柔)☷를 결판(決判)내는
것이다. 왕(九五)의 앞마당에서 왕의 눈과 귀를 틀어막고, 왕을 올라타고 앉
아 왕 노릇하는 십상시☷(上六)를 결판내는 것이다(夬決也　剛決柔也). 이것이
나라를 강건(剛健)하게 하고, 온 백성을 기쁘게 하는 일이니(健而說), 결판
을 내고 나면 사분오열된 백성은 서로 화합(和合)된다(決而和). 上六☷을 척
결함으로써 나라가 평화로워지는 것이다.

쾌(夬)의 자형은 활시위를 당기기위한 깍지를 손가락에 낀 모양을 본뜬 글
자로, 활시위를 당겼다 놓는 순간을 가리킨다. 활시위를 당긴 채 사냥감을
겨누다 놓는 순간은 결단(決斷)의 순간을 상징한다. 움직이는 사냥감을 쏘아
맞힐 수 있는 최적의 순간을 포착해야 하는데, 주저하기만 하다가는 영영 놓
칠 수 있으므로 결단을 내려 화살을 쏘아 보내야 하는 것이다. 이처럼 활시
위를 당겼다 놓는 순간 화살은 활을 떠나며 이제는 상황을 되돌릴 수 없게
된다. 사냥감을 잡느냐 놓치느냐 결판(決判)이 나는 것이다. (주역독해/강병국)

양우왕정(揚于王庭)은 유(柔)가 다섯 강(剛)을 올라타는 것이다(揚于王庭 柔
乘五剛也). 柔☷가 다섯 剛═을 올라타고 기세를 드날리는 것은 陰柔(上六)한
소인이 다섯 군자를 올라타고 능멸함을 말하는 것이니, 환관(上六)이 왕(九
五) 위를 올라타고 앉아 왕의 문전에 서서 왕의 기세로 천하 백성을 호령하
는 참담한 모습을 상징한다.

소인(上六)이 왕(九五)을 올라타고 앉아 대의명분(大義名分)을 믿어달라 호
소하지만 백성이 따르지 않는다(孚號). 그럼으로 자리는 위태로우나(有厲), 그
위엄은 九五왕을 올라타고 앉은 기세이니 그를 따르는 추종자들로 인해 한

동안 빛날 수밖에 없다(其危 乃光也). 소인배가 나라를 다스리니 독재를 펼 수밖에 없고, 항상 위태로움을 모면하기 위해 공포정치를 하게 된다.

백성이 부르짖어도 군사가 동원되지 못함(告自邑 不利卽戎)은 십상시(上六)에 의해 구중궁궐에 갇혀 있는 왕(九五)이 백성의 믿음과 존경을 받기에는 모자람이 있기 때문이다(所尙 乃窮也). 아무리 九五인군이 중정(中正)하다 해도 십상시(上六)들이 왕궁의 문전에 나와 가로막고 서있는 격이니 백성과 소통이 될 수 없다. 그러므로 왕이 명을 내려도 上六(십상시)에 눌려 명(命)이 제대로 전달되지 못하고, 이에 백성의 호응을 얻지 못하니, 이는 정부의 수장인 九五(왕)와 백성을 이끄는 九二(장군)가 서로 응(應)하지 못함을 말하는 것이다.

九五 왕이 명을 내려도 백성이 호응하지 않으니 이는 上六의 전횡임을 이미 알고 있기 때문이다. 차라리 九二장군(지도자)이 백성의 중심이 되니, 백성은 이를 따른다.

나아가는 것이 이로움은 上六☱은 결단(決斷)이 되어야 하기 때문이다(利有攸往). 그러므로 건양(乾陽)☰이 나아가는 것이 이로우니 九二가 이끄는 백성☰들이 자라서 上六☱을 결단함으로써 그 上六소인이 지배하는 암울한 시대를 끝내게 된다.

귀와 눈이 막히고, 입을 열어도 말을 할 수 없는 상황에서 백성은 무지할 수밖에 없으니 민중의 지도자인 九二는 이들을 통합하여 민의를 모으고, 드디어는 上六을 몰아냄으로써 그의 지배를 끝내게 하니, 마침내 乾乾(☰)의 시대를 맞이하게 된다(剛長 乃終也). 현대적 개념으로 보면 민의를 모아 민주적인 투표를 통해서 소인배가 틀어쥐고 있는 정권을 평화적으로 교체하는 것으로 이해할 수 있겠다.

☞ 決: 결단할 결 / 判: 판단할 판, 가르다, 나누다

象曰 澤上於天夬 君子以 施祿及下 居德則忌

상왈 택상어천쾌 군자이 시록급하 거덕칙기

상에 이르길, 못이 하늘에 오르는 것이 쾌(夬)니, 군자가 이를 보고 녹(祿)을 베풀어 아래에 미치게 하며, 덕(德)에 거하여 금기해야 할 것을 법으로 정한다.

못의 윤택함이 아래로 흘러 만물을 적시듯, 녹(祿)을 아래로 베풀어 백성으로 하여금 덕(德)에 거하게 하며, 금기해야 할 것을 법으로 정한다(施祿及下 居德則忌). 상육(上六)이 과욕을 버리고 아래로 녹(祿)을 베풀게 되면 백성이 따르는 지도자가 되어 천하를 이끌게 된다(雷天大壯).

칙기(則忌)라 함은 법(九五)을 무시하는 십상시들의 전횡처럼 소인(上六)이 활개치는 것을 못하도록 금기해야 할 것을 법으로 정함을 말한다. 그리하여 법의 테두리 안에서 공정한 경쟁을 통하여 정당한 직책이 주어지고, 그래서 올바로 나라가 경영되어야 함을 말하는 것이다.

☞ 施: 베플 시/ 祿: 봉록 녹(록)/ 及: 미칠 급/ 居: 살 거/ 則: 법칙 칙, 곧 즉/ 忌: 꺼릴 기, 시기할 기

4. 효사(爻辭)

양이 맨 위에 처한 소인(上六)을 결단하기 위하여 아래에서부터 차례로 나아가는 상황을 그린다. 처음에는 과강하게 나아가고, 두려워하며, 자만하기도 하고, 망설이기도 하며, 중도로써 현륙(莧陸)을 베듯이 행하기도 하며, 上六소인을 결단하기 위한 양(陽)의 고투(苦鬪)를 설명하고 있다.

初九 壯于前趾 往不勝爲咎
초구 장우전지 왕불승위구

초구, 발가락에 힘이 들어감이다. 나아가서 이기지 못하니 허물이 되리라.

初九의 건장함이란 우쭐함이고 건방을 떪이다. 일을 행함에 앞서 발의 앞부분에 해당하는 발가락에 힘이 들어간다 함은 자만이고 객기가 지나침을 의미한다. 初九는 비록 양의 자리에 양으로 와서 자리가 바르나 그 힘이 미약하다. 그러므로 자신의 처지에 맞춰 행함이 겸손해야 함에도 불구하고 양강(陽剛)함이 지나쳐 스스로 강하다 자부하니, 조급하게 나아가면 이길 수 없다. 허물이 될 뿐이다. 그래서 공자는 "이길 수 없으니 나아가면 허물이 될 뿐이다(象曰 不勝而往 咎也)"라 하였다.

☞ 壯: 장할 장/ 趾: 발 지/ 勝: 이길 승/ 爲: 할 위/ 咎: 허물 구

九二 惕號 莫夜有戎 勿恤
구이 척호 모야유융 물휼

구이, 두려움으로 부르짖는다. 날이 저문 어두운 밤에 적이 출몰하더라
도 근심하지 않는다.

九二는 음의 자리에 양으로 와서 비록 자리는 바르지 않으나 中道를 행하
는 자이다. 九二가 효변하면 火☲가 된다. 兌☱는 서쪽으로 저녁을 의미하고,
離☲가 아래에 있으니 해가 저문 한 밤중이다. 또한 六二와 上六 사이에 양
효인 4,5,6효가 들어있는 모습이 坎☵의 상이니 숨어있는 군사, 오랑캐, 병
장기, 넓게는 도적의 상이 된다. 인사적으로 볼 때 불시에 들이치는 불운이
된다.

스스로 두려움을 감추기 위해 호령한다(하괘에 있는 양기(☰+3)가 자라 입
(口)을 상징하는 못☱(-1)의 밖으로 터져 나아가려 하는 것이 革☱이다). 이
는 무서움을 감추기 위한 동물적 본능으로 숨어있는 적군에게 함부로 접근
하지 못하도록 하는 경계구호가 된다. 척호(惕號)는 스스로 경계하며 조심하
는 모습이다. 九二는 비록 中道를 행하나 자리가 바르지 않으므로 스스로
조심한다. 캄캄한 밤중에 두려움으로 조심하는 것이니 숨어있는 도적이나 적
군이 갑자기 나타나더라도 두려워하지 않는다. 이미 대비하고 있었기 때문이
다.

上六을 척결하고자 하는 쾌(夬)의 때를 맞이하여 하괘 乾陽의 지도자로서
中道를 행하는 것이니 비록 한밤중이라 하더라도 근심하지 않는다. 공자는
이것을 "적이 있어도 근심하지 않음은 中道를 얻었기 때문이다(象曰 有戎勿
恤 得中道也)"라고 풀이하고 있다.

☞ 惕: 두려워할 척/ 號: 부르짖을 호/ 莫: 저물 모, 어두울 모/ 戎: 병장기, 군사,

九三 壯于頄 有凶 君子夬夬 獨行遇雨 若濡有慍 无咎
구삼 장우구 유흉 군자쾌쾌 독행우우 약유유온 무구

구삼, 광대뼈(볼)에 힘이 들어가니 흉함이 있다. 군자는 결판을 낼 때 과감
하게 결단을 해야 한다. 홀로 행하여 비를 만나다. 젖으면 노여움이 있어
야 허물이 없으리라.

九三은 하괘의 위에 있어 진퇴(進退)를 결정하는 자리이다. 中을 벗어나
상괘로 진입하기위한 진퇴를 판단해야 하는 종일건건(終日乾乾)하는 전쟁터
의 한복판이다. 九三은 양의 자리에 양으로 와서 자리는 바르나 중(中)을 벗
어나 있고 양강(陽剛)하니 홀로 과강하게 나서는 자이다(獨行遇雨). 그 지나친
과강함이 광대뼈(볼)에 자만으로 드러나니 흉하다. 다섯 양이 모두 함께 上
六을 척결하고자 믿음으로 부르짖으나 九三이 홀로 나아가 上六을 만나니
위태하다(孚號有厲).

괘 전체에서 九三과 上六만이 서로 응하고 있어 홀로 행한다고 했다. 九
三이 비록 홀로 나아가 上六에 응하나 다섯 양이 믿음으로써 上六을 척결을
하는 때이니 九三은 上六에 젖어 드는 듯하면서도 과감하게 떨쳐낼 수 있어
야 한다(藥濡有慍). 그래야 허물이 없고 무탈하다. 즉 결단할 때는 과감하게
결단해야 하는 것이 九三의 자리인 것이다(君子夬夬). 과강하게 홀로 나아가
上六소인배를 만나 젖어 든다면 모든 믿음이 무너지게 되니 흉하다. 젖는다
함은 모종의 타협이나 내통의 의미가 될 수도 있다(獨行遇雨). 그러나 유온
(有慍)이란 上六에게 설득당하지 않는 모습을 의미한다. 上六소인과 모종의
관계를 맺고 있는 것처럼 보이나 사실은 나름의 이유가 있을 뿐이다.

공자는 소상전에서 "군자가 결판을 낼 때에 과감하게 결단하니 마침내 허물이 없다(象曰 君子夬夬 終无咎也)"라고 하였다. 九三이 동하면 상하괘가 모두 태☱가 되니 쾌(夬)의 상이 둘이 되어 쾌쾌(夬夬)의 의미가 나온다. 上六은 음효이고 태☱는 비(雨)의 상이 있어서 九三이 비를 만난다는 뜻이 있다. 또한 九三이 동하여 음으로 효변하면 3·4·5·6효가 坎水(☵)의 상이 되니 九三이 홀 나아가 비를 만나는 뜻이 나온다.

잡괘전은 쾌(夬)에 대해 다음과 같이 풀이하고 있다. "쾌(夬)는 결판을 내는 것이다. 강(剛)이 유(柔)를 잘라내는 것이다. 군자의 도가 자라나니 소인의 도가 우환을 당하는 것이다(夬 決也 剛決柔也 君子道長 小人道憂也). 다음으로 정이는 결(決)이 판(判)이며, 결판(決判)을 의미한다고 부연설명하고 있다. 판(判)의 자형을 보면, 칼을 들고 반(半)으로 가르는 것임을 알 수 있다. 쾌(夬)는 결(決)이고 판(判)이니, 되돌릴 수 없도록 결정적으로 분리시키는 것이 쾌(夬)임을 알 수 있다. (주역독해/강병국)

☞ 頄: 광대뼈 구/ 若: 만약 약/ 濡: 젖을 유/ 慍: 성낼 온

九四 臀无膚 其行次且 牽羊悔亡 聞言不信
구사 둔무부 기행자저 견양회망 문언불신

구사, 엉덩이 피부가 없으니 그 행함을 주저한다. 양(羊)을 이끌어 나아가듯 하면 후회함이 없으나, 그렇지 아니하면 말을 들어도 불신(不信)하게 되리라.

九四효를 이해하는 키 포인트(key point)는 음의 자리에 양으로 와서 자리

가 부당하다는 것이다. 다섯 양이 모두 한 소리로 上六을 척결을 주장하나 九四는 자리가 부당하여 그 행함이 우유부단하다(其行次且). 그래서 위태로움이 있으니 바로 九四효를 가리킨다(孚號有厲). 九五왕을 섬기는 九四는 대신의 자리로서 하괘 乾陽☰을 이끌며 나아가 上六을 척결해야 하는 자리이다. 그런데 과단성이 없어 견양(牽羊)하기를 주저한다면(其行次且) 불신을 초래하게 되니, 아무리 호소하고 부르짖어도 乾陽의 신뢰를 얻지 못한다(聞言不信). 단사에 유(柔)가 다섯 강(剛)을 탔으니 아무리 믿음을 호소해도 위태로움이 있다 한 것이 이러한 뜻이다(柔乘五剛也 孚號有厲).

九四가 효변하면 水天需(☵☰)가 된다. 내호괘가 兌☱(羊)로 하괘 乾陽을 품은 모습이 되니 양(羊)의 뜻이 나온다. 이 양(羊)을 이끌고 나아가는 것이 九四 대신의 역할로서, 나아가면 후회가 없으나 자리가 바르지 않은 九四가 險水☵를 앞에 두고 우유부단하게 주저한다면 오히려 위태롭게 되는 것이다.

九四가 음으로 변하는 것을 엉덩이 피부가 사라짐에 비유한다(☰-☵). 엉덩이 피부가 사라지니 걸음걸이가 어그적거리고 지체될 수밖에 없다. 또한 지괘가 수천수(水天需☵☰)가 되니, 險水☵ 앞에서 乾陽☰이 나아가는 길이 막혀 건너기를 주저하며 기다리는 모습이 된다(其行次且 牽羊悔亡). 그래서 공자는 "其行次且은 位가 不當하기 때문이고, 聞言不信은 귀가 밝지 않기 때문이다(象曰 其行次且 位不當也 聞言不信 聽不明也)"라고 주석하고 있다.

九四가 비록 자리가 바르지 않아 險水☵를 앞두고 망설이게 되지만 夬의 때를 당하여 하괘 乾陽과 더불어 上六을 치는 뜻에는 변함이 없는 것이니, '만일 九四의 其行次且를 핑계로 乾陽이 聞言不信한다면 이 또한 총명(聰明)하지 않은 것이다(聽不明也)'라고 공자는 경계한다.

☵은 어둠(坎暗)이 되고, ☰은 乾明이 되니 총명(聰明)을 가리는 뜻이 나온다. 또한 ☵는 귀(耳)의 상이 된다.

☞ 臀: 볼기 둔/ 膚: 피부 부/ 次: 머뭇거릴 자/ 且: 머뭇거릴 저/ 牽: 끌 견/

羊: 양 양/ 聰: 귀 밝을 총

九五 莧陸夬夬 中行无咎
구오 현륙쾌쾌 중행무구

구오, 상육을 결단하고 결판내다. 중(中)을 행하니 허물이 없다.

현륙(莧陸)은 습기가 많은 연못가☱에서 무성하게 자라지만 베어 내기가 쉬운 풀이다. 상괘☱의 九五가 동하면 상괘가 震☳이 되어 초(草)의 뜻이 되니 연못가의 뭍(陸)에서 자라는 풀의 상이 된다. 夬(☱)는 전체가 연못☱의 상이니 上六은 연못가☱의 습지(陸)에서 자라는 현륙(莧陸)으로 비유되는 것이다.

九五는 剛健中正한 인군이다. 九五인군이 부드러운 현륙을 베듯이 上六을 결단하고 결판내면 중(中)을 행(行)하는 것이니 허물이 없다. 그러나 九五인군은 上六소인의 아래에 처한 상비(相比)관계를 맺고 있어서 그 친비(親比)함이 건강하지 못하다. 그러므로 강건중정한 九五인군으로서의 中行은 그다지 빛을 발하지 못한다. 그러므로 공자는 "中行无咎이나 中이 그다지 빛나지는 않는다(象曰 中行无咎 中未光也)"라고 주석하고 있다.

☞莧: 비름 현/ 陸: 뭍 륙

上六 无號 終有凶

상육 무호 종유흉

상육, 부르짖음이 없으니 마침내 흉하리라.

부르짖는 것은 두려움을 감추기 위함이고, 또한 숨어있는 적군에게 알려 스스로 경계심을 고취하는 경계구호 역할을 한다. 밤에 순찰하는 자들이 기구를 이용해 정기적으로 소리를 내며 순찰하는 것과 비슷한 이치이다. 무호(无號)는 부르짖음이 없는 것이니 마침내 마지막 남은 上六이 척결되기 때문이다.

강(剛)이 자라 마침내 건(乾☰)으로 마치니 上六이 더 이상 장구(長久)하지 못한다. 地雷復(䷗)괘에서 맨아래에 처한 하나의 양(陽)이 자라나 차례로 음(陰)을 결단하며 나아가니 마침내 맨 위에 마지막 남은 上六소인을 척결하는 것이다. 그러므로 단사에서 "利有攸往 剛長乃終也(나아가는 바가 이로움은 剛이 자라 마침내 乾☰으로 마침이다)"라고 한 것이다.

군자의 도가 자라 마침내 소인의 도가 사라지는 것이니 흉함이란 바로 소인의 도를 말한다. 그래서 공자는 上六효사를 "무호지흉(无號之凶)은 끝내음(陰)이 오래하지 못하기 때문이다(象曰 无號之凶 終不可長也)"라고 풀이한다.

上六☷이 동하면 乾☰이 되어 입☱(口)이 막힌 상으로 무호(无號)의 뜻이 나온다.

44. 天風姤 천풍구

天☰乾
風☴損

▶효변(爻變)

과거		미래	현재
☴+5	⇨	☰+7	☰+7
			☴+5

上下작용력: (+5)-(+7)=-2

上下균형력: (+5)+(+7)==+12

姤 女壯 勿用取女

象曰 姤遇也 柔遇剛也 勿用取女 不可與長也 天地相遇 品物咸章也

剛遇中正 天下大行也 姤之時義大矣哉

象曰 天下有風 姤 后以施命誥四方

初六 繫于金柅 貞吉 有攸往 見凶 羸豕孚蹢躅

九二 包有魚 无咎 不利賓

九三 臀无膚 其行次且 厲 无大咎

九四 包无魚 起凶

九五 以杞包瓜 含章 有隕自天

上九 姤其角 吝 无咎

1. 괘상(卦象)

純陽☰(剛)으로 가득한 천지에 陰☴(柔)의 기운이 처음 나타나니 새로운 기운이 감돈다(姤遇也 柔遇剛也). 하늘☰ 아래 바람☴이 일면서 새로운 기운이 나타난 것이다. 강양(剛陽)의 기운만으로 우주만물은 존재할 수 없으니, 음유(陰柔)와의 만남은 새로움의 시작으로서 새 질서가 만들어지기 시작하는 계기가 된다.

만물은 강(剛)과 유(柔)의 만남에서 시작된다. 하늘아래 바람이 천지간에 두루 미치면서 만물을 만나니 새로운 변화를 불러일으킨다(天地相遇 品物咸章也). 하늘(양)과 땅(음)이 만나면서 비로소 음양이 상호작용함으로써 만물을 생성하고 기르며 변화를 만들어 낸다(剛柔相推而生變化/계사전). 초음(柔)이 다섯 양(剛)을 처음으로 만나면서 새로운 변화가 일어나게 되는 것이니 구(姤)의 때와 그 뜻이 참으로 크다(姤之時義大矣哉).

음의 기운이 흉(凶)이면 마음(心)을 중(中)에 놓고 자신을 다스리며 바르지 않음을 삼간다(忠). 음양은 서로 만나야 그 작용이 시작된다. 초음(初陰)과의 처음 만남이 길(吉)이면 그 기운을 보호하고 서로 조화를 이루어 바르게 자라도록 하며, 흉(凶)이면 쇠말뚝에 단단히 매어 꼼짝 못하게 하듯이 부정적 기운의 자람을 막는다(繫于金貞吉).

한 개의 작은 힘(-1)에 불과한 음이 마치 대단한 힘이 있는 것처럼 고집과 횡포를 부리고 다섯 개의 양(+31)을 붙잡고 늘어지는 것은 잘 달리고 있는 말을 쓸데없이 잡아당기고 훼방을 놓는 것과 같으니 미꾸라지 한 마리가 온 연못을 자기집인양 휘젓고 다니는 모습이다. 이때 다섯 개의 양은 강건(剛健)의 도로써 바르게 초음을 묶어 둔다.

바람이 하늘로 올라가면서 양의 활동을 극대화하지만 초음이 꼭 잡고 놓아주질 않는다. 본 괘사는 초육을 여인☴(長女)의 고집과 강팍함으로 비유한다(勿用取女 不可與長也).

▶효의 위치에너지의 크기와 上下작용력의 이해

姤	剝
☰+7	☷-5
☴+5	☶-7
위치에너지(축적에너지, 내재에너지)	**위치에너지**(축적에너지, 내재에너지)
-初六(음 1 개): -1	-上九(양1개): +1
-양 5 개: +31	-음5개: -31
☞上下작용력: (+5)-(+7)=-2	☞上下작용력: (-7)-(-5)=-2
☞上下균형력: (+5)+(+7)=+12	☞上下균형력: (-7)+(-5)=-12
復	夬
☷-7	☱-1
☳+1	☰+7
위치에너지(축적에너지, 내재에너지)	**위치에너지**(축적에너지, 내재에너지)
-初九(양 1): +32	-上六(음 1 개): -32
-음 5 개: -62	-양 5 개: +62
☞上下작용력: (+1)-(-7)=+8	☞上下작용력: (+7)-(-1)=+8
상하균형력: (+1)+(-7)=-6	상하균형력: (+7)+(-1)=+6

►위치에너지(내재에너지)는 양의 관점(↓)과 음의 관점(↑)으로 2진법 수리로 표시한다. 복희역은 양의 관점(↓)을 견지한다.

►상하작용력은 음양을 동시에 본 것이다. 음양은 동등하므로 한 쪽으로만 보는 것은 편협된 방식이다. 음과 양을 동등하게 바라보는 것은 中의 관점(↓↑)으로서 양의 관점인 천역(天易)과 음의 관점인 지역(地易)의 중도 관점인 인역(人易)에서 사용한다.

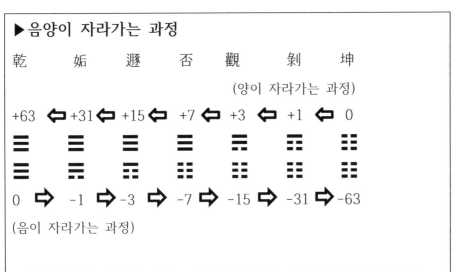

▶음양이 자라가는 과정

乾　　姤　　遯　　否　　觀　　剝　　坤

(양이 자라가는 과정)

+63 ⇐ +31 ⇐ +15 ⇐ +7 ⇐ +3 ⇐ +1 ⇐ 0

0 ⇒ -1 ⇒ -3 ⇒ -7 ⇒ -15 ⇒ -31 ⇒ -63

(음이 자라가는 과정)

►음이 자라면 양이 줄어들고, 양이 커지면 음이 작아지니 전체 크기는 항상 불변한다.

2. 괘변(卦變)

▷호괘 - 重天乾

姤

☰+7
☴+5
-2

$\Rightarrow$

乾

☰+7
☰+7
0

강양(剛陽)만으로 우주만물이 존재할 수 없으니 음의 만남은 참으로 좋은 징조이다. 만물은 강(剛)과 유(柔)의 만남에서 시작된다. 만남은 피할 수 없는 필연이니 그 새로운 만남이 길하도록 자중하고 불의를 멀리하며 수심정기(守心正氣)한다.

▷착종 - 風天小畜

姤

☰+7
☴+5
-2

$\Rightarrow$

小畜

☴+5
☰+7
+2

처음 만남은 신중해야 한다. 새로운 기운이 감도니 양과 음이 처음 만나는 것이다(姤). 처음 만남이 제대로 이루어지지 않으면 서로 어긋나 사단이 날 수가 있다. 밥이 제대로 익으려면 적당한 양의 물과 적절한 열이 가해져야 한다. 준비가 제대로 되지 않아 김이 미리 다 빠져버리면 설익은 밥이 되듯이 만사는 처음 만남이 중요한 것이다. 적당히 김이 빠지면서 적당히 열이 축적되어야 맛있는 밥이 된다. 3개의 양이 쌓이고 2개의 양을 내보내 적절하게 균형을 유지하는 모습이다(小畜).

▷도전괘-澤天夬

姤
≡ +7
≡≡ +5
-2

夬
≡≡ -1
≡ +7
+8

　처음 만남은 서로 신중하고 친절하며 배려한다. 그러나 초심(初心)을 처음처럼 유지하기란 쉽지가 않다. 만날 때의 초심을 잊어버리고 욕심을 내다보면 결국은 모든 것을 잃어버리는 결과를 초래한다. 만남(姤)과 결단(夬)이 결국 하나의 체이니 그 가르침이 매우 크다.

　처음 -1(음)의 힘으로 위에 있는 +31(양)의 힘을 가진 다섯 개의 양을 조심스럽게 만나던 초음(初陰)이 처음의 신중함을 잃어버리고 과욕을 부려 5개의 양을 몽땅 담아버렸다(夬). 내재되어 있는 에너지가 -32(음)인 上六의 힘으로 +62(양)의 힘을 가진 아래의 다섯 개 양의 에너지를 감당하기가 벅차다. 결단이 나기 직전의 모습이다.

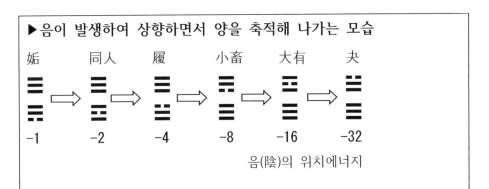

▶음이 발생하여 상향하면서 양을 축적해 나가는 모습

姤　　同人　　履　　小畜　　大有　　夬

-1　　-2　　-4　　-8　　-16　　-32

음(陰)의 위치에너지

　음과 양이 처음 만나서(姤), 모든 것을 버리고 천명을 받든다(同人). 하늘의 뜻을 그대로 따르니(履) 양기가 조금씩 쌓이고(小畜), 점차 대인으로서

면모를 갖추어 천하를 평정한다(大有). 그러나 中道를 잃고 과욕을 하면 천하를 잃게 되니(夬), 물러날 때를 알면 모든 걸 내려놓고 깃털처럼 가볍게 물러날 줄 아는 것도 대인의 올바른 자세이다(亢龍有悔/ 중천건괘 상구효사).

▷배합괘-地雷復

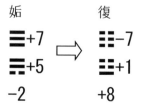

姤

乾 +7
巽 +5
　 -2

復

坤 -7
震 +1
　 +8

구(姤)는 양(+31)이 가득한 세상에 음(-1)이 처음 모습을 드러내는 상으로서 그 힘은 매우 미약하다. 그러므로 그 힘이 불온한 것이면 제대로 묶어두어 처음부터 자라지 못하게 할 것이고, 만남이 새로움을 생화(生化)하는 것이라면 처음부터 제대로 키워 잘 자랄 수 있도록 해야 할 것이다. 그러나 복(復)은 음 깊숙이 들어가 있는 양으로서 비록 하나이지만 그 힘은 능히 5개의 음을 감당한다. 하나의 양(+32)이 상위 다섯 개의 음(-62)을 떠 받치고 있으니 드러내지는 않으나 때를 만나면 그 힘은 천하를 뒤엎을 정도로 결코 작지 않으니 그 뜻하는 바가 크다.

3. 괘사(卦辭)

姤 女壯 勿用取女
구 여장 물용취녀

구는 여인의 드셈이니, 여인을 취하여 쓰지 마라.

미약한 한 개의 음(陰)이 강건(剛健)한 다섯 개의 양(陽)을 만나니, 순양(純陽)으로 가득한 천하에 새로운 기운이 나타난 것이다. 하나의 음(陰)은 스스로 생존하기 위해 기존의 질서를 상징하는 다섯 양(陽)을 상대로 억세고 강해질 수밖에 없다. 괘사(卦辭)는 이를 드세고 억센 여인═에 비유한다. 기존의 관념과 가치를 고수하려는 질서 속에서 살아남기 위해 고집스러워질 수밖에 없고 강퍅할 수밖에 없다. 이는 질서를 잡은 기존 체제에 스며들은 부정한 기운이 사회 전체를 흔들어대는 세력으로 커질 수 있음이며, 미꾸라지 한 마리가 웅덩이 전체를 흙탕물로 더럽힐 수 있음을 상징한다. 그러므로 그러한 여인을 평생을 함께하는 동반자로 취하는 것을 피해야 하듯이 부정한 기운을 취하지 말라 경계한다.

象曰 姤遇也 柔遇剛也 勿用取女 不可與長也
단왈 구우야 유우강야 물용취녀 부가여장야
天地相遇 品物咸章也 剛遇中正 天下大行也 姤之時義大矣哉
천지상우 품물함장야 강우중정 천하대행야 구지시의대의재

단에 이르길, 구(姤)는 만남이라. 유(柔)가 강(剛)을 만나다. 여인을 취하여 쓰지 마라. 더불어 오래하는 것이 가하지 않다.
천지가 서로 만나니 만물이 빛난다. 강(剛)이 중정(中正)을 만나니 천하가 크게 행한다. 구(姤)의 때와 뜻이 참으로 크다.

구(姤)는 만남(遇)을 의미한다. 초음(初陰)이 다섯 양(剛)을 만나니 유(柔)가 강(剛)을 만나는 것이다. 순양(純陽)으로 가득한 세상에 음(陰)이 하나 나타나니 새로운 기운이 태동하는 것이다.

勿用取女 不可與長也

부정한 기운으로 상징되는 初陰을 취하여 더불어 오래하지 마라. 본래 음과 양은 서로 귀천 없이 동등하다. 그러나 옛 선인들은 음을 小人으로 비유하며 부정한 기운으로 표현하였다. 巽☴은 여인으로서 다섯의 양으로 비유된 남자를 상대하는 거칠고 드세며 도(道)를 넘어선 불순한 여인으로 비유한다. 그러한 여인을 취하여 함께 오래하지 마라 함은 부정한 기운과 더불어 함께 오래하지 마라는 비유적인 경계를 표현한 것이다.

초효사는 "繫于金 貞吉"이라 하여 부정한 음의 기운이 자라기 전에 초기에 쇠말뚝에 단단히 매어 꼼짝 못하게 함으로써 부정적 기운의 자람을 막으라 경고한다.

하나의 음이 처음 아래에 생겨나 양을 만나니, 이는 天地가 서로 만나는 것이다(天地相遇). 음양이 서로 만나 상호작용함이 없으면 만물을 낳지 못하고, 서로 만나 상호작용하면 만물이 생하여 자라며 빛나니, 이는 만물이 밝아지는 것이다. 음양이 작용하지 않으면 만물이 화생(化生)하지 못하니 이는 죽은 것과 같아 어찌 빛을 내겠는가? 품물함장야(品物咸章也)란 살아서 움직이는 만물이 내는 생명의 빛을 말한다.

九五는 人君의 자리로서 강건중정(剛健中正)하니, 九五中正의 道가 천하에 크게 행해진다(天下大行也). 천하의 물건들이 살아 움직이며 생명의 빛을 발하고, 九五의 中正한 도가 천하를 행하니, 하늘 아래, 땅 위의 모든 만물이 서로 만나고 작용하며, 온갖 서로의 인연과 사연을 만들어내니 구(姤)의 때와 뜻이 참으로 크다(姤之時義大矣哉).

만물이 춘하추동 사시를 만나 생육(生育)과 수렴(收斂)을 거듭하며 순환하니, 사람도 때를 적기에 만나고, 또 제대로 만나야 그 뜻을 크게 이룰 수 있다. 누구를 언제 어디서 어떻게 만나는가에 따라 길(吉)과 흉(凶)이 갈린다. 아무리 성인 군자라 하더라도 때를 제대로 만나지 못하면 도덕(道德)과 경륜(經綸)은 펼쳐보지도 못하고 묻히고 마는 것이니 만남의 때와 그 뜻은 참으로 큰 것이다.

象曰 天下有風姤 后以 施命誥四方
상왈 천하유풍구 후이 시명고사방

상에 이르길, 하늘 아래 바람(天命)이 부니 구(姤)로다. 임금(后)이 이를 본받아 명을 베풀어 천하사방에 고하도다.

바람은 하늘의 뜻을 전하는 신명(神命)이다. 바람☴이 천하☰에 두루 행하는 것은 곧 천명(天命)을 받아 사방(四方)에 전하는 것과 같은 이치이다. 하늘아래 바람이 부니 두루 미치지 않는 곳이 없다(風行天下 无所不周).

하늘 아래 바람이 부는 것은 천명(天命)을 알리는 구(姤)의 뜻이니, 천하에 새로운 기운이 일고 있음을 명(命)을 내려 천하사방(四方)에 고(誥)하여 경계하고 대비할 수 있도록 한다.

4. 효사(爻辭)

　본 효사는 양(陽)으로 가득한 건(乾)의 세상에 음(陰)의 기운이 나타나자 양이 음을 다루기 위한 고군분투를 그린다. 날뛰는 여윈 돼지를 쇠말뚝에 묶어 두듯이(初六), 또 보(洑)안에 물고기를 가두듯이(九二), 때로는 머뭇거리기도 하며(九三). 놓치기도 하고(九四), 넓은 나뭇잎으로 오이를 감싸듯이 하기도 하며(九五), 도도하게 음(陰)을 다루기도 하며(上九) 나아간다.

初六 繫于金柅 貞吉 有攸往 見凶 羸豕孚蹢躅
초육 계우금니 정길 유유왕 견흉 리시부척촉

초육, 쇠말뚝에 묶어 굳게 지키면 길하다. 나아가면 흉한 꼴을 당하니 여윈 돼지가 믿고 무리지어 머뭇거린다.

　純陽☰(剛)으로 가득한 천지에 陰☷(柔)의 기운이 처음 나타나니 새로운 기운이 감돈다(姤遇也 柔遇剛也). 하늘아래 바람이 분다. 初六은 바람☴을 정상적이지 않은 마른 돼지로 비유한다. 본래 돼지는 ☵로 비유된다. 水☵의 삼효가 변하면 風☴이니 액체가 기체로 변하는 것으로서 가벼운 것이 된다. 뚱뚱한 돼지가 비쩍 마른 날뛰는 돼지로 은유(隱喩)된 것이다.

　구(姤)에서 初陰은 여장(女壯)으로 취해서는 안 되는 좋지 않은 기운으로 묘사된다. 건양(乾陽)으로 가득한 세상에 갑자기 곤음(坤陰)이 바람처럼 나타나 휘몰아 치니, 꽥꽥 소리지르며 날뛰는 삐쩍 마른 흉한 돼지로 비유한다. 初六은 괘의 맨 아래에 처하고 양의 자리에 음으로 와서 자리가 부당하며,

건(乾)으로 가득한 세상에 나타난 낯선 기운이다.

여윈 돼지는 바람처럼 가볍게 움직임이 많고 유동적이다. 정상적인 돼지는 뚱뚱하고 움직임이 둔하다. 그러나 삐쩍 마른 돼지가 길길이 날뛰며 소리 지르는 모습은 제지하기도 어렵지만 보기에도 흉하다. 자기들끼리 무리 지어 서로 믿고 까부는 흉한 모습의 여윈 돼지를 음(陰)으로 비유한다.

이러한 흉한 돼지(初六)는 쇠말뚝에 묶어두어 날뛰지 못하게 해야 하고 이를 굳게 지켜야 길하다. 그대로 나아가게 하면 흉한 꼴을 보게 되니, 마른 돼지가 무리를 믿고 까불면서, 머뭇거리면서 우왕좌왕 무질서하게 무리 지어 있는 모습이 바로 그것이다. 공자는 이 모습을 "쇠말뚝에 묶어두는 것은 흉한 初陰이 道를 이끌고 나아가려 하기 때문이다(象曰 繫于金柅 柔道牽也)"라고 풀이하였다.

☞ 繫: 묶을 계/ 柅: 고동목 니(수레바퀴이 회전을 멈추게 하는 나무)/
豕: 돼지 시/ 羸: 수척할 리, 허약할 리, 가냘프고 약할 리/ 躑: 머뭇거릴 척/
躅: 머뭇거릴 촉/ 牽: 끌 견

九二 包有魚 无咎 不利賓
구이 포유어 무구 불리빈

구이, 포에 물고기가 들어있으니 무탈하다. 객(포를 벗어난 물고기)이면 이롭지 않다.

포(包)는 꾸러미, 보따리, 주머니를 뜻한다. 여기에서는 물고기를 담거나 가두는 보(洑)를 의미한다. 보 안에 물고기가 갇혀 있으면 안전하다. 그러나 보 밖으로 나가 객이 되어버리면 결코 이롭지 않다. 물고기가 보 안에 갇혀 있으면 안전하지만 보 밖으로 뛰쳐나가 버리면 주인은 물고기의 안전을 책임지지 않는다. 잡아먹거나 잡아 먹히게 될 것이 뻔하다.

물고기는 初六으로 음(陰)을 뜻한다. 포유어(包有魚)는 쇠말뚝에 묶여 있는 음이 九二에 의해 보호받고 있는 모습을 의미한다. 九二가 변하면 艮☶이다. 艮☶은 방패, 비바람을 막아주는 집, 닫힌 문을 상징하니 물고기를 안전하게 가둬두는 보가 된다.

안전한 보 밖으로 나가 객이 되면 보호, 관리를 받지 못한다. 쇠말뚝에 묶인 줄을 풀고 안전을 상징하는 보 밖으로 뛰쳐나간 것이 사악한 기운이라면 주변을 이롭게 하지 못할 것이다. 포유어(包有魚)가 품은 뜻은 보의 밖에 나가 객이 되어버린 고기(賓)에게까지 미치지는 않는다는 것이다. 포유어(包有魚)는 사악한 기운을 상징하는 여윈 돼지를 쇠말뚝에 묶어 나아가지 못하게 하고, 물고기를 안전한 보안에 가두듯 사악한 기운을 가두어 두는 것을 의미한다. 그래서 공자는 "포유어(包有魚)는 그 뜻이 안전한 보를 뛰쳐나간 물고기(賓)에까지는 미치지 않는다(象曰 包有魚 義不及賓也)"라고 풀이하였다.

☞ 包: 보따리 포, 감쌀 포/ 賓: 손님 빈

九三 臀无膚 其行次且 厲 无大咎
구삼 둔무부 기행자저 려 무대구

구삼, 엉덩이에 피부가 없으니 그 행함이 엉거주춤하다. 위태롭기도 하지만 큰 허물은 없으리라.

九三이 변하면 水☵가 되니 둔무부(臀无膚)에 비유하였다(쾌夬의 九四효사 참조, 夬의 九四효는 姤의 九三효가 된다). 그러므로 그 행동이 엉거주춤하여 나아가기를 머뭇거리는 행동으로 설명한다.

지괘가 천수송(天水訟☰☵)으로 水☵는 아래로 내려가는 성질이 있으니, 송(訟)은 문제가 해결되는 뜻이 있다. 즉, 天☰은 위로 향하고, 水☵는 아래로 서로 멀어져야 문제가 해결되는 것이니 송(訟)의 뜻이다. 하늘을 가리던 비구름이 사라지니 시비가 가려지는 것이다. 그러므로 둔무부(臀无膚)하여 나아가기를 머뭇거리니 위태롭기도 하지만 오히려 그래야 문제가 해결된다. 괜히 섣불리 나아가면 오히려 문제가 커지게 된다. 그러므로 머뭇거린다고 해서 큰 허물이 있는 것은 아니니, 이는 문제가 해결되는 과정이기 때문이다.

澤天夬 九四효는 '臀无膚 其行次且 牽羊悔亡'으로 적극적으로 양(羊)을 이끌고 나아가야 후회가 없지만, 천풍구의 九三효는 머뭇거리며 나아가지 않아야 오히려 허물이 없다. 쾌(夬)와 구(姤)는 도전괘로서 서로 거꾸로 바라본 상이니 뜻하는 바는 서로 다른 것이다.

九三은 中을 벗어나 있고 하괘의 맨 윗자리에서 진퇴를 결정해야 하는 자리에 있다. 즉, 강을 건너 상괘로 나아가야 할지 그대로 하괘에 물러야 할지를 결정해야 하는 자리로서 '종일건건 반복도야(終日乾乾 反復道也/중천건 九三효)'하며 노심초사하는 자리이다. 때로는 나아가는 것이 이로우나 그대로 머무르는 것이 이로울 때도 있다. 九三효는 서로 응하는 자도 없고 이끌어주는 이도 없다. 그러므로 공자는 "나아가는데 머뭇거리게 되는 것은 누구도 응하여 이끌어주지 않기 때문이다(象曰 其行次且 行未牽也)"라고 하였다. 양강(陽剛)한 九三이 섣불리 공명심에 밍령되데 행동하며 나아간다면 오히려 흉이 될 수 있는 것이다,

☞ 厲: 위태로울 려/ 臀: 볼기 둔, 엉덩이 둔/ 无: 없을 무, 아닐 무/ 膚:살갗 부
其: 그 기/次: 머뭇거릴 차, 다음 차, 둘째 차/ 且: 또 차/ 厲:위태로울 려/ 牽: 이끌 견, 끌 견, 강제할 견, 통솔할 견

九四 包无魚 起凶
구사 포무어 기흉

구사, 포(包)에 물고기가 없으니 흉(凶)을 일으키게 되리라.

九四는 初六과 응하지만, 初六은 九二와 친비(親比)관계이니 멀리 떨어진 九四는 初六의 마음을 얻지 못한다. 그래서 포(包)에 물고기가 없다 한 것이니 初六이 보를 빠져나간 것이다. 물고기를 백성에 비유하면 백성이 없는 것이다. 九四는 음의 자리에 양으로 와서 자리가 바르지 않고 初六과 응하나 거리가 멀어 九二에 가로막히니 결국 백성(初六)을 멀리하게 되는 것이다.

九四의 품 안에 백성이 없으니 결국 흉(凶)이 일어나리라. 보 밖으로 나간 물고기는 결국 죽게 되듯이 백성이 다치게 된다. 민심이 이반되어 멀어지니 흉(凶)이 기동(起動)하는 것이다.

하괘 風☴의 初六을 여윈 돼지로 묘사하여 취해서는 안 되는 여장(女壯)으로 보았듯이, 九四가 변하면 다시 風☴이 되니 두 기운이 휘몰아치게 되면서 흉(凶)이 일어나게 된다. 공자는 "무어(无魚)의 흉(凶)은 백성을 멀리하기 때문이다(象曰 无魚之凶 遠民也)"라고 풀이하였다.

九五 以杞包瓜 含章 有隕自天
구오 이기포과 함장 유운자천

구오, 넓은 잎으로 오이를 감싸니 그 품은 뜻이 빛난다. 하늘로부터 떨어지리라.

九五는 剛健中正한 인군으로 자리가 바르다. 또한 九五가 변하면 離火☲가 되니 밝음을 머금은 상이다. 기(杞)나무는 잎이 넓은 나무☰(杞)를 가리킨다. 또한 물건을 담는 삼태기의 뜻이 있으니 감싸는 의미가 있다. 넓은 잎을 가진 기(杞)나무는 만물을 감싸는 밝은 빛인 火☲에 비유하고, 하괘 風☴은 넝쿨식물인 오이(瓜)에 비유한다. 넓은 잎으로 땅을 기는 오이를 감싸듯 밝은 빛으로 백성을 감싸니 그 품은 뜻이 크게 빛난다. 상괘 乾☰(杞)의 둥글고 큰 나뭇잎으로 하괘 손☴(瓜)을 감싸는 것은 백성을 보살핌을 이와 같이 함을 의미한다. 또한 지괘가 화풍정(火風鼎☲)이니 만물을 새롭게 하는 뜻이 있다(天地相遇 品物咸章也). 유운자천(有隕自天)이라 함은 하늘로부터 무언가 좋은 일이 있을 것이라는 뜻이다. 이에 공자는 "九五가 품은 뜻이 빛남은 中正하기 때문이다. 하늘로부터 떨어지는 것이 있으니 품은 뜻이 天命을 버리지 않기 때문이다(象曰 九五含章 中正也 有隕自天 志不舍命也)"라고 하였다. 하늘로부터 떨어짐이 있다 라는 말은 하늘로부터 내려온다 라는 뜻이다.

☞ 杞: 나무이름 기/ 包: 감쌀 포,보따리 포/ 瓜: 오이 과/ 含: 머금을 함/ 章: 빛날 장, 隕: 떨어질 운/ 自: ~로부터 자

上九 姤其角 吝无咎
상구 구기각 린무구

상구, 그 뿔에서 만나다. 인색하나 허물은 아니다.

효변하면 兌☱이니 양(羊)의 상이 되고 상극이니 뿔의 뜻이 나온다. 뿔에서 만난다 함은 너무 고상하고 도도한 태도를 의미한다. 아무나 만나주지 않는다. 양(陽)은 음(陰)을 묶어 두기도 하고 보호하기도 하며 감싸기도 하였지

만, 上九는 구(姤)의 상극에 처하여 그 자리가 뿔만큼이나 예리하고 협소하니 사람을 가려서 만나는 것이다. 上九는 스스로 자부심이 강하여 천박함을 멀리하고 소인배를 함부로 만나지 않는다. 뿔의 예리함으로 만나니 고상함으로 인하여 스스로 고귀하고 도도하다. 그러나 음의 자리에 양으로 와서 자리가 부당하니 인색하다. 선과 악, 양과 음, 강과 유를 만나 고루 화합하고 조화시키는 것이 마땅하나 上九는 지나치게 스스로 뿔처럼 예리하고 고상하여 소인[陰柔]을 무시하는 경향이 있다. 이는 음의 자리에 양으로 와 자리가 부당함에서 오는 과강(過剛)함 때문이다.

약간은 흐린 물에 물고기가 꼬이듯이, 지나치게 맑거나 뜻이 너무 고고(孤高)하여 만남이 예리해지면 인색해질 수밖에 없다. 上九는 구(姤)의 끝에 있고 건(乾)체의 위에 있으며, 지괘가 澤風大過(䷛)로서 그 뜻이 지나치게 과강하므로 덕(德)이 없다. 그러나 덕이 없고 인색하지만 그렇다고 고고(孤高)함을 허물이 있다고 할 수는 없다. 그래서 공자는 상효사를 "구기각(姤其角)은 위(上)가 (뿔처럼 예리하여) 궁색(窮塞)해진 것이다(象曰 姤其角 上窮吝也)"라고 주석하고 있다.

☞ 窮: 궁할 궁/ 吝: 인색할 린

45. 澤地萃 _{택지췌}

澤〓兌
地〓坤

▶효변(爻變)

과거	미래	현재
〓-7 ⇨	〓-1	〓-1
		〓-7

上下작용력: (-7)-(-1)=-6

上下균형력: (-7)+(-1)=-8

萃 亨 王假有廟 利見大人 亨利貞 用大牲吉 利有攸往

象曰 萃聚也 順以說 剛中而應 故聚也 王假有廟 致孝享也 利見大人

亨 聚以正也 用大牲吉 利有攸往 順天命也 觀其所聚 而天地萬物之情

可見矣

象曰 澤上於地 萃 君子以 除戒器 戒不虞

初六 有孚不終 乃亂乃萃 若號 一握爲笑 勿恤 往无咎

六二 引吉 无咎 孚乃利用禴

六三 萃如嗟如 无攸利 往无咎 小吝

九四 大吉 无咎

九五 萃有位 无咎 匪孚 元永貞 悔亡

上六 齎咨涕洟 无咎

1.괘상(卦象)

택지췌(澤地萃䷬)란 땅 속에 크게 쌓인 양(地澤臨䷒)이 땅 위로 솟구쳐 모인 것으로 땅을 뚫고 나온 물이 한 곳에 모인 상태이다. 즉, 땅 위로 올라온 물이 모여 형성된 연못을 상징한다.

연못☱은 주변에서 많은 줄기의 물이 모여드는 곳이다. 땅 위의 연못이니 지상의 많은 것들이 몰려드는 중심이 된다. 사방팔방에서 온갖 종류의 사연을 실은 물이 모이는 곳으로 스스로의 자정(自淨)을 거쳐 필요한 곳으로 흘러 나간다. 재산, 지식, 문화, 종교, 인심, 여론, 친구, 동료… 등이 구름처럼 모여 서로 조화롭게 섞여 주변에 도움이 되는 역할을 하는 중심점이다.

물은 낮은 곳으로 흐르며 하나도 빠짐없이 어루만지고 모든 생명을 기르는 음식이 된다. 물을 담은 연못은 정화된 물을 주변으로 흘러 보내 만물을 생육시키니, 모이기만 하고 쌓이기만 한다면 둑이 터져 오히려 주변에 많은 피해를 주게 된다. 쌓이는 만큼 흘려 보내주는 것이 연못의 본질이니 췌(萃)의 괘상을 보고 덕(德)의 펼침을 배운다.

▶양이 대지 위에 모이는 과정

地 ⟹ 雷 ⟹ 澤 양이 축적됨

地 ⟹ 水 ⟹ 澤 대지 위에 물이 고이고 연못이 됨

물이 모이는 곳에는 온갖 동식물이 모여든다. 인간의 역사도 물이 있는 강이나 호수에서 시작되었다. 물로 상징되는 못은 모든 생명의 삶의 터전이고, 중심이다.

지구상의 모든 동식물들은 같은 종류끼리만 모여 살지 않는다. 다른 종류의 동물과 식물들이 뒤섞여 먹이 사슬을 형성하고, 네트워크를 형성해 협력하고 경쟁하며 생존해 나간다. 지구상에서 꿀을 모으는 벌이 사라지면 동식물은 멸종되고 만다. 혼자서는 살 수가 없는 것이다.

연못에서는 온갖 종류의 잡동사니가 모여 섞인다. 서로 부대끼면서도 생존해 나갈 수 있는 것은 연못 나름의 자정(自淨)기능이 작동되기 때문이다. 사회도 별별 종류의 사람들이 존재한다. 모습은 사람이지만 실상은 짐승도 있다. 어떻게 사회라는 연못이 무너지지 않고 유지해 나갈 수 있을까? 췌(萃)는 모이는 것을 의미하니 생명이 항구하게 존재해 나가는 원리를 설명한다

2. 괘변(卦變)

▷호괘: 風山漸

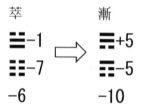

萃　　　　　漸

　☷-1 ⟹ 　☴+5
　☷-7 　　　☶-5
-6　　　　-10

　췌(萃)는 땅 속의 모인 양(臨)이 점점 위로 솟구쳐 모인 것으로 땅 위의
연못이니 연못이 이루어지는 과정은 순리와 순서가 있다. 연못은 땅 속의 샘
이 솟아 생기기도 하고, 주변의 물이 도랑을 따라 낮은 곳의 웅덩이로 모여
점차 연못이 되고, 호수가 되기도 한다. 호괘가 점(漸)이니 천하의 일을 이
룸에는 순리와 순서가 있음을 의미한다. 갑자기 만들어진 연못은 장마 비나
홍수로 인한 일시적인 웅덩이로 비가 그치고 소란스러움이 사라지면 모인
물도 곧 사라지고 마니 연못이라고 할 수가 없다. 준비 없이 급격한 이룸(성
취)은 사상누각이 될 수 있는 것이니 매사 순리를 지키라는 췌(萃)가 주는
교훈이다.

▷착종-地澤臨

萃　　　　　臨

　☷-1 ⟹ 　☷-7
　☷-7 　　　☱-1
-6　　　　+6

임(臨)은 땅 속에 축적된 거대한 양의 바다를 상징한다. 졸졸 흐르는 시냇물이 아니라 작은 움직임에는 변화도 없는 바다를 가리킨다. 이것이 땅으로 솟구치니 물이 모여 만물을 이롭게 하는 땅 위의 연못이 된다. 임(臨)이란 땅 위의 연못이 땅 속 깊은 곳에서 거대한 바다를 이루고 있는 형상이다.

▷도전괘-地風升

萃   升

☷-1   ⇨   ☷-7
☱-7   ☴+5
-6   +12

땅 위에서 작은 못을 이루고 있는 췌(萃)는 다른 관점으로 보면 땅밑에서 끊임없이 위로 솟구쳐올라 오는 양의 모임이다. 즉, 췌(萃)를 거꾸로 보면 승(升)이 되는데 내부에서 양기가 올라와 땅 위에 모이는 모습이다.

▷배합괘-山川大畜

萃   大畜

☷-1   ⇨   ☶-5
☱-7   ☰+7
-6   +12

췌(萃)는 땅밑에 모여 있던 양기가 올라와 땅 위에 모인 곳으로 주변으로 흘러 나가 이로움을 베풀지만, 그 반대인 대축(大畜)은 양기를 꾹꾹 눌러 가득 채워 놓은 창고의 모습이니, 그 창고를 열어 천하에 베푸는 것이 길하다 (不家食吉).

3. 괘사(卦辭)

> 萃 亨 王假有廟 利見大人 亨 利貞 用大牲吉 利有攸往
> 췌 형 왕가유묘 이견대인 형 이정 용대생길 이유유왕
>
> 췌(萃)는 형통하다. 왕이 종묘(宗廟)를 두어 아름답게 하다. 대인을 봄이
> 이로우니 형통하다. 바르게 함이 이로우리라. 큰 희생을 감수하는 것이 길
> 하고 나아가는 것이 이로우리라.

괘사에서는 췌(萃)를 나라의 근본을 의미하는 종묘로서 그 의미를 풀이하
고 있다. 종묘는 선조 왕들의 위패를 모셔 놓은 곳으로 나라의 뿌리를 상징
하며, 제사를 지냄으로써 왕권의 뿌리를 다지고 백성을 하나로 모으는 정신
적인 구심점 역할을 한다. 체(萃)는 모이는 것이니 물상(物象)으로서 연못을
상징하는데, 이를 백성을 하나로 모으는 상징으로 풀이한다(萃者 聚也). 국가
의 정체성은 국민들이 어디를 가든 소속감을 주며, 정신적 지주로서 자긍심
을 갖게 하고, '우리'라는 울타리를 만들어 준다.

국가의 종교를 하나로 지정함으로써 종교라는 연못을 중심으로 국민을 모
으는 나라도 있다. 연못이 깊을수록 뿌리가 깊은 것이니 깊은 역사 속에서
더 훌륭하고 다양한 문화가 나오게 되며, 연못으로 상징되는 국가 또는 단체,
가정 등은 더욱 아름다워진다.

외호괘 巽風☴에서 목(木)이 나오고 내호괘에서 艮山☶에서 집과 닫힌 문
(門)이 나오니 종묘의 뜻이 만들어진다.

췌(萃)는 모이는 것이니 옳고 그름, 선과 악, 깨끗함과 더러움 등 다양한
종류의 것들이 집합된다. 4효와 5효, 두 개의 양효를 중심으로 坎水☵의 형

상이 되니 상괘 연못☰에 물이 과도하게 모이면 어려운 상황이 만들어질 수 있음을 의미한다. 왕은 이러한 무리를 하나로 이끌기 위해서는 종묘로 상징되는 정신적인 구심점을 내세워 집단을 이끈다. 종묘란 실제적으로 무리를 통치하는 조직이 아니라 상징적인 개념으로서, 통치철학일 수도 있고 국가의 이념일 수도 있다.

왕가유묘(王假有廟)의 가(假)는 '거짓 가'로서 왕 자신이 아니라 왕의 뜻을 대신하는 종묘(가치철학, 통치이념)를 내세우는 것으로 이해할 수도 있고, 왕이 종묘를 내세워 백성을 아름답게 한다는 '아름다울 가'의 의미로 이해할 수도 있다.

못이란 온갖 종류의 만물이 모여들어 함께 살아가는 곳으로서 자정기능이 필요하듯, 인간사회에 괘상을 적용해보면 복잡다단한 사회의 작동을 원활하게 하기 위해서 조정하고 이끌어가는 대인의 지도력이 필요하다. 못이 스스로의 자정기능을 통해 더러움을 정화시키듯, 왕가유묘(王假有廟)로 상징되는 천하를 얻은 왕(九五)은 대인(九四)을 두어 그의 지도력을 통해 사회를 이끌어가고 조화시켜야 형통한 것이 되며(利見大人 亨), 바르게 나아가야 조화가 깨지지 않고 유지되니, 바름이 이롭다 하는 것이다(利貞).

주변에서 흘러 들어오는 온갖 물길에는 좋은 것과 나쁜 것들이 뒤 섞여 들어온다. 연못에는 수많은 생명들이 살아가고 있으며, 주변에는 연못을 중심으로 많은 생명들이 깨끗한 물을 기다린다. 못이 썩으면 이들은 살아나갈 수가 없다. 끊임없이 밀려들어오는 온갖 종류의 잡동사니를 어떻게 정화시켜 깨끗한 물을 유지할 수 있을까? 못은 스스로의 자정기능을 통해 옳고 그름을 가리고, 해악은 제거하거나 정화시켜 연못의 질서를 만들어간다. 연못이라는 사회를 유지하기 위해서는 해악이 되는 것을 희생시켜야 연못이 사회로서의 기능을 할 수가 있는 것이며(用大牲吉), 못을 중심으로 살아가는 생명을 이롭게 하는 것이고, 그래야 사회가 유지될 수가 있는 것이다.

땅 속에서 끊임없이 양기가 솟아오르고, 주변에서 온갖 물길이 모여드니 쌓인다. 그러나 쌓이기만 한다면 연못은 자정기능을 잃어 썩고 말 것이다. 정화된 물은 둑을 넘어가 주변으로 흘러 나가 만물을 생육시키며 이롭게 한다. 연못은 흘러 나아가야 연못으로서 기능도 유지되고, 만물에도 이롭다(利有攸往).

☞ 萃: 모일 췌/ 假: 아름다울 가, 거짓 가/ 廟: 사당 묘/ 牲: 희생 생

象曰 萃聚也 順以說 剛中而應 故聚也 王假有廟 致孝享也
단왈 췌취야 순이열 강중이응 고취야 왕가유묘 치효향야
利見大人亨 聚以正也 用大牲吉 利有攸往 順天命也
이견대인형 취이정야 용대생길 이유유왕 순천명야
觀其所聚 而天地萬物之情可見矣
관기소취 이천지만물지정 가견의

단에 이르길, 췌(萃)는 모이는 것이다. 순히 따름으로써 기뻐하고, 九五가 剛健中正함으로 六二中正에 응하여 모이니 취(聚)의 뜻이다. 왕이 종묘를 두어 아름답게 함은 지극한 효성으로 제사를 드리는 것이다. 利見大人亨은 바름으로써 모이기 때문이다. 用大牲吉 利有攸往은 천명을 따르는 것이다. 모이는 바를 관찰하면 천지만물의 실정을 볼 수 있으리라.

췌(萃)는 물상으로 연못을 취함으로써, 땅 속에서 솟아나는 물과 주변에서 몰려드는 물길이 모여드는 연못의 모습에서 통합과 조화의 원리를 유추한다

(萃聚也). 취(聚)는 사람의 무리를 모아 자기의 뜻을 따르게 하는 뜻이 있다. 대지는 만물의 모태로서 끊임없이 양기를 올려 보내고, 못은 양기를 모아 합치고 조화를 이루어 만물을 기쁘게 한다(順以說).

구오(九五)가 양강(陽剛)함으로 중정(中正)하고, 육이(六二)가 음유(陰柔)함으로 중정(中正)함을 지켜 서로 정응하니(剛中而應) 대지☷(順)의 순함과 택☱(說)의 기쁨함이 서로 상통하여 만물을 끌어 모은다.

王假有廟

조상의 제사를 지내는 이유는 가족의 뿌리를 확인함으로써 가족이 분가하여 떨어져 있더라도 흩어지지 않고 하나의 뿌리를 중심으로 유지하기 위한 것이다. 조상의 뿌리를 확인함으로써 서로 분리되어 나가도 하나의 뿌리를 가지고 있다는 종족으로서의 정신적 울타리가 유지되며, 제사라는 행사를 통해 종족은 항상 한 자리에 모이게 된다. 그럼으로써 가족, 가문, 종족이라는 연못이 유지되고, 또한 연못을 정점으로 하여 천지의 순리를 따라 계속 후손이 이어져 나간다(利有攸往 順天命也).

효(孝)라는 정신적인 가치를 통해 사당은 가족의 구심점이 된다. 효는 사당이라는 연못을 통해서 지속적으로 흘러 나가고, 그럼으로써 가족이라는 끈이 끊어지지 않고 연결되는 것이니, 인간으로서 연못은 효(孝)가 기본이 된다.

국가도 이와 같다. 옛 군주국가는 왕이 종묘제사를 통해서 국가의 뿌리를 확인함으로써 백성을 통합시키고 왕권을 유지해 나갔다. 이는 효(孝)라는 정신적 가치를 통해서 가족의 뿌리가 하나로 연결되듯이, 국가는 충(忠)이라는 국가적 정신가치를 통해 백성을 하나로 모으는 것이니 국가라는 연못은 충(忠)이라는 정신적 가치가 충만해야 나라의 기틀이 잡히고, 온 백성이 우리는 하나(一)라는 가치를 공유하게 되는 것이다.

자연(自然)은 무위(無爲)로써 바름을 지켜 나가지만 사회는 저절로 바름(正)으로 나아가지는 않는다. 상호 합의된 윤리적 장치인 법과 도덕, 규칙 등 문화적 가치를 통해 췌(萃)로 상징되는 사회를 바름(正)을 유지시키며, 지도자(大人)는 무리를 정도(正道)로 이끌어 조화시켜 나감으로써 사회라는 연못(萃)이 바르게 유지해 나가는 것이다(利見大人亨 聚以正也).

지도자가 대인인가 소인인가에 따라 인간사회가 바르냐 그르냐, 또는 제대로 유지해 나가는가 여부가 결정된다 그러므로 대인이 이끄는 사회가 바른 것이며, 바르다 함은 못이 썩지 않고 자정을 통해 스스로 연속성을 유지해 나가는 것을 의미한다.

사회라는 연못 속에서 불순물은 건져내고, 황소개구리와 같이 생태계를 교란시키는 해악(害惡)한 존재는 분리 제거하며, 병든 고기를 치료하고, 막힌 샘물구멍은 뚫어주며, 막힌 둑은 열어준다. 누군가의 희생 없이는 복잡다단한 종자들이 모여 사는 다양성을 품은 사회는 앞으로 나아가기도 어렵지만 연속성을 유지하기도 쉽지 않다.

연못이 되었든 인간 사회가 되었든 멈추지 않고 계속 진일보하며 나아가는 것이 이로우니 이는 천지만물이 생존해 나가는 자연의 이치로서 곧 천리를 따르는 것을 말한다(用大牲吉 利有攸往).

연못에 물이 모여들어 쌓이고 그곳에서 생명이 살아간다. 사람이 한곳에 모여 정착하면서 사회라는 울타리를 만들고 생존가치인 문화를 생성해 간다. 공존하기 위한 상호네트워크와 질서를 만들어 가며 스스로 자정(自淨)을 통해 살아나간다. 이처럼 만물이 모이는 바를 관찰하면 천지만물의 이치와 근본, 실정(實情)을 이해할 수가 있는 것이다(觀其所聚 而天地萬物之情 可見矣).

象曰 澤上於地萃 君子以 除戎器 戒不虞

상왈 택상어지췌 군자이 제융기 계부우

상에 이르길, 못이 땅 위로 올라오는 것이 췌(萃)이니 군자는 이로써 병장기를 수리하며 헤아리지 못함을 경계한다.

못☵이 땅☷ 위로 올라오는 것이 췌(萃)이다. 췌는 모이는 것이니 4효와 5효를 중심으로 坎水☵(險)가 만들어지니 우환거리가 된다. 모이는 것에는 항상 곤란함이 있다. 군자는 이러한 다양한 군상이 모여 있는 못이라는 사회를 유지시키기 위하여 다툼을 막기 위한 윤리적 장치인 법과 도덕 등을 세우고, 병기를 정비한다. 그리고 항상 이러한 상황을 미리 예방하고 방지하며 경계한다. 坎水☵는 우환거리가 되고 내호괘 艮山☶(방패, 울타리)으로 이를 방비하니 계불우(戒不虞)의 뜻이다.

☞ 除: 손질할 제, 덜 제/ 戎: 병장기 융, 병사 융/ 器: 그릇 기(戎器: 무기)/
戒: 경계할 계/ 虞: 염려할 우, 헤아릴 우

4. 효사(爻辭)

췌(萃)는 무리를 모아 이끌어감을 설명한다. 무리를 모아 이끄는 자는 위(位)가 합당하고 그릇의 크기가 마땅해야 한다. 서로 끌고 당기며 협력해야 한다. 또한 정도(正道)로써 행함이 곧아야 무리가 따른다.

初六 有孚不終 乃亂乃萃 若號一握爲笑 勿恤往无咎
초육 유부불종 내란내췌 약호일악위소 물휼왕무구

초육, 믿음이 있으나 끝까지 하지 못하니 자중지란으로 우왕좌왕하다. (九四를) 불러 한번에 취하고자 한다면 웃음거리가 되리라. 근심하지 말고 가면 허물은 없으리라.

初六은 췌(萃)의 때를 당하여 九四에 응하며 믿음이 있어 서로 따르는 자이다. 그러나 초(初)는 양의 자리에 음으로 와서 바름을 얻지 못하고, 맨 아래에 처하여 그 힘이 미약하다. 그러므로 믿음은 있으나 그 뜻이 약하여 끝까지 함께 하지 못한다. 처한 자리가 아래이고 또한 자리가 바르지 못하니 믿음에 비하여 그 뜻이 확고하지 못하고 어지럽기 때문에 자중지란으로 우왕좌왕하며 모였다 흩어지기를 반복한다(乃亂乃萃).

初六은 위로는 九四에 응하고 있지만 두 음에 가로막혀 九四에 나아가지 못하고 소인(六二, 六三)과 어울리게 되니, 마음에 가지고 있는 뜻(有孚)과는 달리 이랬다 저랬다 우왕좌왕하게 되는 것이다.

뜻을 다잡고, 응하고 있는 九四를 청하여 한번에 취하고자 한다면 어울리고 있던 六二와 六三 소인들의 웃음거리가 된다(若號 一握爲笑). 初六의 그릇됨을 이미 알고 있기 때문이다.

효변하면 지괘가 택뢰수(澤雷隨䷐)가 된다. 수(隨)는 양☳이 못☱ 안에서 힘을 축적하며 앞으로 나가는 상으로 震☳(動)으로 움직여 나아가 兌☱를 따르는 뜻이 있으니, 九四에 응하여 나아가고자 한다면 근심하지 말고 나아가라. 자기 자신의 그릇에 맞게 나아가라. 가면 허물은 없으리라(勿恤 往无咎). 공자는 "내란내췌(乃亂乃萃)함은 그 뜻이 확고하지 못하기 때문이다(象曰 乃亂乃萃 其志亂也)"라고 경계하였다.

☞ 亂: 어지러울 란/ 號: 부르짖을 호/ 握: 잡을 악/ 恤: 근심 휼

六二 引吉 无咎 孚乃利用禴
육이 인길 무구 부내리용약

육이, 이끌어주니 길하고 무탈하다. 믿음으로 간소한 제사를 씀이 이로우리라.

六二는 陰位로서 柔順하지만 中을 바르게 지키고 있는 자이다. 유약하여 그 믿음이 끝까지 가기 어려운 初六과 달리 유순(柔順)하지만 중정(中正)하여 그 믿음이 변치 않는 자이다. 二는 두 음효 중에 섞여 있어 소인과 어울리기 쉬우나 그 뜻이 중(中)을 지키고 바르므로 剛健中正한 九五인군이 응하여 당겨주니 길하다.

二가 효변하면 지괘가 택수곤(澤水困䷮)이다. 중도(中道)를 지켜 이끌어 나아가는 것이 험난한 길임을 의미한다. 二가 柔順中正으로 五의 剛健中正

에 응하고 있지만 두 음에 둘러 쌓여 있으니 그 모이는 여정이 결코 순탄하지만은 않다. 그러므로 六二는 여러 음(소인)들의 사이에 있어 처지가 곤궁할 수 있기 때문에 九五가 剛健中正함으로 끌어당겨주어야 吉하다. 그래야 궁극적으로 허물이 없고 무탈하다. 공자는 "인길무구(引吉无咎)함은 中正하여 서로에 대한 믿음이 변치 않기 때문이다(象曰 引吉无咎 中未變也)"라고 하여 믿음(孚)이 약해짐을 경계하였다. 내호괘 艮☶은 손(手)이니 인(引)의 뜻이 나온다.

六二가 변하면 내호괘가 ☱(孚信)이 되니 九四 九五와 믿음(孚)이 형성된다. 곤란한 때(☵☶困)를 당하여 서로 믿음으로 당겨주어야 하는 상황에서는 보이기 위한 허례허식은 쓸데없는 꾸밈이 될 뿐이다. 지괘☶☷의 내괘가 風火家人(☲)이니 바름(正)이 근본이며, 믿음(孚)은 그 바탕이 된다. 부(孚)는 신(信)이니 서로 모이기 위한 예를 간단히 한다(孚乃利用禴). 채소☱(외호괘)와 四와 五를 중심으로 坎水☵(酒)가 만들어지니 간단한 야채와 술로써 부신(孚信)의 예를 다 하는 뜻이 나온다.

☞ 引: 당길 인/ 禴: 봄, 여름에 간략히 지내는 제사 약/ 乃: 이에 내, 비로소 내

六三 萃如嗟如 无攸利 往无咎 小吝
육삼 췌여차여 무유리 왕무구 소린

육삼, 모이고자 하나 탄식만 나올 뿐이다. 이로운 바 없으니 나아가면 허물은 없으나 조금은 인색하리라.

六三은 위로는 응(應)이 없고, 또한 양의 자리에 음으로 와서 자리가 바르지 않으며, 중(中)을 벗어나 하괘의 극에 처한 자이다. 初六이나 六二는 동

류(同類)로서 각자 응(應)하는 바가 있으나, 六三은 응하는 자도 없고 모이고자 하여도 모이는 자가 없으니 홀로 탄식한다. 자리가 부당하니 마음은 앞서나 뜻대로 되지 않고, 모이고자 하나 따르지 않으니 탄식만 나올 뿐이다. 효변하면 艮山☶(止)이니 三효가 상향하여 나아가려 하나 두 음이 납작 엎드려 꿈쩍도 하지 않는다.

상괘로 나아가고자 終日乾乾 反復道也(중천건 구삼효)하는 자리에 있으나 중도(中道)를 벗어나 있어 不中하고, 자리가 바르니 않아 不正하니 뜻은 있으나 리더십이 없어 따르는 이가 없는 것이다. 췌여차여(萃如嗟如)는 무리를 이끌어 모아 상괘로 나아가고자 하나 모아지지도 않고 따르는 이도 없으니 홀로 한탄함을 이른다. 무리를 이끌고자 하는 자는 스스로가 중정(中正)해야 하나 六三은 不中不正하여 근본이 취약하니 이로운 바가 없는 것이다.

初六은 九四와 응하고, 六二는 九五와 응한다. 六三은 상하(上下)가 모두 상대해주지 않으니 오직 동류(同類)인 上六에게 가서 모임을 청할 뿐이다. 허물은 아니지만 유음(柔陰)끼리 모이는 것이니 다소 부끄러운 일이다(往无咎 小吝). 공자는 "가서 허물이 없음은 위(上)가 손순(巽順)하기 때문이다(象曰 往无咎 上巽也)"라고 풀이하였는데, 이로울 바는 없지만 나아가도 허물이 없음은 외호괘가 손(巽)괘로서 유연하고 손순(巽順)하게 때문이다. 上六은 태(兌)의 극에 있어 유열(柔說)의 덕이 있고, 음효로서 유순(柔順)하여 六三을 기쁘게 받아드린다.

☞ 嗟: 탄식할 차, 한탄할 차

九四 大吉无咎
구사 대길무구

구사, 大吉해야 허물이 없으리라.

九四는 췌(萃)의 때를 당하여 위로는 九五군주와 친하고 아래로는 하괘의 여러 음효와 친하니 백성을 얻어 가히 상하(上下)의 모임을 얻었다 할 수 있다. 그러므로 군주를 섬기고 백성을 이끄는 九四는 선(善)하다 할 수 있다.

그러나 九四는 음의 자리에 양으로 와서 자리가 바르지 않다. 上下를 이끄는 모임은 바르게 정도(正道)로써 하지 않으면 안 된다. 그래서 공자는 사(四)가 비록 상하의 모임을 이끌었다 하나 그것이 정도로써 해야만 도(道)에 맞는 것이라 일갈하였다. 정도를 벗어나 무리를 이끄는 자도 있기 때문이다. "大吉해야만 허물이 없음은 위(位)가 바르지 않기 때문이다(象曰 大吉无咎 位不當也)"라고 하여 九四의 위(位)의 부당함을 경계하였다. 大吉해야만 无咎하다는 것은 四의 자리가 바르지 않음을 알고 있기 때문에 正道로써 바르게 무리를 이끌어야만 무탈하다는 경계사를 둔 것이다.

四가 효변하면 지괘가 水地比(䷇)가 되니, 이는 四가 자신을 알고 스스로를 낮추면 九五인군이 백성☷ 속으로 친밀하게 스며 들어가 화합하게 됨을 뜻하는 것이니(比吉也 比輔也 下順從也 /比卦 단사), 대신의 자리인 九四는 반드시 正道로써 행하여야만, 즉 大吉해야만 허물이 없다 할 수 있는 것이다. 元吉은 善之長을 조건으로 하는 吉이지만 大吉은 무조건인 吉을 의미한다.

九五 萃有位 无咎 匪孚 元永貞 悔亡
구오 췌유위 무구 비부 원영정 회망

구오, 모임을 이끌어 감에는 마땅한 위(位)가 있어야 허물이 없다.
(位를) 신뢰하지 않는 무리도 있으니 元永貞해야만 悔가 사라지리라.

모임을 이끌어가는 자는 모름지기 그에 합당한 그릇이 되어야 한다. 九五는 천하의 존위(尊位)에 거하여 천하를 이끌어가는 자로서 이에 걸맞은 지위를 가진 자이다. 양의 자리에 양으로 와서 자리가 바르고 中正을 지켰으니 剛健中正한 인군으로서 췌(萃)의 시대를 이끌어가는 마땅한 자리라 할 수 있다.

九五가 효변하면 진(震)☳이 되어 지괘가 雷地豫(䷏)가 되니, 하괘의 백성 ☷이 이를 유순히 따르는 췌유위(萃有位)의 상이 된다. 이러한 九五中正이 췌(萃)의 때를 이끄니 허물이 없다.

九五가 동하여 효변하면 외호괘는 坎水☵가 되고 내호괘는 艮山☶이 된다. 이는 九五인군이 中正한 덕으로 무리를 이끌어가고자 하나 멀리 떨어진 곳에서는 어두워 이를 믿지 못하는 자도 있을 수 있음을 가리킨다. 坎水☵는 어두움(暗)이요, 艮山☶(止)은 멀리 떨어진 곳에 납작 엎드려 꿈쩍하지 않는 무리를 의미한다(匪孚). 또한 九五는 상괘 兌☱(西)에 있어 해가 빛을 잃어가는 저녁의 뜻이 있다. 그래서 공자는 "위(位)만 있고 뜻이 빛나지 않는다(象曰 萃有位 志未光也)"라고 하여 원영정(元永貞)하지 않으면 비부(匪孚)의 무리를 이끌어갈 수 없음을 경계하였다. 원영정(元永貞)이란 선(善)을 으뜸으로 지속적으로 바르게 함을 뜻한다.

上六 齎咨涕洟 无咎
상육 재자체이 무구

상육, 탄식하고 슬퍼하며 눈물 콧물 흘리니 허물은 없다.

萃(䷬)는 크게는 坎水☵의 상이 되고 태(兌)는 입(口)의 뜻이 있다. 태구(兌口)로 물이 넘치니 재자(齎咨)가 되고, 내호괘가 艮山☶으로 코(鼻)가 되니 간비(艮鼻)로 물이 나옴은 체이(涕洟)가 되어 눈물 콧물 흘리며 크게 탄식하는 상이 된다. 음이 음위(陰位)에 와 자리가 바르니 허물할 데는 없으나

45. 택지췌   295

췌(萃)의 때에 상극에 처하여 이미 힘이 기우는 상이니 재자체이(齎咨涕洟)할 뿐이다.

유음(柔陰)이 四·五 2개의 양을 타고 앉아 자리가 편안하지 않으니, 공자는 "재자체이(齎咨涕洟)함은 上九가 편안한 자리가 아니기 때문이다(象曰 齎咨涕洟 未安上也)"라고 하였다.

또한 上六이 효변하면 天地否(☷)가 되어 상하가 서로 통하지 않으니 답답하고 불편하다. 자질이 모자라니 눈물 콧물 흘리면서 스스로를 탓할 뿐이다. 다만 편안치 않으나 자리는 합당하니 허물할 데는 없다. 상극에 처하고 때는 이미 기울어 석양이 길게 드리웠으니 어찌하랴(☰夕). 안타깝지만 六의 자질이 그러하니 재자체이(齎咨涕洟)할 뿐이다. 다만 자리가 합당하니 허물을 탓할 것은 없는 것이다.

자질이 모자라는 소인이 맨 위에 처하여 호령하고 이끌어가려 하는 것보다 흉한 것은 없다. 대인군자를 깔고 앉은 자신의 자리가 편안치 않음을 스스로 알고 자신의 허물을 탓하며 자리를 바르게 한다면 이를 허물이라 할 수는 없는 것이니 무탈하리라(无咎).

☞ 齎: 탄식할 재/ 咨: 탄식할 자/ 涕: 눈물 체/ 洟: 콧물 이

46. 地風升 _{지풍승}

地 ☷ 坤
風 ☴ 巽

과거　　　미래　　　현재

☴+5 ⟹ ☷-7　　☷-7

☴+5

上下作用力: +5-(-7)=+12

上下均衡力: (+5)+(-7)=-2

升 元亨 用見大人 勿恤 南征吉

象曰 柔以時升 巽而順 剛中而應 是以大亨 用見大人勿恤 有慶也

南征吉 志行也

象曰 地中生木 升 君子以順德 積小以高大

初六 允升 大吉

九二 孚乃利用禴 无咎

九三 升虛邑

六四 王用亨于岐山 吉 无咎

六五 貞吉 升階

上六 冥升 利于不息之貞

1. 괘상(卦象)

風☴은 양의 자유로움이고 강력한 상향성(+5)이다. 坤☷-7라는 장애물을 만나니 風 ☴의 상향활동은 ☷을 돌파하려는 강력한 작용력(+12)으로 변하게 된다. 그래서 승(升)이 된다. 부드러운 싹(柔陰)이 때를 만나 ☷위로 솟아오르니 크게 발전한다.

나무☴가 땅 가운데☷를 뚫고 자라서 높아지는 것이 지풍승(地風升)이다 (升虛邑 无所疑也). 아무리 작은 무화과 씨앗도 그 안에는 큰 나무를 키워내는 이치와 작용이 있고, 자신보다 엄청나게 두터운 땅☷도 한걸음 한 걸음 뚫고 나와 결국은 거대한 무화과 나무로 자라는 것이다. 작은 것이 쌓이니 高大함을 이루는 상이다(積小以高大).

巽風☴은 坤地☷를 뚫고 나가기 위해 힘을 다하여 작용을 하게 되는데 2가지의 효변(爻變)을 통해 ☷을 변화시키는 과정을 거친다. 九二의 효변은 굳어버림(☶)이 되고, 九三의 효변은 부드러움(☵)이 되며 생명수(生命水)가 된다.

▶ 坤☷의 이해

☷은 단순히 음(陰)을 의미한다기 보다는 토(土)로서 모든 생명을 생육하는 근본인 땅을 뜻한다. 토의 근본적인 기능은 생명의 씨앗을 품고 생육시키는 모태(母胎)로서의 역할이다. 하늘의 기운을 받아 씨앗(種子)을 품고, 영양분을 공급하며 하나의 생명으로 길러낸다.

대성괘에서 ☷은 수리적으로 음으로의 성질만 아니라 四象을 돌려 八卦를 펼쳐내는 五行의 土로서 성질을 적용해야 대성괘의 상이 이해될 수 있다. 상괘에 ☷가 오는 경우는 하괘를 품는 의미로, 하괘에 ☷가 오면 상괘의 바탕이 되는 의미로 읽는다.

▷地風升의 2가지 효변

九二의 효변	九三의 효변
☴+5 ⇨ ☷-5 ⇨ ☷-7	☴+5 ⇨ ☶-3 ⇨ ☷-7
(A)　　　　(B)	(A)　　　　(B)

(A)	(B)	(A)+(B)	(A)	(B)	(A)+(B)
山☶-5	地☷-7 ⇨	地☷-7	水☵-3	地☷-7 ⇨	地☷-7
風☴+5	山☶-5	風☴+5	風☴+5	水☵-3	風☴+5
+10	+2	+12	+8	+4	+12
蠱	謙	升	井	師	升

▷九二의 효변

蠱
山☶-5
風☴+5
　+10

　기체☵(流)의 흐름이 정지☶(止)되고 굳음으로써 건조한 죽은 땅☷이 되는 과정을 보여준다. 죽으면 경직되고 딱딱해지며, 움직임이 없어진다. 흐름☵이 서서히 멈추면서 정지☶된다. 무우☷에 바람☴이 들면 푸석해지며 결국은 썩게 된다. 내부가 무너지는 것을 의미한다. 썩으면 벌레가 꼬이게 되니 우환이 끊이지 않고 일만 많아진다. 사람도 풍(風)을 맞으면 병이 든다. 사람이 사는 집은 바람을 피하도록 지어야 한다. 정면으로 바람을 맞이하는 집은 좋은 집이 아니다. 바람 길에 지어진 집은 집안에 바람 잘 날이 없는 법이다.

謙
地☷-7
山☶-5
　+2

스스로 자신을 낮추고 겸손하지 못하면 뜻을 이루지 못한다. 부드러운 마음 ☵(柔)이 강팍해지고 굳으면☷생명이 살지 못하는 땅☷이 된다.

▷九三의 효변

井
水☵-3
風☴+5
　+8

☴의 九三 양효가 음으로 효변되면 양을 내부에 품은 水☵가 된다. 즉, ☴ (기체)가 ☵(액체)가 되어 地☷에 생명이 숨쉬게 하는 水☵를 머금게 하는 것 이다. 즉, 생명의 땅☷이 되어 싹이 돋아 나게 하고 나무를 키워낸다. 끊임없 이 솟아나는 샘물은 대지에 물을 가득 품게 한다. 風☴이 水☵가 되고 水는 地☷에 가득 차게 되니 생명이 자랄 수 있는 모체가 되는 것이다.

師
地☷-7
水☵-3
　+4

땅이 물을 잔뜩 머금고 있으니 씨앗이 움트고 싹이 돋아 큰 나무로 자랄 수 있는 토양이 되었다. 양기 風☴를 저장한 水☵가 地☷를 비옥하게 만든 다. ☴은 나무를 상징하니 결국 地☷를 뚫고 나와 거목(巨木)으로 자라게 될 것이다. ☴은 봄이라는 때와 강인한 생명력과 풍부한 영양분을 필요로 하는 것이니 승(升)괘는 때와 장소를 잘 만나고, 그리고 스스로의 능력을 겸비해야 하는 것이다.

2. 괘변(卦變)

▷호괘 - 雷澤歸妹

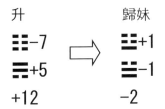

```
升                 歸妹
☷ -7              ☳ +1
☴ +5              ☱ -1
+12               -2
```

승(升)괘는 강력한 상향성이다. 강한 자신감이 넘친다. 작용력이 +12나 된다. 호괘가 귀매(歸妹)이니 어찌된 일일까? 귀매는 연못☱ 밖으로 뛰쳐나가 숨을 헐떡이며 힘들어 하는 잉어☳의 모습이니, 연못의 물이 줄어든 까닭이다.

토(土)는 만물을 키우는 모태(母胎)이니 충분한 물☵이 공급되어야 한다. 기쁜 마음☱으로 나아가나 지나친 자신감☳은 오히려 곤란함에 처하게 된다. 적절하게 土☷에 젖어 들어갈 때(師) 토(土)는 품고 있던 생명의 씨앗을 터트리며 기르게 되는 것이다.

▷착종괘 - 風地觀

```
升                 觀
☷ -7              ☴ +5
☴ +5              ☷ -7
+12               -12
```

승(升)은 대지☷를 뚫고 나오는 나무☴(木)의 모습이다. 또한 하늘에서 내려온 신의 숨결☴(入)이니 대지☷를 어루만지며 생명을 불어넣는다.

▷도전괘 - 澤地萃

升   萃

⚏-7   ⟹   ⚎-1

⚏+5   ⚏-7

+12   -6

쉐(萃)는 대지⚏ 속에서 강한 상향성으로 작용하던 양⚏이 하나 둘 대지⚏ 위로 올라와 양을 가득 담은 못⚎을 형성한 모습이다. 못이란 땅 속에서 끊임없이 흘러나오는 샘물이 모이고, 주변의 온갖 물 줄기가 모여드는 곳이다. 못은 스스로 자정(自淨) 기능을 통해 온갖 혼합물을 정화시켜 주변으로 흘려 내보낸다. 못이란 정화 기능을 통해 주변의 생물을 화육하는 역할을 하니 만물이 모여드는 중심이다.

▷배합괘-天雷无妄

升   无妄

⚏-7   ⟹   ☰+7

⚏+5   ⚏+1

+12   -6

승(升)은 땅⚏-7을 강하게 뚫고 상향하려는 상승력(⚏+5)을 말한다. 무망(无妄)은 대지⚏를 뚫고 나와 뜻을 품고 천하☰+7를 향해 한발한발 나아가는 사회 초년생(⚏+1)의 모습이다.

3. 괘사(卦辭)

升 元亨 用見大人 勿恤 南征吉

승 원형 용견대인물휼 남정길

승은 크게 형통하다. 대인을 만나게 되니 근심하지 마라. 남쪽으로 가
면 길하리라.

승(升)은 씨앗이 자라 나무가 되어 땅을 뚫고 거대한 나무로 자라는 것을
의미하는 상이니 그 뜻이 크게 형통하다. 나무는 태양이 비추는 남쪽을 향할
때 제대로 광합성 작용을 통해 잘 자랄 수가 있는 것이니 남쪽을 향하면 길
하다. 南征吉이란 올바른 선택을 뜻하며 천지자연의 바른 이치를 행함을 의
미한다. 征은 '장애물을 헤치며 바른 길로 나아가다'라는 의미가 있다. 괘
상으로 보면 巽風☴(東南)에서 坤地☷(南西)로 향하는 것이 승(升)의 상인데
그렇게 하기 위하여는 離火☲(南)를 거쳐가야 한다. 밝음☲(明) 속에서 자신
의 모든 것이 드러나게 되니 부정한 기운은 살아서 건너기 쉽지 않다. 여기
에서 '대인을 본다(用見大人)'는 것은 만물의 질서(cosmos)를 상징하는 離
火☲를 필연적으로 만나게 됨을 은유한다.

씨앗이 싹을 내어 자신보다도 두터운 땅을 뚫고 헤치며 나아가 나무로 성
장하는 것이 승(升)으로, 剛陽(九二)이 중(中)으로써 六五와 서로 상응(相應)
하니 형통(亨通)한 상이며, 吉하다.

☞ 升: 오를 승/ 恤: 근심할 휼/ 征: 칠 정, (먼 길을) 갈 정(헤치며 나아가다)

彖曰 柔以時升 巽而順 剛中而應 是以大亨
단왈 유이시승 손이순 강중이응 시이대형
用見大人 勿恤 有慶也 南征吉 志行也
용견대인물휼 유경야 남정길 지행야

단에 이르길, 유(柔)가 때를 만나 올라타면 손순(巽順)하고 유순(柔順)함으로 九二剛中이 六五柔中에 응하니 이로써 크게 형통하리라. 대인을 보리니 근심치마라. 경사가 있으리라. 남쪽으로 가면 길하니 뜻을 행함이로다.

땅 속의 새싹은 유(柔)하나 봄이라는 때를 만나면 자신보다 수십 배 수백 배 두터운 땅을 뚫고 헤치며 나아가니 巽順≡≡함으로써 강함을 이기는 상이다. 九二 陽이 剛中의 道로써 柔中의 德인 六五와 서로 응한다. 이는 연약한 싹이 오히려 딱딱한 대지를 뚫고 나아가는 강인(强忍)함을 상징하는 것으로 크게 형통한 모습이다.

大人을 보리니 근심치마라(用見大人 勿恤)함은 땅 속 씨앗의 중심인 剛中한 九二 양이 대지의 중심인 柔中한 六五 음과 서로 응함을 의미하는 것이니, 剛中한 씨앗은 춥고 어두운 땅 속에서도 나아갈 빛을 바라본다.

만물이 생장하는 것은 자연의 이치이니 앞이 보이지 않는다 하여 근심할 일이 아니다. 딱딱하여 어떤 것도 뚫을 수 없을 것 같은 대지≡≡(六五)도 연약하지만 剛中한 새싹≡(九二剛中) 앞에서는 서로 화순(和順)함으로써 응하니, 이는 대지 본래 모습인 품고 기르는 모태(母胎)로서 오행(五行) 중에 토(土)의 성질이 있기 때문이다. 작고 연약한 싹이 자라 대지≡≡ 위에 큰 나무로 성장하는 것이 승(升)이니, 이치와 순리대로 풀려나가면 경사가 있게 되는 것이다(有慶也).

　태양이 비추는 남쪽을 향하여 헤치며 나아가는 것은 만물이 생장하는 바른 이치이니, 올바른 길을 선택하여 가는 것이 길하다(南征吉). 이것이 천지 자연의 뜻을 순리대로 행하는 것이다(志行也).

象曰 地中生木升 君子以順德 積小以高大
상왈 지중생목승 군자이순덕 적소이고대

상에 이르길, 땅 속에서 나무가 나오는 것이 승(升)이니 군자는 순한 덕으로써 작은 것부터 쌓아 크게 이룬다.

　땅≡≡ 가운데에서 나무≡≡가 나오는 것이 승(升)이니, 군자는 유순(柔順)한 새싹이 한 걸음 한 걸음 땅을 뚫고 나오는 이 괘상을 보고 유순(柔順)한 덕(德)으로써 작은 것부터 하나하나 쌓아 높고 크게 이룬다.

4. 효사(爻辭)

승(升)은 강한 힘으로 오르는 상이다. 그러나 올라가기만 하고 그치지 않는다면 어둠 속에서 험한 낭떠러지에 직면하게 된다.

初六 允升 大吉
초육 윤승 대길

초육, 믿고 따라 오르니 크게 길하리라.

초(初)는 양의 자리에 음으로 와서 자리가 바르지 않고 또한 아래에 처하여 위로 응원(應援)하는 바가 없고 그 힘이 유약하다. 初六은 함께 오르는 승(升)의 때를 당하여 상향성(+5)이 강력한 손체(巽體)의 아래에 처하였다. 巽風☴은 나무(木)를 상징한다. 九二와 九三이 줄기라면 初六은 나무의 뿌리로서 나무가 성장해가는 가장 기초가 된다.

巽☴은 상하작용력이 +5로서 최고인 乾☰(+7) 다음으로 강력하다. 2개의 양이 강력하게 상향하니 상비(相比)관계 있는 유약한 初六은 두 개의 양을 진실로 믿고 따라 오른다. 九二는 강중(剛中)한 양(陽)으로 유중(柔中)한 六五와 응하고 있으니 유약한 初六으로서는 진실로 믿고 따르는 것 외에는 달리 방법이 없다.

효변하면 乾☰이 되니 初六이 위의 두 양과 뜻을 합치하여 따르는 것을 의미한다(象曰 允升大吉 上合志也). 지괘인 地天泰(䷊)의 초구는 함께 나아간다는 의미가 있으니, 태(泰)괘의 초효사를 참조해 보자.

初九 拔茅茹 以其彙征 吉
초구 발모여 이기휘정 길

초구, 얽혀 있는 띠 풀의 뿌리를 뽑듯이 무리와 함께 나아가면 길하리라.

☞ 允: 믿을 윤, 진실로 윤

九二 孚乃利用禴 无咎
구이 부내리용약 무구

구이, 믿음으로 간소한 제사를 지냄이 이로우니 허물이 없다.

효변하면 지산겸(地山謙☷☶)이니 겸손하게 행한다. 비록 중(中)의 자리를 잡았으나 음의 자리에 양으로 와서 자리가 부당하니 자칫 양강(陽剛)함으로 교만해질 수가 있다. 강중(剛中)함으로 겸손하다면 유중(柔中)한 六五인군과 믿음으로 응하니 허물이 없다. 양강(陽剛)함을 내세우지 않고 겸손하게 진심을 다한다는 것은 겉으로 드러내지 않음이니, 진실한 믿음으로 간소하게 제사를 드리는 것으로 은유(隱喩)하였다. 그래서 공자는 "九二의 믿음에는 스스로 우러나는 기쁨이 있다(象曰 九二之孚 有喜也)"라고 주석하였다.

도전괘인 澤地萃(☱☷) 六二효사와 비교해보자.

六二 引吉 无咎 孚乃利用禴
육이 인길 무구 부내리용약

육이, (九五가)이끌어주니 길하고 허물이 없다. 믿음으로 간소한 제사를 씀이 이로우리라.

도전괘인 췌(萃)괘의 六二는 柔中하여 剛中한 九五임금이 이끌어주는 도움을 받게 되므로 "引吉无咎 孚乃利用禴"이라 하였고, 승(升)괘는 九二가 스스로 剛中하여 柔中한 六五임금을 도와주는 뜻이 있으니 引吉의 뜻이 없이 "孚乃利用禴 无咎"라 하였다.

☞ 禴: 간략한 제사 약(봄 여름에 지내는 약식 제사)/ 乃: 이에 내, 비로소 내

九三 升虛邑
구삼 승허읍

구삼, 텅 빈 고을에 오르다.

九三은 승(升)의 때에 손체(巽體)의 상(上)에 있어 그 오름의 기세가 강하다. 三은 中을 벗어나 있으나 양의 자리에 양으로 와서 자리가 바르고 양강(陽剛)하다. 그리고 三효는 괘체로 보면 상괘로 나아가야 할지, 또는 머물러야 할지 진퇴를 결정지어야 하는 위치로서 64괘 해석의 기본원리를 제공하는 乾卦를 보면 三효는 종일건건 반복도야(終日乾乾 反復道也)하는 자리이기도 하다.

효변하면 地水師(☷☵)가 되어 물☵이 땅☷ 속으로 스며들어가는 형상이니 무주공산(無主空山)에 들어가듯 텅 빈 고을☵(邑)에 무혈입성(無血入城)하는 상이 된다. 또한 외호괘가 震雷☳로 강한 전진(前進)을 뜻하고, 또한 위로 上六의 응원(應援)이 있으니 坤地☷의 빈 읍에 막힘없이 들어가게 되는 것

이다. 그래서 공자는 "三효가 승허읍(升虛邑)하는 것은 의심할 바가 없다(象曰 升虛邑 无所疑也)"라고 하였다. 坤地≡≡의 상은 허(虛)이니 허읍(虛邑)의 상이 된다.

☞ 虛: 빈 허/ 邑: 고을 읍

六四 王用亨于岐山 吉 无咎
육사 왕용형(향)우기산 길 무구

육사, 왕이 기산에서 제사를 드리니 길하고 무탈하리라.

기산(岐山)은 기주(岐周)의 문왕이 있던 서산(西山)을 가리킨다. 문왕(文王)은 기산에서 동쪽 은나라의 폭군인 주왕(紂王)을 섬기는 서백(西伯)으로서, 천명을 받아 주왕을 쳐 인군의 자리에 오른 인물이다. 六四는 대신의 자리로서 문왕이 아직 주왕의 신하인 서백으로 있을 때이니, 이를 추존(推尊)하여 왕(王)이라 존칭한다.

서산에서의 제향(祭享)은 주왕의 명을 받들어 남정(南征)을 떠나기 전에 드리는 제사를 가리킨다. 제사를 드리는 뜻은 천명에 순응함을 만천하에 알리는 것이다. 六四는 음의 자리에 음으로 와서 자리가 바르고 곤(坤)의 체에 있어 유순하다. 양강(陽剛)함이 지나쳐 때를 기다리지 못하고 폭군인 주왕을 들이친다면 실패할 확률이 크다. 그러나 六四는 유순(柔順)하여 위로는 은나라 주왕을 신하의 도리로 받들고 아래로는 올라오는 양강(陽剛)한 현자(賢者)를 보듬으니, 때를 기다려 폭군 주왕을 몰아내고 진정한 군왕의 자리에 오르게 된다.

효변하면 震雷☳(東·進)가 되어 雷風恒(䷟)이 된다. 震雷☳는 방위로는 東이고, 나아가는 진(進)의 뜻이 있다. 하괘의 九二, 九三과 더불어 동쪽(☳)으로 나아가는 뜻이 있으니 곧 동쪽의 은나라 주왕을 멸하여 천명(天命)을 항구(恒久)하게 한다. 그래서 공자는 "王用亨于岐山은 사업(事業)을 이룸에 순리(順理)를 따름이로다(象曰 王用亨于岐山 順事也)"라고 풀이한다. 王用亨于岐山에서 用의 뜻은 문왕이 서산에서 제사를 지내며 천명을 받들어 만천하에 품은 뜻을 알리는 것처럼 그 의미를 사업을 활용하라는 뜻이다. 사업(事業)이라 함은 폭군인 주왕을 몰아내고 인군의 자리에 올라 천명(天命)을 바로 세우는 것을 뜻하니 순사야(順事也)란 곧 천명에 순응(順應)하는 것을 말한다.

☞ 亨: 제사드릴 향, 형통할 형/ 享: 누릴 향, 제사드릴 향

六五 貞吉 升階
육오 정길 승계

육오, 바르게 하면 길하리라. 섬돌에 오르다.

六五는 유(柔)로써 중(中)을 얻어 왕의 자리에 오른 자이다. 비록 양의 자리에 음으로 와서 자리가 부당하지만 九二와 응하고 승(升)의 때에 中을 잡았으니 드디어 임금의 자리에 오른다. 九四에서 때를 기다리며 서산(西山)에서 제향하고 천명에 순응하였으니 비로소 천하를 얻은 것이다. 다만 그 자리가 유약(柔弱)하고 부당위(不當位)이니 바르게 하여야만 길한 자리이다. 그래서 곧고 바르게 하지 않는다면 오히려 흉이 되기 때문에 정길(貞吉)이라는 조건부를 둔 것이다.

동(動)하면 水☵가 되니 지괘가 水風井(䷯)☴☵이다. 정(井)은 바람☴이 위로 올라와 물☵이 되는 상이다. 물이 끊임없이 솟아나는 우물이니 샘터의 상이다. 六五인군이 곧고 바르면 물이 솟아나듯 계단을 밟고 올라가 만백성의 뜻을 얻는다.

섬돌에 오른다 함은 존위의 품계, 즉 왕위에 등극하는 것을 상징한다. 그러므로 승계(升階)는 섬돌(계단)을 밟고 올라가 천하에 존위등극을 선포하는 것이다. 그래서 공자는 "정길승계(貞吉升階)는 뜻을 크게 얻은 것이다(象曰 貞吉升階 大得志也)"라고 하였다.

☞ 階: 섬돌 계(계단, 층계), 오를 계

上六 冥升 利于不息之貞
상육 명승 리우불식지정

상육, 어둠을 오르다. 바름을 쉬지 않음이 이로우리라.

上六은 승(升)괘의 맨 위에 처한 자로서 곧 어둠이 닥칠 줄도 모르고 끝없이 오르려 하는 자이다. 오름의 끝은 낭떠러지이니 더 이상 얻음이 없고 사라질 뿐이다. 명승(冥升)이란 앞에 어두운 낭떠러지가 있는 줄도 모르고 탐욕에 눈이 어두워 쉬지 않고 오르는 어리석음을 의미한다. 그래서 공자는 소상전에서 "象曰 冥升在上 消不富也"라고 주석하였으니 "어둠의 계단이 이미 꼭대기에 있으니(冥升在上), 더 나아가면 어둠 속으로 사라지게 되니 더 이상 취할 것이 없음이로다(消不富也)"라는 뜻이다. 利于不息之貞은 경계사로서, '탐욕에 눈이 어두워 쉬지 않고 어둠 속을 계속 올라가 낭떠러지에 떨어지지 말고, 차라리 바름(貞)을 쉬지 않는 것이 이롭다'라고 충고한다.

동하면 艮山☶(止)이 되어 그치는 뜻이 있으니, 휘몰아치던 바람☴도 우뚝 서있는 산☶ 앞에서는 일단 멈춰 선다. 어둠 속에서 그릇에 벌레가 꼬이듯이 고단한 일만 쌓일 뿐이로다(山風蠱☶☴).

　　　　　　☞ 冥: 어두울 명, 어리석을 명/ 息: 호흡할 식, 그만둘 식, 쉴 식

47. 澤水困택수곤

澤☱兌

水☵坎

▶효변(爻變)

과거	미래	현재
☵-3 ⇒	☱-1	☱-1
		☵-3

上下작용력: -3-(-1)=-2

上下균형력: -3+(-1)=-3

困 亨 貞 大人吉 无咎 有言不信

象曰 困 剛揜也 險以說 困而不失其所亨 其唯君子乎 貞大人吉 以剛

中也 有言不信 尚口 乃窮也

象曰 澤无水 困 君子以 致命遂志

初六 臀困于株木 入于幽谷 三歲不覿

九二 困于酒食 朱紱方來 利用享祀 征凶 无咎

六三 困于石 據于蒺藜 入于其宮 不見其妻 凶

九四 來徐徐 困于金車 吝 有終

九五 劓刖 困于赤紱 乃徐有說 利用祭祀

上六 困于葛藟 于臲卼 曰動悔有悔 征吉

1. 괘상(卦象)

떠오르던 양이 2개의 음효에 갇혀(☵) 수고로이 움직이다 양기가 밖으로 발사되지 못하고 못 아래로 가라앉은 상이다. 九二양(☵)이 아래로 가라앉으면서 쌓이니 ☱이 되어 澤水困(䷮)의 형상이 만들어 진다. 하괘☵의 初六이 양으로 효변하면서 물☵이 연못☱에 갇히는 모습이 되는 것이다.

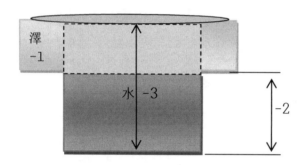

굳은 대지☵에 양기가 들어가니 딱딱한 대지가 풀어져 물☵처럼 흐른다. 坎☵은 물의 성질로서 어디든지 흘러갈 수 있는 유동적 속성이 있다. 이러한 ☵이 ☱속에 들어가 깊이 갇히니 유동성이 감옥에 들어앉은 모습이 된다. 감옥에 갇히면 누군가의 도움 없이는 나올 수가 없다. 연못 바닥에 물이 깊이 들어가 있으니 두레박을 이용하지 않으면 물을 마실 수가 없는 것이다.

水☵가 연못☱이라는 틀에 갇혀 움직이지 못하는 모습은 메말라 버린 삭막한 마음을 상징한다. 마음☵이 메말라 버렸으니 감정☵이 흐르지 않는다. 욕구가 자유롭게 발산되지 못하고 안으로 쌓인다.

괘사는 곤궁(困窮)한 상황에 처해서도 대인의 마음과 자세로 형통함을 잃지 말기를 당부한다(險以說 困而不失其所亨). 역(易)은 자연의 형상을 통해서 인간에게 가르침을 준다. 형(亨)이란 만물이 生化(元)하여 천지에 만개(亨)하는 이치를 말함이니 대인은 어떠한 상황에 처해서도 이러한 천지자연의 원형이정(元亨利貞)의 이치를 깨달아 이를 따른다.

어떻게 해야 주변의 만물을 이롭게 하는 연못에 물이 가득 고여 흐르게 할 것인가? 어떻게 하면 메말라 버린 사막처럼 모래가 버석거리는 삭막한 마음의 골에 감정의 물이 샘물처럼 흐르게 할 것인가?

하늘과 땅은 내가 바꿀 수 없다. 그러나 나 자신은 바꿀 수 있다. 천지를 바꿀 수 없다면 나를 변화시켜라. 천지와 나는 天地人 三神一體로서 하나의 동일체이니, 내가 움직이면 천지가 따라 움직인다.

人爻인 3,4효가 동하면 水風井(䷯)이 된다. 人爻인 내가 움직이니 천지가 따라 움직이는 것이다. 내가 동하면 천지가 감응하여 변하니 우주가 바뀐다. 곤(困)괘에서 인(人)효인 3,4효가 변하면 하늘은 물☵이 되고 땅은 우물☴이 되어 샘물이 끊임없이 솟아나는 정(井)괘가 된다.

나(人)를 변화시켜 곤궁함에서 벗어나라. 곤(困)의 도전괘 또한 수풍정(水風井)이니, 관점을 달리하면 어려움 속에서도 오히려 바름(貞)을 지킴으로써 해법을 찾을 수가 있다.

困　　　井
☱-1　⟹　☵-3
☵-3　　　☴+5
-2　　　　+8

곤(困)의 상하작용력은 -2로서 물이 바닥에 갇혀 흐르지 못하고 갇혀 있는 모습이나, 정(井)은 +8로서 강하게 작용하며 샘물이 밖으로 콸콸 솟아나는 상이다. 더 많은 물이 모이면 주변으로 흘러 나가 만물을 적셔주는 큰 못이 된다. 못에 물이 차오르면 주변의 논밭이 풍요로워지고, 사람의 인품은 흘러 넘쳐 다른 사람을 감화시킨다.

2. 괘변(卦變)

▷ 호괘 - 風火家人

```
困              家人
☵-1    ⟹    ☲+5
☵-3          ☲+3
 -2           -2
```

곤(困)괘에 훨훨 타는 장작불이 들어있다. 이건 무슨 뜻인가?

좋을 때는 나쁠 때를 대비해야 한다. 훨훨 타는 장작불은 밥을 짓고, 방을 따스하게 데운다. 그러나 가인은 외호괘도 火☲, 내괘도 火☲이니 낭비가 지나치면 곧 타고남은 재만 남게 되고 나중을 대비하지 못하면 물 빠진 연못처럼 곤궁함에 처하게 된다. 家人의 호괘가 화수미제(火水未濟)이니 그 뜻이 의미심장하다.

▷ 착종괘 - 水澤節

```
困              節
☵-1    ⟹    ☵-3
☵-3          ☱-1
 -2           +2
```

▷澤水困	▷水澤節
움직임☵이 틀☱에 갇혀 억압되는 모습	틀☱이 깨어지니 유동적☵이 되어 자유로운 모습
☱-1 ☵-3 -2	☵-3 ☱-1 +2
☞上下작용력: (-3)-(-1)=-2 ☞上下균형력: (-3)+(-1)=-4	☞上下작용력: (-1)-(-3)=+2 ☞上下균형력: (-1)+(-3)=-4
-감금: 감옥에 갇혀 있는 모습 -자유가 없음 -☵이 ☱안에 깊이 갇혀 있어 빠져나올 수가 없다. -갇혀있는 모습 -깊은 우물: 두레박 이용	-보호: 병원에서 관리받고 있는 모습 -자유가 있음 -☵이 보호를 받고 있지만 스스로 ☱을 벗어날 수가 있다. -담겨있는 모습 -샘터: 물이 흘러나와 주변으로 흐른다.

▷도전괘-水風井

困		井
☱-1 ☵-3 -2	⇒	☵-3 ☴+5 +8

관점을 바꾸면 길이 보인다

곤(困)을 거꾸로 보면 정(井)이 된다. 물이 메말라 우물바닥 깊이 갇혀 있는 곤(困)의 형상은 거꾸로 보면 물이 풍부하게 솟아나는 샘터(井)가 된다.

같은 괘체(卦體)이면서 두 가지의 의미를 모두 담고 있다. 역(易)은 자연의 형상을 있는 그대로 본뜬 것으로 있는 그대로를 보여준다. 거기에는 길흉(吉凶)이 따로 없다. 다만 인사(人事)에 적용하면 비로소 길흉이 정해지는 것이니 어떻게 받아드리는 가는 자신의 득실(得失)의 문제일 뿐이다(吉凶得失). 세상사 관점을 바꾸어 보면 보이지 않던 길이 보인다.

▷배합괘-山火賁

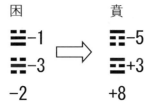

곤(困)은 내면의 빈곤과 혼돈☵(暗)을 상징한다. 바닥이 드러난 연못은 주변의 삶을 파괴하고, 메말라 버린 감정은 주위 사람들을 삭막한 사막처럼 황폐시켜 버린다. 이와 반대괘인 산화비(山火賁)는 내면의 아름다움과 질서☲(明)를 상징한다. 상향하던 離☲의 초양이 효변하면서 艮☶ (止)이 되는 상이니, 정착하여 문명을 일구는 상이 된다. 문명이 일어난다는 것은 질서가 잡힌다는 것을 뜻한다. 정착된 사회가 아름답게 문명화☲되니 세상의 질서가 바로 잡히고, 내면이 아름답게 꾸며진다.

3. 괘사(卦辭)

困 亨 貞大人吉 无咎 有言不信
곤 형 정대인길 무구 유언불신

곤(困)은 형통하다. 올곧은 대인이라야 길하고 허물이 없다. 말(言)이
있으나 믿음을 얻지 못하리라.

곤(困)은 못☱에 물☵이 메말라 버린 곤궁(困窮)한 상태를 말한다. 외호괘
風☴과 내괘 水☵는 풍수환(風水渙☴)으로 물이 말라 사라지는 상이다. 또한
못☱은 구(口)의 뜻이 있으니 곤(困)은 틀(口)안에 갇혀 곤궁(困窮)에 처한 木
☴(외호괘)의 상이 된다. 외호괘 巽木☴이 내괘의 坎水☵를 얻었으나 내호괘
離火☲가 말려버리니 역시 곤(困)의 뜻이다 (澤无水困).

난세(亂世)에는 正道를 걷는 大人이 빛나는 법이니 오히려 세상을 변화시
킬 수 있는 기회가 되어 형통하다. 곤(困)의 때에 대인이 형통함은 곤궁함에
도 불구하고 正道(貞)를 가기 때문이요(險以說 困而不失其所亨), 소인은 말만
앞서 신뢰를 받지 못하기 때문이다(有言不信).

兌☱은 입(口)을 의미하니 말(言)이 된다. 외호괘는 風☴이니, 말(言)이 바
람(風)을 올라타는 격이니 말의 가벼움을 의미하고 구설수(口舌數)가 되어
신뢰를 받지 못함을 뜻한다(有言不信).

六三이 동하면 澤風大過☴이니 오히려 말로 인하여 되려 큰 낭패를 초
래하게 된다. 또한 내호괘가 火☲이니 말(言)이 불(火)길에 쌓여 모든 것을
태워버릴 수도 있는 것이니 말이란 어린아이의 손에 쥔 칼날보다도 위험한
것이다.

곤(困)은 형통'하다(困亨). 剛이 陰에 의해 가리워졌음에도 불구하고(困剛揜也), 九五가 剛健中正하고 九二가 剛中함으로써 곤궁 ☵(險)한 가운데에서도 기뻐함 ☱(說)함이니 곤(困)에도 불구하고 형통한 바를 잃지 않는다(險以說 困而不失其所亨). 그러므로 험함(險陷)에서도 剛中한 道로써 능히 天命에 순응하는 올곧은 대인이라야 길하고 허물이 없는 것이다(貞大人吉 无咎).

揜: 가릴 엄

象曰 困 剛揜也 險以說 困而不失其所亨 其唯君子乎
단왈 곤 강엄야 험이열 곤이불실기소형 기유군자호
貞大人吉 以剛中也 有言不信 尙口 乃窮也
정대인길 이강중야 유언부신 상구 내궁야

단에 이르길, 곤(困)은 강(剛)이 가려짐이라. 험(險)에서도 기뻐한다.
곤(困)하되 형통한 바를 잃지 않으니 오직 군자로다.
올곧은 대인이라야 길하니 강중(剛中)의 도를 말한다. 유언물신(有言不信)은 입(口)을 숭상함이니 이내 궁해지리라.

내호괘는 火☲, 내괘는 水☵이니, 未濟(☲☵)로서 만물이 작용을 멈춘 곤(困)의 모습이다. 전체 괘상으로도 初六과 上六으로 인해 양이 갇혀 있고, 하괘 九二도 음에 갇혀 있는 형상이며, 九四, 九五 효도 음에 갇혀 있으니 역시 곤(困)의 상이다.

곤(困)의 험한 상황에서도 대인은 기뻐함으로 형통한 바를 잃지 않으니 오직 군자의 기개로다. 호괘가 風火家人(☴☲)이니 곤궁할수록 하나가 되어 각자의 자리에서 바름을 잃지 말아야 함을 뜻한다. 이는 곤(困)의 상황에 처하는 도를 말한 것이다.

곤(困)의 시절에도 정도(正道)를 지키는 것이 대인의 도이니 吉하다. 이는 九二와 九五가 양강(陽剛)함으로서 中을 지키기 때문이니 이로써 말에는 중심(中心)이 있고 강건(剛健)함이 있다. 그러나 입을 숭상하여 말(言)을 너무 앞세우면 입☰(상괘)이 가벼워지고 말☴(言)이 바람(☴외호괘)에 휘날리듯 하니 신뢰받기 어렵다.

말이 너무 많으면 진정성이 부족하게 되어 스스로 말(言)의 곤궁(困窮)함에 빠지게 된다(有言不信 尙口乃窮也). 강(剛)으로써 中을 지키지 못한다면 困의 때에 어찌 바름(貞正)을 지킬 수 있겠는가?

☞ 尙: 숭상할 상/ 唯: 오직 유 /窮: 다할 궁, 궁할 궁

象曰 澤无水困 君子以 致命遂志
상왈 택무수곤 군자이 치명수지

상에 이르길, 물이 없음이 곤(困)이니 군자는 이로써 목숨을 다해 뜻을 이룬다.

澤☱에 水☵가 부족하는 것이 곤(困)의 상이니 곤궁한 상태를 가리킨다. 그러나 곤궁(困窮)하고 궁박(窮迫)한 시절을 맞이하여도 군자는 그것을 탓하지 않는다. 이미 벗어날 수 없는 운명이라면 처해진 상황에서 이를 명(命)으로 알고 도를 다하고 최선을 다할 뿐이다(樂天知命). 명(命)을 지극함으로 받아드리고 이로써 목숨을 다하여 뜻을 이룬다(致命遂志). 소인은 명(命)을 알

지 못하니 지극함으로 받아 들지 못하고 험난함을 두려워하여 곤궁함에 꺾이게 되니 어찌 뜻하는 바를 이룰 수 있겠는가?

☞ 致: 다할 치, 도달할 치/ 遂: 이룰 수, 드디어 수

4. 효사(爻辭)

점차 어두운 계곡으로 깊이 들어가 곤궁에 처하게 되는 상황을 그린다. 험함(險陷)에 빠지고 어두워져 분별함이 어렵더라도 스스로 강중(剛中)함을 지키고 정성을 다한다.

初六 臀困于株木 入于幽谷 三歲不覿
초육 둔곤우주목 입우유곡 삼세불적

초육, 곤(困)의 밑바닥이니 그루터기 나무로 인해 곤(困)하다. 심산유곡(深山幽谷)으로 들어가니 3년을 볼 수 없으리라.

初六은 양의 자리에 음으로 와서 자리가 부당하고 곤(困)의 맨 밑바닥에 처하여 그 곤궁함이 크다. 또한 하괘 험(險)의 아래에 처하였으니 험 중의 험이다. 둔(臀)이란 엉덩이의 뜻이 있으니 물건의 아래로서 곤(困)의 맨 아래인 밑바닥에 처해있음을 은유(隱喩)한다.

동하면 兌金☱이 되어 외호괘 巽木을 극(剋)하니 나무 밑둥이(그루터기株木)가 남는다. (상으로 볼 때 乾☰이 나무라면, 兌☱는 위가 잘린 나무 밑둥이의 상이 된다.) 지괘가 重澤兌(☱)이니 심산유곡에 나무 그루터기의 상이 된다.

첩첩산중(疊疊山中) 심산유곡(深山幽谷)으로 들어감에 엉덩이 높이 정도인 나무 그루터기들이 발걸음을 방해한다. 둔곤우주목(臀困于株木)이란 깊은 산중 바닥에 있는 그루터기로 인해 곤(困)에 처하게 됨을 가리킨다. 곤(困)의 바닥에 처한 어려운 상황을 비유하고 있다.

初六이 응하고 있는 九四를 만나기 위해 내괘 坎水☵(險)를 거처 외호괘 巽木☴(幽谷)인 심산유곡(深山幽谷)으로 들어감에 험(險)☵(暗)으로 인해 아득하고 어두우니 모든 것이 불명확하다(幽谷☵을 둘러싼 3·4·5·6효가 大坎☵暗의 상이 되니 깊고 어두운 심산유곡의 뜻이 된다.). 공자는 이것을 "심산유곡에 들어서니 깊고 어두워 밝게 분별하기 어렵도다(象曰 入于幽谷 幽不明也)"라고 설명한다.

적(覿)은 내호괘 離明☲(目)에서, 유곡(幽谷)은 내괘 坎險☵(暗)과 외호괘 巽木☴(木)에서 나왔다.

☞ 臀: 엉덩이 둔, 밑(바닥) 둔/ 幽: 멀 유, 깊을 유, 아득할 유, 어두울 유, 검을 유, 피하여 숨을 유/ 株: 그루터기 주/ 谷: 골 곡, 골짜기 곡/ 歲: 해 세/ 覿: 볼 적, 멀리 바라볼 적

九二 困于酒食 朱紱方來 利用享祀 征凶 无咎
구이 곤우주식 주불방래 리용향사 정흉 무구

육이, 술과 음식에 곤(困)하니 바야흐로 임금이 내려오다. 제향을 드림이 이로우니 나아가면 흉하나 허물은 없다.

九二는 初六과 六三에 둘러 쌓여 있어 곤(困)하다. 水☵는 술과 음식을 상징한다. 술과 음식에 곤(困)하니 이는 술과 음식에 절어 있는 모습이다. 九二가 비록 中을 잡고 있으나 음에 자리에 양으로 와서 자리가 합당치 않고 九五와 응함도 없으니 곤(困)한 것이다. 九二는 剛中하나 유음(柔陰)에 둘러 쌓이고 자리가 부당하여 자신의 뜻을 마음껏 펼치지 못하는 자이다. 스스로 강건중정(剛健中正)한 군주인 九五에게 나아가고자 하나 험(險)☵에 빠져 있

고 유곡(幽谷)을 거쳐야 하니 쉬운 일이 아니다(九五인군은 六三과 上六이 둘러싼 大坎☵ 안에 있으니 접근이 쉽지 않다). 가지고 있는 강중(剛中)한 능력에 비하여 할 수 있는 것이 없으니 스스로를 자책하며 향락을 즐기고 술과 음식에 의지한다. 그럼에도 불구하고 剛中함을 잃지 않는 올곧은 대인이다(貞大人吉).

공자는 九二를 "술과 음식에 빠져 곤(困)하나 中道를 지키고 있으니 경사(慶事)가 있다(象曰 困于酒食 中有慶也)"라고 풀이하고 있다. 이는 九二가 어두컴컴한 곤(困)함 속에서도 올곧은 대인으로 강건하게 중도를 지키고 있음을 뜻한다(貞大人吉 以剛中也). 그래서 九五 임금이 剛中한 九二를 만나러 내려오니, 九二는 제향(祭享)을 드리듯 정성을 다함이 이로운 것이다. 비록 자리가 부당하여 술과 음식에 빠져 있으나 양강(陽剛)함으로써 중(中)를 지키고 있으니 剛健中正한 九五임금이 직접 九二신하를 데리러 온다. 이에 제사를 지내듯 정성을 다함이 이로우며, 스스로 나아가면 흉하나 임금을 맞이하는 것이니 허물은 없다.

주불(朱紱)이란 천자(天子)가 쓰는 주홍색 장식띠를 가리킨다. 그러므로 주불(朱紱)은 주홍색 띠를 늘어뜨려 무릎을 가리는 곤룡포를 입은 군주를 상징한다. 외호괘 巽☴은 넓적다리, 내호괘 離☲는 붉은 색(朱)이니 넓적다리까지 내려와 무릎을 가리는 주불을 상징한다.

九二가 변하면 내호괘가 艮山☶(止)이니 섣불리 나아가 취하지 말고 그 자리에 머물러 제사를 지내듯 정성을 다하는 것이 이롭다(利用享祀 征凶). 설사 곤우주식(困于酒食)에 처해 있더라도 剛中함으로 中道를 지키며 기다리고 있으면 바야흐로 주불방래(朱紱方來), 즉 九五임금이 찾아오는 경사가 있을 것이기 때문이다(中有慶也).

외호괘 木☴은 배가 되고, 하괘 水☵는 大川이니 배를 타고 험수(險水)를 건너는 風水渙(䷺)의 상으로서, 剛(陽)이 내려와 궁(窮)하지 않다(剛來而不窮).

환(渙)괘는 종묘를 세워 정성으로 제사를 지내고 민심을 모아 험한 대천을 건너 공을 이루는 뜻이 있다(王假有廟 王乃在中也 利涉大川 乘木 有功也).

九二가 동하면 澤地萃(䷬)가 된다. 췌(萃)의 六二효사를 참조해보자.

六二 引吉 无咎 孚乃利用禴
육이 인길 무구 부내리용약

육이, (九五인군이) 이끌어주니 길하고 허물이 없다. 믿음으로 간략
한 제사를 씀이 이로우리라.

택수곤(䷮)은 九五인군이 九二를 만나러 내려오지만, 택지췌(䷬)의 九五인
군은 六二를 이끌어 준다.

☞ 朱: 붉을 주/ 紱: 인끈 불/ 享: 제사 드릴 향, 삶을 팽/ 祀: 제사 사/ 征: 칠 정,
취할 정

六三 困于石 據于蒺藜 入于其宮 不見其妻 凶
육삼 곤우석 거우질려 입우기궁 불견기처 흉

육삼, 돌에 곤하니 가시덩굴에 의지하다. 궁으로 들어가나 처를 볼 수
가 없으니 흉하리라.

六三은 中을 벗어나 坎險☵의 위에 처하고 양의 자리에 음으로 와서 자리
가 부당하다. 또한 아래로는 상비(相比) 관계인 剛中한 九二 양을 타고 앉아
가시 방석이고, 나아가고자 하나 응원(應援)함도 없으니 九四에 가로 막혀

곤(困)하기만 하다.

兌가 배합되면 艮山이니 石이다. 六三이 나아가는 길을 곤(困)하게 하는 석(石)은 노골적으로 모습을 드러내어 막아서는 것이 아니라 엉덩이를 곤(困)하게 하는 그루터기가 가득한 坎險☵(내괘)과 심산유곡(深山幽谷)을 의미하는 巽木☴(외호괘)에 숨어있는 장애물을 의미한다. 돌(石)이 반대의 괘상인 배합괘로 모습을 드러내는 이유이다.

六三은 坎險☵의 위에 처하여 剛中한 九二를 올라타고 앉았으니 험한 가시덩굴에 의지한 상이다. 가시방석에 앉은 꼴이니 좌불안석이다. 그래서 공자는 "가시덩굴에 앉은 꼴이니 강(剛)을 올라탔음이다. 궁에 들어가나 처를 볼 수 없으니 상서롭지 못하다(象曰 據于蒺藜 乘剛也 入于其宮 不見其妻 不祥也)"라고 하였다. 六三이 가시덩굴(蒺藜)에 의지하고 있다는 것은 앉을 자리를 잘못 잡았다는 뜻이다.

六三은 내호괘인 離明☲의 밝음 속에 들어있으나 본래 그 체(體)는 내괘의 坎險☵에 있다. 내괘 坎☵은 中男으로 남편이고, 상괘 兌☱는 少女로 上六이 처(妻)가 된다. 그러나 六三은 上六과 응함이 없고 구사(石)에 가는 길이 막혀 있어 서로 볼 수가 없다. 부부의 연이 박하다. 처한 상황은 離火☲에 있으나 그 바탕은 坎險☵의 위에 처해 있는 것이니 상서롭지 못한 것이다.

六三은 자리가 박하다. 곤(困)에 처하여 위로 나아가고자 하나 돌(石)에 곤(困)하며 柔陰으로 자리가 부당하고, 중도를 벗어나 있으니 진퇴양난에 처한 상이다.

☞ 據: 의지할 거, 근거 거/ 蒺: 남가새 질(남가샛과에 딸린 한해살이풀)/ 藜: 남가새 려(남가샛과에 딸린 한해살이풀)/ 乘: 오를 승, 탈 승

> **九四 來徐徐 困于金車 吝有終**
> 구사 래서서 곤우금거 린유종
>
> 구사, 오는 것이 느릿느릿하다. 쇠수레에 곤하니 옹색하지만 끝은 있
> 으리라.

坎水☵는 수레, 兌金☱은 金이니 쇠수레를 상징한다. 九四가 효변하면 重水坎(䷜)이니 험(險)이 겹친다. 그리고 그 험한 가운데 上下의 쇠수레(金車)가 서로 길을 막아서며 곤하게 하니 가는 길이 지체된다. 쇠수레는 무거워 움직임이 둔한 물건이고, 험한 길을 가다 보면 서로 걸리적거리게 되어 길이 막히게 된다.

그러나 수레는 비록 늦어지더라도 결국은 나아가는 물건이니 끝은 있는 법이다. 비록 느리지만 뜻은 아래에 있으니 初六과 응여(應與)하는 것을 말한다. 그러므로 비록 음의 자리에 양으로 와서 자리는 부당하지만 初六과 서로 함께 하는 것이니 九四는 끝이 있는 자리이다.

九四는 大臣의 위치에서 그 위(位)는 비록 부당하여 느릿느릿 나아가지만 수레라는 물건은 결국은 나아가는 물건이니 옹색하기는 하지만 어쨌든 끝은 있게 마련인 것이다(吝有終). 그래서 공자는 九四효를 "느릿느릿 오지만 뜻이 아래에 있으니 비록 자리는 부당하지만 함께 함이 있다(象曰 來徐徐 志在下也 雖不當位 有與也)"라고 풀이하였다.

☞ 徐: 천천히 할 서/ 雖: 비록 수/ 與: 더불 여, 줄 여

九五 劓刖 困于赤紱 乃徐有說 利用祭祀
구오 의월 곤우적불 내서유열 리용제사

구오, 코가 베이고 발꿈치가 베이니 적불(신하)에 곤하다. 서서히 기쁨이 있으니 제사(정성)를 드림이 이롭다.

九五는 강건중정(剛健中正)한 임금의 자리에 있는 자이나 곤(困)의 때를 당하여 上六와 六三에 포위당한 채 곤(困)에 처한 상태에 있고 신하인 九二와도 응함이 없다. 上六이 깔고 앉았으니 코를 베인 상이요(乾≡►兌≡), 응원(應援)하는 신하인 九二는 初六에게 발꿈치를 베이는 상이다. 신하에게 응(應)함을 받지 못하니 신하에게 곤궁(困窮)하다(困于赤紱). 공자는 九五를 "코가 베이고 발꿈치가 베임은 뜻을 얻지 못함이고, 서서히 기쁨이 있음은 중도로 곧기 때문이다. 이용제사(利用祭祀)하니 복을 받으리라(象曰 劓刖 志未得也 乃徐有說 以中直也 利用祭祀 受福也)"라고 주석하였다.

적불(赤紱)은 신하가 임금에게 나아갈 때 입는 무릎에 드리우는 붉은 천으로 신하를 상징한다. 九二효사의 주불(朱紱)은 주홍색 장식 띠를 늘어뜨려 무릎을 가리는 조복(곤룡포)을 입은 임금을 상징한다.

신하위(臣下位)의 九二는 향사(享祀), 九五는 군위(君位)로서 제사(祭祀)라 표현하였다. 제(祭)와 사(祀)와 향(享)은 넓은 의미에서 서로 뜻이 통한다. 祭는 天神에게 하는 것이고, 祀는 地神에게 하는 것이며, 享은 人神에게 하는 것이다. 九五는 임금의 자리이니 祭라 하였고, 九二는 아래에 있어 享이라 하였으니 각각 마땅한 바에 따라 쓰인 것이다.

☞ 劓: 코를 벨 의/ 刖: 발꿈치를 벨 월/ 赤: 붉은 적/ 紱: 인끈 불/ 說: 기뻐할 열, 말씀 설/ 祭: 제사 제/ 祀: 제사 사/ 享: 누릴 향, 제사드릴 향

上六 困于葛藟 于臲卼 曰動悔 有悔征吉

상육 곤우갈류 우얼올 왈동회 유회정길

상육, 칡넝쿨에 곤(困)함이니 위태로움에 곤(困)하다. 스스로 과오(悔)를 움직여 뉘우치라는 말이니 뉘우침이 있으면 나아가 쳐서 길하게 되리라.

上六은 곤(困)의 상극에 처하여 험한 심산유곡(深山幽谷)에 깊이 들어가 칡넝쿨에 얽혀 곤궁(困窮)함에 처해있는 위태로운 상이다(困于葛藟). 내괘 坎水☵는 험(險)의 상이고 외호괘 巽木☴은 유곡(幽谷)의 상이니, 上六은 그 깊고 험한 산 속에 들어가 길을 잃고 복잡한 넝쿨에 얽혀 위태로움에 곤(困)한 상황인 것이다. 九四, 九五 양(陽)은 六三과 上六 음에 갇혀 있으니 심산유곡에 들어선 험한 상황이며 또한 上六(陰)은 剛中한 九五(陽)을 올라탔으니 또한 위태롭다(于臲卼).

上六은 음의 자리에 음으로 와서 자리가 바르나 곤(困)의 상극이요, 깊은 유곡(幽谷)에 들어가 복잡한 칡넝쿨에 얽혔으며, 剛中한 九五를 올라탔으니 마땅치 않다. 가만히 있는다고 해서 헤어날 수 있는 것이 아니니 나아가서 칡넝쿨을 칼로 쳐내어 길을 열어야 한다.

왈동회(曰動悔)란 넝쿨에 얽혀 있더라도 스스로 움직여서 자신이 처해있는 과오를 뉘우치라는 성인의 말씀으로, 兌☱는 구(口)이니 괘의 상을 빌어 말하는 것이다. 회(悔)은 자신이 처한 상황을 판단하고 인정하는 것이며, 이것이 곤(困)으로부터 벗어날 수 있는 시작점이 된다. 뉘우침이 있으면 자신의 처지를 이해하는 것이니 이제 나아가 쳐서 길을 연다.

六이 동하면 乾(☰金)이 되니 날카로운 칼이다. 칡넝쿨이 칼에 베어지면 길이 열리니 길하다(有悔征吉). 과오를 인정하고 칼로 쳐서 길을 여니 길(吉)한 것이다. 그래서 공자는 "칡넝쿨에 곤(困)함은 마땅하지 않음이요, 동회유

회(動悔有悔)는 길(吉)하게 하여 길(道)을 찾아 가는 것이다(象曰 困于葛藟 未當也 動悔有悔 吉行也)"라고 풀이하고 있다.

　上六은 곤도(困道)의 상극에 처하여 움직이면 회(悔)가 있다. 그러나 또한 움직이지 않으면 벗어날 수 없는 것이 넝쿨에 얽혀 있는 上六의 처지이니 회(悔)를 알고 회(悔)를 움직이니 뉘우침(悔)이 있는 것이다. 이것이 길(吉)을 찾아 나아가는 방법이니 부정(不正)을 부정(不正)함으로써 정(正)을 찾는 것이다. 그래서 길행야(吉行也)라 한 것이다. 動悔의 悔는 움직이면 悔가 있음이니 과오(過誤)가 되고, 有悔의 悔는 뉘우침이 뜻이 있다. 과오를 인정하고 뉘우치니 이것이 길(吉)함을 찾아 가는 방법이다. 과오를 인정하지 않고 뉘우침이 없다면 어찌 바른 길을 찾아갈 수 있겠는가?

☞ 葛: 칡 갈(콩과의 낙엽 활엽 덩굴성 식물)/ 藟: 등나무 덩굴류(길게 뻗어 나가는 식물의 줄기)/ 臲: 위태할 얼/ 卼: 위태할 올/ 悔: 뉘우칠 회/ 征: 칠 정, 먼 길을 갈 정

48. 水風井^{수풍정}

水☵坎
風☴巽

▶효변(爻變)

과거		미래	현재
☷+5	⟹	☳-3	☳-3
			☷+5

上下작용력: (+5)-(-3)=+8

上下균형력: (+5)+(-3)=+2

井 改邑不改井 无喪无得 往來井井 汔至亦未繘井 羸其瓶 凶

象曰 巽乎水而上水 井 井養而不窮也 改邑不改井 乃以剛中也 汔至亦

未繘井 未有功也 羸其瓶 是以凶也

象曰 木上有水 井 君子以勞民勸相

初六 井泥不食 舊井无禽

九二 井谷射鮒 甕敝漏

九三 井渫不食 爲我心惻 可用汲 王明並受其福

六四 井甃 无咎

九五 井洌 寒泉食

上九 井收 勿幕 有孚 元吉

1. 괘상(卦象)

하괘 구삼(九三)이 음으로 효변하면서 기체☵가 액체☵가 되는 모습이 정(井)이다. 즉, 양기☳를 가두어 물☵을 만든다. 바람☴이 물기☵를 머금고 있으니 언제든 물은 만들어진다. 水風井(䷯)은 우물에서 끊임없이 샘물이 솟아나는 상(象)이다.

우물☵은 끊임없이 샘물☵이 솟아나기 때문에 아무리 퍼가도 줄지 않고 또한 넘치도록 늘지도 않는다. 물이 계속 솟아올라 고이기 때문에 결코 궁한 법이 없다(井 養而不窮也). 아무리 마셔도 고갈되지 않고, 마시지 않아도 결코 넘치는 법이 없다(无喪无得). 또한 우물은 세월이 흐르고 흘러도 변함없이 오고 가는 행인들에게 맑은 물을 제공한다(往來井井).

우물☵은 생명수☵를 뿜어낸다. 하늘의 숨결☴이 물 속으로 들어간 모습이 水☵이다. 하늘의 氣☴를 품은 모습이 水☵이니 가히 생명의 근원이라 할 수 있다(乃以剛中也). 우물을 중심으로 사람들이 모여들어 가정을 이루고 마을을 이루어 생명수를 마시며 살아간다. 그러므로 우물은 만물을 기르는 뜻을 가지고 있다(井之養義).

그러나 우물이 제때에 제대로 사용할 수 없는 것이라면 우물로서의 효용가치가 없다(汔至亦未繘井). 우물이란 나그네는 물론 한 가정, 한 마을의 삶을 지속시키는 생명의 근원이므로 제때에 제대로 쓰임이 가능해야 한다(井之養於物). 우물에 물이 말라버려 두레박을 내려도 물을 떠올릴 수 없다면 무슨 소용이겠는가(以齊用爲功 水出乃爲用)? 정(井)의 괘상에 곤(困)의 상이 보이니 시사하는 바가 크다. 거꾸로 보면 도전괘가 澤水困(䷮)이니 두레박이 엎어진 것이다(羸其甁凶).

2. 괘변(卦變)

▷호괘-火澤睽

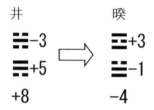

井
☲ -3
☱ +5
+8

睽
☲ +3
☱ -1
-4

　　정(井)의 호괘가 규(睽)이다. 睽의 九二☲ 양이 음을 뚫고 상향하니 못☱
에 가둔 양기가 못 밖으로 나가는 상☲이 된다. 이는 우물에서 물이 끊임없
이 샘솟아 나는 우물 내부의 힘찬 모습을 뜻한다. 샘물이 솟아나는 모습이
바다에서 떠오르는 태양처럼 강력하다. 매일 떠오르는 태양은 하늘의 덕으로
만물이 자라는 양기를 내려주듯이, 샘에서 솟아오르는 맑은 물은 만물의 영
혼을 적시는 항구한 덕이 된다.

▷착종-風水渙

井
☵ -3
☴ +5
+8

渙
☴ +5
☵ -3
-8

　　정(井)은 바람☴이 물☵이 되는 상이다. 우물☵에서 물☴이 솟아나는 모습
이니, 기체☴가 액체☵로 끊임없이 변화되는 것이다. 이와 반대로 환(渙)은
물☵이 끓어 증발☴하는 모습으로 양기가 물 밖으로 터져 나가 흩어지는 모
습이니, 액체☵가 기체☴로 변해 퍼져 나가는 상이 된다.

▷도전괘-澤水困

井   困

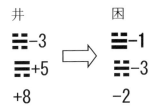

☵-3   ☱-1
☴+5   ☵-3
+8   -2

정(井)은 우물에서 물이 풍부하게 흘러나와 나그네의 목을 축여주지만, 두레박이 엎어진 곤(困)은 물이 고갈되어 깊어진 우물의 모습이다. 두레박을 길게 늘여 뜨려도 줄이 물에 닿지 않으니 물을 퍼 올릴 수가 없다.

한 가정은 물론 한 마을이 우물을 중심으로 모여 삶을 일구며 살아간다. 사람들은 떠나가고 또 들어오며 마을이 변하고 주인이 달라져도 우물은 여전히 그 자리에서 움직이지 않는다(改邑不改井). 우물을 중심으로 만물의 삶이 형성되는 것이니 우물☵은 생명수☵를 품고 있기 때문이다(乃以剛中也). 그러므로 우물은 제때에 제대로 이용할 수 있어야 하며, 물이 메말라 사용할 수 없게 되면 우물로서의 효용가치가 없으니 사람들은 떠날 것이고 나그네도 더 이상 들르지 않는다(汔至亦未繘井 嬴其瓶凶).

▷배합괘-火雷噬嗑

井   噬嗑

☵-3   ☲+3
☴+5   ☳+1
+8   -2

정(井)은 九三의 양이 음으로 효변하면서 바람☴이 물☵로 변하는 모습으로 샘 솟는 우물의 상이니, 물은 아래로 흘러 땅을 적신다. 서합(噬嗑)은 六三의 음이 양으로 효변하면서 무거운 짐을 덜어버리고 장애물을 돌파하여 상향하는 상으로 하늘을 향한다.

3. 괘사(卦辭)

井 改邑不改井 无喪无得 往來井井 汔至亦未繘井 羸其瓶凶

정 개읍부개정 무상무득 왕래정정 흘지역미귤정 리기병흉

우물의 상이다. 고을(틀, 형식)은 바꿀 수 있어도 우물(本原)은 바꾸지
못한다. 잃음도 없고 얻음도 없으니 오고 가며 마시고 마셔도 여전히
우물이라. 거의 이르렀으나 만일 두레박 줄이 우물에 미치지 않으면
(공을 이룰 수 없고), 만약 그 두레박을 엎어버린다면 흉이다.

정(井)은 근원(根源)을 상징한다. 만물의 근본(根本)이다. 정(井)은 물이 솟
아나는 우물이며, 샘터의 상이다. 사람이나 동물이나 모든 생명이 있는 물건
은 물의 주변을 떠나서는 살 수가 없다. 물을 생(生)하는 우물은 만물을 생
육하는 본원이다. 그러므로 만물은 생명의 근원을 상징하는 정(井)을 통하지
않고는 생존할 수가 없다.

水☵는 후천문왕팔괘도에서 만물이 수렴되고 다시 시작하는 본(本)으로서
수리는 1이다. 하늘의 숨결☰이 두 陰☷의 속으로 들어간 모습이다. 하늘의
정기☰를 담은 모습이 水☵로서 수풍정(水風井)이 되니 가히 정(井)은 생명
의 근원이라 할 수 있다.

인간사회에서도 조직이나 시스템의 개편을 통해서 얼마든지 좋은 방향으
로 바꾸어 나갈 수는 있어도 인간존중이라는 궁극적 의미의 정(井)을 바꿀
수는 없다(改邑不改井). 사람이 살아가는 마을은 도로를 넓히고 집을 새로 짓
거나 지붕을 개량하며 얼마든지 좋게 고쳐 나갈 수는 있어도, 마을이 형성된
근본토대인 우물은 샘의 근원이므로 근본적으로 바꿀 수가 없는 것이다. 사

람이 생존에 필수불가결한 샘을 바꾼다는 것은 삶의 뿌리가 근원적으로 상실됨을 의미하기 때문이다. 태극은 삼라만상이 뿌리를 내리고 있는 근원이다. 만물이 터져 나오는 생명수==인 태극지도(太極之道)를 어찌 바꿀 수 있겠는가? 근원은 고칠 수가 없는 법이니, 고을은 고쳐도 샘(井)을 고칠 수 없음이란 이를 말함이다.

음양이 작용하는 태극은 생장수장(生長收藏)의 이치로 만물을 순환시키는 영원한 샘물이니 삼라만상이 오고 가며 마시고 또 마셔도 고갈되지 않으며 항구함이 변치 않는다(往來井井), 그러므로 만물의 근원으로 상징되는 정(井)은 잃음도 없고 얻음도 없이 항상함으로 생명을 솟아내는 영원한 샘이다(无喪无得).

읍(邑)이란 틀, 형식을 의미하고, 우물은 본원, 근본 근원을 의미하며, 인사적으로는 변하지 않는 정통성을 의미한다. 틀과 형식은 언제든 필요할 때마다 바꾸거나 고칠 수는 있어도 본원인 샘물은 바꿀 수도 고칠 수도 없다. 본원이란 만물이 펼쳐 나오는 태극일 수도 있고, 사람의 근본인 천성(天性)이 될 수도 있으며, 정치적으로는 정통성을 의미한다.

두레박 줄을 내려도 물에 닿을 수 없다면 물을 떠올릴 수가 없다. 아무리 좋은 물이 있어도 두레박의 줄이 짧아 거의 닿을 듯하여도 결국 닿지 않는다면 근원에 이르지 못하니 만물의 본원(本源)과 통하지 못한다 (汔至亦未繘井). 이는 근원으로 다가가는 노력이 부족함을 뜻하니 두드리지 않는 자에게 하늘은 문을 열어주지 않는다.

두레박이 깨지거나 엎어진다는 것은 두레박을 바르게 사용하지 못함을 말함이니 근원(根源)으로 다가가는 수단과 방법이 올바르지 않음을 뜻한다(羸其瓶凶). 우물에 생명수가 가득하나, 두레박이 바르지 않다면 줄이 물에 다다른들 무슨 소용이 있겠는가? 바르지 않으니 흉할 뿐이다.

이 내용은 우물의 효용에 대하여 가정을 내세워 경계하는 글이다. 우물은 본원이나 근본, 정통성을 의미한다. 그런데 근본만 있을 뿐, 또는 정통성만 있을 뿐 백성이 그 혜택을 얻지 못한다면 흉할 뿐이다. 즉 우물에 물이 있는데 두레박 줄이 미처 닿지 못한다면, 또 두레박을 바르게 사용할 줄 몰라 깨져버린다면, 목마른 자에게 우물이 무슨 소용이겠는가? 오히려 흉할 따름이다.

우물은 실용적이어야 하고 효용가치가 있어야 한다. 즉 마실 수 있어야 우물이 우물로서의 가치가 있는 것이다. 아무리 근원이 있고 정통성이 있어도 그것이 형식적 가치에 불과하다면, 우물이 있어도 마시지 못한다면 아무런 쓸모가 없는 것이다. 정치적 정통성이 갖춰졌더라도 백성을 살리지 못하다면 의미가 없듯이(勞民勸相), 우물물을 가두어 모으는 우물의 틀은 그다지 중요하지 않다. 틀(형식, 외형)은 있는데 그 안에 실질(實質)이 없다면 무슨 소용이 있겠는가?

▷근원, 정통성(△)
-샘물이 있어도 먹지 못한다면 그림의 떡이다.

▷틀, 형식(X)
-틀(형식, 외형)만 있고 물이 없다면 무슨 소용이 있는가?

▷실용성, 효용성(O)
-우물은 물을 마시는 곳이니, 물을 제 때 제대로 마실 수 있어야 우물로서의 실용적 가치가 있다.

☞ 汔: 거의 흘/ 亦: 또 역/ 繘: 두레박 줄 귤(율), 실낱 율/ 羸: 얽지를 리/
瓶: 병 병, 두레박, 단지(목이 짧고 배가 부른 작은 항아리) / 喪: 잃을 상, 죽을 상

象曰 巽乎水而上水井 井養而不窮也 改邑不改井 乃以剛中也
단왈 손호수이상수정 정양이부궁야 개읍부개정 내이강중야

汔至亦未繘井 未有功也 羸其瓶 是以凶也
흘지역미율정 미유공야 리기병 시이흉야

단에 이르길, 물에 들어가서 물을 길어 올리는 것이 정(井)이니, 정은
기르되 부족함이 없다. 개읍불개정(改邑不改井)은 강중(剛中)하기 때
문이고, 흘지역미율정(汔至亦未繘井)은 공(功)을 이루지 못함이다. 리
기병(羸其瓶)이면 이로써 흉하리라.

　물을 마시기 위해서는 물이 있는 곳까지 두레박을 내려 물을 길어 올려야
한다. 우물은 만물을 기르는 샘(太極)으로 결코 마르지 않으니 궁(窮)하지 않
다.

　고을(틀)은 고치되 우물은 고칠 수 없음은 만물이 생(生)하는 본원(本源)이
기 때문이다. 구오(九五)가 양강(陽剛)함으로 바르게 중(中)을 지키니, 강(剛)
은 만유의 생명인 우물의 뿌리를 뜻한다.

　근원에 닿지 않음은 이룸이 없는 것이니, 이는 비록 두레박은 바르더라도
줄이 짧으니 노력이 부족함을 말한다(汔至亦未繘井). 두레박 줄을 내렸으나
물(근원)에 닿지 않으면 공(功)을 이룰 수가 없다(未有功也).

　수행하는 자는 깊이 새겨야 할 문구이다. 생명수[太極]에 다다르지 않고서
는 결코 성통광명(性通光明)을 얻지 못하리라.

　두레박이 엎어짐은 바르지 않음이니(羸其瓶), 부정(不正)함은 근본적으로
흉(凶)이다(是以凶也). 바르지 않음(不正)으로 어찌 물을 담을 수 있으며, 근
원에 다다른들 통할 수 있겠는가? 비록 근원에 줄이 닿지 않아 공을 이룰

수는 없을지언정 어찌 바르지 아니함(엎어진 두레박, 깨어진 두레박)으로 우물(井)에 줄을 내리겠는가?

象曰 木上有水井 君子以 勞民勸相
상왈 목상유수정 군자이 노민권상

상에 이르길, 나무 위에 물이 있는 것이 정(井)이니, 군자는 이로써 수고로운 백성을 위로하고 서로 돕는 것을 권한다.

샘터에 우물 틀☶을 짜고 물☵을 모아 공급하니 주변의 만물이 모여들고 마을을 이루며 살아간다. 물이 나무에 생명을 공급하고 키우듯, 군자는 이러한 정(井)의 상을 보고 수고로운 백성을 위로하고 서로 돕는 것을 권하여 상생(相生)하는 삶이 되도록 권면(勸勉)한다.

☞ 勞: 일할 노, 수고로운 로, 위로할 로/ 勸: 권고할 권, 고무할 권/ 相: 서로 상, 도움 상

4. 효사(爻辭)

진흙만이 남아 있어 물을 구할 수 없는 우물 바닥(初六)부터 바닥 흙의 굴곡을 흐르는 붕어나 먹을 수 있는 물(九二), 九三은 바닥을 준설하여 물이 모였으나 쉽게 바가지로 떠먹을 수 있는 상황이 아니다. 六四는 우물에 벽돌을 쌓아 물이 모일 수 있는 기반을 마련하니, 비로소 九五에서 맑고 차가운 물을 마실 수가 있다. 우물은 지나가는 행인은 물론 만백성이 먹는 물로 생명의 근원이니 누구든지 마실 수 있도록 장막을 치지 않아야 길하다(上六).

初六 井泥不食 舊井无禽

초육 정니불식 구정무금

초육, 우물에 진흙이 가득하니 먹지 못한다. 오래된 우물엔 새도 오지 않는다.

초육(初六)은 맨 아래에 처하고 양의 자리에 음으로 와서 자리가 바르지 않으니 우물바닥에 쌓인 진흙을 상징한다. 물이 말라버려 진흙바닥이 드러난 우물은 먹을 물이 없어 새도 날아오지 않는다. 시간이 흐르면서 점차 사람의 발길은 뜸해지고 우물은 점차 황폐해져 간다. 그래서 공자는 초효를 "우물이 진흙이어서 먹지 못한다 함은 初六은 우물의 아래 바닥이기 때문이다. 오래된 우물에 새가 날아오지 않음은 시간이 흘러가면서 버려졌기 때문이다(象曰

井泥不食 下也 舊井无禽 時舍也)"라고 주석하였다.

☞ 泥: 진흙 니/ 舊: 오랠 구/ 禽: 날짐승 금/ 舍: 버릴 사

九二 井谷射鮒 甕敝漏
구이 정곡사부 옹폐루

구이, 우물바닥 파인 골에 물이 흐르니 붕어에게 물을 대주는 정도로 다. 옹기가 깨져 물이 새는 형국이다.

九二는 우물바닥에 파인 골에 물이 간신히 흐르고 있는 형상이다. 이는 옹기가 깨져 물이 새니 바닥에 물이 조금씩 흐르는 것을 비유한다. 그래도 조금씩 물이 새어 나오는 것은 희망이 남아있다는 뜻이다. 옹기가 깨져 물이 새는 것은 아직 샘물구멍이 살아있어 물이 조금씩 솟아나고 있다는 것을 의미한다.

그러나 바닥에 패인 골에 남아있는 정도의 물은 붕어(鮒)나 간신히 대줄 수 있는 것으로서 사람에게까지 베풀 수는 없다. 그래서 공자는 "우물바닥에 패인 골에 남아있는 물은 붕어나 적셔줄 수 있는 정도이니, 이 정도의 물로는 서로 더불지 못한다(象曰 井谷射鮒 无與也)"라고 하였다.

九二가 효변하면 山☶이 되니 골(谷)의 뜻이 나왔고, 내호괘 澤☱은 항아리가 된다. 하괘 巽☴(魚)는 붕어(鮒)가 된다. 골에 물이 흐르니 깨진 항아리☴에서 물이 새는 상이다. 깨진 항아리는 우물이 망가져 있음을 말하며, 물이 샌다는 것은 망가진 우물이지만 샘물구멍이 아직 죽지 않고 살아있음을 의미한다.

☞ 射: 쏠 사, 맞힐 사/ 鮒: 붕어 부, 두꺼비 부/ 甕: 독 옹/ 敝: 깨질 폐/ 漏: 샐 루

九三 井渫不食 爲我心惻 可用汲 王明並受其福
구삼 정설불식 위아심측 가용급 왕명병수기복

구삼, 우물을 준설하나 먹지 못하니 내 마음을 슬프게 한다. 길어서 먹을 수 있다. 왕이 명철하면 그 복을 함께 받으리라.

왕(王)은 우물을 사용할 줄 아는 자를 말한다. 우물의 바닥을 치고 준설하여 맑은 물을 만들었지만 아직 완전히 깨끗한 물은 아니다. 또한 九三은 하괘의 상위로서 우물의 중간이니 바가지로 쉽게 떠먹을 수가 없다. 두레박을 내려 맑은 물을 길어서 먹을 수 있는 것이니 이는 밝은 지혜를 필요로 한다. 길어서 먹을 수 있다고 함은 무조건 먹을 수 있는 것이 아님을 뜻한다(可用汲). 이것은 행인(行人)을 의미하는 백성들이 항상 깨끗한 물을 먹을 수 있도록 그 방법을 알려주는 왕(지도자)의 명철(明哲)한 지혜를 필요로 함을 의미한다. 지도자(왕)가 명철하면 백성들이 깨끗한 물을 먹을 수 있는 복을 함께 받을 수 있는 것이니 물이란 백성을 기르는 근원이다.

九三이 변하면 水☵이니 물다운 물이지만 쉽게 먹지 못한다. 왜냐하면 九三은 우물 바닥을 준설하여 만든 물이지만 두레박을 잘못 내리게 되면 완전하지 않은 바닥으로 인하여 구정물이 만들어져 먹을 수 없기 때문이다. 그러므로 지도자의 명철한 인도가 필요하게 되는 것이다. 지도자의 잘못된 방법은 백성을 곤궁에 빠트릴 수 있다. 그러므로 왕이 명철한 지혜를 구하는 것은 지도자로서 바른 자세라 할 수 있다. 아차하면 모두가 물을 먹을 수 없기 때문이다. 그래서 공자는 "우물을 준설하였으나 함부로 먹지 못하니 오가는

행인(백성)이 슬프다. 왕이 명철(明哲)함을 구하니 복을 받으리라(象曰 井渫不食 行惻也 求王明 受福也)"라고 하였다. 九三은 양의 자리에 양으로 와서 자리가 바르니 비로소 우물에 물이 들어찼음을 의미한다. 그러나 쉽게 바가지로 떠먹을 수 있는 물은 아니니, 九三은 백성을 우물로 이끌어 맑은 물을 먹을 수 있도록 방법을 찾아주는 지도자의 바른 자세가 요구된다. 즉, 九三은 지혜를 발휘하여야만 비로소 먹을 수 있는 물이니, 지도자(王)는 명철(明哲)함을 구하는 자세를 갖추어야 하는 것이다(求王明).

▷중천건(重天乾)괘의 九三효사를 읽어보자. 건괘(乾卦)는 모든 괘의 바탕이 된다.

九三 君子終日乾乾 夕惕若 厲无咎
구삼 군자종일건건 석척약 려무구

구삼, 군자가 종일 갈고 닦으며 힘쓰고 또 힘쓴다. 저녁에 이르러 두려움 마음으로 돌아보며, 위태로움으로 깨어 있으니 무탈하리라.

공자는 九三효에 대하여 다음처럼 주석한다.
終日乾乾 反復道也
종일건건 반복도야

종일토록 힘쓰고 힘쓴다는 것은 도를 반복함이로다.

☞ 渫: 처낼 설, 준설할 설/ 惻: 슬퍼할 측/ 汲: (물을)길을 급/ 並: 나란히 병, 모두 병

六四 井甃 无咎
육사 정추 무구

육사, 우물에 벽돌을 쌓아 수리하니 허물이 없으리라.

물이 나오는 우물에 벽돌을 쌓아 수리하니 비로소 우물 본연의 모습이 갖추어진다. 六四가 동한 大過(䷛)의 네 양효는 우물 벽의 형상으로 비로소 정(井)의 모습을 갖추게 된 것을 의미한다. 드디어 우물에 물을 가득 채울 수 있는 준비가 된 것이다. 비로소 우물다운 우물의 형상을 갖춘 것이다. 그래서 공자는 "우물에 벽돌 담을 쌓으니 허물이 없다 함은 우물을 수선하였음을 말함이다(象曰 井甃无咎 脩井也)"라고 하였다. 大過(䷛)는 大坎☵(水)의 상으로 이제 맑은 물이 가득 모일 수 있는 기반시설을 구축해 놓은 것이니 천하 백성을 위한 만반의 준비를 갖춘 것이다. 본연의 가치를 회복한 것이다. 전진하며 나아갈 준비가 된 것이다.

▷중천건(重天乾)괘의 九四효를 읽어보자.

九四 或躍在淵 无咎
구사 혹약재연 무구

구사, 하늘을 향해 뛰어본다. 무탈하리라

≫종일건건 반복도야(終日乾乾 反復道也)하던 九三이 드디어 못에서 하늘을 향해 뛰어보는 상황이다. 천하를 꿈꾸는 용이 언제까지 한 연못에 머무를 것인가? 한번쯤 도약해 볼만하지 않은가(或躍在淵 進无咎也)?

       ☞ 甃 :(우물을 쌓는)벽돌 추, 수리할 추, 벽돌을 쌓을 추/ 脩: 닦을 수

九五 井洌 寒泉食
구오 정렬 한천식

구오, 우물이 맑으니 시원한 샘물을 먹는다.

九五는 양의 자리에 양으로 와서 자리가 바르며 외괘 坎水☵에서 中正한 자리에 위치한다. 우물 바닥을 준설하고 벽돌을 쌓아 수리하니 깨끗한 물이 모이고 드디어 맑고 시원한 샘물을 먹을 수 있다. 坎水☵는 북방(北方)이니 그 성질이 차갑다. 그래서 공자는 "시원한 샘물을 먹음은 中正하기 때문이다(象曰 寒泉之食 中正也)"라고 하였다. 우물 물은 시원한 것이 미덕이니, 九五는 우물 본연의 가치를 완전히 회복하여 마을 사람은 물론 오가는 행인들이 마음껏 누릴 수가 있는 것이다. 샘물은 끊임없이 새롭게 솟아올라 목마른 행인의 목을 축여줄 것이다.

▷중천건괘 九五효사를 참조하자.

九五 飛龍在天 利見大人
구오 비룡재천 이견대인

구오 비룡이 하늘에 있으니 대인을 봄이 이로우리라.

≫九五는 하늘을 나는 용을 상징한다. 용이란 원래 하늘을 나는 왕이다. 천하대권을 얻은 신물(神物)이 신묘조화(神妙造化)를 부리며 천지만물에 천덕(天德)을 시혜(施惠)한다.

☞ 洌: 맑을 렬/ 寒: 차가울 한/ 泉: 샘 천

上六 井收勿幕 有孚 元吉
상육 정수물막 유부 원길

상육, 우물은 물을 길어서 취하고 장막을 치지 않는다. 누구나 먹을 수 있다는 믿음이 있으니 크게 길하리라.

우물은 모든 행인이 사용하는데 그 뜻이 있다. 그러므로 물을 길어 취한 후 장막을 치지 않는다. 누구라도 물을 마실 수 있다는 믿음을 주어야 한다. 그래야 크게 길(吉)하다. 즉, 元은 무조건 크게 길한 것이 아니라 善之長의 뜻을 품고 있으니 인덕(仁德)이 마땅해야 길(吉)한 것이다(元亨利貞 四德 중의 하나인 元은 仁의 뜻이 있다). 그러므로 물을 취한 후 타인의 접근을 막고자 뚜껑을 덮어버리는 인색한 소인에게는 결코 길하지 않다. 오히려 흉할 뿐이다.

上六은 음의 자리에 음으로 와서 자리가 바르며 하괘 九三과도 서로 응한다. 이는 샘물이 원활하게 위로 분출함을 의미한다. 上六이 동하면 風☴가 되니 류(流)의 뜻이다. 井은 상하작용력이 +8이니, 坎水☵가 우물 밖으로 흘러 나가 많은 이가 취할 수 있게 됨을 뜻한다.

우물물(井)과 솥(鼎)의 음식은 위로 꺼내어 먹는 것을 공(功)으로 여기므로 수풍정(井)괘에서는 상효가 가장 길(吉)한 효가 된다. 화풍정(鼎)괘의 上九효 사도 "大吉 無不利"의 뜻이 있다. 그러므로 공자는 "마땅하면 크게 길함이 위에 있으니 크게 이룬다(象曰 元吉在上 大成也)"라고 주석하고 있다.

그러나 上六은 상극에 처하여 있으므로 그 뜻이 과도 해진다면 우물에 장막을 치고 직접 소유하려는 과욕을 부릴 수 있다. 우물은 마을의 생존을 위한 공동소유이지만 과욕으로 인하여 가림막(幕)을 치고 본인들의 소유로만 여기며 행인에게 나누어 베풀지 않는다면 항룡유회(亢龍有悔)가 될 뿐이다. 그러나 上六은 음위(陰位)에 陰으로 와서 자리가 바르고 끊임없이 솟아나는 성질이 있으니 믿음을 잃지 않는다면 허물이 없다. 仁德(元)이 마땅하면 크게 길하리라.

▷중천건괘 上九효사

上九 亢龍有悔
상구 항룡유회

상구, 항룡(亢龍)이니 후회(後悔)가 있으리라.

☞ 收: 거둘 수, (물을) 길을 수/ 幕: 장막 막, 덮을 막

49. 澤火革 택화혁

澤 ☱ 兌
火 ☲ 離

▶효변(爻變)

과거	미래	현재
☷+3 ⟹	☲-1	☲-1
		☷+3

上下作用力: (+3)-(-1)=+4

上下均衡力: (+3)+(-1)=+2

革 己日乃孚 元亨 利貞 悔亡

象曰 革 水火相息 二女同居 其志不相得 曰革 己日乃孚 革而信之 文明以

說 大亨以正 革而當 其悔乃亡 天地革而四時成 湯武革命 順乎天而應乎人

革之時大矣哉

象曰 澤中有火 革 君子以 治歷明時

初九 鞏用黃牛之革

六二 己日乃革之 征吉 无咎

九三 征凶 貞厲 革言三就 有孚

九四 悔亡 有孚改命 吉

九五 大人虎變 未占有孚

上六 君子豹變 小人革面 征凶 居貞吉

---

1. 괘상(卦象)

九三(☲)이 六二를 파고들면서 점점 ☵로 변하는 과정을 현재시점에 포착하여 표현한 것이 택화혁(澤火革)이다. 양은 상향성이므로 반대 방향인 아래로 파고드는 것은 난행(難行)이다. 양이 음 안으로 파고들어가 갇히는 모습에서 혁(革)의 상이 나온다.

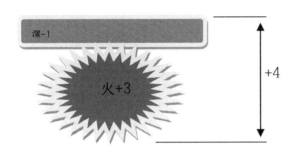

혁(革)은 火☲가 澤☱안에 갇혀 있는 모습으로 점차 현상에서 탈피하고자 하는 압력이 작용하게 되고 장차는 때를 기다려 밖으로 나오게 된다. 革은 작용력이 +4로서 아직은 밖으로 나오기 위해서는 좀더 힘을 기르고 때를 기다려야 한다(革之時大矣哉). 변화는 쉽게 믿지 못하는 법이니 시일이 지나고 때가 무르익은 뒤에서야 비로소 민심을 얻게 되고 이롭게 되니 회(悔)가 없게 된다(己日乃孚 革而信之).

계절로 보게 되면 여름의 火☲ 기운이 가을의 金☱ 기운으로 전환되는 시기로서, 여름에 발산된 기운이 절정에 달하면서 안으로 수렴하는 변혁의 시기가 된다. 여름의 기운에 의해 무성하던 열매가 숙성되면서 불필요한 것들이 정리되고 결과물을 수확하게 된다. 변혁의 시기에 인사(人事)도 때를 알아야 하듯, 천지도수(天地度數)도 때를 알아야 한다.

▶작용력의 크기 비교

澤火革(☱☲+4) < 澤風大過(☱☴+6) < 澤天夬(☱☰+8)

澤火革(+4)

☱ -1
☲ +3   上下작용력: +3-(-1)=+4

澤風大過(+6)

☱ -1
☴ +5   上下작용력: +5-(-1)=+6

澤天夬(+8)

☱ -1
☰ +7   上下작용력: +7-(-1)=+8

혁(革)은 변화가 무르익은 것이며, 대과(大過)는 거스를 수 없는 상황이고, 쾌(夬)는 터지기 직전이다.

상괘와 하괘가 서로를 거스르며 부딪히는 上下작용력의 크기를 보면 [혁+4 < 대과+6 < 쾌+8]의 순서가 된다. 상괘 澤☱의 작용력은 -1로서 하괘의 상향을 막고 있는 상황이다. 하괘의 작용력의 크기는 [혁+3 < 대과+5 < 쾌+7]이다.

▶효변(爻變)의 원리

하괘의 효가 효변하면서 상괘의 상이 만들어진다. 즉, 하괘(前)의 효변이 상괘(後)에 표현되면서 전체의 상(대성괘)이 만들어지는 것이다. 대성괘의 상은 현재를 의미하며, 과거(하괘)와 미래(상괘)를 하나의 괘상에 담고 있다. 그러므로 과거에서 미래로 변화하는 과정 중의 한 순간인 현재를 포착한 것이 대성괘이니, 괘상의 변화와 그 품은 뜻을 통해 자신의 선택을 정한다.

대성괘의 생성

상하괘(대성괘)는 내부의 시간적 흐름의 결과를 나타낸다. 즉, 과거(前)에서 미래(後)로 변하는 과정 중의 한 순간(현재)을 포착한 것이 대성괘의 상이니, 현재의 상을 보고 선택과 자기결정을 통해 현재의 태도를 정함으로써 미래를 변화시킨다. 즉, 상괘도 고정된 미래가 아니기 때문에 현재 자신의 태도와 결정에 따라 얼마든지 효의 변화를 통해 미래를 예측하고 방향을 변화시킬 수가 있는 것이다.

▷澤火革

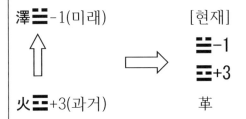

澤☱-1(미래)

[현재]

火☲+3(과거)

☱-1
☲+3
革

상하작용력: (+3)-(-1)=+4
상하균형력: (+3)+(-1)=+2

▶☲의 九三이 六二 아래로 파고들면서 ☱의 상이 나타나고 澤火革의 괘상이 만들어 진다. 양(陽)은 상향성이므로 하향하는 것은 역행(逆行)으로 난행(難行)이 된다.

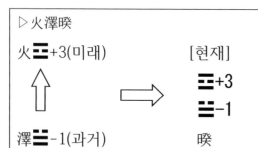

▷火澤暌

火 ☲ +3(미래)　　　　[현재]

　↑　⇒　　　☲ +3
　　　　　　　　　☱ -1

澤 ☱ -1(과거)　　　　暌

상하작용력: (-1)-(+3)=-4
상하균형력: (-1)+(+3)=+2

▶☱의 九二가 六三 위로 상향하면서 ☲의 상이 드러나며 택화혁(澤火革)이 만들어진다. 양(陽)은 상향성으로서 자연스런 순행(順行) 과정이다.

2. 괘변(卦變)

▷호괘 - 天風姤

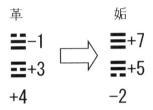

革

䷰ -1
䷗ +3
+4

姤

䷀ +7
䷸ +5
-2

　변화의 기운은 아무도 인지하지 못할 정도의 작은 변화에서 시작된다. 불온한 기운이 시작되어 번지게 되면 점차 세력이 커져 세상을 뒤엎는 혁명이 일어나게 되는 법이다. 택화혁(澤火革) 속에는 이러한 작은 변화와의 만남(姤)이 숨어있다.

▷착종 - 火澤睽

革

䷰ -1
䷗ +3
+4

睽

䷩ +3
䷹ -1
-4

　혁(革)의 착종은 규(睽)이다. 갇혀 있는 양☲은 상향성이므로 밖으로 탈피하려는 성질이 있으니 九二가 六三을 넘어 밖으로 탈출하면서 ☲가 만들어지며 화택규(火澤睽)가 된다. 물☲은 아래로, 불☲은 위로 향하니 서로 가는 길이 어긋난다. 해☲가 바다☱를 떠나 창공으로 떠오르고자 하는 것은 만물을 비추고 생육하고자 함이니 어긋남의 끝은 길하다. 태극(一)에서 음양(二)이 나오고 음양은 만물(三)을 생출시키니, 하나(一)에서 음양(二)으로 성질이 어긋남은 만물(三)을 만들어내기 위함이다.

▷ 도전괘 - 火風鼎

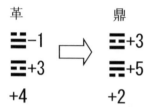

革   鼎

☲-1 ⇒ ☲+3

☷+3   ☴+5

+4   +2

혁(革)은 九三이 六二을 파고들어 안으로 갇히는 상이 되지만, 상대방의 관점에서 거꾸로 보면 九二가 初六을 파고들어 땅 위에 어지러이 흩어진 바람을 文明함으로 고정시켜 밖으로 빛내는 정(鼎)의 상이 된다.

음양은 동등하므로 관점을 바꾸면, 革은, 六二가 九三 위로 파고들어 양을 가두는 상이지만, 정(鼎)은 初六이 九二를 파고들어 땅에 흩어져 있는 바람을 文明함으로 묶어주는 역할을 한다. 바람과 불은 서로 상호조화를 이룬다.

▷ 배합괘 - 山水蒙

革   蒙

☲-1 ⇒ ☶-5

☷+3   ☵-3

+4   +2

혁(革)의 반대인 배합괘는 산수몽(山水蒙)이다. 변혁의 때가 이르렀음에도 불구하고 변화를 이끌어 내지 못한다면, 험난(險難)☵에서 벗어났으나 갈 길을 몰라 어쩔 줄 모르고 서있는 어린아이☶(止)처럼 몽매(蒙昧)한 상태가 될 것이다. 개인이든 국가이든 갈 길을 모르고 서 있다면 큰 흉이다.

3. 괘사(卦辭)

革 已日乃孚 元亨利貞 悔亡
혁 이일내부 원형이정 회망

때는 무르익어가고 혁(革)의 기운(日)이 충만해지니 믿음(孚)이 뒤따른다.
크게 형통하고 바름이 이로우니 悔가 없으리라.

☲(+3)이 ☱(-1)안에 갇혀 있는 모습으로서 현상에서 탈피하고자 하는 압력이 작용하게 되니 그 힘이 +4이다. 이는 여름의 火☲ 기운이 가을의 金☱ 기운으로 전환되는 시기로서, 여름에 발산된 기운이 점차 절정에 달하면서 안으로 수렴(收斂)을 시작하는 변혁(變革)의 시기가 다가오고 있음을 의미한다.

▶ 澤火革(+4) < 澤風大過(+6) < 澤天夬(+8)

革		大過		夬
☱-1		☱-1		☱-1
☲+3	⟹	☴+5	⟹	☰+7
+4		+6		+8

혁(革)은 변화가 무르익은 것이며, 대과(大過)는 거스를 수 없는 상황이고, 쾌(夬)는 터지기 직전이다.

▶澤火革 (+4): 내부의 힘이 점차 커지면서 외부의 벽이 힘에 부치기 시작한다.

▶澤風大過 (+6): 내부의 힘을 버텨 내기가 쉽지 않아 보인다.

▶澤天夬 (+8): 터지기 일보직전의 모습이다.

혁(革)은 작용력이 +4로 밖으로 나오기 위해서는 아직 힘을 기르고 때를 기다려야 하지만 장차 때가 이르면 밖으로 나오게 될 것이다(革之時大矣哉). 그러므로 혁(革)은 내부의 기운이 무르익어 때가 되었을 때 실행이 되어야 믿음을 줄 수가 있다. 그 시기가 너무 이르면 반작용이 생기고 저항이 심해 피해가 극심할 수 있기 때문이다(革 己日乃孚).

이일(己日)이란 바다☱(-1) 아래에서 해☲(+3)가 이미 기운을 축적하고 무르익어 밖으로 나갈 준비를 하고 있음을 의미한다. 즉, 이일(日)이란 바다☱ 밑에 떨어진 해☲(日)가 이미(己) 기운을 충만하게 축적하고 있음을 뜻하고, 내부(乃孚)란 이에 바다위로 떠오를 믿음이 갖추어졌다는 것을 의미한다. 혁(革)의 기운이 이미 충만하고, 또한 그 혁(革)에 대한 믿음이 뒷받침되고 있는 것이다.

離☲는 해(日)가 되고 믿음(孚)의 뜻이 있다. 또한 兌☱는 서쪽(西), 저녁(夕)의 뜻이 있으니 하루를 그치고 저녁에 서쪽으로 기울어진 해☲(日)가 밤새 동안 기운을 축적하고 다시 아침에 떠오를 준비를 하고 있음을 의미한다.

때가 무르익어 離☲(+3)가 兌☱(-1)의 밖으로 나서게 되면, 바다☱(海)에서 해☲(日)가 떠오르는 모습은 '서로 어긋난다' 라는 규(睽)의 의미가 된다. 어긋남(睽)은 상생(相生)과 상극(相剋)이라는 상호작용을 통하여 만물생화(萬物生化)를 이루는 만유(萬有)의 법칙이니, 현상을 탈피하고 변혁하여 앞으로 나아가는 원동력이 된다.

때가 이르러 기존의 묵은 가치를 거스르며 새롭게 바꾸어 나가는 것이다. 혁(革)이란 인사적(人事的)으로 보면 기존의 것을 무시하고 아예 없애는 것이 아니라 때를 보아 합법적인 절차를 밟아가며 정치나 사회의 묵은 체제를 고쳐 새롭게 만들어 나가는 개혁(改革)을 의미한다. 그러므로 때가 무르익어 믿음과 인심을 얻은 혁(革)은 크게 형통하고 바르며 이로움이 있으니 회(悔)가 없을 것이다(元亨利貞 悔亡).

象曰 革水火相息 二女同居其志不相得 曰革

단왈 혁수화상식 이녀동거기지부상득 왈혁

已日乃孚 革而信之 文明以說 大亨以正 革而當 其悔乃亡

이일내부 혁이신지 문명이열 대형이정 혁이당 기회내망

天地革 而四時成 湯武革命 順乎天而應乎人 革之時大矣哉

천지혁 이사시성 탕무혁명 순호천이응호인 혁지시대의재

단에 이르길, 혁은 물과 불이 서로를 멸하고, 두 여자가 함께 거처하나 그 뜻을 서로 얻지 못함이니 가로되 혁(革)이로다.

이미(已) 때가 무르익어 혁(革)의 기운(☲日)이 충만하니 믿음(☱孚)이 뒤따른다. 혁(革)이란 믿음(信)이로다. 문명을 이룸으로써 기뻐하며, 크게 형통함으로써 바르게 한다. 혁(革)은 정당(正當)해야 하니, 그래야 悔가 없다.

천지가 변혁(變革)하며 사시(四時)를 이루고, 탕과 무가 혁명(革命)하여 천명을 따르니 사람에 응한다. 혁의 때는 참으로 크다.

불☲(+3)의 기운이 점차 누적되면서 상향하게 되니, ☱(-1)과 부딪히며 서로를 멸(滅)하는 상멸(相滅)의 관계가 형성된다. 물☵과 불☲은 상호공존하며 같이 호흡하면서도 서로를 멸식(滅息)한다. 음양이 서로 함께 공존하면서도 서로 갈마들면서 만물을 생(生)하듯 서로를 거스르면서도 새롭게 고쳐 나가는 혁(革)의 뜻이 있다.

두 여인 ☱(少女)와 ☲(中女)가 같이 거처하면서도 뜻이 달라 서로 가는 길을 달리하니 이는 규(睽☲☱)의 뜻이다. 혁(革)괘의 착종 관계에 있는 규(睽)는 서로를 거스르지 않고 離☲는 위로 향하고 兌☱는 아래로 향한다. 그러나 가는 길을 다르지만 이루고자 하는 목적은 같다.

혁(革)괘는 양의 기운이 생장(生長)을 주도하는 건도(乾道)의 시대에서 음의 기운이 수장(收藏)을 주재하는 곤도(坤道)의 시대로 전환되면서 화기(火氣)☲와 금기(金氣)☰가 상쟁(相爭)하는 변혁의 시기를 설명하고 있다.

양의 열매☲가 땅☷에 떨어져 숙성되어 음으로 수렴☷되는 전환의 시대로 이를 금화교역(金火交易)이라 한다. 선천의 상극작용으로 분열 성장하는 양의 기운이 토☷의 중화작용으로써 수렴을 시작하는 후천 상생의 음의 기운으로 전환이 되는 것이다. 상극·분열·성장의 건도(乾道) 시대에서 상생·수렴·통합의 곤도(坤道) 시대로 대변혁이 일어나는 것으로 흔히 개벽이라 한다.

즉, [火克金]이 西南방에서 土☷의 중재로 [火生土 土生金]으로 상극이 상생으로 대전환을 이루는 것이다. 지지(地支)로 보면 土☷는 乾道에서 坤道로 전환시키는 미토(未土)를 의미하며, 천간(天干)으로는 기토(己土)가 된다. 그래서 이일(已日)를 기일(己日)로 보는 견해도 있으며, 기일(己日)을 생장(生長)하는 양의 흐름에서 수장(收藏)하는 음의 흐름으로 전환시키는 대변혁의 시점으로 본다. 기일(己日)을 변혁의 기운이 무르익은 혁(革)의 실행 시기로 보는 것이다. 미토(未土)가 아니라 기토(己土)를 쓴 것은 날짜는 지지(地支)가 아니라 천간(天干)을 사용하기 때문에 기일(己日)이라 표현한 것으로 본다.

己日乃孚 革而信之

혁(革)은 기존의 질서를 타파하고 변혁하여 새로운 변화와 질서를 세우는 개혁을 말한다. 때가 되어 변혁의 기운이 무르익으면 믿음을 얻게 되고, 믿음을 얻게 되면 민심이 뒤따르니 혁(革)에 대한 당위성, 대의명분을 얻는다. 갑작스러운 변화에는 민심이 뒤따르지 않으니 신뢰를 얻기가 어렵다. 변혁(變革)은 기존의 개념이 무너지고 새로운 질서를 만들어 가는 혼돈의 과정으로서, 변화는 쉽게 믿음을 얻기 어렵다. 그러므로 시일이 지나고 때가 무르익은 뒤에 비로소 마음을 얻게 되고, 또한 이로움이 되는 것이니 회(悔)가 없다. 때가 되었다 함은 혁(革)의 기운(☲日)이 충만하게 되었음을 의미한다. 믿음을 줄 때 비로소 마음이 뒤따르는 법이니, 革己日乃孚는 때가 이르러 변혁의 기운(☲日)이 무르익었을 때 비로소 믿음(☱孚)을 얻게 됨을 뜻하는 것이다.

文明以說 大亨以正

☲(+3)의 기운이 무르익으니 때가 되어 ☱(-1)의 밖으로 나서 문명(文明)함을 이루니, 해가 떠올라 천하를 비추는 상으로서 천지만물이 광명을 받아 기뻐함을 가리킨다. 변혁☲(+3)의 기운이 ☱(-1)을 넘쳐 혁(革)을 이루니 크게 형통함으로써 바름(正)을 세운다(大亨以正).

바다에 갇혀 있던 해가 떠올라 천하를 비추어 만물을 기쁘게 하는 것은 혁(革)을 이루어 크게 형통함으로써 바름을 세우는 것과 같은 뜻이다. 離☲(+3)가 兌☱(-1)를 거슬러 밖으로 나아가니 서로 가는 길이 어긋난다. 곧 화택규(火澤睽)이니, 이는 해☲가 바다☱를 떠나 하늘에 올라 천하문명을 바르게 세우고자 함이다.

革而當 其悔乃亡

혁(革)은 그 당위성(當爲性)이 있어야 한다. 당위성이 없는 혁(革)은 믿음을 얻을 수 없고 민심이 뒤따르지 않는다. 만인에게 지지를 얻은 혁(革)은 대의명분(大義名分)이라는 정당성(正當性)이 확보되어 있다(革而當). 그러므로 기운이 무르익어 만인에게 믿음을 주고 민심이 뒤따를 때 혁(革)에 대한 거부감이 없어지는 것이니 정당성이 확보된 혁(革)은 성공할 수 있고, 그에 따르는 회(悔)나 후유증이 없게 된다(其悔乃亡).

天地革 而四時成

혁(革)은 기존질서의 변혁(變革)으로 새로운 질서가 세워지는 혁신(革新)을 의미한다. 혁(革)은 천지로 보면 사시(四時)를 따르는 자연질서의 변혁이요, 인간의 무리로 보면 사회질서의 변혁이며, 개인으로 보면 정신질서의 변혁이다. 이미 때가 무르익어 천명이 이른 그날(己日), 모든 이가 혁신(革新)을 믿고 바라며 열망하니(己日乃孚 革而信之), 혁(革)은 천명에 순응하고 백성의 마음에 응하는 것이다(順乎天 而應乎人).

湯武革命 順乎天而應乎人

탕(湯)과 무(武)의 혁명이 이러했으니, 혁(革)에 대한 정당성과 대의명분이 있었으며, 천명(天命)에 순응(順應)하고 인심(人心)에 접응(接應)하며, 대의(大義)에 회(悔)가 없으니 또한 후유증이 없었다(革而當 其悔乃亡).

천지도 때가 이르러 기운을 바꾸어 가며 춘하추동 사시(四時)를 이루고, 탕(湯)이 명(命)을 거슬러 하나라의 폭군 걸왕을 정벌하여 은나라를 세우고, 또한 무(武)가 명(命)을 거슬러 은나라의 폭군 주왕을 정벌하여 주나라를 세우니 이는 때가 이르러 명(命)을 혁(革)하여 하늘(天命)을 따르고 인심(人心)에 응하는 것을 의미하는 것이다.

革之時大矣哉

그러므로 혁(革)은 아무 때나 할 수 있는 것이 아니다. 혁(革)은 천시(天時)를 잘 잡아 이루어야 하니 그 시기가 매우 엄중하다. 물은 불을 끄고 불은 물을 말리니, 불이 물을 말리려면 물의 양이 적당히 줄어들 때를 기다려 불길이 타오를 수 있는 시점(timing)을 제대로 잡아야 한다. 적당한 때를 놓치면 불이 타오르다가 오히려 물에 의해 저지당하고 말 것이다. 그러므로 개혁(改革)은 때가 중요한 것이다(己日乃孚 革而信之).

象曰 澤中有火革 君子以 治歷明時

상왈 택중유화혁 군자이 치력명시

상에 이르길, 못≡ 가운데 불≡이 있음이 혁(革)이다. 군자는 이를 보고 역수(曆數)를 다스려 백성에게 때를 밝힌다.

　못≡ 가운데 불≡이 있음이 혁(革)이다. 곧 물과 불이 서로를 멸식(滅息)하면서도 공존하며 새로움을 만들어내는 것이니, 혁(革)은 변혁을 의미한다. 사시의 변화는 곧 자연질서의 변혁(變革)이요, 혁신(革新)이다. 봄이 변혁하여 혁신하면 여름이 되고, 여름이 변혁하여 혁신하면 가을이 되며, 가을이 변혁하여 혁신하면 겨울이 되고, 겨울이 다시 변혁하여 혁신하면 봄이 된다. 변혁의 도는 그 이치의 크고 밝음이 사시 춘하추동의 변화 만한 것이 없으니, 군자는 이러한 자연질서의 혁(革)을 보고 사시를 관찰하여 역수(曆數)를 다스리며 백성에게 때를 밝힌다(治歷明時).

☞息: 호흡할 식, 멸할 식/ 已: 이미 이, 그칠 이

4. 효사(爻辭)

혁(革)은 火☲가 澤☱안에 갇혀 있는 모습으로 점차 현상에서 탈피하고자 하는 압력이 작용하게 되면서 때를 기다려 밖으로 나오게 되는 과정을 설명한다. 혁(革)이란 기존의 것을 개혁(改革)하는 것이니 섣불리 나아가지 말고 때가 무르익기를 기다려야 한다.

初九 鞏用黃牛之革

초구 공용황우지혁

초구, 황소가죽으로 묶어 놓는다.

初九는 양의 자리에 양으로 와서 자리가 바르다. 그러나 맨 아래에 처하여 그 힘이 미약하고 응하는 바가 없어 혁(革)을 행함에 아직은 때가 이르지 않았다. 상향하여 물☵(-1)을 멸식(滅息)하고자 하지만, 불☲(+3)의 맨아래에 처하여 있으니 아직은 때가 이르고 힘도 미약하다. 그러므로 일의 초기에 너무 섣불리 동(動)하면 오히려 일을 그르치기가 쉽다. 개혁(改革)의 초기에는 양강(陽剛)한 힘만 믿고 망동(妄動)하면 오히려 일을 그르치기 쉬우니 질기고 질긴 황소가죽으로 꽁꽁 묶어 둔다. 初九가 효변하면 艮山☶(止)이니 離火☲가 망동하여 상향하는 것을 산처럼 땅에 묶어두라는 뜻이다.

☲+3　⇨　☶-5

上向　　　　　止

공자는 소상전에서 "질긴 황소가죽으로 묶어 놓음은 아직은 나아가 혁(革)을 행함이 불가(不可)하기 때문이다(象曰 鞏用黃牛 不可以有爲也)"라고 하여 初九의 망동(妄動)을 경계하였다. 하괘 離☲에서 소(牛)의 뜻이 나오고, 六二가 중토(中土)로 황색(黃色)의 뜻이 있으니 황우(黃牛)가 된다.

☞鞏: 굳을 공, 묶을 공/ 黃: 누를 황, 누렇다, 누런빛

六二 己日乃革之 征吉 无咎
육이 이일내혁지 정길 무구

육이, 때가 무르익으니 혁(革)이다. 나아가면 길하고 무탈하리라.

六二는 음의 지리에 음으로 와서 자리가 바르고 柔順中正하며 또한 剛健中正한 九五대인과 서로 정응한다. 하괘의 밝은 체☲의 中으로서 상향하는 중심을 이끈다. 六二가 변하면 澤天夬(䷪)이니 결판(決判)을 낼 때가 다가온 것이다. 상향하여 兌☱를 멸식(滅息)하여 변혁시키고자 하는 기운이 충만하니 혁(革)의 때가 무르익은 것이다.

☲+3　⇨　☰+7

六二가 동하여 효변하면 離(☲+3)는 乾(☰+7)이 된다. 그러므로 ☲(日)의 기운이 충만하고 때가 무르익었으니 나아가면 길하고 무탈하다. 해☲는 일(日)을 뜻하고 이(己)는 '그치다. 이미'의 뜻이 있으니, 이일(己日)이란 이미 하루☲(日)를 그치고 서쪽☱ 바다 밑에 들어가 밤새 기운을 축적하니 다음 날 아침에 상향할 준비가 되었음을 가리킨다. 六二는 九五大人과 서로 정응

(正應)하니 나아가는 것이 길하고 허물이 없다. 공자는 이를 "己日革之는 행함에 아름다움이 있다(象曰 己日革之 行有佳也)"라고 풀이하고 있다.

☞ 佳: 아름다울 가

九三 征凶 貞厲 革言三就 有孚
구삼 왕흉 정려 혁언삼취 유부

구삼, 치고 나아가면 흉하니 바름으로 위태롭게 여겨야 한다. 변혁(變革)해야 한다는 말이 세 번 정도는 회자)되어야 믿음이 생기리라.

九三은 양의 자리에 양으로 와서 자리가 바르지만 中을 벗어나 있어 지나친 양강(陽剛)함으로 변혁(變革)에 동(動)하여 자칫 섣불리 나아갈 수가 있는 자리이다. 그러나 離(☲+3)의 九三이 효변하면 震(☳+1)이 되어 지괘가 澤雷隨(䷐)가 되니 이는 상향하는 힘이 더 무거워져 당장 나아감이 어렵게 됨을 의미한다. 수(隨)는 못☱ 안에서 힘을 기르며 때를 기다려 나아가는 뜻이 있다. 그러므로 섣불리 동하여 나아가려 하면 오히려 흉이 되니 힘을 기르며 때를 따라 신중이 나아가야 한다.

☲+3 ⇨ ☳+1

모든 괘의 이해에 기본이 되는 重天乾(䷀)괘 九三효사를 보자.
九三 君子終日乾乾 夕惕若 厲无咎
구삼 군자종일건건 석척약 려무구

구삼, 군자가 종일 갈고 닦으며 힘쓰고 또 힘쓴다. 저녁에 이르러 두려움 마음으로 돌아보며, 위태로움으로 깨어 있으니 무탈하리라.

≫건(乾)괘의 九三은 중(中)의 자리를 벗어나 세상과 부딪히면서 싸우는 효이다. 그러나 중도(中道)를 잃지 않아야 하니, 그러므로 공자는 효상전 통해 "종일건건 반복도야(終日乾乾 反復道也)"라고 충언하고 있다.

정려(貞厲)는 조급히 나아감을 버리고 자신을 위태로움으로 돌아보는 바름(貞正)으로 "終日乾乾 反復道也"하는 자세를 말한다. 변혁해야 한다는 말이 세 번이나 회자될 정도로 그 기운이 충만해야 민심이 따르고 믿음이 생기는 것이니, 혁언삼취 유부(革言三就 有孚)는 망동을 자제하고 신중히 행동함으로써 민심의 지지를 얻어야 함을 의미한다. 혁언(革言)이란 변혁하고자 하는 민심(民心)을 말한다. 변혁의 기운이 충만하고 민심이 따르니 혁(革)으로 나아갈 때가 된 것이다. 九三이 효변하면 택뢰수(澤雷隨☷)이니 세 번 정도는 심사숙고하여 민심을 따르는 것이 바른 길임을 의미한다. 수(隨)는 못☱ 안에서 충분히 힘을 기르며 때를 따르는 뜻이 있다.

공자는 소상전을 통해 "변혁(變革)해야 한다는 말들이 세 번이나 회자되니 또 어디를 가겠는가?(象曰 革言三就 又何之矣)"라고 하여 민심을 따라 혁(革)의 길로 나아갈 수밖에 없음을 말하고 있다. 세 번이란 삼세번으로 결정의 신중함을 의미한다.

☞ 就: (한 바퀴)돌 취, 나아갈 취, 이룰 취

九四 悔亡 有孚改命 吉
구사 회망 우부개명 길

구사, 회(悔)가 없다. 믿음으로 천명을 바꾸니 길하리라.

드디어 하괘에서 상괘로 건너와 개명(改命)을 하는데 성공한다. 火☲가 澤 ☱을 멸식(滅息)하니 드디어 혁명을 성취하게 되는 것이다. 개명(改命)이란 기존의 가치나 구질서, 썩은 정치제도의 혁파, 정치세력의 교체 등을 의미하는 혁신(革新)을 통한 변혁(變革)을 의미한다. 그러나 아직 九四는 음의 자리에 양으로 와서 자리가 바르지 않으니 대신의 자리에 머물며 천명(天命)을 바꾸는 작업을 하니 회(悔)가 없는 자리이다. 하괘 九三☲(火)에서 믿음(有孚)을 얻게 되고 그를 바탕으로 상괘의 澤☱(水)을 멸식(滅息)하니 바로 유부개명有孚改命의 뜻이다. 九四가 동하면 水☵가 되니 기제(旣濟䷾)가 되어 불에서 물로 완전한 개명(改命)이 이루어져 길(吉)하게 되었음을 의미한다.

▷ 有孚改命 (旣濟䷾)

☲(火)+3 ⟹ ☵(水)-3

有孚   改命

공자는 "명(命)을 바꿈이 길(吉)한 것은 뜻을 믿었기 때문이다(象曰 改命之吉 信志也)"라고 하여 스스로는 물론 민심도 혁(革)의 뜻을 지지한 것이 개명(改命)의 밑바탕이 된 것임을 말하고 있다. 九五에서 대인으로 호변(虎變)하여 천하를 일신(一新)시키게 된다.

九五 大人虎變 未占有孚
구오 대인호변 미점유부

구오, 대인이 호랑이로 변하다. 비록 점을 쳐보지 않아도 믿음이 있다.

범☰(虎)은 大人의 상이다. 九五대인이 剛健中正의 德으로 변혁(變革)의 주체가 되었으니 땅 위 동물의 왕인 범으로 비유했다. 대인이 호랑이로 변한다는 것은 변혁의 주체로서 무늬가 선명하고 강건(剛健)하며 중정(中正)한 혁명의 주체임을 상징하는 표현이다. 호랑이의 줄무늬가 선명하다는 것은 대의명분이 뚜렷하여 정당성이 확보되었다는 것을 의미한다. 공자는 '大人虎變은 그 무늬가 밝게 빛남을 뜻한다(象曰 大人虎變 其文炳也)'라고 하였다. 그러므로 점을 쳐서 그 결과를 예측하고자 할 필요가 없다. 이미 민심(民心)에는 믿음이 생겨 九五대인의 혁명(革命)을 따르고 있기 때문이다.

☞炳: 밝을 병, 빛날 병, 뚜렷할 병, 선명할 병

上六 君子豹變 小人革面 征凶 居貞吉
상육 군자표변 소인혁면 정흉 거정길

상육, 군자가 표범으로 변하고 소인은 얼굴을 바꾼다. 치고 나아가 계속 혁(革)하려 하면 흉하고 그 자리에 거하면 길하리라.

九五에서 호변(虎變)이 나왔는데 上六에서 굳이 유사(類似) 호랑이인 표변(豹變)이 나옴은 어째서인가? 무늬만 호랑이인 표범은 진짜 호랑이가 아니다. 표범은 고양이과에 속한다. 군자를 어찌 고양이과의 표범에 비유하겠는가? 이는 호랑이의 본질을 버리고 고양이과에 불과한 표범으로 변질되었음을 의미한다. 九五大人이 혁명(革命)으로 上六君子가 되었지만 상극(上極)에 처하여 과욕으로 근본이 변질되어 감을 비유하는 것이다.

원래 표변(豹變)의 의미는 범의 무늬가 가을이 되면 뚜렷하고 아름다워진다는 뜻으로, 허물을 고쳐 말과 행동이 뚜렷이 이전과 달라지는 변화를 의미하지만, 여기에서는 '돌변(突變)하다'처럼 부정적 의미를 가진 '갑자기 달라지다'의 의미로 사용되었다.

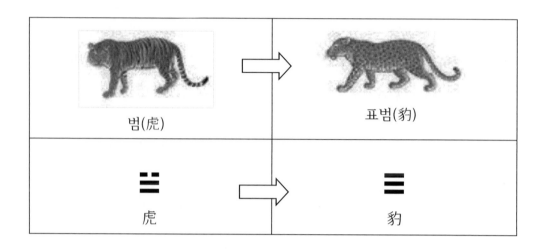

上六은 음의 자리에 음으로 와서 자리가 바르지만 혁(革)의 상극(相剋)에 처하였으니, 동(動)하여 더 나아가게 되면 혁(革)의 본질이 변하여 흉하게 된다. 이는 범≡(虎)에서 무늬가 더 촘촘해진 표범≡(豹)이 됨을 의미하니, 무늬만 더 아름답고 화려해 졌을 뿐 본질은 이미 호랑이가 아닌 것이다. 권력에 취하여 겉만 번지르르하게 화려함을 추구하다 병이 든 것을 상징한다.

九五大人에서 上六君子가 되었지만, 범에서 호랑이의 본질이 변한 고양이과의 표범으로 변질된 것이다. 九五大人이 왕에 등극하니 君子이다. 九五는 大人으로서 범(虎)이라 칭하였고, 上六은 왕으로서 君子로 표현되었지만 범(虎)의 본질이 변한 고양이과 표범(豹)에 불과한 자이다.

九五: 大人**虎變** 其**文炳**也

　　대인호변 기문병야

上六: 君子**豹變** 其**文蔚**也

　　군자표변 기문위야

[범] **虎變文炳**: 털의 무늬가 밝고 선명하다.

[표범] **豹變文蔚**: 털의 무늬가 빽빽하고 무성하다/ 아름답다/ 화려하다/ 병이 들다.

군자표변(君子豹變)이란 무늬만 호랑이인 척 더 화려하고 아름답게 바뀐 것으로서 무늬는 호랑이인 듯 아름다우나 본질은 범에서 고양이과의 표범으로 바뀐 것에 불과함을 뜻한다. 본질이 아름다운 것이 아니라 그 껍데기인 무늬가 아름다울 뿐이다. 표범은 이미 호랑이가 아니라 호랑이를 내세운 음흉한 고양이일 뿐이니 명분은 그럴싸하나 겉과 속이 다른 가식적인 군자일 뿐이다.

소인혁면(小人革面)은 소신도 없이 세력과 권력의 향배에 따라 자신을 바꾸어 가는 자를 의미한다. 권력에 따라 자신을 표리부동(表裏不同)하게 변화시키는 것으로 본질이 바뀌는 것이 아니라 안면(顔面)만 바꾸는 것이다. 소인은 그저 소신도 없이 호랑이가 표범으로 변하면 그저 얼굴을 바꿔 표범을 유순(柔順)하게 따를 뿐이니 소인의 본질이 그러한 것이다. 그래서 공자는 "군자가 표변(豹變)하니 소인은 얼굴을 바꾼다(君子豹變 小人革面)"라는 上六효사를 "군자표변(君子豹變)은 무늬만 무성하게 바꿀 뿐이고, 소인혁면(小人革面)은 그저 유순하게 표변한 군자를 따르는 것이다(象曰 君子豹變 其文蔚也 小人革面 順以從君也)"라고 풀이하고 있다.

上六은 음의 자리에 음으로 와서 자리가 바르지만 동하면 ☰(虎)에서 ☱(豹)이 되어 무늬가 바뀌니, 범에서 표범으로 대인호변(大人虎變)의 초심이 변질되니 더 나아가가면 흉하게 될 뿐이다. 차라리 그 자리에 머물러 거함이 길하다. 군자는 표변(豹變)하고 그를 따라 소인은 얼굴만 바꾼다(君子豹變 小人革面). 더 나아가 계속 혁(革)하려 하면 과욕일 뿐이니 흉하다. 차라리 그 자리에 머물러 바름(貞正)에 거하는 것이 길할 뿐이다(征凶 居貞吉).

☞ 虎: 호랑이 호/ 變: 변할 변/ 炳: 밝을 병, 선명할 병/ 豹: 표범 표/ 蔚: 빽빽할 위, 무성할 위, 아름다울 위, 화려할 위, 병들 위/ 征: 갈 정, 나아가 쳐서 바르게 하다.

50. 火風鼎_{화풍정}

火☲離

風☴巽

▶효변(爻變)

과거	미래	현재
☷+5 ⇨	☳+3	☳+3
		☷+5

上下작용력: (+5)-(+3)=+2

上下균형력: (+5)+(+3)=+8

鼎 元吉亨

彖曰 鼎象也 以木巽火亨飪也 聖人亨 以享上帝 而大亨 以養聖賢

巽而耳目聰明 柔進而上行 得中而應乎剛 是以元亨

象曰 木上有火鼎 君子以 正位凝命

初六 鼎顚趾 利出否 得妾以其子 无咎

九二 鼎有實 我仇有疾 不我能卽 吉

九三 鼎耳革 其行塞 雉膏不食 方雨虧悔 終吉

九四 鼎折足 覆公餗 其形渥 凶

六五 鼎黃耳金鉉 利貞

上九 鼎玉鉉 大吉 无不利

1. 괘상(卦象)

　정(鼎)은 하괘 九二☲(入) 양이 초음 안으로 파고 들어 적절하게 결실☵을
이루는 상이다. ☵이 ☲으로 변하는 과정에서 현재의 순간을 포착한 것이 화
풍정(火風鼎)이니 정(鼎)은 바로 현재의 모습이 된다. 나무☴에 핀 꽃이나 열
매의 모습으로 결실☵을 뜻하며, 내적인 지식이나 교양의 완성을 의미한다.
양기☵가 안으로 파고들어 결실☵을 이루며 꽃을 피우는 모습이다. 정(鼎)은
결실을 의미한다.

　솥(鼎)은 삶아서 익히는 역할을 한다. 정(鼎)이란 솥 안의 곡식에 불을 피
워 열기☲를 주입하니 양기가 적절하게 파고들어 음식☵으로 완성되게 하는
뜻이 있다(以木巽火亨飪也). 솥이란 새롭게 고쳐서 만들어내는 기능, 변화(變
化)를 이끌어내는 시스템이다.

　정(鼎☲)의 도전괘가 혁(革☲)이다. 火風鼎은 변(變)이 되고, 澤火革은 혁
(革)이 되니 하나의 괘상 안에 변혁(變革)의 의미가 들어있다. 그러므로 정
(鼎)은 크게 형통하다(鼎元亨).

　불붙은 장작☲에 풍구(風口)☴를 돌리니 불이 활활 타오른다. 조화로운 문
명을 꽃피우는 모습으로 서로 협력하여 하나의 결과를 도출해낸다(正位凝命).

화풍정(火風鼎)은 九二가 初六 안으로 파고 들어 적절하게 결실☴을 만들어내
는 모습이지만 九二 양과 九三 양이 동시에 初六을 파고 든다면 어떻게 될까?

	鼎		革			澤風大過

☴+5 ⇨ ☲+3 ⇨ ☱−1   ☱−1
風   火   澤   ☴+5

上下작용력: (+5)−(−1)=+6

上下균형력 (+5)+(−1)=+4

☴의 九二와 九三이 동시에 初六의 내부로 파고들면 ☱이 된다. 양기가 빠른
속도로 주입이 된 모습이다. 양기가 밖에 있다가 한꺼번에 안으로 모두 들어갔다
는 것은 적당한 양을 급격하게 초과했다는 의미가 된다(大過+6). 이 변화의 과정
중의 하나가 革(+4)이다. 화풍정(火風鼎)의 상하작용력은 +2로서 적절하지만, 택
풍대과(澤風大過)의 상하작용력의 크기는 +6이 된다. 鼎(+2)에서 革(+4)의 과정을
거치지 않고 그대로 大過(+6)로 이행하니 적절한 양을 급격하게 초과한 것으로
무리라는 뜻이 된다. 과욕은 화를 부르게 마련이다. 상괘의 −1의 힘으로는 하괘
의 +5의 크기를 감내하기가 힘들다. 과유불급(過猶不及)이다. 택화혁(澤火革)보다
팽창력이 크다.

鼎   革   大過

☲+3 ⇨ ☱−1 ⇨ ☱−1
☴+5   ☲+3   ☴+5
+2   +4   +6

≫정(鼎)의 변(變)이 커지면 혁(革)이 된다. 혁(革)의 호괘가 대과(大過)이니 혁(革)
이 지나치면 큰 화를 부르게 된다.

-화풍정(+2): 以木巽火亨餁也

　나무로써 불을 피워 밥을 삶다.

-택화혁(+4): 己日乃孚 革而信之

　이미(己) 때가 무르익어 혁(革)의 기운(☰日)이 충만하다.

-택풍대과(+6): 大過大者過也 棟橈本末弱也

　대과(大過)는 큰 것이 지나침이니, 들보기둥이 휘는 것은 本末이 약하기

　때문이다.

2. 괘변(卦變)

▷호괘 - 澤天夬

鼎 　　　　　夬

☶+3　　　　☱ −1
☵+5　　　　☰+7
+2　　　　　+8

　결실은 모든 조건이 적절하게 맞을 때 맺어지는 법이다. 태양이 비추는 일수, 비가 내리는 양, 바람 등등 모든 상황이 적절하지 않고 한쪽에 치우친 다면 결실이 맺어지지 않는다. 과일은 맺지 못하고 떨어질 것이며, 솥 안의 밥은 설익거나 타버릴 것이다. 태양이 작렬하는 뜨거운 한 여름☱에 한 해의 결실을 맺기 위하여 양기☰(入)가 속으로 파고드는 것이 정(鼎)이니, 솥 안의 내부(夬)는 엄청난 에너지(+8)가 작용한다. 쾌(夬)는 터지기 직전의 풍선의 모습이다.

▷착종괘 - 風火家人

鼎 　　　　　家人

☶+3　　　　☲+5
☵+5　　　　☴+3
+2　　　　　−2

　정(鼎)은 나무☴에 불☲을 붙여 솥 안의 음식을 익히는 모습이다(以木巽火 亨飪也). 가인(家人)은 덩어리☲에서 불길☴이 타오르는 모습으로 하나가 된

조화로운 모습을 보여준다(風自火出). 솥 안에서 다양한 곡식이 버무려지고 조화되어 맛있는 음식이 되는 것은 또한 조화로운 모습인 가인(家人)의 상과 일치한다.

▷도전괘 - 澤火革

鼎   革

☵+3   ⟹   ☱−1

☴+5   ☲+3

+2   +4

정(鼎)은 발산하는 모습, 九二가 初六을 파고드니 대지에 붙어있던 ☷이 떨어져 나가 상향☴하는 모습이다. 혁(革)은 九三이 六二를 파고드니 안으로 수렴☲하여 무르익은 모습, 때가 되면 발산하게 될 것이다.

▷배합괘 - 水雷屯

鼎   屯

☵+3   ⟹   ☵−3

☴+5   ☳−1

+2   +2

정(鼎)은 나무☴가 한여름의 뜨거운 열기를 머금어 당분이 가득한 열매☲를 맺은 상으로 결실을 내는 모습이다. 둔(屯)은 생명이 처음 생기는 모습으로 모태☵에서 자라고 있는 태아☳의 상이다. 생명☳이 처음 생기는 순간이란 정자(精子)가 수많은 경쟁과 험난☵을 뚫고 처음으로 난자(卵子)에 도달하는 것으로 비유할 수 있으니 난생(難生)이라 할 수 있다(剛柔始交而難生).

3. 괘사(卦辭)

鼎 元(吉) 亨

정 원길 형

정(鼎)은 마땅하면 크게 형통하리라.

  나무≡가 적절하게 양기를 받아드려 맛 좋은 과일≡을 내듯이, 곡식이 든 솥에 적절한 불≡이 가해지고 적당한 열이 주입된다면 맛있는 밥≡이 만들어 질 것이다. 화풍정(火風鼎)은 밥이 지어지는 과정을 통해서 사람이 길러지는 시스템을 설명한다. 솥의 위치가 바르고 불의 강도가 적절하면 열이 골고루 전달돼 맛있는 밥이 되듯이, 시스템이 올바로 작동되면 좋은 인재가 길러지니 정(鼎)의 뜻이 크게 형통하다(正位凝命). 원(元)은 만물의 시작으로 善之長(仁)의 뜻이 있으니 솥의 시스템이 마땅해야 길하다는 조건부 길(吉)을 의미한다. (吉字는 연문(衍文)이다. 단전에 다시 元亨이라고 하였다/주역전의)

象曰 鼎象也

단왈 정상야

以木巽火亨飪也 聖人亨 以享上帝 而大亨 以養聖賢

이목손화팽임야 성인팽 이향상제 이대팽 이양성현

巽而耳目聰明 柔進而上行 得中而應乎剛 是以元亨

손이이목총명 유진이상행 득중이응호강 시이원형

단에 이르길, 정(鼎)은 솥의 형상이다.

나무로써 불을 피워 밥을 삶으니, 성인은 삶아서 상제께 제사를 올리고, 크게 삶아서 성현을 기른다. 겸손하고 이목(耳目)이 총명하며, 柔(六五)가 나아가 위로 행하니 중(中)을 얻어 剛(九二)에 응함이라. 이로써 크게 형통하니라.

<정(鼎)>은 솥의 형상이니, 나무≡≡에 불≡≡을 지펴서 솥의 곡식을 삶아 익혀 음식을 만든다. 사물을 새롭게 만드는 시스템을 솥으로 비유하고 있다.

≫정(鼎)은 다리가 셋 달리고 손잡이가 두 개 있는 솥의 상을 의미한다.

정(鼎)괘는 솥 단지에서 그 상을 취한 것이다. 화풍정(火風鼎)은 상괘가 火≡≡, 하괘가 風≡≡으로 구성되어 있다. 맨 아래에 있는 초효는 음효로서 솥의 다리를 의미하고, 九二, 九三, 九四의 양효는 솥의 몸통으로 곡식을 담는 곳을 의미한다. 六五는 솥을 잡는 귀(耳)를 뜻하고, 맨 위의 上九는 솥뚜껑의 손잡이의 모습을 본뜬 것이다. 정(鼎)에서 목(目)은 ≡≡(明)에서 나오고, 六五는 밝은 체의 中으로 총명(聰明)의 뜻이 있다.

以木巽火亨飪也

시스템을 통해 사물을 새로운 것으로 만들어내는 것을, 나무에 불을 붙여 밥을 짓는 것으로 비유를 들어 설명하고 있다. 즉, 사람을 가르쳐서 새로운 인재로 길러내는 것을, 솥에 곡식을 넣어 불을 지펴서 익혀 맛있는 밥을 짓는 것으로 설명한 것이다. 솥이란 도구이며, 시스템이다. 시스템을 통해서 곡식이 밥이 되듯이 사람이나 사물도 시스템을 통해서 만물을 이롭게 하는 존재로 거듭나게 된다.

불 위에 솥이 바르게 자리를 잡고 적절한 불이 가해진다면 맛있는 밥이 될 것이요, 교육시스템이 바르다면 그것을 통해서 훌륭한 인재가 나올 것이며, 국가시스템이 바르다면 그 안에 사는 국민은 물론 만물이 조화롭게 살아갈 것이다(木上有火鼎 君子以正位凝命).

聖人亨 以享上帝 而大亨 以養聖賢

성인은 솥이 상징하는 시스템으로 인간을 고쳐 새롭게 함으로써 인재를 키워내니, 하늘이 부여한 명(命)을 크게 일으켜 성현을 기른다. 사람을 크게 삶아 성현(聖賢)을 기른다는 것은 사람을 변화시킨다는 말이다

巽而耳目聰明

괘상의 모습을 설명한다. 하괘는 巽順☴이니 지나치게 강함을 내세우지 않으며, 상괘는 ☲(明)으로 귀와 눈을 의미하니 밝음이 되어 총명하다고 하였다. 이것은 솥이라는 밥짓는 도구를 설명한 것으로서, 성인의 사람을 기르는 솥(시스템)이란 전기밥솥처럼 손순(巽順)하게 밥을 짓는 자의 명(命)을 따르며 또한 올바르게 작동되어야 함을 괘상으로 풀이한 것이다.

柔進而上行 得中而應乎剛 是以元亨

솥에서 음식이 익혀지는 과정을 설명한다. 열(柔)이 위로 올라가 중(中)에 자리함은 솥 안의 밥에 양기가 적절하고 골고루 엉기는 과정을 말하며, 강(剛)에 호응한다는 것은 六五의 음식☲(柔)이 九二의 불길☲(剛)에 적절하게 응함으로써 명(命)에 따라 적절함을 유지하여 설익거나 타지 않은 맛있는 밥이 됨을 설명한다. 맛있는 밥이 되기 위해서는 솥에 들어간 곡식의 종류에 따라 적당한 불의 강도와 적절한 열이 골고루 전달되어 명(命)대로 엉기어야 하는 법이다.

하괘☴의 初六(柔)이 九二를 파고드니, 솥 안의 밥에 양기가 주입되는 모습이 되며, 이것은 상괘 六五☲의 상으로 결실이 된다. 이는 유(柔)가 상행하여 得中[六五]하는 것이니 이로써 크게 형통하다.

象曰 木上有火鼎 君子以 正位凝命
상왈 목상유화정 군자이 정위응명

상에 이르길, 나무 위에 불이 있는 것이 정(鼎)이니 군자는 이로써 위(位)를 바르게 하여 명(命)을 제대로 익혀 받아드린다.

나무에 불을 지피고 그 위에 솥을 바르게 올려 놓아 음식을 익힌다(正位).

솥 안의 곡식은 그 종류에 따라 가해지는 불의 강도를 달리해야 한다(凝命). 그래서 주입되는 열, 즉 양기가 적당해야 잘 섞이고 조화롭게 엉기어 원하는 밥이 될 수가 있다. 요즘 전기밥솥은 보리밥, 현미, 백미 등등에 따라 누르는 스위치가 다르다. 이것은 명(命)에 따라 솥이 다르게 작동하여 불과 열을 조정하여 적당한 밥이 될 수 있도록 하는 시스템이니, 사람을 기름에 있어서도 솥이 바르게 자리하여 음식을 잘 익게 하듯이, 하늘이 부여한 명(命)에 따라 그 기질을 바르게 하여 조화롭게 잘 익혀야 하는 것이다(正位凝命). 명(命)이란 천명(天命)을 말하며 중(中)을 의미한다.

4. 효사(爻辭)

　<정鼎>은 솥의 형상으로 나무≡에 불≡을 지펴서 곡식을 삶아 익혀 음식을 만드는 도구로서 사물을 새롭게 만드는 시스템으로 비유한다. 솥의 위치는 바르게 놓여야 하고, 불의 강도는 적절해야 열이 골고루 전달되어 맛있는 밥이 된다. 또한 솥을 들어 옮길 수 있는 손잡이가 올바르게 달려 있어야 마침내 음식을 취할 수가 있다. 정(鼎)의 시스템은 명(命)이 바르게 전달되어야 하고, 또한 전달된 명(命)대로 바르게 작동이 되어야 맛있는 밥을 먹을 수 있듯이, 좋은 인재가 길러지는 법이다.

初六　鼎顚趾　利出否　得妾以其子　无咎
초육　정전지　리출비　득첩이기자　무구

초육, 솥의 발이 엎어지나 비(否)를 내놓게 되어 이롭고, 득첩(得妾)을 하더라도 자식을 얻게 되니 허물할 것이 없다.

　솥이 엎어지면 그 안의 내용물이 쏟아지게 되어 문제가 된다. 그러나 初六은 삶는 때의 아래에 있고 그 시작이니 솥 안에 있던 기존의 묵은 것(否)들이 먼저 쏟아지게 된다. 그래서 初六은 비록 솥의 발이 엎어져 내용물을 쏟게 되지만 비색(否塞)한 것들을 먼저 내놓게 되는 것이니 오히려 이로운 일이다. 그래서 공자는 "솥이 발을 엎는 것은 (물건을 삶아 새롭게 하고자 하는 솥의 목적을) 거스르지 않는 것이고, 비색(否塞)함을 먼저 내놓음이 이로움은 귀함을 따르기 때문이다(象曰 鼎顚趾 未悖也 利出否 以從貴也)"라고 하였다.

솥이 넘어졌으나 오히려 솥 안의 묵은 것이 쏟아지게 되니 뜻이 어긋난 것이 아니니 오히려 이득이고, 비록 첩을 얻었으나 귀한 아들을 얻어 대를 잇게 되니 귀함을 따르는 것이 되었다. 넘어짐으로 인해 오히려 나쁜 것을 꺼내는 계기가 되니 전화위복(轉禍爲福)이다. 실패가 성공의 밑천이 되고, 천함으로 인하여 오히려 귀함을 이루는 것이다.

사람의 일로 말하면 비록 비천한 첩을 얻더라도 결국은 귀한 자식을 얻으니 허물할 것이 없다는 의미가 된다. 비록 차선책이라도 그 결과는 허물이 없는 것이다. 득첩(得妾)이란 새로운 것을 상징하는 표현이다. 그러므로 득첩이란 솥 안의 기존의 묵은 것을 버리고 새로운 재료를 넣음을 의미한다. 득첩하여 아들을 낳으니 대를 이을 자식이다. 이는 솥 안에서 재료가 삶아져 새로운 것으로 탈바꿈하여 나온 귀한 것을 말함이니, 이출비(利出否)란 귀함(其子)을 얻기 위한 선행조건이다(得妾以其子). 하괘의 巽☴(솥)이 전지(顚趾)하여 뒤집어지면 兌☱가 되니 첩(妾)의 뜻이 나온다. 솥☴이 뒤집어져야 비색한 것이 쏟아지고(鼎顚趾 利出否), 첩☱으로 상징되는 새로운 재료가 만들어지는 것이다(得妾以其子).

솥 안의 더러운 것들을 먼저 쏟아내어 그 속을 깨끗이 한 후 밥을 짓는 것처럼, 새로운 일을 하기 전에 먼저 해야 할 일은 구태의연한 악습과 더러움을 먼저 씻어내야 한다. 옛 것을 버리고 새것을 넣으며, 나쁜 것을 쏟아내고 아름다운 것을 받는다는 것은 귀함을 따르는 것이다.

솥 안에 들어간 음식재료는 나올 때에는 전혀 새로운 것으로 변모하여 나온다. 그러므로 솥에 들어갈 재료가 기존의 묵은 것들과 뒤섞이거나 더러워져서는 안된다. 바르지 못한 재료가 들어가면 이상한 음식이 되어 나올 것이고, 깨끗한 재료를 넣으면 깨끗한 음식이 되어 나올 것이다. 그러므로 어떤 일이든 새롭게 시작할 때에는 대의명분이 바르고, 목적을 이루기 위한 수단도 정당해야 그 결과도 바르게 되어 만인의 지지를 받을 수 있는 것이다.

九二 鼎有實 我仇有疾 不我能卽 吉
구이 정유실 아구유질 불아능즉 길

구이, 솥에 내용물이 가득하다. 나의 짝(初六)이 병이 있으니 내게 다가오지 못하게 해야 길하리라.

九二는 강(剛)으로 중(中)에 거하였으니 솥에 물건이 담겨있는 상이 된다. 강중(剛中)으로 二에 거함은 솥에 담겨 있는 물건이 실(實)한 것임을 의미한다. 실(實)은 솥 안에 들어있는 물건이 올바르다는 것을 뜻한다.

구(仇)는 짝, 동반자, 원수의 뜻이 있다. 구(仇)는 전지(顚趾)의 병이 있는 初六을 가리킨다. 그러므로 九二가 전지(顚趾)의 병이 있는 初六을 가까이하여 넘어지게 되면 실(實)이 엎어져 삶아 지기도 전에 날 것으로 밖에 쏟아지는 불상사가 초래될 수 있다.

九二는 六五에 응하여 밖으로 나아갈 때 비로소 솥(鼎)의 공(功)을 이룰수가 있다. 그러므로 九二가 강중(剛中)으로 스스로를 지키면 비록 初六이 가까이에 있으나 능히 다가오지 못한다. 九二는 솥 안의 음식으로 충분히 삶아져 솥의 밖으로 나아갈 때 만인을 구제하는 공을 이룰 수가 있는 것이니 비록 친비(親比) 관계에 있는 初六이 가까이 있으나 六五에 응하여 본래의 강중한 뜻을 잃지 말아야 한다. 스스로가 정도(正道)로써 자신을 지키면 부정(不正)한 자가 찾아오지 못하니 길하다.

이에 공자는 소상전에서 "정유실(鼎有實)하니 갈 바를 삼가라. 아구유질(我仇有疾)하니 (내게 다가오지 못하게 하라.) 마침내 허물이 없으리라(象曰 鼎有實 愼所之也 我仇有疾 終无尤也)"라고 풀이하였다. 九二가 전지(顚趾)의 병

386   주역원리강해(하)

(疾)이 있는 初六에게 가는 바를 삼가지 않으면 初六에게 나아가게 되니 실(實)함이 엎어지게 된다.

솥에 들어갈 새로운 재료에 기존의 묵은 것들이 뒤섞여 더러워져서는 안 된다. 바르지 못한 재료가 들어가면 이상한 음식이 되어 나올 것이고, 깨끗한 재료를 넣으면 깨끗한 음식이 되어 나올 것이다. 그러므로 솥에 들어갈 재료는 흠이 있거나 병이 있어서는 안된다. 솥과 음식은 서로 짝仇이 되는 것이니 비록 짝이라 할지라도 병이 있다면 마땅히 담지 말아야 길한 것이다 (我仇有疾 不我能卽 吉). 그러므로 아구유질(我仇有疾)하니 스스로를 강중(剛中)함으로 정도(正道)지키면 바르지 않은 初六이 능히 다가오지 못하니 마침내 허물이 없는 것이다(我仇有疾 終无尤也).

☞ 仇: 짝 구, 원수 구/ 卽: 나아갈 즉, 곧 즉/ 愼: 삼갈 신/ 尤: 허물 우

九三 鼎耳革 其行塞 雉膏不食 方雨虧悔 終吉
구삼 정이혁 기행색 치고불식 방우휴회 종길

구삼, 솥귀가 고쳐지다. 그럼에도 그 가는 길이 막히니 기름진 꿩을 먹을 수 없다. 바야흐로 비가 내리면 회(悔)가 덜어지니 마침내 길하리라.

九三이 효변하면 하괘가 坎水☵가 되어 상괘의 離火☲와 함께 하지 못하니 기름진 꿩☵(雉)을 먹지 못한다. 巽風☴은 음식을 익히는 불길이니 이것이 효변하여 坎水☵가 되면 아무리 솥귀가 고쳐져 솥을 정위(正位)에 놓았더라도 불이 가는 길이 막혀버리게 되니 기름진 꿩을 익혀 먹을 수가 없게 된다.

외호괘가 兌☱(口)이나 九三이 효변하여 坎☵(水)가 되면 지괘가 未濟(☲☵)

가 됨으로써 입(口)이 없어지게 되므로 不食의 뜻이 나온다. 또한 내호괘가 불≡이 되어 뜨거워진 솥을 달구기만 하니 솥귀가 뜨거워져 들어 옮길 수가 없다. 그러므로 솥귀가 바르게 고쳐 졌음에도 불구하고 그 뜻을 잃은 것이 된다.

이(耳)는 六五가 되고, 밝은 체≡(明)의 中에 있으며 九二와 응하고 있으니 정이혁(鼎耳革)의 뜻이다. 솥귀(鼎耳)는 솥을 잡는 부분이니 올바르지 않거나 부러지거나 하면 불길에 음식이 익혀져도 뜨거워진 솥을 들어 옮길 수가 없다. 그러므로 솥귀가 바르게 고쳐 졌음에도 실제 사용에 있어서 불길≡에 뜨거워진 솥귀를 잡을 수 없게 된다면 아무런 소용이 없는 것이다. 그래서 공자는"솥귀가 바르게 고쳐 졌음에도 그 뜻을 잃었다(象曰 鼎耳革 失其義也)"라고 한 것이다.

다행스러운 것은 九三이 효변하면 외호괘가 물≡이 되니 바야흐로 비가 내려 솥귀를 식히게 되고 회(悔)가 사라지게 되니 마침내 기름진 꿩고기≡≡(雉膏)를 먹을 수 있게 된다.

정(鼎)괘를 도전하면 九三효는 혁(革)괘의 九四효가 된다.

九四 悔亡 有孚改命 吉
구사 회망 우부개명 길

구사, 회(悔)가 없다. 믿음이 있으니 천명을 바꾸면 길하리라.

개명(改命)은 곧 개혁(改革)의 뜻이 있으니 정이혁(鼎耳革)의 뜻과 통한다. 六五는 밝음의 中에 있고 九二 中과도 응하고 있으니 정이혁(鼎耳革)이다.
九三은 양의 자리에 양으로 와서 자리가 바르나 中을 벗어나 있으니 정이혁(鼎耳革)의 뜻에 부합하지 못한다. 그래서 불길≡의 상위인 九三이 그 불

기운을 제대로 솥에 미칠 수가 없어 꿩을 적절하게 삶을 수가 없게 된다. 꿩으로 상징되는 밝은 체인 離☰(明)는 괘사에서 말하는 성현(聖賢)이다. 사람을 성현으로 키워내는 것을 물건을 삶아내는 솥의 역할로 비유하는 것인 바(聖人亨 以享上帝 而大亨 以養聖賢), 꿩을 제대로 익혀 먹지 못하는 것은 성현을 제대로 키워내지 못함을 뜻하는 것이니 그로 인해 성현의 덕을 받아먹지 못하게 됨을 비유한다.

九三은 솥이 바르게 걸렸어도 中을 벗어나 있기 때문에 불길이 적절하지 못하여 꿩을 충분하게 삶아내지 못한다(鼎耳革 其行塞 雉膏不食). 九三은 巽風☴의 상으로 직접 솥에 닿는 불길이다. 動하면 坎水☵가 되어 아래로 향하니 상향하는 離火☲와는 가는 길이 다르다. 坎水☵는 離火☲와 달리 아래로 향하기 때문에 불길(九三)이 막히는 뜻이 나온다. 그래서 공자는"정이혁(鼎耳革)임에도 불구하고 그 뜻을 잃었다(象曰 鼎耳革 失其義也)"라고 풀이한 것이다.

비(雨)는 만물을 적시며 서로 화합하여 하나되게 하는 물건을 상징한다. 때는 정위응명(正位凝命)의 시대로서 九三은 양강(陽剛)하고 자리가 바르다. 六五☲는 총명(聰明)의 상이 있고, 九三☴은 마침내 위로 올라가 솥에 닿는 물건이다(巽而耳目聰明). 또한 初六과 六五는 大坎☵(水)의 상으로 바야흐로 비가 내려 九三과 六五를 하나로 화합하게 하니 회(悔)가 덜어지고 끝내는 형통하고 길하게 될 것이다(方雨虧悔 終吉).

일에 있어서 조건이 바르게 성취되었더라도 초기에는 일의 진척이 가로막히면 제대로 된 결과를 만들어내지 못한다. 그러나 시간이 지나면서 서로 어긋나 있던 것들이 하나 둘 조각을 맞춰가면서 일체가 되어가니 근심이 덜어지고 마침내는 좋은 결과를 내게 될 것이다.

☞ 塞: 막힐 색/ 雉: 꿩 치/ 膏: 기름 고, 살찐 고기 고/ 虧: 이지러질 휴, 줄어들 휴

九四 鼎折足 覆公餗 其形渥 凶
구사 정절족 복공속 기형악 흉

구사, 솥의 발이 부러지니 공(公)의 음식이 엎어지다. 몸이 흠뻑 젖으니 흉하다.

九四는 음의 자리에 양으로 와서 자리가 부당하다. 또한 중(中)을 벗어나 있어 자칫 중도(中道)를 잃고 경솔하게 처신할 수가 있다. 九四는 대신으로서 전지(顚趾)의 병이 있는 初六에 응한다. 그러나 初六은 소인으로 九四의 임무를 능히 감당하지 못하고 부러진다. 솥의 발에 해당하는 初六이 꺾이니 공후에게 받칠 솥 안의 뜨거운 음식이 밖으로 쏟아질 수밖에 없다. 펄펄 끓는 솥 안의 음식을 뒤집어쓴 九四대신은 얼마나 뜨겁고 당혹스럽겠는가? 뜨거운 국물에 젖은 얼굴이 벌겋게 달아오르니 보기에도 흉하다. 이는 중도(中道)를 지키지 못하고 자신과 응한다는 이유만으로 전지(顚趾)의 병이 있는 소인배(初六)를 가까이한 九四의 잘못이다. 대업을 망쳤으니 어찌 군왕의 신임을 바라겠는가? 공자는 "공후의 음식을 엎어버렸으니 어찌 신임을 얻겠는가?(象曰 覆公餗 信如何也)"라고 하여 사사로운 정이 이끌려 경솔한 판단으로 막중한 대업을 망친 九四를 탓하고 있다.

공자는 「계사전下」 제5장에서 다음과 같이 九四효를 부연 설명한다.

子曰德薄而位尊 知小而謨大 力小而任重 鮮不及矣 易曰 鼎折足 覆公餗
자왈덕박이위존 지소이모대 역소이임중 선불급의 역왈 정절족 복공속
其形渥 凶 言不勝其任也
기형악 흉 언불승기임야

덕은 박한데 그 지위는 높고, 지혜는 적은데 도모하는 것이 크며, 역량은 적

은데 그 임무가 막중하면 화(禍)가 미치지 않음이 드물다. 역(易)에 이르길,
'솥의 발이 부러지고 공후의 음식이 엎어져 몸을 흠뻑 적시니 흉하다'라고
하니 그 임무를 감당하지 못함을 말한다.

☞ 折: 꺾을 절/ 覆: 엎어질 복/ 餗: 솥 안의 음식 속/ 形: 얼굴 형, 몸 형
/ 渥: 젖을 악

六五 鼎黃耳金鉉 利貞
육오 정황이금현 리정

육오, 솥의 황색 귀고리는 정고(貞固)해야 이로우리라.

六五는 정(鼎)괘에서 솥의 귀에 해당하는 부분이다. 그리고 밝은 체인 離
☲의 中에 거하여 황색(黃色)이 되니 황이(黃耳)가 된다. 離☲는 밝고 中의
색깔은 황(黃)이다. 금현(金鉉)이란 쇠로 만든 고리를 말함이니 황색 솥귀에
걸린 쇠고리를 의미한다. 솥귀는 솥을 들 때 사용하는 부분이므로 황이금현
(黃耳金鉉)은 바르고 튼튼해야 한다. 만약 삐뚤고 약하다면 음식이 다되어
솥귀고리를 들고 옮기다가 솥귀고리가 떨어져 나가면 모든 것이 허사가 되
기 때문이다. 그래서 정고(貞固)하여야 이롭다 경계를 둔 것이다.

六五는 본래 그 질(質)이 음유(陰柔)하여 九二 陽과 음양(陰陽)의 조화를
이룬다. 이것은 불에 해당하는 九二가 양강(陽剛)하지만 六五가 음유(陰柔)
로써 중화(中和)를 이루어 안정되게 밥이 골고루 익도록 조절하는 중도적 성
질이 있음을 뜻한다. 그래서 공자는 "솥의 황색 귀는 중(中)으로써 실(實)을
삼는다(象曰 鼎黃耳 中以爲實也)"라고 주석하고 있다.

☞鉉: 솥 귀고리 현

上九 鼎玉鉉 大吉 无不利
상구 정옥현 대길 무불리

상구, 솥에 옥으로 만든 고리를 달았으니 대길이다. 이롭지 않음이 없으리라.

정옥현(鼎玉鉉)은 솥의 맨 위에 있는 옥(玉)의 고리로 솥 뚜껑을 여는 손잡이 기능을 한다. 솥은 황이금현(黃耳金鉉)을 잡고 들어 옮겨서 정옥현(鼎玉鉉)으로 뚜껑을 여니 정(鼎)의 도(道)를 이룬다. 上九는 음의 자리에 양으로 와서 자리가 바르지 않으나 잘 익은 음식을 퍼 올려 먹을 수 있도록 정(鼎)의 도를 완성하는 자리이니 크게 길하다. 화풍정(鼎)괘나 수풍정(井)괘는 모두 실물(實物)이 위로 나오는 것을 공(功)으로 삼는다. 둘 다 위로 나와야 베풀 수 있기 때문이다. 그래서 다른 괘와 달리 상효가 길한 효가 된다.

上九는 강양(剛陽)으로 음위(陰位)에 자리하고 있어 강(剛)하면서도 유(柔)한 옥(玉)의 상이다. 옥(玉)이란 강(剛)하면서도 유(柔)함을 상징한다. 上九인 정옥현(鼎玉鉉)은 솥뚜껑의 손잡이다. 六五에서 양강음유(陽剛陰柔)의 조화로 잘 익은 음식을 드디어 上九에서 솥뚜껑을 열어 퍼 올리니 도대체 이롭지 않음이 없다. 上九는 솥의 정상에서 솥의 목적인 정(鼎)의 도를 완성하는 가장 존귀한 효로서 옥(玉)은 왕을 상징한다. 공자는 이를 "옥현(玉鉉)이 위에 있으니 강유(剛柔)가 적절하여 절도를 이룬다(象曰 玉鉉在上 剛柔節也)"라고 주석하고 있다.

51. 重雷震_{중뢰진}

雷☳震
雷☳震

▶효변(爻變)

과거	미래	현재
☳ ⟹	☵	☳+1
		☳+1

上下작용력: (+1)-(+1)=0

上下균형력: (+1)+(+1)=+2

震 亨 震來虩虩 笑言啞啞 震驚百里 不喪匕鬯

象曰 震 亨 震來虩虩 恐致福也 笑言啞啞 後有則也

震驚百里 驚遠而懼邇也 出可以守宗廟社稷 以爲祭主也

象曰 洊雷 震 君子以 恐懼修省

初九 震來虩虩 後笑言啞啞 吉

六二 震來厲 億喪貝 躋于九陵 勿逐 七日得

六三 震蘇蘇 震行无眚

九四 震遂泥

六五 震往來 厲 億无喪 有事

上六 震索索 視矍矍 征凶 震不于其躬 于其鄰 无咎 婚媾有言

---

1. 괘상(卦象)

　외괘가 震雷☳, 내괘도 震雷☳로 우레(雷)가 거듭된 상을 중뢰진(重雷震)이라 한다. 상하 안팎으로 우레☳가 반복되니 그 움직임(動)이 크다. 우레는 하늘의 소리로서 천하 산천초목을 울리니 만물이 두려워하고 경외한다. 자연의 위대함을 경외하고 두려워하는 마음은 자연의 일부인 인간이 가져야 할 덕목으로서 우레☳(雷)가 내려치고 천둥☳(聲)이 백리(百里)를 울리니 경건한 마음으로 자기를 돌아보며 자성(自省)의 시간을 갖는다.

　소인은 천둥 벼락☳(雷)이 치고 지축이 흔들리는 난관에 봉착하면 근본을 버리고 홀로 살고자 도망친다. 그러나 대인은 오히려 이런 때일수록 두려워하고 경외하는 마음으로 공구수성(恐懼修省)하며 중(中)을 지켜 도를 잃지 않는다. 백리를 두려움에 떨게 하는 우레소리에 놀라 도망치는 것은 평시 중도를 잃은 소인의 일이니, 공구수성(恐懼修省)하는 대인은 두려움에 닥쳐서도 근본을 잃지 않는다(震驚百里 不喪匕鬯).

　震☳는 양이 두 개의 음을 파고들어가 들어올리는 상이니 그 의미가 진동(動·進)이며, 강력한 힘이고, 진취적인 기상이며 나아가는 것이니 형통하다. 그러나 震☳의 거듭됨은 힘의 과강(過剛)이 되고, 진취적인 자세는 과행(過行)이 되니 지나친 자신감의 표출은 오히려 자신을 어려움에 빠지게 한다. 호괘가 水山蹇(☵☶)이니 의미심장하다. 六二가 중정(中正)함으로 바른 자리를 지키고 있으니 이는 과행(過行)을 자중함으로써 만물의 균형을 유지하는 뜻이 있다.

震   兌

☳+1   ☱−1

☳+1   ⟹   ☱−1

　처음 시작하는 초단은 자신감을 쉽게 표현하지만(重雷震), 실력이 늘어나
면서 단수가 올라가고 인격이 무르익으면 자신을 쉽게 드러내지 않게 되고
내적으로 안정이 되니, 내면의 숨겨진 내공이 크다(重澤兌).

2. 괘변(卦變)

▷호괘 - 水山蹇

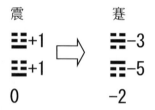

震   蹇

☳+1 ⟹ ☵-3

☳+1   ☶-5

0   -2

중뢰진(重雷震)의 호괘가 수산건(水山蹇)이니 힘☵의 과도한 행사는 오히려 자신을 함정에 빠트릴 수 있음을 경고한다. 우레가 거듭하여 삼라만상을 공포에 떨게 하니 두려움으로 경외하고, 자신을 돌아보며 수양(修養)하고, 수심정기(守心正氣)하는 기회로 삼는다(恐懼修省).

▷착종괘 - 重雷震

震   震

☳+1 ⟹ ☳+1

☳+1   ☳+1

0   0

거듭된 우레는 천하 지축을 뒤흔드니 과도한 진동은 자기 근본을 무너트릴 수가 있다. 유음(柔陰)이 상하괘의 중(中)을 잡고 있으니 자숙하고 자중할 일이다.

▷도전괘 - 重山艮

震   艮

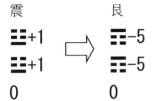

▶洊雷 震: 우레의 힘이 거듭되니 천하를 흔든다(動).

▶兼山 艮: 지산(止山)이 거듭되니 천하의 움직임을 멈추게 한다(止).

▷배합괘 - 重風巽

震   巽

震 +1   ⇨   巽 +5
震 +1   巽 +5
0   0

初九 양이 음을 파고들어 올리니 대지가 진동하고(動), 양이 대지를 벗어나 천하를 대순하니 만물을 흔들어 가지런히 한다(劑).

3. 괘사(卦辭)

震 亨 震來虩虩 笑言啞啞 震驚百里 不喪匕鬯
진 형 진래혁혁 소언액액 진경백리 불상시창

진(震)은 형통하다. 천둥 벼락이 오니 놀라고 두려워하다. 웃고 말하며 깔깔거린다. 천둥 벼락이 백리를 놀라게 해도 제사 숟가락과 제사술을 잃지 않는다.

초양(初陽)이 2개의 음 아래로 파고 들어가 뒤흔드니, 진(震)은 동(動)의 뜻이요, 또한 상향하여 나아가니 진(進)의 뜻이다. 동(動)하고 진(進)하니 강력한 힘이고, 진취적인 기상이며 나아가는 것이니 형통(亨通)하다. 천둥==(聲)은 하늘의 소리(天命)요, 벼락==(雷)은 징벌을 상징한다. 진(震)은 천둥 벼락을 의미한다.

震來虩虩은 자연에 대한 경외감으로 마음의 문을 열고 하늘의 소리에 귀 기울이는 모습을 비유한다. 우레(천둥)로 상징되는 하늘의 소리는 반드시 자연현상을 일컫지는 않는다. 하늘의 소리는 근원적 실재인 하나(一)님과 일통(一通)한 자만이 듣는다. 자연물상의 소리를 하늘의 소리로 착각하게 되면 오히려 그 어리석음으로 인해 사교(邪敎)나 사술(邪術), 사문(邪文)에 빠질 수 있으니 소인의 일이다. 하늘의 소리(天命)는 들을 수 있는 자에게 들리는 법이니 천명이 마음을 울리면 마음의 문을 열고 하나(一)님의 소리에 귀 기울인다.

우주와 하나되는 일체를 자각하는 느낌, 마음에서 흘러나오는 자족하는 소리, 하늘의 소리를 경외하며 마음을 열고 받아드리니 성통광명(性通光明)

이다. 마음에서 절로 기쁨이 흘러 소리 내어 웃는다(笑言啞啞). 초구 효사를 보면 "震來虩虩 後笑言啞啞 吉"이라 하였으니 이는 하늘의 소리(天命)를 놀라움과 두려움, 경외감으로 받아드리는 군자의 모습으로 성통(性通)하여 광명(光明)의 자리에 들어섰음을 뜻한다. 하늘이 우레로 경계를 주고 이를 알아들으니 두려워하여 자신을 돌아보며 행한다. 능히 평안하고 자족하다. 어찌 웃음소리가 나지 않겠는가? 또한 하늘과 일통(一通)하니 낙천지명(樂天知命)이다(笑言啞啞). 어찌 길(吉)하지 아니한가(震亨)?

천둥 벼락이 천지를 뒤흔들고 백 리를 놀라게 하니, 자연의 일부가 되어 살아가고 있는 사람은 경외하고 두려워한다(震驚百里). 백리를 두려움에 떨게 하는 우레소리에 놀라 도망치는 것은 평시 중도를 잃은 소인이다.

자연은 살아있는 일체(一體)의 생명이다. 군자는 자연과 더불어 하나(一)의 식으로 일통(一通)하니, 두려움에 닥쳐서도 소인처럼 경박스럽게 놀라 삶의 중심을 잃지 않는다. 그러므로 백리를 두려움에 떨게 하는 자연의 위엄에도 제사를 지내는 근본인 수저와 향기로운 술을 잃지 않으니 과연 장자(長子☳)의 상이다(不喪匕鬯). 불상시창(不喪匕鬯)이란 어떠한 상황에 처해서도 근본을 잃어버리지 않음을 뜻한다.

☞ 虩: 놀랄 혁/ 笑: 웃음 소/ 啞: 웃음소리 액/ 驚: 놀랄 경/ 喪: 죽을 상, 잃을 상/ 匕: 비수 비/ 鬯: 향기로운 술 창

象曰 震 亨 震來虩虩 恐致福也 笑言啞啞 後有則也
단왈 진 형 진래혁혁 공치복야 소언액액 후유칙야
震驚百里 驚遠而懼邇也 出可以守宗廟社稷 以爲祭主也
진경백리 경원이구이야 출가이수종묘사직 이위제주야

단에 이르길, 진은 형통하다. 천둥 벼락이 치니 놀라고 두려워한다. 두려움이 복을 이루다. 웃고 떠드는 소리가 왁자지껄하다. 후에 법칙이 선다. 천둥 벼락이 백리를 놀라게 하니 먼 곳은 놀라고 가까운 곳은 두려워한다. 나아가 능히 종묘와 사직을 지켜 제주(祭主)가 된다.

천지를 뒤흔드는 것은 자연현상 중 천둥 벼락 만한 것이 없다. 우레 소리를 듣고 겨우내 쉬고 있던 만물이 깨어난다. 또한 우레(천둥)는 백리를 놀라게 하며 만물을 두렵게 하고, 자연을 경외하게 함으로써 자연의 일부로 살아가는 사람이 그 본분을 벗어나 가벼이 일탈하지 않게 한다. 움직여 나아가니(動·進), 그러므로 진(震)은 형통(亨通)하다.

震來虩虩 恐致福也

하늘의 소리가 오매 사람은 두려워하며 경외한다. 사람과 만물은 천지가 낳은 자식이다. 天地人은 하나(一)로서 삼신일체(三神一體)이니 하늘의 소리는 곧 내 마음 속에서 들리는 하나(一)님의 소리이다. 하늘의 소리에 귀 기울임은 곧 하늘이 내 속에 들어와 울리는 마음의 소리를 듣는 것이다. 자연의 위대함과 위엄에 놀라는 마음은 자연을 경외하는 마음의 표현으로서 진래혁혁(震來虩虩)이 지닌 뜻이다. 자연을 두려워하는 미음으로, 자연과 더불어 일체를 이루니 자연이 주는 복을 받는다(恐致福也). 복(福)은 자연의 혜택이다. 천둥 벼락이 일으키는 두려움에 공구수성(恐懼修省)하게 되니 오히려 복을 받는다.

聲氣願禱 絶親見 自性求子 降在爾腦
성기원도 절친견 자성구자 강재이뇌

 소리 내어 기운을 다하여 원한다고 기도한다고 해서 하나(一)님을 친견할 수 있는 것이 아니다. 자성(自性)에서 하나(一)님의 씨를 구하라. 너희 머리 골에 내려와 게시니라.   삼일신고(三一神誥)

 하나(一)님은 언어나 생각을 통해 찾는다고 그 모습이 보이는 것이 아니다. 자신의 내재적 본성에 대한 자각(自覺)을 통해 하느님을 찾으라. 너의 머리 골에 이미 내려와 게시니 본성(本性)에 대한 자각 없는 기도는 아무리 기운을 다하여 소리친다고 해도 공허한 외침에 불과하니 헛되고 헛되다.

笑言啞啞 後有則也

 자연의 위력(威力)과 위엄(威嚴) 앞에 인간은 나약하다. 자연의 일부로서 자연과 일통(一通)하여 일체의 생명의식을 가지고 살아가는 사람은 자연에 대한 경외감을 갖는다. 우주만물은 하나(一)에서 비롯된 일체(一體)이니 이를 각(覺)한 자는 하늘의 소리에 귀 기울이며 그 소리를 읽는다. 자연의 위대함을 경외감으로 받아드리면 자연은 더불어 사는 혜택을 준다. 그럼으로써 어머니 같은 자연의 품 속에서 삶을 즐기며 웃을 수 있으니 길(吉)하다. 길하다는 것은 자연과 더불어 자연을 경외하며 살아가니 자연스럽게 문명의 질서가 바로 서는 것을 말한다. 천둥 벼락으로 인하여 갖는 공포가 오히려 성찰(省察)을 촉발하게 되고, 그로 인하여 수신(修身)하게 되니(恐懼修省), 우레가 치는 상황에서도 웃고 떠드는 여유로움을 갖게 되며(笑言啞啞), 이후에 오히려 제대로 된 법도를 세우게 된다(後有則也).

震驚百里 驚遠而懼邇也

 하늘의 소리는 위력이 크니 멀리 백리까지 놀라게 한다(震驚百里). 가까는 두려워하며, 멀리 떨어진 곳조차 놀란다(驚遠而懼邇也). 자연의 소리인 우레가 이와 같으니, 우레로 비유되는 천명(天命)이 다다르지 않는 곳이 어디 있으랴. 하늘이 내려주는 天命☳☳을 경외하는 마음으로 받아드리고 그 뜻을 읽는다.

出可以守宗廟社稷 以爲祭主也

자연현상으로서 우레☳☳는 멀리에서도 듣고 놀라며, 가까이는 두려움에 떨게 만드는 존재이다. 우레가 거듭되는 두려운 상황에서도 스스로 제주(祭主)가 됨은 스스로가 삶의 주체임을 상징한다. 소인은 우레소리에 놀라 두려워하고, 천명(天命)☳☳이 오면 감히 받지 못하고 중심을 잃어버린다. 그러나 하늘과 일통(一通)한 대인군자는 천둥 벼락이 치면 두려운 마음으로 성찰하며, 천명☳☳이 오면 경외하는 마음으로 나아가 받드니 자기를 잃지 않고 중심을 지킨다.

천둥 벼락이 치는 두려운 상황에 처해서도 나아가 종묘와 사직을 지키고 스스로 제주(祭主)가 되니(出可以守宗廟社稷 以爲祭主也), 이는 가문을 이어받는 장자(長子)의식이며 주인(主人)의식이고, 우주와 일체를 이루는 주체(主體)의식이다. 震☳☳은 집안의 대를 잇는 장남(長男)을 상징하니, 나아가 종묘사직(宗廟社稷)을 지키고 제주(祭主)가 됨은 스스로가 주인(主人)임을 천명하는 것이다.

象曰 洊雷 震 君子以 恐懼修省
상왈 천뢰 진 군자이 공구수성

상에 이르길, 천둥 벼락이 거듭되는 것이 진(震)이니, 군자는 이로써 놀람과 두려움으로 수신(修身)하고 성찰(省察)한다.

천둥과 벼락이 거듭하니 진(震)이다(洊雷 震). 백리(百里)를 두려움에 떨게 하는 우레소리에 놀라 도망치는 것은 평시 중도(中道)를 잃은 소인의 행태이니, 대인군자는 두려움에 닥쳐서도 오히려 수양(修養)하고 성찰(省察)하며 근본을 잃지 않는다(震驚百里 不喪匕).

☞ 恐: 두려워할 공/ 虩: 놀랄 혁/ 致: 이를 치/ 啞: 웃을 액/ 福: 복 복/ 驚: 놀랄 경/ 宗: 일가 종/ 廟: 사당 묘/ 社: 사직 사/ 稷: 사직 직/ 遠: 멀 원/ 懼: 두려워할 구/ 邇: 가까울 이/ 修: 닦을 수/ 省: 살필 성/ 廟: 사당 묘/ 社: 모일 사, 토지신 사/ 稷: 곡신 직/ 祭: 제사 제/ 洊: 거듭 천

4. 효사(爻辭)

진(震)괘는 천둥 벼락이 불러일으키는 두려움이 오히려 공구수성(恐懼修省)하는 계기가 되어 좋은 결과를 가져오는 뜻이 있다. 진괘의 주효는 초구로서 삶의 근본을 뒤흔드는 강력한 진동을 의미한다. 자연현상이 불러 일으키는 진동은 인사적인 문제에도 적용하여 길흉을 점단한다.

初九 震來虩虩 後笑言啞啞 吉

초구 진래혁혁 후소언액액 길

천둥 벼락이 오니 놀라고 두려워하다. 나중에는 웃고 말하며 깔깔거리니 길하리라.

初九는 진(震)괘의 주효(主爻)로 천둥 벼락이 치며 천지를 뒤흔들어 놀라게 하는 시작점이다. 천지를 뒤흔드는 것은 자연현상 중 천둥 벼락 만한 것이 없다. 예로부터 자연현상인 우레를 하늘의 소리로 두려워하고 경외하며 자신을 돌아보는 성찰의 계기로 삼았다. 천둥 벼락으로 인하여 생기는 두려움이 오히려 자기자신을 돌아보게 하는 주요한 동기가 된다. 천둥 벼락으로 인하여 생기는 두려움이 오히려 자신의 성찰(省察)을 촉발하게 되고, 그로 인하여 수신(修身)하게 되니, 우레가 치는 상황에서도 떳떳하여 두려울 것이 없다. 그러므로 천지를 뒤흔드는 천둥 벼락에도 불구하고 뒤이어 웃고 떠들며 왁자지껄하는 삶의 여유로움을 갖게 된다(後笑言啞啞). 한바탕 천둥 벼락이 치고 지나가니 공구수성(恐懼修省), 성찰(省察)과 수신(修身)을 하게 되니 이후에 오히려 제대로 된 법도를 세우는 계기가 된다(後有則也). 공자는 초효를 "진래혁혁(震來虩虩)이니 천둥 벼락에 대한 두려움이 오히려 복을 이루는 동기가 되고, 소언액액(笑言啞啞)하니 이후에 법도가 바르게 세워짐을 말한다(象曰 震來虩虩 恐致福也 笑言啞啞 後有則也)"라고 주석하여 천둥 벼락으로 인하여 생긴 두려움이 오히려 전화위복(轉禍爲福)이 됨을 설명하였다.

六二 震來厲 億喪貝 躋于九陵 勿逐 七日得
육이 진래려 억상패 제우구릉 물축 칠일득

육이 천둥 벼락이 치니 위태롭다. 많은 것을 잃고 구릉을 오른다. 쫓지 마라. 칠일이면 얻으리라.

천둥번개가 들이치니 위태롭다. 六二 음유(陰柔)가 천지를 뒤흔드는 강력한 진동인 初九 강(剛)을 올라탔으니 어찌 위태롭지 않은가? 공자는 상전을 통해 "천둥 벼락이 들이치니 위태로움은 유(柔)가 강(剛)을 올라탔기 때문이다(象曰 震來厲 乘剛也)"라고 하였다.

六二는 中을 잡고 자리가 바르나 六五와 응하지 못하니, 初九 剛을 올라타고 음유(陰柔)하여 많은 것을 잃고 구비구비 첩첩산중 구릉(九陵) 속으로 들어가 숨는다. 九는 수(數)로는 최고의 수를 의미하니 많음이 거듭됨을 뜻한다. 높은 산이 거듭되고 첩첩이 되니 구릉(九陵)이란 험산(險山)을 뜻한다. 내호괘가 艮山☶이니 첩첩산중(疊疊山中)의 뜻이다.

패(貝)는 재화나 관직을 의미한다. 그러므로 억상패(億喪貝)란 엄청난 재물이나 관직을 상실하는 것을 말한다. 六二는 날벼락 같은 큰일을 당하고 많은 것을 잃는 효이다. 그러나 六二는 유순중정(柔順中正)하므로 구릉(九陵) 속으로 들어가 피하듯 어느 정도 물러나 있으면 다시 곧 되찾는 덕을 갖춘 자이다. 그러므로 잃은 것을 되찾으려 쫓지 마라. 효가 한 바퀴 돌면 다시 자기자신에게 돌아오니 7일이면 되찾으리라. 여기에서 7일이란 사건이나 일의 진행이 한 바퀴 순환하는 과정을 이른다. 지뢰복(地雷復)괘 "七日來復"의 의미를 생각하라.

☞ 億: 억 억, 많은 수 억/ 喪: 잃을 상/ 貝: 조개 패, 재물 패/ 躋: 오를 제/ 陵:언덕 릉/ 乘: 탈 승

六三 震蘇蘇 震行无眚
육삼 진소소 진행무생

육이, 천둥 벼락이 깨어나고 되살아난다. 천둥 벼락이 행하여도 재앙은 없으리라.

삼효(三爻)는 하괘의 상(上)에 처하여 중(中)을 벗어나 본격적인 삶의 전쟁터에서 "終日乾乾 反復道也"하는 자리다. 그런데 六三은 양의 자리에 음으로 와서 자리가 부당하고 유약(柔弱)하다. 양강(陽剛)하게 부딪히고 싸워 상괘로 나아가야 하는 자리에서 유음(柔陰)으로 와 자리가 부당하니 천둥 벼락이 크게 힘을 쓰지 못한다. 잠잠하다 깨어나고 죽은 것 같다가 다시 되살아난다. 방전되어 기운을 상실한 천둥 벼락이 여기저기 내려친다 한들 크게 재앙을 일으키지는 못한다. 공자는 이를 "천둥 벼락이 깨어나고 되살아남은 위(位)가 마땅하지 않기 때문이다(象曰 震蘇蘇 位不當也)"라고 풀이하였다.

☞ 蘇: 깨어날 소, 되살아 날 소, 소생하다, 깨어나다, 찾다, 구하다.

九四 震遂泥
구사 진수니

천둥 벼락이 진흙 속에 떨어지다.

九四는 음의 자리에 양으로 와서 자리가 바르지 않고, 4 개의 음에 빠진 震☷은 갈 길을 잃어버렸다. 九四는 위 아래 두 개의 음효 사이에 처박힌 상이니 깊은 수렁에 빠진 것이다. 벼락이 수렁 속으로 들어갔으니 벼락의 기운을 순식간에 흡수하여 벼락으로서의 기능을 감소시켜버릴 것이다. 벼락의 체면이 말이 아니다. 진행하던 일이 침체되거나, 난관에 부딪혀 갈 길을 잃어버리고 깊은 부진의 늪에 빠지게 된다. 공자는 이를 "벼락이 진흙 속에 떨어지니 빛을 잃은 것이다(象曰 震遂泥 未光也)"라고 하였다. 동하면 地雷復(☷☳)이니 벼락(☳震)이 진창 늪 깊은 수렁 속☷에 빠진 상으로 더 이상 빛을 발할 수가 없는 것이다.

☞ 遂: 떨어질 수

六五 震往來 厲 億无喪 有事
육오 진왕래 려 억무상 유사

천둥 벼락이 오가니 위태롭다. 많은 것을 잃지는 않으니 사업은 있으리라.

六五는 양의 자리에 음으로 와서 자리가 바르지 않으나 중(中)을 지키니 인군의 덕을 갖춘 자리이다. 그러므로 천둥 벼락이 오가는 위태로운 상황에서도 위험을 무릅쓰고 행한다. 그럼에도 불구하고 사업(事業)이 중(中)을 지키고 있으니 많은 것을 잃지는 않으며 사업 역시 무너지지 않고 유지해 나간다. 즉, 천둥 벼락이 오고 가는 위험한 상황 속에서도 일(事)이 중(中)에 거하고 있으니 크게 잃지 않고 지켜낼 수가 있는 것이다. 그래서 공자는 "천둥 벼락이 오락가락하여 위태로우니 위험을 무릅쓰고 행한다. 천둥 벼락이 오가는 위험 속에서도 사업은 중(中)에 거하고 있으니 크게 잃지는 않으리라(象曰 震往來厲 危行也 其事在中 大无喪也)"라고 하여 큰 소실은 없을 것이라 하였다. 사(事)란 할 일이나 사업, 직무, 직분 등 일을 의미한다.

☞ 億: 억 억, 많은 수 억/ 喪: 잃을 상, 망할 상

上六 震索索 視矍矍 征凶 震不于其躬 于其鄰 无咎 婚媾有言
상육 진삭삭 시확확 왕흉 진불우지궁 우기린 무구 혼구유언

천둥 벼락의 기운이 다해 눈을 두리번거리며 내리칠 곳을 찾으니 이때 나아가면 흉하다. 천둥 벼락이 내 몸이 아니라 이웃을 치니 무탈하리라. 혼구의 구설(口舌)이 있으리라.

천둥 벼락이 방전돼 기운이 흩어지게 되면 불규칙적이고 산발적으로 남은 기운을 소진하게 된다. 즉 왕성하던 기운이 소진되면 목표를 잃어버리고 여기저기 산발적인 타격을 하게 되는 것이다. 이때 밖으로 나아가 벼락을 맞으면 흉한 꼴을 당하기 쉽다. 정조준하지 않은 유탄에 맞는 꼴이니 재수가 없는 것이다. 전쟁이 끝나가는 말엽에 유탄에 맞는 것만큼 운이 없는 것도 없다. 천둥 벼락이 시선을 두리번댄다 함은 의도치 않은 벼락을 여기저기 산발적으로 내릴 수가 있음을 말한다.

그러므로 다된 밥에 쓸데없이 나서다 구설수에 오르거나, 재수가 없으면 생각지도 않았던 날벼락을 맞는 수가 있다. 굳이 나아가지 않아도 되는 상황에서 함부로 나서다 패잔병이 쏜 유탄에 맞는 격이니 이런 날벼락도 없다. 벼락이 기운을 다해 여기 저기 흩어지면서 의도치 않은 벼락의 유탄을 떨어트리는 상황이니 경거망동하여 나서다 쓸데없이 흉한 꼴을 당하지 마라.

上六은 상극에 처하여 기운이 다했으나 음에 자리에 음으로 와서 자리가 바르다. 그러나 유음(柔陰)으로 유약하다. 동하면 火☲가 되니 번개를 뜻한다. 그러므로 비록 기운은 유약하지만 명색은 그래도 천둥 벼락이니, 때로는 천둥도 치고 벼락☲도 때린다.

上六은 자리가 합당하다. 그러므로 기운이 다해 흩어진 벼락은 내가 아닌 이웃을 치게 될 수도 있다. 날벼락을 맞은 이웃을 보고 스스로를 공구(恐懼)하고 수성(修省)한다면 탓할 것이야 없다. 그래서 공자는 "천둥 벼락이 기운을 다해 흩어짐은 중(中)을 얻지 못했음이니, 비록 흉하나 허물이 없는 것은 날벼락(징계)을 맞은 이웃을 보고 두려워하여 스스로를 경계하기 때문이다 (象曰 震索索 中未得也 雖凶无咎 畏鄰戒也)"라고 하였다. 그러나 어쨌든 자기가 아니라 이웃이나 경쟁관계에 있던 다른 사람이 맞은 것을 보고 공구수성(恐懼修省)하여 경계를 삼으니 불행 중 다행이긴 하나 혼구(婚媾)에게 원망이나 시기, 질투, 부러움 등 구설(口舌)에 오르내리게 된다. 혼구란 가까운 이웃을 뜻한다(婚媾有言).

혼구(婚媾)는 혼인(婚姻)을 의미하니 이러한 어수선한 상황, 벼락(징벌)의 유탄에 맞아 어려움에 처한 이웃에게 음양의 짝을 구하고 교류를 구하는 것은 구설(口舌)이 있을 수밖에 없다. 또한 응하는 이웃인 六三은 서로 같은 음효여서 짝이 맞지 않으니 조화를 이루지 못한다.

☞ 索; 흩어질 삭, 다할 삭/ 矍: 두리번거릴 확/ 婚: 혼인할 혼/ 媾: 화친할 구/
雖: 비록 수/ 畏: 두려워할 외/ 鄰: 이웃 린

52. 重山艮 _{중뢰진}

山☶艮
山☶艮

▶효변(爻變)

과거	미래	현재
☷ ⇨	☷	☷ -5
		☷ -5

上下작용력: (-5)-(-5)=0

上下균형점: (-5)+(-5)=-10

艮其背 不獲其身 行其庭 不見其人 无咎

象曰 艮止也 時止則止時行則行動靜不失其時 其道光明 艮其背 止其所也 上下敵應 不相與也 是以不獲其身行其庭不見其人无 咎也

象曰 兼山艮 君子以 思不出其位

初六 艮其趾 无咎 利永貞

六二 艮其腓 不拯其隨 其心不快

九三艮其限 列其夤 厲薰心

六四 艮其身 无咎

六五 艮其輔言有序悔亡

上九 敦艮 吉

1. 괘상(卦象)

외괘도 艮山☶, 내괘도 艮山☶이니 산 넘어 산으로 겸산(兼山)으로 이루어진 괘를 중산간(重山艮)이라 한다. 2개의 음이 땅에 뿌리박고 있어 양이 고정되니 그침(止)을 의미한다. 초양(初陽)이 상향하다 끝에 다다르니 멈춤(停止)이다. 거대한 산이 겸산(兼山)을 이루어 장벽이 되니 모든 흐름을 그치게 한다. 산의 무거움은 천지의 움직임조차 정지시킨다. 날아가는 새도 멈추게 하고, 바람도 가는 길을 멈추게 하며 빛도 막아선다. 상하균형점이 -10이고 상하작용력이 제로(0)이니 움직임이 없이 묵직하게 그쳐 있는 상이다.

그러나 그 멈춤이라는 고요(靜) 속에는 생명을 잉태하는 생명지기(生命至氣)의 흐름(動)이 있다. 호괘가 뇌수해(雷水解☵)로서 적연부동(寂然不動)함 속에 생명이 살아 움직이는 지기(至氣)의 흐름이 있으니 정중동(靜中動)이다. 정지된 산 속의 고요함 속에 가부좌 틀고 앉아 하나가 되어 보라.

지산(止山)은 생각의 흐름이 그치니 생각이 끊어진 자리요, 하늘과 맞닿은 자리로서 우주의 근원과 통하는 성통광명(性通光明)의 자리이다. 생각함도 없고 행함도 없는 무사무위(無思無爲)로 고요하여 움직임이 없다가 어느 순간 동하여 느끼니 천하의 연고에 두루 통하는 자리이다(無思也 無爲也 寂然不動 感而遂通 天下之故/계사전). 삼라만상(森羅萬象)이 멈춰선 그 자리는 귀일심원(歸一心源)하는 공(空)의 자리로 태극(太極)이 시작되는 근원이다.

나아가면 그쳐야 할 때가 오니, 그칠 때는 그치고 나아갈 때는 나아가는 것이 사물의 이치이다(時止則止 時行則行). 지감금촉(止感禁觸)으로 수심정기(守心正氣)하니, 이는 제자리에 우뚝 서서 중도(中道)를 지키는 지산(止山)의 큰 가르침이다.

간괘(艮卦)는 모든 효가 응함 없이 서로를 배척하고 있다. 그러므로 경거망동하게 움직이면 오히려 흉하다. 산처럼 그 자리에 무겁게 머물며 그쳐 있을 때 내부에서는 오히려 막힌 것이 풀리며 살아 움직이기 시작한다. 호괘가 뇌수해(雷水解☳☵)인 이유이다. 상하의 효가 서로 더불지 않음은 세속에 섞여 살면서도 서로 얽히지 않는 무심(無心)의 경지를 뜻한다(上下敵應 不相與也 是以不獲其身 行其庭 不見其人 无咎也).

2. 괘변(卦變)

▷호괘 - 雷水解

艮
☷-5
☷-5
0

➡

解
☳+1
☵-3
-4

　모든 것을 멈춰 세우는 겸산(兼山)의 호괘가 뇌수해(雷水解)이니, 간(艮)의 체는 고요하지만 그 내부는 역동적인 기(氣)의 흐름이 있다. 道를 닦는 도인들이 名山을 찾아가는 것은 산이 품고 있는 깨달음의 이치 때문이다. 고요하게 멈춰 서있으나 그 내부의 혈맥은 생명지기(生命至氣)가 용솟음치듯 흐르고 있으니 대인은 이로서 깨달음의 이치를 배운다. 그 자리에 머물며 멈춰 서있을 때 오히려 도(道)는 통하는 법이다.

▷착종괘 - 重山艮

艮
☷-5
☷-5
0

➡

艮
☷-5
☷-5
0

　음2개가 양을 잡아 멈춰 세우니 그 부동(不動)함이 천하를 압도한다. 착종을 해도 중산간(重山艮)이니 세상의 분주함 속에서도 고요히 그칠 수 있어야 한다. 천하의 움직임을 그치게 하나, 그 안에서는 생명이 살아 숨쉬며 흐르고 있으니 산은 멈춰 서있으나 살아있는 것이다.

▷도전괘 - 重雷震

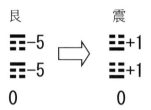

艮 震

☷ -5 ⟹ ☳ +1

☷ -5 ☳ +1

0 0

　2개의 음이 양을 잡아 멈춰 세우니 간(艮)이요(兼山 艮), 양이 2개의 음을 파고들어 올리니 진(震)이다(洊雷 震). 艮은 그 자리에 머물며 그치는 것이요(停止), 震은 움직여 나아감이니(動進), 결국 이는 하나의 체(體)이다. 간(艮)의 호괘는 뇌수해(雷水海☵)이니 막힘이 풀리는 것이고, 진(震)의 호괘는 수산건(水山蹇☵)으로 과도한 움직임을 멈추게 한다. 해(解)는 풀리는 것이고 건(蹇)은 멈추는 것이니 두 괘는 서로 도전괘가 된다.

▷배합괘 - 重澤兌

艮 兌

☷ -5 ⟹ ☱ -1

☷ -5 ☱ -1

0 0

　양이 2개의 음에 잡혀 멈춰 서니 간(艮)이 되고, 음이 2개의 양을 품으니 태(兌)이다. 두 팔을 벌려 하늘의 양기를 가득 담은 모습으로 만족과 기쁨(說)을 의미한다.

3. 괘사(卦辭)

艮其背 不獲其身 行其庭不見其人 无咎
간기배 불획기신 행기정불견기인 무구

등에 그치면 그 몸을 인식하지 못하며, 그 뜰(世俗)에서 행하여도 그 사람을 보지 못하니 허물이 없다.

　인체의 앞은 오감(五感)이 있어 세속(世俗)의 분주함을 인식할 수 있지만 등뒤에는 아무런 감각기관이 없으니 인식함이 없다. 그러한 등에 그친다 함은 자기 자신도 잊어버리는 무심(無心)의 경지에 들어섬을 의미한다(艮其背). 산속의 고요함, 생각(思)도 없고 행함(行)도 없는 평정(平靜)의 영역, 자아를 잊은 무아(無我)의 경지, 무욕(無慾)의 자리, 걸림이 없는 공(空)의 자리, 그곳에 멈추니 자기 자신도 잊어버린다(不獲其身). 세속의 분주함 속에 섞여 살면서도 무심(無心)을 잃지 않으니 다른 이, 다른 생각에 걸림이 없는 대자유의 경지에 머문다(行其庭 不見其人). 기정(其庭)이란 내 앞뜰을 뜻하니 사람들이 오가며 온갖 인연을 만들어내는 세속의 분주함을 의미한다. 그 세속에 섞여 살면서도 무심(無心), 무아(無我)에 머무니 오고 가는 인연에 걸리지 않고 속박되지 않는다. '세속의 사람들이 보지 못한다(不見其人)'함은 세속에 살면서도 걸림이 없는 원융무애(圓融無礙), 무위자연(無爲自然)의 경지에 있음 의미한다. 나를 잊어버리듯 세상의 물상(物象)도 잊어버려 보이지 않으니 세속(뜰)을 거닐어도 걸림이 없이 자유로운 것이다. 세속에 때묻지 않으니 뜰을 거닐어도 세인들은 인식하지 못하는 것이다. 계사전에서 공자님이 설파하신 "無思也 無爲也 寂然不動 感而遂通 天下之故"의 경지를 가리킨다.

無思也 無爲也 寂然不動 感而遂通 天下之故
무사야 무위야 적연부동 감이수통 천하지고

생각함도 없고 행(行)함도 없이 고요하여 움직임이 없다. 어느 순간 동(動)하여 느끼니 드디어 천하의 연고(緣故)에 두루 통(通)하다.   [계사전]

彖曰 艮止也 時止則止 時行則行 動靜不失其時 其道光明
단왈 간지야 시지즉지 시행즉행 동정불실기시 기도광명
艮其背 止其所也 上下敵應 不相與也
간기배 지기소야 상하적응 불상여야
是以不獲其身 行其庭不見其人 无咎也
시이불획기신 행기정불견기인 무구야

단에 이르길, 간(艮)은 그침이다. 그칠 때 그치는 것이요, 행할 때 행하는 것이다. 움직이고 머무름이 그 때를 잃지 않으니 그 도가 밝게 빛난다. 등에서 그치니 그쳐야 할 곳에서 그침이라. 상하가 적응(敵應)하여 서로 더불지 않으니, 이로써 제 몸을 잊어버리고 세속을 거닐어도 사람이 보지 못하니 허물이 없다.

　2개의 음이 상향하는 양효를 붙잡아 세우니 그침이다. 음이 땅에 고정되어 양을 붙잡아 세우니 지(止)요, 양은 위로 나아가니 행(行)이다. 하괘의 艮☶은 머물며 그침(停止)이요, 외호괘 震☳은 움직여 나아감(動·進)이다. 또한 3,4,5,6효가 離☲(大明)의 상이니 광명(光明)의 뜻이다. 때가 그칠 때면 그치고(☶), 때가 행할 때면 움직여 행하며(☳), 동정(動靜)의 때(時)와 도(道)를 잃지 아니하니 大明☲이다.

"動靜不失其時 其道光明"이란 나아가고 고요히 그치는 때를 알고 때로는 동(動)하고 때로는 정(靜)하며 그 길을 가니, 광명(光明)으로 가고 있음을 말한다. 광명이란 근원인 하나(一)와 일통(一通)하는 성통광명(性通光明)이며, 동정(動靜)의 때를 잃지 않음은 일통(一通)과 평정(平靜)의 경지에 있음이니 재세이화(在世理化)하며 성통공완(性通功完)의 로 나아가고 있음을 뜻한다. 動(行)·靜(止)의 때를 잃지 않음은 나아가고 멈춤을 제때에 행하는 것이니, 이는 성통광명을 이루고 재세이화를 실천함으로써 공완(功完)을 수행함을 말하는 것이다.

艮其背 止其所也

내가 있어야 할 곳에 그쳐 있는 것, 자기 자리와 분수를 알고 벗어나지 않음을 가리킨다. 마땅히 멈추고 머물러야 할 곳을 아는 것이다. 만물은 각각 자기가 있어야 할 자리가 있으니, 이를 알고 멈추는 것이 지기소야(止其所也)의 뜻이다.

초효에서 상효에 이르기까지 음양으로 상응(相應)하지 않고 상하가 적응(敵應)하여 서로 더불지 않음은 세속에 섞여 살면서도 서로 얽히지 않는 무심(無心)의 상태를 잃지 않음을 의미한다(上下敵應 不相與也). 그러므로 자아를 잊은 무아(無我)의 경지(不獲其身), 해탈의 경지에서 세속을 거닐어도 다른 이에 걸리지 않는다.

行其庭不見其人

'세속을 거닐어도 사람이 보지 못한다(行其庭不見其人)'함은 다른 사람이나 다른 생각에 걸림이 없는 상태, 만물과 하나되어 경계가 없으니 일체의 거리낌이 없는 원융무애(圓融無礙), 광대무변(廣大無邊)의 상태, 행함에 거리낌이 없는 대자유의 경지, 풍류지도(風流之道)를 뜻한다. 세속을 거닐며 세인과 더불지만 걸림이 없으니 바람이 지나가듯 자유롭다.

象曰 兼山艮 君子以 思不出其位

상왈 겸산간 군자이 사불출기위

상에 이르길, 산이 서로 겸하여 있는 것이 艮이니 군자는 이로써 생각이 그 자리를 벗어나지 않는다.

지산(止山)이 겹쳐 있음이 간(艮)이니, 겸산간(兼山艮)은 무심(無心)의 자리, 공(空)의 영역을 은유한다. 허심(虛心)의 상태로 무욕(無慾)의 자리이다.

무심(無心)을 잃지 않으니 자기 분수를 넘어 과욕(過慾)을 부리지 않는다. "思不出其位"는 생각이 그쳐 자기자리를 벗어나지 않음 의미한다. 지감(止感), 금촉(禁觸)으로 무욕(無慾)에 머문다. 감각이 멈추고 생각이 끊어진 자리는 도(道)가 통하는 자리, 부딪힘이 사라지는 그침의 경지로서 분별을 넘어선 일체(一體)의 경지, 하나(一)의식을 뜻한다.

☞ 艮: 그칠 간/ 背: 등 배, 뒤 배/ 獲: 얻을 획

4. 효사(爻辭)

간(艮)괘는 멈추고 제자리에 머물러 있어야 바른 괘이다. 큰 산처럼 우뚝 서서 멈추어 있을 때 비로소 내부의 막힌 기혈이 뚫리고 혈관이 흐른다(호괘, 雷水解☳☵). 상하괘가 서로 배타적으로 적응(適應)하니 움직이면 오히려 흉한 꼴을 당한다. 초효부터 그치는 도(道)를 설명한다. 初六은 발, 六二는 장딴지, 九三은 몸의 상체와 하체의 한계를 경계 짓는 허리, 六四는 몸, 六五는 광대뼈, 上九는 그침의 완성을 신체에 비유하여 간(艮)의 道를 설명한다. 그치는 위치에 따라 멈춤의 뜻이 다르다.

> **初六 艮其趾 无咎 利永貞**
> 초육간기지 무구 이영정
>
> 초육, 발에서 그친다. 허물이 없으니 오래도록 바르게 함이 이로우리라.

발은 몸이 움직이는데 전초적인 역할을 한다. 먼저 발이 움직이고 몸이 뒤따라간다. 그치는 도가 발에서 머물면 비록 양위(陽位)에 음(陰)이 와서 자리가 부당하지만 허물할 것은 없다. 다만 자리가 부당하니 바름(貞正)을 오래도록 고수하는 것이 이롭다. 初六은 자리가 부당하고 아래에 처하여 그 힘도 미약하니 이영정(利永貞)이라 경계를 두는 것이다. 공자는 "발에서 그치니 바름을 잃지 마라(象曰 艮其趾 未失正也)"라고 경계를 한다. 동(動)하면 火☲가 되니 바를 정(正)이 나온다. 山☶이 동하여 火☲가 되면 나아가는 것이 되지만 初六과 거리가 먼 상체☶(止)인 몸은 그대로 멈추어 있으니 균형이 흐트러진다. 그 자리에 바르게 머물러 있는 것이 이롭다.

☞ 跐: 발 지

六二 艮其腓 不拯其隨 其心不快
육이 간기비 부증기수 기심불쾌

육이, 장딴지에서 그친다. 그 따름을 도와주지 못하니 그 마음이 유쾌하지 않다.

六二가 동하면 巽風☴이 되어 다리의 뜻이 나온다. 장딴지에서 그친다는 말은 일이 진행된 상태에서의 멈춤을 의미한다. 발을 따라서 가고자 하나 이끌어주는 도움을 받지 못하면 오도가도 못하니 어정쩡한 상태가 된다. 장딴지는 발과 몸 사이에서 자기가 스스로 해낼 수 있는 것이 없다. 어중간한 상태에서 다리를 따르자니 몸이 뒤로 물러나 있어 말을 안 듣고, 몸을 따르자니 다리가 제 맘대로다. 장딴지는 발과 연결되어 있어 발을 따를 수밖에 없다. 그러나 허벅지(二)와 허리(九三)가 연결된 몸(四)이 아직 뒤에 물러나 있으니 몸이 따라주어야 한다. 발을 따라 장딴지가 한발을 내 딛으면 허리와 연결된 몸은 아직 뒤에 있게 된다.

六二는 中正하지만 군왕인 六五가 음유(陰柔)하여 六二 음(陰)에 응(應)하지 못하니 서로 어긋나고 도움이 되지 못한다. 즉, 장딴지가 하고자 하는 것을 받아드리고 내 딛을 수 있도록 도움을 주지 못하는 것이다(不拯其隨). 나아가고 그침이 장딴지 자신에게 있는 것이 아니라 발과 허리에 달려있으니 제 맘대로 되는 것이 없다. 마음이 편할 리 없으니 유쾌하지 않다.

공자는 이를 "(발을) 따르고자 하는 것을 이끌어 도와주지 않으니 위(上)가 물러나 아래(下)를 듣지 않기 때문이다(象曰 不拯其隨 未退聽也)"라고 풀이하고 있다. 나아가는 발(下, 初六)을 따르고자 하나 허리(三)가 상체를 연결해주지 않으니, 상체(上, 六四)인 몸이 뒤로 물러나 있어 말을 듣지 않는 것이다. 내 의지대로 할 수 있는 것이 없으니 마음이 불쾌하다.

六二가 동하여 巽☴(流)이 되면 자유롭게 움직이려 하는 성질이 있으나 상체☶(止)는 그대로 머물러 움직이지 않는다. 발(初六)은 이미 한 걸음 내딛었으나 허리(九三)가 있어 상체(六四)가 연결되지 않는 것이다.

☞ 拯: 도울 증, 들어올릴 증, 받아드릴 증/ 快: 상쾌할 쾌, 즐거울 쾌/ 隨: 추수, 따를 수

九三艮其限 列其夤 厲薰心
구삼간기한 열기인 려훈심

구삼, 허리에서 그친다. 그 등골이 분리되니 등골이 쪼개지는 위태로움에 마음을 애태우리라.

한(限)은 하체의 한계와 상체의 한계로서 몸의 상하 경계 부분이니 바로 몸과 장딴지를 연결하는 허벅지와 상체를 연결하는 허리의 부분을 가리킨다. 인(夤)은 상체와 하체를 연결시키는 등골뼈, 척추를 의미한다.

허리에서 그친다 함은 일의 어중간한 상태에서 어정쩡하게 멈추는 것을 의미한다. 허리는 그치는 곳이 아니라 발과 장딴지의 나아감을 몸에 전달하여야 하는 곳이다. 멈추게 되면 하체와 상체가 따로 움직이게 된다. 그러므로 한발을 내 딛으면 장딴지가 따라 나서는데 몸통이 아직 뒤에 있으면 허

리는 상하를 연결하는 등골이 나뉘는 아픔을 느끼게 된다. 그래서 공자는 "허리에서 그치니 위태로움에 마음을 애태운다(象曰 艮其限 危薰心也)"라고 이를 표현하였다.

3효는 하괘의 위에 처하여 상괘로 넘어가기 위한 자리로 "終日乾乾 反復 道也"하는 자리다. 九三이 효변하면 山地剝(䷖)이 되니 위태롭다.

☞ 列: 분리할 열, 벌릴 렬(열), 쪼갤 열/ 夤: 등골살 인, 척추뼈 인/ 薰: 향초 훈,태울 훈

六四 艮其身 无咎

육사 간기신 무구

육사, 몸에서 그친다. 허물이 없다.

六四는 하괘에서 고군분투하며 종일건건(終日乾乾)하던 3효가 강을 건너 상괘로 넘어온 자리로서 자리가 합당한 정당위(正當位)이다. 다리를 따라 몸통이 이미 나섰으니 허물이 없다. 발과 장딴지가 나서고 허리가 이를 중재하여 몸이 따라 나섰으니 일을 이룬 것이다. 그러므로 몸에 그친다 함은 일을 이룬 것이니 허물이 없다. 그치는 도가 몸통에서 이루어지니 발에서 그치고, 장딴지에서 그치고, 허리에서 그치며, 드디어 몸에서 그치니 몸 전체가 그치며 균형과 평정을 이룬다(象曰 艮其身 止諸躬也). 六四가 효변하면 화산려(火山旅䷱)가 되니, 발이 가는 대로 몸이 따라 나서 자유롭게 여행을 하는 것이니 허물이 없는 것이다.

☞ 諸: 모두 제/ 躬: 몸 궁

六五 艮其輔 言有序 悔亡
육오 간기보 언유서 회망

육오, 광대뼈에 그친다. 말에는 질서(정신문명)가 세워지고 회(悔)는 사라지리라.

인간은 이성적이고 합리적이며 논리적으로 만물과 세상, 더 나아가 우주를 규명하며 자신의 존재를 탐구하고, 존재를 정당화하는 존재이다. 존재의 이유가 논리적으로 정당화될 때까지 탐구하는 것이 이성적인 인간의 모습이다. 신에게 귀의하여 자신의 존재이유를 부여받기도 한다.

인간이 첫발을 내어 딛을 때에는 어린아이로 비유될 수 있고(初六), 장딴지가 나설 때는 청소년(六二), 허리가 움직여야 할 때는 청년(九三), 몸통이 따라 나설 때에는 장년(六四), 그리고 六五 간기보(艮其輔)에서는 멈추어 서서 자신을 돌아보며 존재를 탐구하는 철학적 인간으로 비유될 수 있다. 각 단계에서의 그침의 도는 짐승과는 다른 존재로서 절제와 통제를 어떻게 하는가를 다룬다.

다리와 허리 그리고 몸통이 모두 따라 나섰으니 이제 거친 세상에 나온 존재의 이유를 논리적으로 설명해야 한다. 인간은 철학적 이유 없이는 존재하지 못한다.

다리와 허리 그리고 몸통이 모두 따라 나섰다는 것은 일이 완성되었음을 의미한다. 모든 일에는 순서가 있고 상하의 질서는 세워져야 한다. 입(口)이 위치한 광대뼈에서 그친다 함은 인간만이 가지고 있는 언어로써 이성적이고 합리적인 철학적 논리를 세워야 함을 뜻한다. 언어는 DNA속에 인간만이 가지고 있는 유전자로서, 인간은 언어를 통해서 질서를 표현한다. 이성적이고 합리적인 언어로써 세상의 질서를 정의한다. 언어(言語)를 통하여 질서를 세우고 정신문명을 일구며, 서로 어긋나 제 맘대로 흩어져 있던 작용들을 질서

있게 정의한다. 언유서(言有序)란 인간의 이성적인 언어로써 만물에 질서를 세워 바르게 정의하는 것을 가리킨다. 六五가 효변하면 風山漸(☶☴)이니, 이는 기러기가 날아가듯 차례차례 질서 있게 나아가는 문명의 모습을 상징한다.

공자는 이를 "광대뼈에서 그침은 中으로써 바르게 하는 것이다(象曰 艮其輔 以中正也)'라고 하였다. 六五는 中이지만 陽位에 陰이 와서 자리가 바르지 않다. 그런데 바름(正)을 말한 것은 중(中)으로써 언(言)를 바르게 세워야 함을 경계하는 것으로 보인다. 언(言)이 중(中)으로써 정(正)하지 않으면 세상의 질서를 바로 세울 수 없기 때문이니 언유서(言有序)가 품고 있는 정신문명의 뜻이다.

☞ 輔: 광대뼈 보, 도울 보

上九 敦艮 吉
상구 돈간 길

상구, 그침을 도탑게 하니 길하다.

上九는 인간문명의 최고의 완성을 말하며, 지극히 그쳐 있는 상태로서 지어지선(至於至善)의 경지를 뜻한다. 물질문명이 완성되고 드디어 정신문명이 이루어진 것이다. 인간이 지구문명 속으로 걸어 나와 거친 황야를 헤쳐가며 물질문명을 이루고, 드디어 정신문명을 이루니 두터움(敦厚)으로 그침을 뜻한다.

上九가 동하니 地山謙(䷎)이다. 겸(謙)은 군자유종(君子有終)이니 겸손하고 후덕한 마음으로 두텁게 마친다. 공자는 이를 "도탑게 그침이 길함은 후덕(厚德)하게 마치기 때문이다(象曰 敦艮之吉 以厚終也)"라고 표현하고 있다.

☞ 敦: 도타울 돈/ 厚: 두터울 후

53. 風山漸 _{풍산점}

風 ☴ 巽
山 ☶ 艮

▶효변(爻變)

과거	미래	현재
☷ -5 ⟹	☶ +5	☴ +5
		☶ -5

上下작용력: -5-(+5)=-10

上下균형력: (-5)+(+5)=0

漸 女歸吉 利貞

象曰 漸之進也 女歸吉也 進得位 往有功也 進以正 可以正邦也

其位 剛得中也 止而巽 動不窮也

象曰 山上有木 漸 君子以 居賢德善俗

初六 鴻漸于干 小子厲 有言 无咎

六二 鴻漸于磐 飮食衎衎 吉

九三 鴻漸于陸 夫征不復 婦孕不育 凶 利禦寇

六四 鴻漸于木 或得其桷 无咎

九五 鴻漸于陵 婦三歲不孕 終莫之勝 吉

上九 鴻漸于陸 其羽 可用爲儀 吉

1. 괘상(卦象)

艮☶은 2개의 음이 양을 붙잡고 있는 상으로 대지에 붙어있는 고정된 산의 모습이다. 하괘 ☶의 六二가 동하여 양으로 효변하면 風☴이 되어 상괘에 그 뜻을 드러낸다. 바람☴은 2개의 양이 풀려 있는 모습이니 자유롭다. 그러나 초음이 붙잡고 있으니 대지를 벗어나지 못하는 한계를 가진 자유로움이다.

굳은 것☶이 풀어지는 모습☴이고, 정지 상태☶(止)에서 자유로이 움직여 가는 모습☴(流)이고, 정지☶했던 자동차가 출발☴하는 모습이다. 앉아있던 새가 날아가는 모습이며, 산☶에서 나무☴가 자라는 상이니 점진(漸進)의 의미가 있다. 점차 단계를 밟아가며(漸之進也), 나아가는 것이 바른 도이니(進以正), 이로써 능히 한 나라를 바로 세울 수 있다(可以正邦). 괘명이 점(漸)인 것은 六二中正과 九五中正이 서로 정응하여 점진적으로 바르게 나아가며 공(功)을 이루기 때문이다(往有功也).

▷비교

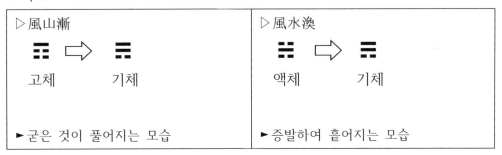

▷風山漸		▷風水渙	
고체	기체	액체	기체
▶굳은 것이 풀어지는 모습		▶증발하여 흩어지는 모습	

산☶에 막혀 있던 바람☴이 산을 넘어 나아가는 모습이니, 정착☶에서 자유롭게 풀려 나아가는 모습으로 희망찬 출발☴의 의미가 있다. 양의 활동성

이 커진다는 것은 유동성이 커진다는 것을 의미한다. 굳어 있던 것☶(止)이 양기를 점차 불려가며 풀어지니☴(流), 막힌 도로가 뚫리고, 막힌 혈관이 뚫려 기(氣)가 돌며, 고정관념이 풀어진다.

▷☶은 2가지 방향으로 변화가 일어난다.

▷風山漸	▷火山旅
山　　　　風　　　　漸 ☶-5 ⇨ ☴+5　☴+5 　　　　　　　　　☶-5 上下작용력: (-5)-(+5)=-10 上下균형력: (-5)+(+5)=0 ▶양☴이 ☶에 붙어있는 채로 점차적으로 자라는 모습(☴) ▶☴과 ☶은 첫 효가 음으로서 ☶에 근원을 두고 있으니 땅을 벗어나지는 않는다.	山　　　　火　　　　旅 ☶-5 ⇨ ☲+3　☲+3 　　　　　　　　　☶-5 上下작용력: (-5)-(+3)=-8 上下균형력: (-5)+(+3)=-2 ▶☶의 초음이 양으로 효변(☲)하면서 땅☷에 붙어 있던 것이 떨어져 나가 하늘로 오르는 모습(☲) ▶고정☶되어 있던 것이 자유롭게 풀려난 모습으로 땅을 벗어나 상향(☲)한다.

이 세상에 존재하는 이유는 무엇인가?

무슨 이유로 여기에 왔는가? 어떻게 살아가야 하는가? 어디로 가고 있는 걸까?

원래 태극(太極)이 있었다. 태극(一)에서 음양(二)이 작용하고 태극이 품고 있던 천지인(天地人) 삼극(三極)이 무위자연(無爲自然)으로 펼쳐지니 만물만상이다. 만물만상은 음양이 서로 부딪히고 화합하며 조화를 이루어 만들어내는 것이니 이로부터 길흉득실(吉凶得失)이 생겨난다. 『주역』「계사전」은 이를 "剛柔相推而生變化"라고 정의하고 있다.

득(得)은 길(吉)이고 실(失)은 흉(凶)이니, 선택은 자신의 문제다. 길흉(吉凶)의 득실(得失)은 누구에게나 같은 것이 아니라 저마다 다르게 작용되는 것이니, 자신에게 득이면 길이 되고, 실이면 흉일 따름이다. 처음부터 길흉(吉凶)이 정해진 것은 없다.

선(善)과 악(惡)은 사람들이 살아가면서 생존을 위해 만들어낸 사유(思惟)의 산물로서 상호 공존을 위한 윤리적 장치이다.

태초에는 분별없이 하나로 존재했다. 선악을 분별함으로써 피아(彼我)를 구분하며 서로 대립하는 것은 전일성을 자각하지 못한 어리석음에서 나온다.

天과 地가 서로 떨어져 작용을 하지 않음을 무극(無極)이라 한다(否☷☰). 이에 乾☰의 初九와 坤☷의 六三이 서로 자리를 바꿔 상호작용하면서 음양이 교감하니 점차 만물이 일어난다(漸☴☶). 나는 다만 하나(一)에서 화생된 만물 중의 하나로서, 역(易)으로 정의한다면 우주를 구성하는 384효 중 하나의 효(爻)가 된다.

우주는 하나(一)에서 비롯된 384개의 효로 정의된다. 나는 우주를 구성하는 384개의 구성요소 중의 하나로 우주의 화생작용과 천지운행에 주체로써 직접 참여한다. 구성요소 중에 하나라도 없다면 우주는 존재할 수가 없다. 내가 사라지면 우주도 사라진다. 내가 있으므로 우주가 존재하니 이 어찌 가슴 벅차지 않으랴.

나(人)는 천지의 화육(化育)에 직접 참여하여 그것을 도우니 곧 참여하는 우주라(參贊天地之化育). 이것이 우리 인생의 가치이니, 곧 성통광명(性通光名), 재세이화(在世理化)의 실천이요 홍익인간(弘益人間)의 실현이다.

☞태극(一)은 음양의 작용(二)으로써 천지인 삼극(三)을 펼쳐낸다.

人은 天地를 완성하는 참여자로서 양(陽)과 음(陰)을 모두 가진 중(中)이며, 천지의 조화에 참여하는 주체로써 삼신일체(三神一體)를 이룬다. 人은 음양지합(陰陽之合)으로 生한 천지의 완성체이며, 조화주(造化主)니 人이 없으면 천지는 체(體)로써 존재할 뿐 화생작용(用)이 없는 텅 빈 공(空)에 불과하다. 人은 天地를 지탱하고 천지창조를 완성하니 天地人은 三極이나 一體로서 하나(一)를 이룬다.

▷ "二生三"의 원리

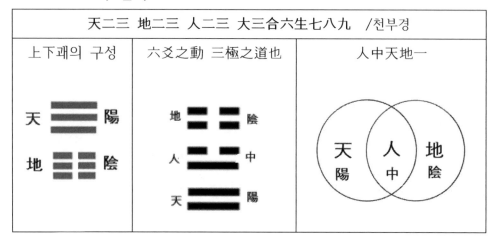

天二三 地二三 人二三 大三合六生七八九 /천부경		
上下괘의 구성	六爻之動 三極之道也	人中天地一

☞천지교합(天地交合)으로 인(人)을 내다.

人은 天地의 화육(化育)에 참여하여 그것을 도우니 나(人)는 곧 참여하는 우주다(參贊天地之化育). 즉 우주는 "天一地一人一"이 서로 陰陽(二)의 작용으로써 참여하는 공동 네트워크시스템이라 할 수 있다.

태극(一)은 상반된 성질의 음양(二)이 상호작용하는 기(氣)로 정의되고, 안에 품고 있는 天地人(三)이라는 정보(理)를 펼쳐내는 시원(始原)이 된다. 이것을 『천부경』에서는 '天二三 地二三 人二三'이라고 표현함으로써 천지인이 공동으로 우주만물의 화생작용에 참여하고 있음을 말하고 있다.

天二三 地二三 人二三
천이삼 지이삼 인이삼

天一은 음양(二)의 상호작용으로 三에 참여하고

地一도 음양(二)의 상호작용으로 三에 참여하며

人一도 음양(二)의 상호작용으로 三에 참여한다.

음양이 작용을 멈춘 무극은 영(0)이 되고, 음양의 작용 그 자체인 태극(太極)은 일(一)로 정의된다. 그러므로 일태극(一太極)이 품고 있는 天地人은 天一地一人一이 된다. 태극(一)은 곧 음양(二)의 작용이니, 천지인은 각각 태극(一)을 품고 있는 天二 地二 人二가 된다. 그리고 天地人은 각각 음양(二)의 작용으로 만물(三)을 펼쳐내니 天二三地二三人二三이 되는 것이다.

▶인류 생존의 원리, 環存(환존)

환존이란 천지인이 공동 참여하는 우주네트워크 시스템이다. 음양은 서로 대립하면서도 상호의존하면 존재한다. 양의 존재는 음의 존재를 필수조건으로 존재한다. 대립자가 없으면 나도 너도 존재할 수 가 없는 것이다.

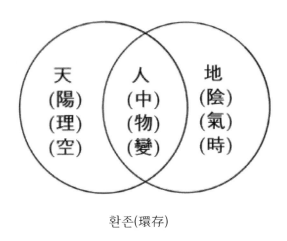

환존(環存)

☞ 本心本太陽 昂明 人中天地一

마음의 본은 본디 광명(光明)이로다.

빛에 오르라. 내 안에서 천지가 하나(一)되리라.   /천부경

▷천지인이 하나(一)된 삼신일체(三神一體)의 자리, 즉 천지가 하나된 자를 인중(人中)이라 한다. 人中은 천지인이 하나된 자리로서 '한'이라 칭한다. '한'은 하나(一)라는 의미로서 존칭하면 '하나(一)님'의 자리가 된다.

음양의 상호작용에 있어서 대응과 타협을 통한 시의적절한 맞작용은 중화를 형성하는 기본적인 요소이다. 중화란 음양의 대소·장단·강약(大小·長短·強弱)의 미묘한 차이가 만들어내는 신묘한 작용으로서, 저마다 다양한 균형점을 만들어내는 적정한 교감과 상호작용이 없다면 조화로운 中和는 기대하기 어렵다. 나(我)라는 존재는 물론, 더 나아가 나와 같은 무리로 형성된 단체, 사회, 국가 등도 상호작용을 통해 저마다 다른 중화를 형성해 나가는 것이니, 나 자신의 적극적인 교감을 통한 상호작용이 없다면 상호조화를 이루어 나갈 수가 없다. 中和란 음양의 조화로운 균형점이지만, 중화로써 生化한 개체로서의 人(物)은 자신이 속한 중화의 유형에 따라 어쩔 수 없이 그 환경적 조건이 만들어내는 길흉을 운명적으로 경험할 수밖에 없다. 그러므로 시의적절한 맞작용을 통해 음양의 상호작용에 공동 참여함으로써 길흉의 향방은 달라질 수 있다. 중화를 이루어 나가는 과정에서 나에게 득이 되면 길이요, 실이 되면 흉이 되는 것이니, 그러므로 길흉이란 숙명적인 것이 아니라 천지와의 상호작용에 공동 참여함으로써 얼마든지 변화시킬 수가 있는 것이다.

천지 만물은 태극이 품고 있는 天地人의 씨앗이 발현된 현상으로서, 天地人의 상호작용에 있어 한 축인 나(人) 자신의 적극적인 참여는 제3의 새로운 변화를 이루는 데 있어서 필수 불가결한 중요 요소라 할 수 있다. 『중용』은 "천지의 화육을 도울 수 있다면 천지와 더불어 삼신일체(三神一體)로다"라고 하였으며, 『荀子』는 이것이 '인간이 천지와 더불어 나란히 동등한 셋이 될 수 있는 까닭(能參)'이라 하였다.

우주는 하나(一)에서 비롯된 384개의 효(爻)로 정의된다. 나(人)는 우주 64卦를 구성하

는 384개 구성요소 중의 하나로서 천지창조와 운행에 주체로서 직접 참여한다. 구성요소 중에 하나라도 없다면 우주는 존재할 수 없다. 내(人)가 사라지면 우주(天地)도 사라진다. 내가 있으므로 우주가 존재하는 것이니 이 어찌 가슴 벅차지 않으랴. 인생의 존재 목적은 '環存'의 주체로서 천지의 작용에 함께 참여하여 서로 돕는 것이다.[1]

내가 우주이고 우주가 곧 나다. 어디를 가든, 언제든 다른 384개의 효와 연결되어 있으므로 항상 끊임없이 서로 만나고 작용하면서 새로운 괘상(卦象)을 만들어 내니 운명이란 항상 내 자신이 만들어내는 현상인 것이다. 내가 슬픔의 효를 가지고 다른 효를 만나게 되면 슬픔의 괘상이 만들어질 것이고, 기쁨의 효로서 다른 효를 만나게 되면 기쁨의 괘상을 만들어 내게 되니, 길흉(吉凶)의 득실(得失)은 스스로가 만들어가는 운명이다. 스스로가 우주와 하나됨을 자각한다면, 스스로가 우주를 구성하는 384개의 효 중의 하나라는 것을 안다면, 우주와 분리되어 있다 라는 원초적인 불안감은 자리할 수 없는 것이니, 우주는 살아있는 하나의 생명이며, 나 또한 우주생명을 이루는 일체생명으로서, 내 안에서 천지가 하나됨을 자각한다면 우주는 나와 일치를 이루는 나 자신이 되는 것이다(人中天地一).

'한(韓)'의 어원은 '크다, 넓다, 높다, 많다, 뭇'의 뜻과, 수의 기본수인 하나(一)에서 나온 '한', '한가운데, 한 겨울'이라는 말처럼 '중앙, 중심'이라는 뜻이다. 즉, 이는 시공(時空)과 사람의 성격을 나타내는 최상급 형용사이며, 기초이면서도 끝을 포괄하고, 또한 편벽되지 않은 중도(中道)로서의 의미를 가지고 있다.
- 한국민족문화대백과, 한국학중앙연구원-

---

[1] 박규선, 『양자물리학과 주역』, 부크크, 2024.

2. 괘변(卦變)

▷호괘 - 火水未濟

漸   未濟

☴ +5   ⟹   ☲ +3

☶ -5   ☵ -3

-10   -6

   풍산점(風山漸)은 양의기운과 음의 기운이 서로 가볍게 터치하며 기운의 교환을 시작하는 단계를 말한다. 사물은 돌고 돈다. 모든 것이 끝났다고 생각하는 순간(火水未濟), 다시 시작되는 것(風山漸)이 하늘이 행하는 만물의 순환 이치이다(終則有始天行也). 미제(未濟☲☵)의 호괘는 기제(旣濟☵☲)이니 일종(一終)인즉 곧 일시(一始)이며, 만왕만래용변(萬往萬來用變)이나 부동본(不動本)인 것이다.

▷착종괘 - 山風蠱

漸   蠱

☴ +5   ⟹   ☶ -5

☶ -5   ☴ +5

-10   +10

   풍산점(風山漸)은 산에서 나무가 자라는 모습으로 점진적으로 나아가며 일을 이루는 모습으로 길(吉)하지만(漸之進也 女歸吉也), 산풍고(山風蠱)는 산 아래에서 바람이 파고들어 산을 무너트리는 흉한 모습이다.

▷도전괘 - 雷澤歸妹

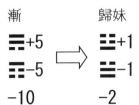

漸   歸妹

+5   +1

−5   −1

−10   −2

►山上有木 漸: 산☶(house)은 가정을 보호하는 울타리, 큰딸☴(長女)이 가족의 품인 집☶을 떠나 시집가는 모습인 길하다(漸 女歸吉 利貞).

►澤上有雷 歸妹: 못☱(home)은 돌아와 편히 쉬는 집이니, 집을 나갔던 큰아들☳(長男)이 돌아오는 모습이다. 안정된 집☱(靜)을 나가면 개 고생☳(動)이니 흉하다(歸妹 征凶无攸利). 점(漸)은 2·3·4·5효가 정위(正位)를 지키고 있지만, 귀매(歸妹)는 2,3,4,5,효의 자리가 부정위(不正位)이다.

▷배합괘 - 雷澤歸妹

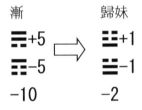

漸   歸妹

+5   +1

−5   −1

−10   −2

►漸: 양이 점차 자라 점진적으로 나아가는 모습이다. 굳었던 마음이 풀리고, 막힌 길이 뚫리고, 산을 넘어 나아가니 여인이 절차를 밟아가며 시집가는 길한 모습으로 설명한다(漸之進也 女歸吉也).

►歸妹: 안정된 상태☱에서 음이 점차 자라니 양(九四)이 요동☳(動)치며 힘들어한다. 못☱의 물이 줄어드니 잉어☳가 몸부림치는 모습이다. 나아가는 것은 잘못된 선택이니 가는 것이 흉이며 이로운 바가 없다(歸妹 征凶无攸利). 괘사는 첩으로 나이든 남자에게 시집가는 잘못된 모습으로 설명하고 있다.

3. 괘사(卦辭)

漸 女歸吉 利貞
점 여귀길 이정

점진적으로 나아감이로다. 여인이 시집가는 것이니 길하다. 바르게 함이
이로우리라.

앉아있던 새(☶)가 날아가는 모습(☴)으로 여자가 절차를 밟아가며 정도를
따라 시집가는 모습이다. 天地否(☰☷)의 양(九四)과 음(六三)이 서로 가볍게
터치하며 음양의 교환을 시작하는 단계로서 점진(漸進)의 의미가 있으니, 천
지가 서서히 이루어져 감을 뜻한다. 산☶(house)은 가족 구성원을 보호하는
울타리가 되고, 장녀☴가 가족의 품인 집☶을 떠나 시집가는 모습으로 길(吉)
한 상이니, 천하에 이보다 더 큰 것은 없다. 天☰ 地☷가 음양(陰陽)을 교환
하며 만물을 낳아 기르듯, 女☴ 男☷이 결혼하여 자식을 낳아 기르는 것은
천지운행을 지속하기 위한 천지의 도로서 천하에 이보다 더 바르고 더한 이
로움이 어디 있겠는가?

歸: 돌아갈 귀, 시집갈 귀

고대에는 남자가 신부를 맞이하기 위해서 신부의 집에 가서 기거하며 일
정의 노동을 제공한 후에 신부를 데려오는 풍습이 있었다. 신부의 집은 외가
(外家)가 되고 신랑의 집은 본가(本家)가 되니, 이는 여자 입장에서 보면 시
집가는 것은 밖(外)에서 안(內)으로 돌아가는 것으로, 곧 본가(本家)로 돌아

가는 것을 의미한다. 돌아간다는 귀(歸)의 의미는 본가로의 귀향(歸鄉)을 의미하고, 그것은 곧 시집을 가는 것을 말하는 것이니 같은 의미이다.

☞ 漸: 점점 점, 천천히 나아갈 점

▷漸과 歸妹의 괘사 비교

☷+5 流 ☶-5 止 -10	☳+1 動, 進 ☱-1 安, 靜 -2
漸 女歸吉 利貞	歸妹 征凶无攸利

☶止: house / ☱安: home

☞ 漸: 점진적으로 단계와 절차를 밟으며 나아가다.

[☶-5(止)]은 가정의 울타리인 집(house)를 의미한다. 음 2개가 땅에 굳건히 뿌리를 박고 있는 고정된 집으로서 비바람을 막아주며 가정을 지켜주는 튼튼한 성(城)을 뜻한다. [☴+5(流)]은 다 자란 나무를 상징하니 인간으로 치면 다 자란 성인이다. 때가 되었으면 부모의 따뜻한 품☱(安)을 벗어나 집☶(城)을 나서야 한다. 부모의 품에서 보호를 받으면서 성장하고, 집을 떠나 또 다른 가정☱(home)을 꾸리는 것이 우주만물의 이치이기 때문이다. 그러므로 사람은 성장하면 집을 떠나 나아가는 것이 바른 이치이니 가히 어른으로서 바른 가정을 꾸린다. 이것은 한 나라를 바르게 세우는 기본이 된다(進以正 可以正邦也).

☞ 歸妹: 마지 못해 나아가다.

[☰-1(安, 靜)]은 안정된 가정(home)을 의미한다. 아침 일찍 일터로 학교로 나갔던 가족 구성원들은 저녁이 되면 다시 돌아와 모이는 것이 가정이다. 가정에서 멀리 떨어져 있을수록 불안하며, 마음은 편안하지 못하다. [☳+1(動, 進)]은 初九가 음 2개를 짊어진 채 힘들어하며 움직이는 모습이다. 안정된 가정☰(安)을 떠나 밖에 나가 힘들게 일하는 모습☳(動)이니 언젠가 다시 돌아올 것이다. '박차고 나아가면 흉하니 이로운 바가 없다'는 괘사는 '집 나가면 개 고생'이라는 말과 잘 어울린다.

象曰 漸之進也 女歸吉也 進得位 往有功也
단왈 점지진야 여귀길야 진득위 왕유공야
進以正 可以正邦也 其位剛得中也 止而巽 動不窮也
진이정 가이정방야 기위강득중야 지이손 동부궁야

단에 이르길, 점(漸)은 나아가는 것이다. 여자가 시집감이니 길하다. 나아가 자리를 얻으니 가면 공을 이루리라. 정도로써 나아가라 가히 나라를 바르게 하리니 그 자리는 강(剛)이 중(中)을 얻었기 때문이다. 그치고 손순(巽順)하니 동(動)함이 궁하지 않다.

점(漸)은 사시순환에 따라 山☶에서 木☴이 자라는 상이니 점진(漸進)을 의미한다. 점차 단계를 밟아가며 나아가는 것이니(漸之進也), 여자가 절차를 밟아가며 시집가는 형상으로 설명한다. 점진적인 것을 설명하는 것으로는 여자가 절차를 밟아가며 시집가는 것이 가장 크다(女歸吉也). 고대에 여인이 시집가려면 엄격한 절차가 필요했는데, 신랑은 여섯 단계의 의식인 육례(六禮)를 절차대로 거쳐야만 신부를 맞이할 수가 있었다.

否(䷋)의 양(九四)과 음(六三)이 서로 나아가 자리를 얻으니 漸(䷴)이라. 음양이 서로 등을 돌려 막혀 있던 천☰과 지☷가 드디어 음양을 교환하며 점진(漸進)하니 나아가 공(功)을 이룬다. 천지운행이 바르게 이루어지듯 남녀의 도가 바르게 선다면 점진(漸進)의 도가 바르게 이루어 지는 것이니(進以正), 이로써 능히 한 나라를 바로 세운다(可以正邦). 九五(양)가 中을 잡아 자리를 바르게 지켰으니 강득중(剛得中)의 뜻이다.

▷ 止而巽 動不窮也
☶+5 生長
☶-5 停止

九五가 강양(剛陽)으로 자리가 바르고 中으로써 존위(尊位)하니, 또한 六二가 음으로 자리가 바르고 서로 中正함으로 응한다. 고정(固)되어 있던 山☶(止)의 음(六二)이 양으로 효변하면서 동(動)하니 風☴(木)이 되어 산☶에서 나무☴가 자라는 상이 된다. 이는 만물의 생장(生長)을 의미하는 것이니, 움직이면서(動) 점차 자라나가는 모습은 결코 그 도가 궁(窮)하지 않음을 보여준다.

象曰 山上有木 漸 君子以 居賢德善俗
상왈 산상유목 점 군자이 거현덕선속

상이 이르길, 산 위에 나무가 있음이 점(漸)의 상이니 군자는 이로써 현덕(賢德)에 거(居)하여 풍속(風俗)을 선(善)하게 한다.

산☶ 위에 나무☴가 있는 것이 점(漸)의 상이니, 군자는 이로써 어진 덕

(德☰☰)에 거해서 풍속(風俗☰☰)을 선(善)하게 한다. 나무☰☰가 자라는 산☰☰은 항상 자기자리에서 움직이지 않고 자리를 지키는 군자의 덕을 상징한다. 군자는 우뚝 선 산의 덕☰☰으로 세상을 살펴 풍속(風俗☰☰)을 착하게 함으로써 방탕으로 흐르는 것을 막는다. 바람☰☰(流)은 초육이 땅으로서 두 개의 양이 잘못 흘러가도 결국은 땅(初陰)을 벗어날 수 없음을 의미한다. 산☰☰(止)은 2개의 음이 양1개를 잡아 그치게 한 것으로서 한 곳에 고정됨을 의미한다.

한 자리에 우뚝 선 산☰☰(止)은 군자의 덕(德)을 표상하고, 風俗☰☰(流)의 흐름이 정도(正道)를 벗어나는 것을 막아 선(善)함을 지킨다.

4. 효사(爻辭)

단계와 절차를 밟아가며 점진적으로 나아가는 모습을 기러기를 통해 설명한다. 기러기는 질서를 갖추고 점진적으로 나아가는 것을 상징하는 대표적인 동물이다. 처음에는 물가(干)로, 그 다음은 안전한 바위(磐), 뭍(陸), 나무(木), 언덕(陵), 큰 길(逵) 등으로 점진(漸進)적으로 나아가며 점(漸)의 도를 이룬다. 질서의 상징인 기러기는 절차를 밟아가며 예를 갖춘 인간의 결혼에 등장하여 정상적인 음양의 결합을 상징하는 길조(吉鳥)로 표상된다.

初六 鴻漸于干 小子厲 有言无咎
초육 홍점우간 소자려 유언무구

초육, 기러기가 물가로 점진적으로 나아가다. 소자(小子)가 위태로워 말들이 있으나 허물은 없으리라.

初六은 하괘의 맨 아래에 처하여 있으니 어린 기러기(小子)에 해당된다. 또한 양위(陽位)에 음으로 와서 자리가 바르지 않다. 그러므로 어린 기러기가 물에서 뒤뚱뒤뚱 서툴게 물가로 나아가니 위태로운 모습이다. 초육이 동하여 양이 되면 艮☶(停止)에서 離☲(上昇)가 되니 어린 기러기가 나는 상이 되고 내호괘가 坎水☵(險陷)이니 모든 것이 험하고 위태롭다.

그러나 어린 기러기가 서툴고 위태롭지만 물에서 물가로 날아오르려 하는 것은 자신의 생명 속에 내재된 본성이니 비록 위험하지만 나아가려는 그 뜻은 허물이 없다. 여러가지 구설(口舌)은 있겠지만 앞으로 나아가지 않는다면 기러기로서 생명을 보전하기 어렵다. 그러므로 공자는 "어린 기러기가 위태하나 (나아가려는) 뜻은 허물이 없다(象曰 小子之厲 義无咎也)"라고 하였다.

☞ 鴻: 기러기 홍/ 干: 방패 간, 물가 간

六二 鴻漸于磐 飮食衎衎 吉
육이 홍점우반 음식간간 길

육이, 기러기가 반석(磐石)에 점차 나아가다. 먹고 마시는 것이 즐겁고 즐거우니 길하다.

六二는 중정(中正)의 도로써 九五中正과 정응(正應)하니 성숙한 점(漸)의 도를 갖춘 자이다. 그러므로 기러기가 반듯하고 안전한 넓은 바위로 날아오르는 모습이다. 위험한 물가(干)을 거쳐 드디어 안전한 반석(磐)으로 날아오른 것이다. 기러기는 물에 사는 새로서 물갈퀴가 연결되어 있는 발을 가지고 있으므로 물가에 있는 평평한 바위가 가장 안전한 장소가 된다. 艮山☶의 六二가 효변하면 巽風☴이 되니 이는 정지 상태에서 점진적으로 날아오르는 뜻이 있다.

☷ (停止)　⟹　☴ (漸進)

기러기가 넓고 안전한 반석(磐石)으로 날아드니, 인사(人事)적으로 보면 유순중정(柔順中正)한 六二여인이 정상적인 절차를 거쳐 강건중정(剛健中正)한 九五 배우자를 만나 안전한 반석 위에 가정을 꾸리는 것을 비유한다. 그러므로 절차를 갖추어 혼인의 예를 올리는 반석 위의 잔칫상에서는 먹고 마시

442　　주역원리강해(하)

는 즐거움이 있으니, 공자는 "먹고 마시는 것이 즐겁고 즐거움은 결코 헛되이 배부르고자 함이 아니다(象曰 飮食衎衎 不素飽也)"라고 하였다.

기러기가 반석 위로 날아오름은 더 높이 날기 위한 바닥을 다지는 것이며, 먹고 마심은 더 높은 곳을 향해 오르고자 힘을 기르는 것이다. 남녀가 혼인을 하는 것은 반석 위에 가정을 꾸리고자 함이고, 음식을 먹고 마심은 더 높은 이상을 향해 나아가고자 함을 비유하는 것이니, 혼인은 자연의 순리대로 남녀가 결합하여 자식을 낳아 천리(天理)를 잇고자 하는 숭고한 절차가 된다.

☞磐: 반석 반, 너럭바위 반/ 飮: 마실 음/ 衎: 즐길 간

九三 鴻漸于陸 夫征不復 婦孕不育 凶 利禦寇
구삼 홍점우륙 부정불복 부잉불육 흉 이어구

구삼, 기러기가 뭍(陸)으로 점차 나아가다. 지아비는 나가서 돌아오지 않고, 지어미는 잉태하여도 낳아 기르지 않으니 흉하다. 도적을 막아내는 것이 이로우리라.

반석 같은 집에 있다가 뭍(陸)으로 나아간다는 것은 위험에 노출될 수 있다는 것을 말한다. 艮山☶의 九三이 변하면 坤地☷이니 뭍(陸)이란 황량한 바람☴이 휘몰아치고 약육강식의 법칙이 지배하는 드넓은 광야(廣野)를 의미한다.

九三은 양의 자리에 양으로 와서 자리가 바르나 중도(中道)를 벗어나 있고, 상괘로 넘어가기 위하여 "終日乾乾 反復道也"하며 투쟁하는 효이다. 그러므로 九三의 양강함으로 섣불리 드넓고 거친 황야(荒野)로 나아가면 흉한 꼴을 당하기가 쉽다.

九三 君子 終日乾乾 夕惕若厲 无咎

구삼, 군자는 종일 갈고 닦으며 힘쓰고 또 힘쓴다. 저녁에 이르러 두려움 마음으
로 돌아보며, 위태로움으로 깨어 있으니 무탈하리라. / 重天乾괘

공자는 중천건(重天乾)괘의 3효에서 '終日乾乾 反復道也'라고 하여 항상
두려운 마음으로 깨어 있어야 무탈하다고 경계하였다. 그러나 점(漸)의 九三
효는 지나친 양강(陽剛)함으로 中道를 잃고 반석 같은 집☶을 떠나 황량한
바람이 휘몰아치는 거친 황야로 나아간다. 야생(野生)이 판치는 황야에서 집
을 나간 지아비는 돌아오지 않고, 지어미는 자식을 잉태하였으나 낳아 기르
지 않으니 천리(天理)를 어기는 흉한 행태가 일어난다. 이것은 부부(夫婦)가
중(中)을 벗어나 도(道)를 잃어버리면 야생(野生)같은 약육강식의 논리가 지
배하는 먹이사슬에 걸려 온갖 유혹과 위험에 빠져 파탄에 이르게 됨을 경계
한다. 이어구(利禦寇)는 반석 같은 집을 버릴 수밖에 없는 온갖 유혹과 도적
떼가 난무하는 야생의 황야에서 이를 막아내고 뿌리쳐 무리(집)를 굳건히 지
켜내야 함을 뜻한다.

공자는 "사내가 황야로 나아가 돌아오지 않으니 무리를 떠난 추한 자요,
지어미가 자식을 잉태하고도 낳아 기르지 않으니 도를 잃어버린 것이며, 도
적을 막아냄이 이로움은 순리(順理)를 따라 서로를 보호해 집이 붕괴되지 않
도록 지켜내는 것을 말하는 것이다(象曰 夫征不復 離羣醜也 婦孕不育 失其道也
利用禦寇 順相保也)"라고 경계하였다. 무리를 떠나 돌아오지 않는 사내는 무
리를 등진 더러운 배신자요, 전쟁이나 경쟁에서 뒤쳐져 귀향하지 못하는 낙
오자를 말함이다. 자식을 잉태하였으나 아이를 버리는 여인은 생명을 잇는
천리(天理)를 어긴 것이다.

약육강식이 진리인양 무리를 좀먹고 붕괴시키는 도적떼를 막아내며 가정
을 보호하고 지켜내야 하는 것은 천리에 순응하여 자식을 낳아 생육하는 부
부(夫婦)의 의무이다. 도적이란 물리적인 도둑이나 사기꾼, 교활한 정치인,

사이비 종교, 사람의 혼을 홀리는 사악한 이론 등을 막론하며, 인간사회를 좀먹는 모든 행태를 말한다. 공자는 九三효사를 통해 도적을 막아 집을 지키는 것은 혼인을 통해 일체(一體)가 되어 가정을 이룬 부부가 순응(順應)하며 서로를 보호하여 지켜주는 것이라 충고한다.

☞ 陸: 뭍 육, 육지 육, 孕: 아이밸 잉, 임신할 잉/ 禦: 막을 어, 금지할 어/ 寇: 도적 구, 원수 구/ 離: 떠날 이/ 羣: 무리 군/ 醜: 추할 추, 더러울 추/ 順: 순할 순, 도리를 따를 순, 순응할 순

六四 鴻漸于木 或得其桷 无咎
육사 홍점우목 혹득기각 무구

육사, 기러기가 나무로 점차 나아가다. 혹 서까래 같은 평평한 가지를 얻으면 무탈하리라.

넓고 거친 황야로 나아간 기러기가 안전하게 앉을 곳을 찾아 헤매다가 우연히 서까래같이 평평한 나무 가지에 앉게 되는 것을 의미한다. 기러기는 발가락이 모두 붙어있는 물갈퀴여서 나뭇가지에 앉는 새가 아니다. 그러나 거친 황야에서는 안전한 곳을 찾기가 어려우니, 비록 나무가 편안한 곳은 아니지만 마침 평평한 나무가지를 찾아 앉게 되었으니 해를 피할 수 있게 되어 무탈하다.

황야(九三)에서 상괘로 건너왔으나 안주할 곳이 마땅치 않은 상황에서 그나마 서까래 같이 평평한 가지를 찾아 앉게 되었으니, 이것은 부적합한 곳에서도 순리대로 행함으로써 어렵지 않게 임시 안식처를 얻게 되었음을 뜻한다. 그러나 잠시 스쳐가는 임시 안식처에 불과하니 머지않아 떠나야 할 자리

이다.

六四는 음으로써 음위(陰位)에 있으니 그 지위는 바르지만 황야에서 종일 건건(終日乾乾)하며 투쟁하다 상괘로 처음 들어선 자이므로 아직 제대로 된 안정을 찾지 못한 자이다.

九三은 집을 상징하는 艮山☶의 상효로서 집 위의 서까래의 상이 되니 각(桷)의 뜻이 나온다. 六四는 집☷ 위에 위치한 상괘 巽風☴(木)의 아래에 처한 자로서 正位이니 자리가 바르다. 비록 바람☴(風)이 불어 흔들리는 나뭇가지(風☴木)에서도 아래에 위치한 평평하고 안전한 곳을 얻었으니 그나마 해를 입지 않고 무탈한 것이다. 그래서 공자는 이를 "나무로 날아가 혹여 평평한 나뭇가지를 얻게 된다면 이는 부적합한 상황에 처해서도 순리대로 행함으로써 손순(巽順)하였기 때문이다(象曰 或得其桷 順以巽也)'라고 주석하고 있다.

☞ 桷: 서까래 각

九五 鴻漸于陵 婦三歲不孕 終莫之勝 吉
구오 홍점우릉 부삼세불잉 종막지승 길

구오, 기러기가 언덕으로 점차 나아가도다. 지어미가 3년을 잉태하지 못하나 마침내 (뜻을) 이기지 못하니 길하리라.

九五가 동하면 艮山☶이 되니 언덕(陵)이다. 언덕은 하늘로 높이 비상하기 전 올라가야 할 마지막 난관이다. 거칠고 드넓은 황야에서 가장 높은 곳이니 하늘로 높이 비상하기 위해서는 반드시 올라가야 하는 자리이다.

바다에서 해변가로(初六), 해변가에 있는 반석으로(六二), 거친 뭍(육지)을 향해(九三), 그리고 해안 절벽에 있는 나무의 평평한 가지에 앉아 잠시 숨을 고른 후(六四), 마지막 힘을 다해 가장 높은 절벽 꼭대기(陵)로 올라간다(九五). 그곳은 푸른 창공으로 비상하기 위한 가장 좋은 위치이지만 또한 가장 오르기 어려운 곳이기도 하다.

九五는 상괘에서 中正한 군왕의 자리로서 六二中正과 정응하고 있다. 그러나 六二는 柔順中正하지만 내호괘인 어둡고 험한 坎水☵의 아래에 처해 있어 어둠을 헤치며 3·4효의 저지를 뚫고 나와야 하는 어려움이 있다. 六二부인과 九五남편 사이에 어둠인 坎水☵(험함)가 3개의 효를 이루고 있고, 六二에서 九五에 이르려면 세 효를 거쳐야 하니, 3년을 서로 만나지 못하므로 결실을 이룰 수가 없다(婦三歲不孕). 또한 호괘가 未濟(☲)이니 당장 만나기는 어렵고 점진적인 단계를 거쳐야 함을 의미한다.

그러나 마침내 九五가 동하여 효변하면 3·4·5·6효가 大離☲(大明)가 되니 마침내 험한 어둠이 걷히고 밝은 태양 아래에서 서로 만날 수 있게 된다. 커다란 밝은 태양☲(大明)이 떠오르고 3년을 가로막고 있던 어둠☵(暗)이 걷히니 끝내 六二부인은 九五남편을 만나 원하는 바 자식을 얻게 되는 것이다 (得所願也).

九五가 변하면 重山艮(☶)으로 어려움이 가중되는 뜻이 있으나 그 호괘가 雷水解(䷧)이니 서로 만나 결실을 맺는 출산의 기쁨이 있는 것이다. 공자는 "끝내 뜻을 꺾을 수 없어 길함은 원하는 바를 얻었기 때문이다(象曰 終莫之勝 吉 得所願也)"라고 하였다. 九五와 六二는 서로 中正함으로 정응하고 있기 때문에 자식(결실)을 얻고자 하는 그 뜻을 어느 누구도 이기지 못한다. 九五를 만나 뜻을 이루고자 하는 六二의 뜻을 꺾을 수 없으니 단사의 "漸之 進也 女歸吉也 進得位 往有功也 進以正 可以正邦也 其位 剛得中也"는 바로 六二의 뜻과 의지를 말하는 것으로서, 六二는 원하는 바를 얻게 되는 것이다. 남편과 부인은 사업 파트너, 주종관계, 군신관계 등 다양한 관점으로 이해할 수 있다.

☞ 陵: 큰 언덕 릉/ 莫: 없을 막, 거스르다, 거역하다.

上九 鴻漸于逵 其羽 可用爲儀 吉
상구 홍점우규 기우 가용위의 길

상구, 기러기가 창공을 향해 점차 날아가다. 그 깃이 의범(儀範)이 될만
하니 길하다.

단계를 밟아가며 점진적으로 나아간 기러기가 험난한 과정을 뚫고 절벽
꼭대기 제일 높은 언덕에 올라선다. 그리고 드디어 창공을 향해 날아오른다.
규(逵)는 사통팔달 대로(大路)를 상징하니 기러기의 입장에서 보면 드넓은
하늘이다.

곡예 비행하는 시범비행단이 하늘을 날을 때 오색구름을 꼬리에 물고 축
제의 분위기를 띄운다. 기러기가 하늘을 높이 날아오를 때 떨어지는 깃털은
비행기의 꼬리에서 나오는 오색구름처럼 축하의 의미를 담는다. 어지럽게 곡
예비행을 하는 여러 대의 비행기 꼬리에서 나오는 오색구름은 어지러워 보
이지만 사실은 질서정연한 멋진 그림을 펼쳐내고 있는 것이다. 이를 보고 관
객들이 축하공연에 환호하듯이, 하늘을 수놓는 깃털도 기러기의 하늘비행을
축하해주는 오색구름과 같은 것이다.

행사를 축하하기 위해 하늘을 나는 곡예비행기가 질서 없이 비행한다면
비행기는 서로 충돌하게 된다. 수많은 기러기 떼가 하늘을 날 때 대장 기러
기를 필두로 좌우로 질서정연하게 줄지어 날아간다. 결코 어지럽지 않다. 그
래서 공자는 "그 깃이 의전(儀典)을 위해 사용됨은 길함을 뜻하는 것이니,
어지럽지 않고 질서정연하기 때문이다(象曰 其羽 可用爲儀 吉 不可亂也)"라고
하였다.

☞ 鴻: 큰 기러기 홍/ 羽: 깃 우/ 儀: 거동 의(예식, 예절, 법도)/ 逵: 한길 규, 대로,
길거리/ 亂: 어지러울 란

54. 雷澤歸妹 뇌택귀매

雷☳震
澤☱兌

▶효변(爻變)

과거	미래	현재
☳-1 ⇨	☳+1	☳+1
		☱-1

上下작용력: (-1)-(+1)=-2

上下균형력: (-1)+(+1)=0

歸妹 征凶 无攸利

象曰 歸妹 天地之大義也 天地不交 而萬物不興

歸妹 人之終始也 說以動 所歸妹也 征凶位不當也 无攸利 柔承剛也

象曰 山上有木 漸 君子以 居賢德善俗

初九 歸妹以娣 跛能履 征吉

九二 眇能視 利幽人之貞

六三 歸妹以須 反歸以娣

九四 歸妹愆期 遲歸有時

六五 帝乙歸妹 其君之袂 不如其娣之袂良 月幾望 吉

上六 女承筐 无實 士刲羊 无血 无攸利

1. 괘상(卦象)

구이(九二) 양이 음으로 효변하면서 양기를 소진하고 있는 모습이다. 양기가 밖으로 나가지 못하고 오히려 쇠진(衰盡)되고 있는 것이다. 내재된 양의 에너지를 위치에너지로 표현하면 ☰(양+6)이 ☳(양+4)로 줄어들고 있다. 하괘 ☰(靜)은 양기가 충만하여 안정된 모습이나 양기가 줄어들면서 ☳(動)가 된다. 양1개가 음2개를 짊어지고 전진하니 지치고 힘이 든다. 지친 상태에서도 계속 움직이고 있는 모습이니 안쓰럽다. ☰은 안(安), 정(靜)의 뜻이고, ☳은 동(動), 진(進)의 뜻이 있다.

> 하괘의 효가 움직이면 그 뜻이 상괘에 만들어지고, 上下대성괘의 상이 되어 그 뜻을 드러낸다. 하괘의 변화가 상괘에 결과로 나타나고 그 뜻이 전체 대성괘에 표현되는 것이다.

안정된 못☱(靜)의 물(양기)이 줄어드니 물고기☳가 몸부림(動)친다. 물이 점점 빠지는 못에서 밖으로 뛰쳐나온 잉어가 숨을 헐떡이며 몸부림치는 모습이다. 움직이면 움직일 수록 양기가 소진되니 안정이 필요하다. 밖으로 탈출했으나 오히려 되돌아와야 살 수가 있는 것이다. 나아가는 것은 잘못된 선택이니 다시 못으로 돌아가야 살 수가 있다.

집☳ 나가면 개 고생☳이니 집을 떠나서는 고단할 뿐이다(歸妹 征凶 无攸利). 새는 둥지☳가 있고, 나그네도 고향☳이 있는 법, 지친 몸☳을 이끌고 돌아와 쉬어야 한다. 서괘전에서는 '나아가면 반드시 돌아오는 바가 있으므로 귀매로 받았다'라고 했다.

> 안에서 작은 것이 변화하면 밖으로 그 뜻이 드러나고, 그 뜻을 알면 천지의 작용을 이해할 수 있다. 작은 것의 기미를 보고 큰 것을 미리 알 수 있는 것이 역(易)의 상이다.

안정≡≡(靜)된 집을 떠나 짐≡≡(動)을 짊어지고 나아가니 고되다. 새로운 일을 찾아 고향을 떠나는 모습이다. 여자가 가족을 떠나 시집을 가는 모습이다. 안정된 직장≡≡을 뿌리치고 정글 같은 세계에서 창업≡≡을 시도하는 모습이다. 맹수가 우글거리는 정글로의 모험을 시작하고 있다. 알 수 없는 미지의 세계가 앞에 놓여있다. ≡≡의 양효 위에는 음이 2개나 있으니 어려움이 앞에 있는 것이다. 음을 뚫고 상향하면 ≡≡(險水)가 되니 정글 속이다.

외호괘가 險≡≡이니, 九四가 전진하려고 애쓰나 음에 갇혀 어려움을 겪는다. 둥지≡≡를 벗어나니 넘어야 할 산≡≡(2,3효)은 많고 몸은 지치니 아득하기만 하다.

내면≡≡이 바닥을 드러낸 모습≡≡이다. 인격≡≡이 바닥을 드러내니 오히려 목소리≡≡(雷聲)가 커진다. 바닥(≡≡인격)을 드러낸 자가 오히려 큰소리치고 호령≡≡(우레)하는 모습이니 흉하다.

歸妹 征凶 无攸利

정(征)은 왕(往)처럼 나아감에만 있는 것이 아니라 헤치며 나아가는 뜻이 있다. 가로막는 것을 헤치고 불편한 것을 제거하며 나아가 바로잡는 것이다. 그러므로 정흉(征凶)이란 단순이 나아가서 흉한 것이 아니고 관점에 따라 뜻이 다르게 나타난다.

안정된 집에 머무는 것이 정글 같은 밖으로 나가 고생하는 것보다는 길하다. 이 경우 밖으로 나가는 것이 흉이 된다. 그러나 인생이란 새로움에 대한 도전 없이는 성장할 수가 없다. 그러므로 흉(凶)이란 새로움에 대한 도전에서 나오는 불편함에 불과한 것이니 매일매일 스스로 맞닥트리는 경험에 대한 즐거움이 될 수도 있다.

천지의 관점에서 보면 음양은 서로 대립(對立)하고 대대(對待)하며, 교감하고 교합하면서 만물을 생화하고, 사계(四季)를 순환하면서 천지를 존재케 하니 귀매(歸妹)란 천지의 큰 뜻이다(歸妹 天地之大義也). 인물의 관점에서 보면 음양이 서로 교감하면서 자식을 생화하고 종족을 이어가면서 인간을 존속하게 하니 귀매(歸妹)란 사람의 마침과 시작이로다(歸妹 人之終始也).

인사적 풀이로 볼 때, 역사적으로 이성계의 위화도 회군이 귀매(歸妹)로 풀이될 수가 있다. 명나라를 치기 위하여 진군☳했으나 때는 여름이라 장마, 전염병(☵險水) 등에 갇혀 고생하다 결국 압록강도 건너지 못하고 회군하게 된다. 회군하여 조선을 건국하니 안정☷을 되찾은 것으로 볼 수 있다.

2. 괘변(卦變)

▷호괘-水火旣濟

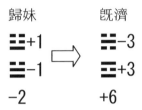

歸妹
☳+1
☱−1
−2

旣濟
☵−3
☲+3
+6

　호괘가 천지의 정상적인 작용을 의미하는 수화기제(水火旣濟)이니, 음양이 서로 만나 합하는 것은 만물을 생화하는 천지의 도를 따르는 것이다. 그런데 귀매(歸妹)는 완전하다고 판단하여 기쁜 마음으로 나아갔으나, 결국은 인사적으로 볼 때 잘못된 선택이라는 의미를 가지고 있다. 주역의 설명은 잘못된 결혼, 첩으로의 결혼, 잘못된 선택이라고 말한다. 어린 여자☱가 성인 남자☳에게 빠져 들뜬 마음으로 시집을 갔으니 결국은 망령된 행동이다. 일의 시도에 있어 완전하다 판단하였으나 결국은 잘못된 선택이었음을 의미한다.

　내호괘가 離☲(明)가 되니 하괘☱의 내면이 밝고 안정된 모습으로 기쁨이 충만한 상태임을 의미한다. 이러한 하괘 兌☱의 양기가 줄어들면 상괘의 震☳으로 나타난다. 귀매(歸妹)의 상이 되는 것이니, 결국 나아가면 어려움(☵외호괘)에 빠지게 된다. 외호괘가 坎險☵이니, 九四가 전진하려고 애쓰지만 두 음(三, 五)에 갇혀 어려움을 겪는 것이다.

　그러나 어찌되었건 천지는 서로 사귀지 않으면 만물이 나올 수가 없으므로 남자와 여자가 만나 합일(合一)하는 것은 만물을 흥하게 하는 천지의 큰 뜻으로 중도를 지켜 바른 선택을 하는 것이 중요하다(天地不交 而萬物不興). 귀매(歸妹)는 양의 자리에 六五 음이 오고, 음의 자리에 九二양이 왔으니 바르지 못하다(不正). 그러나 서로 상응(相應)하고 있으니 사귐은 있는 것이다

(天地交感).

▷착종괘 - 澤雷隨

歸妹   隨

☳+1 ⟹ ☱−1
☱−1   ☳+1
−2   +2

　귀매(歸妹)는 양기가 떨어지면서 힘이 달리고 지쳐가는 모습을 보여준다. 안정된 못☱(靜)을 뛰쳐나간 잉어☳(動)가 힘들어하는 모습으로서 전진하고자 하나 넘어야 할 산(六五, 上六)이 여전히 많이 남아 있을 의미한다. 착종인 수(隨)괘는 양기가 점차 축적되고 있는 상이다. 연못☱ 속에서 잉어☳가 유유히 헤엄치며 기력을 회복하고 있는 모습으로 九五와 六二가 중정(中正)함으로 정응(正應)하고 있으니 양기의 축적이 안정적이고 길(吉)하다.

▷도전괘-風山漸

歸妹   漸

☳+1 ⟹ ☴+5
☱−1   ☶−5
−2   −10

　귀매(歸妹)는 어미 품☱을 떠난 새☳가 힘들게 날고 있는 모습이며, 어린 딸☱(小女)이 성인 남☳(長男)자에게 빠져 따라 나선 모습이다. 집을 떠나 개고생하던 큰아들☳이 부모의 품☱을 찾아 다시 돌아오는 모습이다(澤上有雷歸妹), 점(漸)은 다 자란 새가 집을 떠나 날아가는 모습이며, 성인이 된 큰딸☴이 집☶을 떠나 시집가는 모습이다(山上有木漸).

▶택(澤☱)과 산(山☶)이 의미하는 집

▷歸妹

☱: 가정(home), 울타리 안

震☳(動)
兌☱(靜) home

≫☱은 편안히 쉬는 집, 맞이하는 집(귀환, 귀향)을 의미

▷漸

☶: 집(house), 성(城), 울타리, 벽

巽☴(進)
艮☶(止) house

≫☶은 떠나가는 집, 새가 둥지를 떠나 날아가는 모습, 출가하는 모습을 의미

▷배합괘 - 風山漸

歸妹   漸

☳+1   ⟹   ☴+5
☱−1   ☶−5
−2   −10

귀매(歸妹)는 물이 바닥을 드러내면서 연못을 뛰쳐나간 잉어가 힘들어하는 모습이다. 갑작스러운 움직임으로 뛰쳐나가는 모습이다. 이와 반대로 점(漸)은 점진(漸進)적인 전진을 의미하며 천천히 걸어 나아가는 모습이다.

3. 괘사(卦辭)

歸妹 征凶 无攸利

귀매 정흉 무유리

귀매, 나아가면 흉하니 이로운 바가 없다.

귀매(歸妹)는 시집을 가는 것이다. 그러나 시집가면 흉하고 이로울 것이 없다고 말한다. 왜 그럴까? 귀매의 괘상은 안정된 못==을 뛰쳐나간 잉어==처럼 양기가 떨어지면서 힘이 달려 지쳐가는 모습을 보여준다. 집== 나가면 개 고생==이니 잘못된 길은 고될 뿐이다. 그래서 본 괘사는 귀매를 어린 여자==가 기쁨에 빠져 성인 남자==에게 시집을 가는 잘못된 선택으로 풀이한다. 중도(中道)를 잃고 기뻐함에 빠져서 망령되이 나아가는 모습으로는 좋은 결과를 얻을 수 없다는 것이다. 기뻐한다는 것은 중(中)의 도리를 벗어남을 의미한다. 육오(六五)와 구이(九二)가 중(中)을 얻고 바름(正)을 잃었으나 서로 상응(相應)하고 있으니 잘못된 만남이다. 좋은 결과를 얻을 수 없고 흉한 상황이 된다.

공자는 단사에서 귀매를 천지의 일과 인간의 일로 나누어 설명한다. 음양이 부딪히고 교합함으로써 작용을 불러일으켜 만물이 순환하는 천지의 이치와 기뻐함으로써 동하여 서로 작용하는 남녀교합의 이치를 분리하여 설명하고 있다.

음양은 본능적으로 서로를 탐하여 교합하고 작용함으로써 만물을 화생케 한다. 음양의 상생과 상극을 통해 만물의 화생과 순환을 가능하게 하는 것은 선악을 분별하지 않는 천지의 입장에서는 큰 뜻이지만, 춘하추동 사계의 틀에 갇혀 생로병사(生老病死)하며 만왕만래(萬往萬來) 순환하는 인간은 기본적으로 이 모든 것이 불편하다. 생로병사는 벗어날 수 없는 고뇌의 대상이고, 음양이 서로 부딪히고 조화를 이루어 나가는 과정은 근원적으로 고통스럽다. 그래서 인생이란 천지의 이치에 일통(一通)하여 각한 자는 즐거운 경험이 되지만 윤회의 수레바퀴를 벗어나지 못하는 중생은 고통스러운 경험이 된다. 단사에서 공자가 설파한 "征凶位不當也 无攸利 柔承剛也"란 바로 이것을 말한다.

왕(往)은 단순히 나아가는 것을 말하지만, 정(征)은 불편하게 하는 것을 헤치며 나아가는 것이고 투쟁하며 전진하여 바로잡는 것을 의미한다. 인생이란 알 수 없는 미지의 길을 헤치며 나아가는 것이고 고통과 싸우며 전진하는 것이다. 인생이 고달픈 것은 존재 자체가 불확실하기 때문이니 "征凶 位不當也"의 뜻이다.

어린 여자가 본능적으로 마음이 동하여 사내를 따라 나섰으니 정흉(征凶)이요, 어린 마음에 이성적인 판단보다 감성적 판단이 앞선 것은 합당치 않으니 "位不當也"이다. 소녀가 어린 나이에 성인의 길로 들어섰으니, 그리고 부모가 있는 평안한 가정을 떠나 낯선 사내를 따라 나섰으니 그 앞길은 결코 평탄하지만은 않을 것이다. 여인이 시집을 간다는 것은 새로운 환경에 적응해야 함을 의미한다. 지금까지 성장해왔던 안정된 부모의 품을 떠나 익숙하지 않은 타인의 집으로 들어가 새로운 인연을 맺어야 하는 불편함이 있는 것이니 여인으로서는 헤치며 나아가야 할 흉(凶)이라 할 수 있다(征凶).

☞ 歸: 시집갈 귀, 돌아갈 귀/ 妹: 누이 매, 여자 매/ 征: 칠 정, (먼 길을)헤치고 나아가 바르게 하다.

彖曰 歸妹 天地之大義也 天地不交而萬物不興

단왈 귀매 천지지대의야 천지부교이만물불흥

歸妹 人之終始也 說以動 所歸妹也

귀매 인지종시야 열이동 소귀매야

征凶位不當也 无攸利 柔承剛也

정흉위불당야 무유리 유승강야

단에 이르길, 귀매는 천지의 큰 뜻이다. 천지가 서로 사귀지 않으면 만물이 일어나지 못한다. 귀매는 사람의 처음과 끝이다. 마음☰(說)이 動☳(進)하여 어린 소녀☱☱(음)가 사내☳☳(양)를 따라 감이다. 가면 흉하니 자리가 마땅하지 않다. 이로운 바가 없으니 유(柔)가 강(剛)을 탔기 때문이다.

천지의 일: 歸妹 天地之大義也

단사에서 "귀매(歸妹)는 천지의 큰 뜻이다"라고 함은 천지교합(天地交合)의 이치를 말하는 것이다. 천지가 사귀지 않으면 만물이 일어날 수 없으니 귀매는 만물의 마침과 시작이 된다. 천지가 지속되는 원리는 양과 음이 만나 서로 작용하며 만물을 생화(生化)함으로써 이루어지는 것이니, 만일 천지가 서로 만나 교감(交感)하지 않으면 만물은 나오지 못한다.

음양이 본래의 자리로 복귀(復歸)하려 함으로써 에너지의 충돌이 일어나고, 에너지의 이동을 통해서 춘하추동 사계의 순환이 발생하면서 생로병사(生老病死) 생장수장(生長收藏) 생장성쇠(生長盛衰)의 순환이 일어나니 이로써 만물이 영원히 순환을 통해 존재하게 되는 것이다.

에너지의 불균형이 발생하지 않으면 대립과 상호작용이 일어나지 않고, 이로써 춘하추동 사계의 순환이 발생하지 않으니 만물이 작용하지 않는다. 그러므로 귀매는 음양의 본능적 표현이고, 만물을 존재케 하는 원동력이 되니 "天地之大義"라 한 것이다.

▶**점진적인 교류(相生):** 천지가 3효와 4효를 교환함으로써 점진적으로 음양이 상호작용을 시작한다.

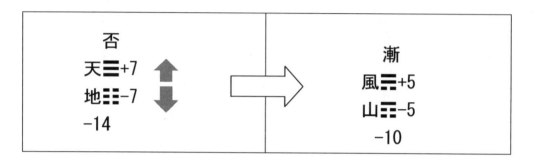

점진적인 접촉: 천양(天陽)과 지음(地陰)이 서로 멀리 떨어져 있는 상태로 음양이 서로 교류하기 위해 멀리에서 부터 서서히 다가와 점진적으로 접촉을 시도하는 모습이다(-10). ☰은 하향, ☷는 상향함으로써 작용이 서서히 시작된다. 서로 사귀지 않으면 작용은 일어나지 않는다.

▶**급격한 충돌:** 천지가 3효와 4효를 교환함으로써 급진적으로 음양이 상호작용을 시작한다.

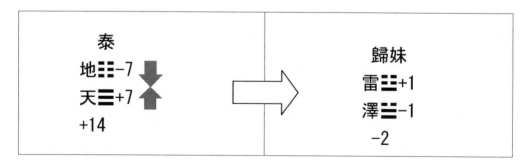

급진적인 마찰: 음은 위에 위치하고, 양이 아래에 있어 위치에너지가 +14로

최대치가 된다. 양은 아래로, 음은 위로 향하는 화강수승(火降水昇)의 힘이 서로 최대치로 3효와 4효가 급진적으로 교합함으로써 음양작용이 시작된다 (-2).

음양이 서로 본래의 자리로 복귀(復歸)하려는 것은 자연스런 본능이다. 地天泰䷊는 양은 아래에 위치하고 음은 위에 위치하고 있어 서로 제자리로 복귀하려는 에너지가 각각 ☰+7, ☷-7로서 상호작용력이 +14가 되어 64괘 중에 최대치가 된다.

음양의 작용은 상생이 아니라 상극으로 시작된다. 서로 부딪히고 작용함으로써 조화를 찾아가는 과정에서 상호작용이 일어난다. 상생은 만물이 영속적으로 존재케 하는 기본적인 원리이고(存), 상극은 만물이 서로 작용을 통해 생장하며 순환하게 함으로써 존재하게 한다(在). 상생과 상극은 만물을 존재케 하는 기본원리이다.

존(存)	체(體), 리(理), 본체, 근원적 의미, 추상적, 형이상,
재(在)	용(用), 기(氣), 작용, 현상적 의미, 구체적, 형이하,

만물은 추상적 의미인 상생(存)만으로 형상화될 수 없고, 구체적 의미인 상극(在)을 통해 만물이 형상화되고 생장수장(生長收藏)의 이치로 만왕만래(萬往萬來)하며 순환한다.

에너지의 불균형을 통해 불편한 에너지가 서로의 공백을 메우기 위해 이동함으로써 에너지의 이동이 일어난다. 에너지의 이동은 순환을 불러일으키고 순환은 춘하추동 사계를 돌리니 사계의 순환을 따라 만물이 만왕만래(萬往萬來)한다.

완전한 균형을 이루고 있는 상하괘 중에서 어느 하나가 삐끗 움직이면서

에너지의 균형은 무너진다. 이러한 에너지의 불균형의 틈이 에너지의 이동을 불러 일으키면서 점차 전체 에너지의 흐름에 영향을 주게 된다. 나비의 날개짓이 일으키는 작은 바람 하나가 멀리 태평양 너머에 태풍을 불러 일으키는 원리이다. 지구내의 온도의 차는 바로 온도의 지역적 불균형을 의미하며, 이러한 온도의 불균형이 지구내의 에너지를 이동시켜 기후작용을 만들어내며 만물만상을 키워내는 것이다.

에너지의 불균형에 의한 에너지의 이동으로 삼라만상은 만왕만래(萬往萬來) 용변(用變)하며 운행한다. 즉, 에너지 총량은 변함이 없지만 그 에너지의 총량 안에서 부분적인 에너지 불균형이 만들어 내는 에너지의 이동으로 상호작용이 발생한다(에너지 불변의 법칙).

불안정에서 안정으로의 복귀력이 에너지의 이동을 불러 일으키는 것이다. 전체적으로는 불변이지만 부분적인 면에서는 불균형이 발생함으로써 에너지의 이동을 통해 만물이 생장성쇠하는 것이다. 지구의 공전과 자전이 불러 일으키는 에너지의 이동을 통해 사시사철 삼라만상의 작용과 변화를 표현한다.

▷하도와 낙서로 표현한 생극(生剋)의 원리

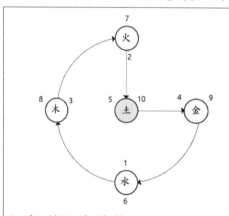

▷하도(相生의 원리):

만물이 수렴, 염장(斂藏)하는 坤道(음)의 시작은 火☲가 坤土☷를 생하고, 坤土☷

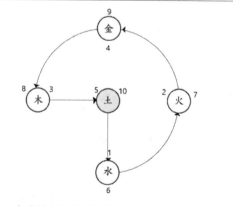

▷낙서(相剋의 원리)

만물이 분열, 생장(生長)하는 乾道(양)의 시작은 艮土☶가 水☵를 극하고, 木☴이

가 金☷을 생하면서 이루어진다(火生土, 土生金). (중지곤괘 西南得朋의 의미 비교참조)	艮土☶를 극하면서 이루어진다(木克土, 土克水). (중지곤괘 東北喪朋의 의미 비교참조)

혼란스러워 보이지만 오히려 그로 인하여 작용이 일어나고, 부정不正함이 세상에 가득해 출구가 보이지 않을 때도 오히려 그로 인하여 상호작용이 일어나 세상은 움직인다. 양으로만 세상은 존재할 수 없고 음만으로도 생명은 일어나지 못한다. 천天은 지地가 없으면 인人을 생생하지 못하고, 지地 또한 천天이 없이는 인人을 기르지 못하니 음양陰陽의 상대성相對性이 없다면 새로움은 생기지 않는다. 세상은 大人과 小人이 함께 하는 것이고, 正과 不正이, 陽과 陰이, 男과 女가, 형이상形而上과 형이하形而下가 함께 상생相生하고 상극相剋하며 서로 조화를 이루어 나갈 때 비로소 삼라만상이 활기活氣를 띠게 되는 것이다(一陰一陽之謂道).

사람의 일: 歸妹 人之終始也

귀매(歸妹)에서 매(妹)는 소녀로 음(陰)이다. 괘는 兌☱가 된다. 어린 소녀로 비유되는 음이 성인 사내로 비유되는 雷☳에게 기쁜 마음으로 나아가는 것을 비유한다(說以動).

기뻐하며(☱說) 동(☳動)하여 나아간다는 것은 이성적이 아니라 본능적이라는 것을 의미한다. 남녀는 서로 마음☱(心)이 동☳(動)하면 서로 끌리는 것이니 이는 사람의 본능이고 인지상정이다. 열이동(說以動)이란 인지상정(人之常情)을 의미한다.

귀매(歸妹)는 집☱을 떠나 시집을 가는 것☳이니 어린 여자☱가 사내☳를 만나 합일(合一)하는 것을 은유한다. 이는 음양이 본능적으로 서로 만나 작용하며 만물을 생화(生化)하는 이치를 뜻함이니, 천지의 도(天地之大義也)이며 사람의 도(人之終始也)가 되는 것이다.

음양은 떨어져 있으면 존재할 수가 없고 본래 서로 합하여 작용해야만 존재할 수가 있다. 음양은 선악을 떠나고 옳고 그름을 떠나 본능적으로 끌린다. 마음이 동해서 다가간다. 기쁜 마음으로 들떠서 나아간다.

귀매(歸妹)란 음의 입장에서 본능적으로 양에게 나아가는 것을 의미한다. 매(妹)는 소녀를 뜻하니 음을 상징한다. 숙녀는 옳고 그름을 따져 이성적 판단을 하지만 어린 소녀☷(음)는 그저 본능을 따라 감성적으로 마음이 들떠서 사내☳(양)에게 다가간다. 귀매는 인사적 의미로서 소녀☷가 기쁜 마음으로 들떠서 성인 사내☳를 따라 가는 것을 말하는 것이다(說以動 所歸妹也).

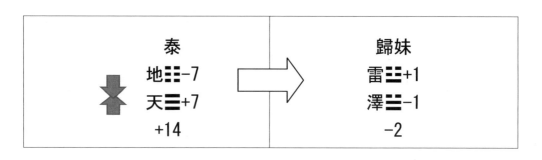

지천태괘의 괘의 효변으로 보면 상괘의 음이 아래로 향하고, 하괘의 양효가 위로 향하며 서로 부딪히며 작용하는 것을 말한다. 음은 본래 아래에 있는 물건이고 양은 본래 위에 있는 물건이니 귀(歸)란 서로 본래의 자리로 복귀하려는 에너지의 작용력을 의미한다. 귀매(歸妹)란 본래의 자리로 복귀하려는 음효의 관점에서 표현한 말이다. 귀매의 괘효사는 바로 음의 관점에서 바라본 표현이다.

본래의 자리로 돌아간다는 것은 음양이 서로 합하는 것을 의미한다. 태(泰)괘에서 九三이 六四와 자리를 바꾸는 것은 양과 음이 각각 본래의 자리로 복귀하는 것을 의미한다. 귀매는 음의 입장에서 보면 六四가 자기의 자리인 하괘의 3효로 내려오는 것을 의미한다. 음이 하(下)로 내려오면서 상향하는 양과의 충돌이 일어나 서로 작용을 시작하는 것이다. 이것을 괘상으로 풀이하면 兌☰(說)가 기뻐함으로써 震☳(動·進)으로 움직여 나아가는 것이 된다. 인사적으로 보면 누이(少女)☰(음)가 사내☳(양)에게 시집가는 것으로 비유된다.

☰가 본래의 자리인 상(上)으로 올라가고. ☷이 본래의 자리인 하(夏)로 내려온다. 그 시작이 귀매(歸妹)이다. 본래의 자리로 이동함은 에너지의 불균형으로 인하여 균형을 맞추고자 에너지의 이동이 발생하는 것과 같은 이치이다. 에너지의 이동이 일어나면서 에너지의 충돌이 발생하고 그로 인하여 만물의 작용이 일어나며 생장성쇠의 순환이 나오게 되는 것이다.

고대(古代)에는 처가(妻家)에서 일정기간의 노동을 한 후 새색시를 자기집(本家)으로 데리고 돌아온 것에서 '돌아오다(歸)'의 뜻이 되고, '시집가다(歸妹)'의 뜻으로 전이(轉移)되었다.

여자가☰ 남자☷에게로 올라가는 것은 서로 예의에 어긋나지만 불순한 음욕(淫慾)이 발생함으로써 만남은 일어나고 서로 작용이 일어나게 된다. 마음이 동하여 기뻐함으로써 움직여 나아가는 것이 바로 귀매의 뜻이기 때문이다. 그러므로 천지의 관점에서 보면 귀매는 대의(大義)가 되지만, 인간의 관점에서 보면 불순한 동기가 시작점이 되어 인간종족의 대를 잇게 되는 결과를 가져오게 되는 것이니 사람의 처음과 끝이 되는 원리가 되는 것이다(歸妹人之終始也).

천지(天地)의 귀매와 인물(人物)의 귀매는 뜻은 같으나 적용하는 바가 다르다. 천지의 입장에서는 귀매는 천지가 만물을 생하고 순환하기 위한 대의(大義)가 되나, 인사적인 측면에서는 불편하고 고되다. 그러나 그 불편함으로 인하여 작용이 발생하고 순환이 일어나니 결국은 같은 것이다.

남녀가 예의를 갖추어 멀뚱히 바라만 보고 있다면 무슨 작용이 일어나겠는가(天地否☰☷)? 흑심을 품고 접근하여 손을 서로 잡아야 상호작용이 일어나고 교감이 일어나 자식을 생하며 인간종족이 이어지게 되는 것이니 시작은 서로 충돌하는 불편한 상극에서 시작되는 것이다(地天泰☷☰). 남녀의 음양작용은 서로 불순한 동기에서 비롯되는 것이다.

천지가 만나고 음양이 사귀는 시작이 귀매이니(一陰一陽之謂/계사전), 이는 사람(만물)의 시작이요, 끝이다(一始無始一 一終無終一/천부경). 종시(終始)란 우주만물의 처음과 끝을 말하는 것이니, 삼라만상이 가고 오며 끝없이 변화하지만 천지의 도는 영원히 변치 않는 것이다(萬往萬來用變不動本/천부경).

一陰一陽之謂道: 한번 음하고 한번 양하며 가는 것을 도라 이른다.
一始無始一 : 하나에서 비롯하니 시작이 없는 하나로다.
一終無終一 : 하나로 마치니 마침이 없는 하나로다.

귀매(歸妹)는 少女☱가 長男☳을 기뻐하며(☱說) 따라가는(☳進) 모양이니, 나이 어린 여자(☱)가 성인 남자(☳)를 따라 시집가는 상이다. 그러므로 괘명도 '어린 여자가 시집을 가다'라는 귀매(歸妹)가 된다. 음양의 교감은 순리대로 이루어지는 경우도 있고(漸), 순리와 어긋나는 교감도 있다(歸妹). 그러나 우주 삼라만상이 만왕만래(萬往萬來)하며 끝없이 생장수장(生長收藏)의 이치로 순환하는 것은 근본적으로 음양이 교감(交感)하고 교합(交合)함에서 비롯된다. 음양이 서로 호감(好感)을 느껴 교감(交感)하게 되고, 그럼으로써 교합(交合)하고 만물을 화생(化生)하게 되는 것이니 음양이 서로 기뻐하며 동(動)하는 것은 만물을 생하는 천지의 도인 것이다(歸妹 天地之大義也).

征凶 位不當也 无攸利 柔承剛也

가면 흉하니 자리가 마땅하지 않다. 이로운 바가 없으니 유(柔)가 강(剛)을 탔기 때문이다.

헤치며 나아가는 것이 흉하다 함은 자리가 마땅치 않기 때문이다(征凶 位不當也). 이는 天과 地의 중심인 六五와 九二가 中이지만 자리가 바르지 않음(不正)을 말한다. 바르지 않은 자리에서 서로 응하고 있으니 만남 그 자체가 마땅하지 않다. 또한 상하괘 모두 음이 양을 올라타고 있으니 이로울 것이 없다는 것이다(无攸利 柔承剛也).

그러나 천지나 인간이나 모든 생명은 불편함과 불균형, 불안정에서 편함과 균형, 안정으로의 회귀를 위해 투쟁하고 변화해 나가는 과정에서 스스로를 존재하는 것이다. 에너지가 서로 불균형을 통해 이동하면서 기후의 변화를 불러 일으키고, 기후의 변화는 만물을 생성하는 이치가 되니 위부당야(位不當也)란 존재의 원리이며, 유(柔)가 강(剛)을 올라탐으로써 서로 부딪히면서 교합하는 이치가 되니 만사(萬事) 유불리는 천지인 삼신일체를 하나의 이치로써 모든 것을 꿰뚫는 일이관지(一以貫之)의 경지를 체득한 대인군자의 관점에서 바라봐야 할 문제이다.

象曰 澤上有雷 歸妹 君子以 永終知敝
상왈 택상유뢰귀매 군자이 영종지폐

상에 이르길, 연못 위에 우레가 있는 것이 귀매이니, 군자는 이로써 바른 도를 영구히 하지 않으면 인간세상이 폐(敝)하게 됨을 안다.

상에 이르기를 못 ☱ 위에 우레 ☳가 있는 것이 귀매(歸妹)이니, 군자는 이를 보고 만물이 끝나지 않고 영원히 지속되는 음양지교(陰陽之交)의 뜻을 안다. 강유(剛柔)가 서로 밀고 당기고 부딪히며 끝없이 변화해 나가니 天地之道이다(剛柔相推而生變化/계사전).

> 剛柔相推而生變化
> 강(양)과 유(음)가 서로 밀고 당기며 변화를 만들어 간다. /계사전

歸妹 人之終始也

영종(永終)이라 함은 만물(人)이 마치면 다시 시작하여 순환을 끝없이 반복하는 종시(終始)를 의미한다(終卽有始). 하나(一)에서 陰陽(二)의 작용이 비롯되어 만물(三)이 오고 가며 끝없이 변화하지만 근본은 움직이지 않는다. 영종(永終)이란 종시(終始)의 영원한 순환을 의미한다(一妙衍萬往萬來用變不動 /천부경).

> 一妙衍萬往萬來用變不動本
> 하나(一)가 시작하여 묘리(妙理)를 한없이 펼쳐내니, 삼라만상이 가고 오며 무수히 쓰임을 달리하지만 근본(根本)은 변함이 없다. /천부경

永終知敝

남녀가 만나 서로 교감을 이루지 못한다면 자식을 생할 수가 없고, 천지의 도가 행해지지 않음이니, 인간은 종말을 고하게 되어 영원으로 이어지기 어렵다. 만왕만래용변(萬往萬來用變)하며 끝없이 순환하던 영원함(永)이 종말을 고하게 되면(終) 인간세상이 폐(敝)하게 됨이니, 군자는 이를 알고 음양지합 (陰陽之合), 천지교합(天地交合)의 바른 도를 천하에 펼친다. 만물이 춘하추동 사시의 순환에 순응하여 생장수장(生長收藏)의 이치로 일시일종(一始一終)을 반복하듯이, 사람은 도를 바르게 하여 영속하지 않으면 인간세상은 순환을 멈추고 결국 폐하게 될 것이다.

☞ 敝: 해질 폐, 버릴 폐, 황폐할 폐

4. 효사(爻辭)

　여자가 평안한 부모 곁을 떠나 시댁이라는 낯선 환경에 적응하는 불편함을 다양한 형태로 설명하고 있다. 안정된 집☵(安·靜)을 떠나 정글같은 세상으로 나아가 개고생☳(進·動)하는 고달픈 모습이다. 과거의 신분제도 하에서 동등한 대우를 받지 못하던 여자의 신분으로 시집가는 불편함은 이루 말할 수 없는 스트레스였을 것이다. 귀매(歸妹)괘의 비유는 현시대적으로 적절치 않을 수도 있으나, 또한 이해하기 불편할 수도 있다. 그러나 안정을 벗어나 밖으로 나아가는 과정에서 오는 불편함을 설명하기에는 효과적이기도 하다.

初九 歸妹以娣 跛能履 征吉
초구 귀매이제 파능리 정길

초구, 누이동생을 작은 부인(첩)으로 시집보내다. 비록 절름발이지만 걸을 수 있으니 헤치고 나아가면 길하리라.

　안정된 집을 뛰쳐나와 고단함을 겪는 귀매의 첫 효로 누이가 시집을 가는데 둘째 처(첩)로 들어가는 것으로 비유하고 있다. 하괘가 兌☱이니 첩(妾)의 뜻이 있고, 귀매의 맨 아래에 처해 있으니 작은 부인(娣)의 뜻이 된다. 첫째 정실로도 불편함이 있는데 둘째 작은 부인(첩)으로 들어가는 것은 당연히 더욱 고달프고 불편한 일일 것이다. 그러므로 정실이 당당하게 두발로 걷는다면, 첩인 초효(初爻)는 절름발이로 걷는 것에 비유된다. 그러나 初九는 비록 아래에 처하여 미약하지만 양의 자리에 양으로 와서 자리가 바르고 양강(陽

剛)하다. 그러므로 비록 위로 정응(正應)이 없어 절름발이처럼 불편하고 고된 생활이지만 걸을 수 있으니 어려움을 헤치고 나아가 바르게 한다면 길할 것이다(征吉). 효변하면 뇌수해(雷水解☳☵)이니 험난(險難☵☵) 속에서도 능동적으로 헤치며 나아가는 뜻(☵☳進)이 있다.

비록 작은 부인(첩)의 자리이지만 자리가 바르고 양강(陽剛)하니 정실부인을 존중하고 협력한다면 길하다. 그래서 공자는 상전을 통하여 "귀매이제(歸妹以娣)는 도를 항상함으로 하며, 비록 절름발이라도 길할 수 있음은 서로를 이어주기 때문이다(象曰 歸妹以娣 以恒也 跛能履 吉相承也)'라고 주석하고 있다.

☞ 妹: 누이 매, 소녀 매, 여자 매/ 娣: 손 아래 동서 제, 손아래 누이 제, 여동생 제 / 跛: 절름발이 파/ 履: 따를 이/ 承: 이을 승

九二 眇能視 利幽人之貞
구이 묘능시 이유인지정

구이, 애꾸눈으로 볼 수 있다. 은둔자의 바름으로 함이 이로우리라

세상의 잘잘못을 모두 훤히 들여다보고 참견하고 조언하는 것은 또 다른 갈등을 불러일으킨다. 때로는 한눈을 감고 못 본체 하는 것이 현명할 때가 있다(眇能視). 깊은 산 속에서 세상을 등지고 도를 닦는 유인(幽人)처럼 무심(無心)의 도를 익히는 것도 좋은 방법이다(利幽人之貞).

첫째인 정실부인의 잘잘못에 대하여 일일이 참견과 조언을 하여 갈등의 요소를 만드는 것보다는 애꾸눈으로 보듯 반쯤은 눈감는 덕목이 필요할 때가 있다. 그래서 공자는 "은거하여 도를 닦는 이의 바름으로 행하는 것이 이

로움은 상도(常道)가 변치 않기 때문이다(象曰 利幽人之貞 未變常也)'라고 하였다. 九二는 음의 자리에 양으로 와서 자리가 바르지 않으나 중(中)을 지키는 강중(剛中)한 여인으로서, 비록 첩☱이긴 하지만 내호괘의 밝은 체☲(明)에 있는 중덕(中德)을 갖춘 현명한 자이다.

효변하면 밝은 離☲(目)가 艮☶이 되어 애꾸눈의 형상이 되나 1,2,3,4 효가 더 크고 밝은 大離☲(目)의 상이 되니 더 넓고 더 크게 볼 수가 있다. 진정한 눈은 마음으로 보는 지혜의 눈이다. 그러므로 애꾸눈이라 하여 세상을 볼 수 없는 것이 아니므로 스스로를 굽히고 불편함을 감수함으로써 더 크고 더 넓게 보는 지혜가 바로 묘능시(眇能視)의 뜻이다.

☞ 眇: 애꾸눈 묘/ 幽: 그윽할 유/ 常: 항상 상

六三 歸妹以須 反歸以娣
육삼 귀매이수 반귀이제

육삼, 누이동생을 정실부인(須)으로 시집보내려 하나, 도리어 작은부인(娣)으로 가게 되리라.

六三은 양의 자리에 음으로 와서 자리가 부당하고 상괘로 넘어가기 위해 終日乾乾하며 투쟁하는 자리이다. 六三은 ☱(說)의 위에 처해있으며 중(中)을 벗어나 있고, 또한 자리가 부당하므로 첩(妾)의 위치에서도 격이 낮고 비천하며 못난 여자를 의미한다. 더구나 유(柔)가 승강(乘剛)한 상태로 ☱(說)의 기뻐하는 체의 위에 있으니 겸손함이 없는 여자로서, 자신의 본분을 모르고 불순하게 나대는 중덕(中德)이 없는 천박한 상으로 사내를 찾아 서성거린다.

수(須)는 수염으로 고대에는 성인이 되면 당연히 기르는 자부심의 상징이었다. 그러므로 수염(須)은 귀함의 상징으로서, 뒤 구절 반귀이제(反歸以娣)의 娣(작은부인, 측실)와 대구(對句)를 이루는 귀매이수(歸妹以須)의 須는 정실부인(첫째부인)의 뜻이 된다.

歸妹以須와 反歸以娣는 서로 대구를 이룬다. 작은 부인 또는 첩(측실)의 의미를 가진 娣(제)는 '손 아래 동서, 손아래 누이, 여동생'을 뜻하고, 이것과 대구를 이루는 須(수)는 첫째부인 또는 정실부인이 된다. 수염(須)이 어떻게 정실부인(첫째부인)의 의미와 통할 수 있을까? 須와 女로 이루어진 嬃(수)는 '맏누이'를 뜻하는 글자다. 즉, 큰사람을 뜻하는 첫째부인의 뜻이 된다. 성인남자의 자부심, 또는 귀함의 상징인 수염(須)에서 '맏누이'를 의미하는 嬃(수)가 유추되고, 이것이 '손 아래 누이'를 의미하는 娣(제)와 대구를 이루니 의미가 통하게 된다(주역독해/강병국).

귀매이수(歸妹以須)는 못나고 비천하며 더구나 품격이 낮은 여자가 자신의 처지를 모르고 천박하게 행동하며 격이 높은 자를 배필로 기다리는 것을 뜻한다. 그러므로 본인의 처지를 깨닫고 제자리로 돌아와 본분에 맞는 자기자리를 찾아 첩으로 시집을 가야 한다. 공자는 이를 "정실부인(須)으로 시집가려 하나 합당하지 않다(象曰 歸妹以須 未當也)"라고 하였다. 六三은 初九와 九二처럼 자신의 처지에 어쩔 수 없이 불편함에도 불구하고 시집을 가는 것이 아니라 스스로의 못남으로 인하여 첩으로 가게 되는 상이다.

과욕이 지나쳐 자신의 역량을 넘어서게 되면 하지 않은 것만 못한 결과를 가져오게 된다. 그러므로 스스로의 역량을 깨달아 자신의 처지에 맞는 일을 하는 것이 중요하다.

☞ 須: 수염 수, 기다릴 수

九四 歸妹愆期 遲歸有時
구사 귀매건기 지귀유시

구사, 누이동생을 시집보냄에 혼기를 넘기다. 혼인을 지체하는 것은 다 때가 있기 때문이다.

귀매는 태(泰)괘에서 3효와 4효가 서로 자리바꿈을 한 모습이다. 태(泰)괘에서 상괘 坤☷의 음(四)이 하괘 乾☰의 3효 자리에 가 있음은 여인이 남자를 만나고자 동구 밖에 나가 기다리고 있는 상이 된다. 그러나 귀매의 六三은 중도를 벗어나 기뻐하는 체(體)의 위에 처하여 그 뜻이 바르지 못하고 자리가 합당하지 않으므로 격이 있는 남자는 거들떠보지도 않는다. 격이 낮은 여자가 응함이 없는 자신의 처지를 깨닫지 못하고 乾☰으로 표상되는 격조 있는 남자를 마음이 들떠 기다리고 있는 모습이 바로 六三의 상이다.

마찬가지로 九四도 배필을 기다리고 있는 것은 같으나 음으로 표상되는 상괘☷로 나아가 있는 모습☷이다. 그러나 역시 응함이 없고, ☷은 소인의 무리에 불과하니 이는 九四가 원하는 바가 아니다. 九四로서는 혼기를 놓친 모습, 그러나 九四는 강양(剛陽)으로 대신의 자리에 있어 신분이 높고 격조가 있는 여인으로서 혼기가 지나더라도 때를 기다려 제격에 맞는 좋은 짝을 만나 혼인한다. 기다려봤자 결국 첩으로 갈 수밖에 없는 六三효와는 정반대의 결과가 나온다.

그래서 공자는 "때를 놓쳐 시기를 넘긴 것은 뜻이 있기때문이다. 기다렸다가 원하는 대로 가려 함이다(象曰 愆期之志 有待而行也)"라고 하였다. 제짝을 만나지 못해 비록 늦은 감이 있을 지라도 마침내 좋은 짝을 만나서 가려 함이니 다 뜻이 있는 것이다.

☞ 愆: 지나칠 건, 초과할 건/ 遲: 더딜 지, 지체할 지, 늦을 지

六五 帝乙歸妹 其君之袂 不如其娣之袂良 月幾望 吉

육오 제을귀매 기군지몌 불여기제지몌양 월기망 길

육오, 제을황제가 누이동생을 시집보냄이라. 君(정실부인)의 옷소매가 그 娣(작은 부인)의 소매의 좋음만 못하다. 달(月)이 거의 보름인 듯해야 길하리라.

존귀한 신분의 여자(六五)가 서로 응함이 있는, 자신보다 격이 낮은 남자(九二)와 결혼을 한다. 帝乙은 황제이고, 군(君)은 시집간 누이의 신분이 존고(尊高)함을 가리킨다. 六五가 柔中으로 尊位에 거하고 아래로 九二에 응하여 덕을 숭상하고 꾸밈을 귀하게 여기지 않는다. 그러므로 누이는 자신의 고귀한 신분을 과시하지 않고 겸손하게 자신을 낮추어 사내를 내조한다. 六五가 신분이 낮은 사내(九二)에게 시집을 가지만 보름달에 못 미친 듯 겸손하다. 보름달은 주변의 별빛을 잃게 만드니 겸손하지 않은 것이다. 월기망(月幾望)이란 보름달에 거의 다다른 상태로서 가득 참에 이르지 않은 상태를 의미한다.

六五는 중덕(中德)을 갖춘 고귀한 신분의 신부로서 시집을 가서도 그 빛을 그대로 발산하게 되면 사내의 빛을 잃게 만드니 부도(婦道)를 잃는 것이다. 그러므로 보름달에는 못 미치는 듯 자신을 겸손하게 하여 화려한 빛을 가리면 사내의 빛을 드러내게 되니 현명한 중덕(中德)을 행하는 것이다. 스스로 정실부인인 자신의 소매가 작은 부인(측실)의 소매보다 화려하지 않게 함이란 바로 이 뜻이다(其君之袂 不如其娣之袂良).

六五는 제왕의 자리로 양의 자리에 음으로 왔으니 스스로 빛을 낮추는 것이다. 六五는 외호괘 坎水☵(月, 보름달)의 위에 처하고, 효변하면 巽☴이 되어 월기망(月幾望)이 된다. 효변하여 스스로를 보름달에 못 미치게 하여 겸손을 행하지만 오히려 3·4·5·6효가 大坎☵(大月)의 상이 되니 오히려 더 밝은 빛을 드러낸다. 자신의 귀한 신분을 내세우지 않고 자신을 낮추어 사내의 빛을 드러내게 되면 오히려 더 큰 밝음이 되는 것이다. 이는 六五가 中道으로써 존귀(貴)하게 행(行)하는 것을 의미한다. 그래서 공자는 "제을황제가 누이를 시집보내니 그 누이의 소매가 손아래 여자의 소매의 좋음만 못하다 라고 함은 누이가 中을 지켜 존귀(尊貴)함으로써 행하기 때문이다(象曰 帝乙歸妹 不如其娣之袂良也 其位在中 以貴行也)"라고 하였다. 본 효사는 은나라 왕인 제을(帝乙)이 자신의 누이를 제후국인 기주의 서백(문왕)에게 시집을 보내는 고사를 기술하고 있다.

☞ 袂: 소매 몌/ 良: 좋을 량/ 幾: 거의 기/ 望: 바랄 망, 보름 망/ 月幾望: 14일째 달

上六 女承筐无實 士刲羊无血 无攸利
상육 여승광무실 사도야무혈 무유리

상육, 여자가 광주리를 이고 있는데 담겨진 실물이 없고, 사내가 양을 찔러도 피가 없다. 이로울 것이 없다.

女承筐无實

여자가 광주리를 이고 있는데 담겨진 실물이 없다 함은 아기를 잉태하는 자궁이 비어 있음을 의미한다. 빈 광주리(자궁)이니 아기씨가 없는 빈 몸이다. 씨 없는 수박이니 대를 잇지 못하는 여자를 가리킨다.

士刲羊无血

士(☳사내, 장남)가 羊(☱여자, 소녀)을 찔러도 무혈(無血)이다. 사내가 여

자를 찌른다 함은 삽입(sex)을 의미하고 빈 광주리라 함은 여자가 씨가 없는 빈 몸임을 의미한다. 아기를 갖지 못하는 여자를 가리킨다.

澤雷隨(䷐)는 震☳(男)이 兌☱(女)의 아래에 있으므로 자궁(☱) 안에서 생명☳이 자라는 상이 된다. 반대로 雷澤歸妹(䷵)는 震☳(씨)이 兌☱(자궁)의 밖으로 벗어나 나아가는 상이니 생명을 맺을 수 없고, 남녀가 서로 어긋나게 되는 것이다. 동하면 火☲가 되어 兌☱의 위로 향하니 서로 어긋난다(火澤睽䷥). 교합이 이루어지지 않는 것이다. 공자는 "上六이 실물이 없다 함은 빈 광주리를 받들고 있음이다(象曰 上六无實 承虛筐也)"라고 하여 上六여자는 본래 아기씨가 없는 빈 몸임을 말하고 있다. 동하면 화택규(火澤睽䷥)가 되니 남자가 여자를 떠나 서로 어긋나게 되는 것이다.

上六은 음의 자리에 음으로 와서 자리가 바르나 귀매의 상극에 처하여 있고 응함이 없다. 그래서 동하면 火☲가 되니 속은 비어 있고 겉은 화려한 것이다. 上六여자는 외관상 아름다우나 빈 몸이니 실물을 맺을 수가 없다(上六无實). 그러므로 이로울 것이 없는 것이다(无攸利).

☞ 筐: 광주리 광/ 刲: 찌를 규/ 虛: 빌 허

55. 雷火豐 뇌화풍

雷☳晉
火☲離

▶효변(爻變)

과거	미래	현재
☳+3 ⇨	☷+1	☳+1
		☷+3

上下작용력: (+3)-(+1)=+2

上下균형력: (+3)+(+1)=+4

豐 亨 王假之 勿憂 宜日中

象曰 豐大也 明以動 故豐 王假之 尚大也 勿憂宜日中 宜照天下也

日中則昃 月盈則食 天地盈虛 與時消息 而況於人乎 況於鬼神乎

象曰 雷電皆至 豐 君子以折獄致刑

初九 遇其配主 雖旬无咎 往有尙

六二 豐其蔀 日中見斗 往得疑疾 有孚發若 吉

九三 豐其沛 日中見沬 折其右肱 无咎

九四 豐其蔀 日中見斗 遇其夷主 吉

六五 來章 有慶譽 吉

上六 豐其屋 蔀其家 闚其戶 闃其无人 三歲不覿 凶

1. 괘상(卦象)

풍(豊)은 풍요로움의 뜻을 가진 괘상이다. 上雷下火를 보고 성인은 어떻게 풍(豊)이라는 괘명을 유추했을까? 위에는 震☳雷, 아래에 離☲火의 상이 어떻게 풍요로움의 의미가 될까?

> 하괘의 효(爻)가 움직이면 상괘에 그 상이 드러난다. 하괘의 변화가 상괘에 드러나고, 그 뜻은 대성괘로 표현된다.

상향하던 離☲의 九三양(陽)이 갑자기 음으로 돌변☷하면서 ☷의 전진을 가로 막는 벽이 되니 雷火豊(䷶)의 상이 만들어진다. 九三이 앞에서 끌고 初九가 뒤에서 밀며 올라가다가 갑자기 앞에서 끌던 九三 양이 음으로 효변하면서 속도가 늦어지니 길이 꽉 막혀버린다. 뒤 따르던 차들이 출구가 좁아지면서 차량이 하나 둘 쌓여간다. 병목현상으로 인한 적체현상이다. 이렇게 쌓여가니 풍(豊)의 의미가 드러난다. 그 도가 지나쳐 더 쌓이게 되면 서서히 무너지는 현상이 생겨난다. 가득 차면 넘치는 것이 천지자연의 이치인 것이다.

흐르는 물을 막으면 댐이 된다. 풍부한 물은 만인에게 이롭게 사용될 수도 있지만, 욕심이 과하면 둑이 터져버리니 만인에게는 재앙이 된다. 돈의 흐름을 막으면 돈은 쌓이지만 극에 달하면 오히려 무너진다. 호괘가 澤風大過(䷛)이니 시사하는 바가 크다. 풍요는 가득 참이지만 해가 중천에 오르면 기울어지고, 가득 찬 달은 이지러지니, 가득 참도 비워야 할 때는 비우는 것이 자연의 순리인 것이다(日中則仄 月盈則食).

하나 둘 쌓여가니 풍(豊)이다. 문명이 쌓이고, 물질이 쌓이고, 문화가 쌓이니 풍대(豊大)함을 의미한다. 그러나 쌓이기만 하고 나아가지 않으면 퇴락하는 것이 자연의 이치이니, 지금은 비록 풍요로우나 곧 기울거나 막히는 것을 대비해야 한다. 풍요(☲)롭지만 노력하지 않으면 전진☳이 막히게 되는 것이다.

뜨거운 화기(火氣)☲의 상승을 막으니 쌓여 홧병☳(動)이 된다. 잘 풀리던 현상이 속도가 늦어지며 지체된다. 무거운 짐이 나타나니 어깨가 무겁다.

단단한 덩어리☳가 깨어지며 부서진 모습☲에서 가득 참과 비움의 상이 보인다(天地盈虛). 문명☲이 쇠퇴☳ 해가는 모습이다. 문명의 극치인 重火離(☲)괘에서 상구(上九)가 음으로 효변하는 것이 雷火豊(䷶)이니, 보름달이 기우는 모습과 같다(月盈則食). 달도 차면 기울듯 문명이 극에 달하면 쇠락의 길을 걷게 된다. 문명이 나아가지 못하고 무너지는 것이다. 풍(豊)이 쇠(衰)와 의미가 통하는 것이 묘하다. 공자는 대상전에서 折獄致刑이라고 했다. 이것은 물질적 정신적 풍요로움 뒤에 오는 무질서와 병폐를 경계하여 질서를 바로 세우는 것이 군자의 역할임을 강조한다. 뇌화풍은 지금은 풍요롭고 화려하여 문명으로 빛나는 상태(☲)이지만 곧 달이 이지러지듯 쇠퇴(☳)할 것임을 암시하고 있는 괘이다. 호괘가 大過(䷛)로 그 지나침이 크다. 그러므로 밝음☲(明)으로써 움직여 지속적으로 전진☳(進)하며 나아가야 문명을 지속할 수 있음을 알려준다(豊大也 明以動).

지금은 풍요의 시대로 문명도 고도로 발달한 좋은 시절이다. 그러나 풍(豊)은 풍요가 극에 달하면 물질이 넘쳐흐르는 풍대(豊大)함 속에서도 오히려 마음이 빈곤해지는 불행한 시대가 도래하고 있음을 경계한다. 그러므로 밝음☲이 지속되려면 변화를 꾀하며 계속 전진☳해 나아가야 한다. 정신적 풍요 뒤에는 정신적 퇴폐가 뒤따르고, 물질적 풍요가 지속되면 문화적 퇴행이 뒤이어 온다. 그러므로 군자는 풍(豊)의 괘상을 보고 풍대(豊大)함 속에서도 도덕 철학을 정립하여 정신을 바르게 하고, 입법과 행정과 사법제도를 정립하여 사회 질서를 바로 세운다.

2. 괘변(卦變)

▷내호괘 - 澤風大過

豊   大過

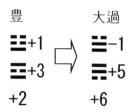

출구가 막혀 쌓이는 풍요는 병목 현상으로 차량이 몰리는 것과 같은 풍요이다. 쓸 곳에 제때 사용하지 않고 창고에 쌓아 두기만 하는 구두쇠의 풍요로움과 같다. 이것은 넉넉한 풍요로움이 아니라 마음이 빈곤한 베풂이 없는 인색한 부자의 물질적 풍요일 뿐이다. 풍요 속의 빈곤이다. 내호괘가 대과(大過)로 지나침이 되니 지나친 욕심은 큰 화를 자초한다. 풍요의 시대가 지나면 다시 곤궁해지기 마련이다.

▷착종 - 火雷噬嗑

豊   噬嗑

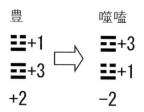

<비교> 풍(豊)과 서합(噬嗑)의 효변

雷火豊

≫전진하다 장애물이 생기며 막히니 쌓이는 모습(3효 動)

```
☳+3  ⇨  ☳+1
```

九三이 動하여 음으로 효변하니 장애물이 되다.

火雷噬嗑

≫전진하며 장애물을 돌파하는 모습, 움직여 돌파하는 모습(3효 動)

```
☳+1 ⇨  ☳+3
```

六三이 動하여 양으로 효변하니 장애물이 사라지다.

▷도전괘 - 火山旅

```
豊              旅
☳+1   ⇨    ☲ +3
☲+3          ☶ -5
+2            -8
```


　풍(豊)은 전진하던 구삼(九三)이 음으로 효변하면서 앞을 가로 막으니 상
향하던 것들이 길이 막혀 점점 쌓여가는 모습으로 가득참을 상징한다(雷火
豊). 이에 반하여 려(旅)는 대지에 굳건하게 붙어있던 물건☷이 떨어지며 자
유롭게 상향☲하며 떠나는 모습이다(火山旅).

▷배합괘 - 風水渙

```
豊              渙
☳+1   ⇨    ☴+5
☲+3          ☵-3
+2            -8
```


　풍(豊)은 덩어리☷가 깨어져 나가며 쇠퇴해 가는 모습으로 가득 찬 보름달

이 기우는 모습이다. 중천에 해가 떠 오르니 만 천하를 비춘다. 당장은 풍요롭지만, 오히려 이때 쇠락을 대비해야 하는 것이 역(易)의 일관된 가르침이다. 환(渙)은 물☵이 기체☴가 되어 흩어지는 상이다. 물☵ 위를 나무배☴를 타고 건너가는 모습으로 어려움이 풀려나가는 모습이다.

3. 괘사(卦辭)

豊 亨 王假之 勿憂宜日中
풍 형 왕격지 물우의일중

풍(豊)은 형통하다. 왕(王)이 이르다. 마땅히 해가 중천에 있으니 근심하지
마라.

풍(豊)은 형통하다. 해==가 중천에 떠올라 만천하를 비추는 상이다. 왕이
란 해==의 경지에 이른 군자를 말함이니, 왕이 이른다 함은 성인군자가 천하
에 출사하여 천하를 풍대(豊大)하게 함을 의미한다. 해가 천리(天理)를 따라
마땅히 중천(中天)에 떠올라 천하를 이롭게 비추듯, 군자는 마땅히 이를 본
받아 천하를 이롭게 한다. 그러므로 천하의 이치를 걱정하지 마라. 해는 의
당(宜當) 중천(中天)에 떠오른다. 왕은 천하를 다스리는 상징적 존재로 神,
王, 大人, 君子 등을 일컫는다.

☞ 豊: 풍년 풍, 풍성할 풍/ 假: 이를 격, 거짓 가, 임시 가, 아름답게 하다/
憂: 근심 우/ 宜: 마땅할 의

曰 豐大也 明以動 故豐

단왈 풍대야 명이동 고풍

王假之 尙大也 勿憂宜日中 宜照天下也

왕격지 상대야 물우의일중 의조천하야

日中則仄 月盈則食 天地盈虛 與時消息 而況於人乎 況於鬼神乎

일중칙측 월영칙식 천지영허 여시소식 이황어인호 황어귀신호

단에 이르길, 풍(豐)은 큼(大)이로다. 밝음으로써 움직이니 고로 풍요(豐饒)로다. 왕이 이르니 풍대(豐大)함을 숭상(崇尙)함이로다. 마땅히 해가 중천에 이르니 근심하지 않음은 마땅히 천하를 비추기 때문이다. 해가 중천에 이르면 기울어지고 달이 가득 차면 이지러지듯, 천지의 차고 빔도 때와 더불어 줄어들고 늘어나니 하물며 사람에 있어서랴. 하물며 귀신에게 있어서랴.

풍(豐)은 풍요로움이 큰 것이다. 그러므로 풍대(豐大)란 해가 중천에서 만 천하를 비추어 풍요롭게 하는 형통함을 의미한다. 그러나 지금은 풍요롭고 화려하여 문명으로 빛나는 상태(☲)이지만 곧 달이 이지러지듯 쇠퇴(☳)할 것임을 암시한다. 호괘가 대과(大過)이니 그 지나침을 경계해야 한다. 그러므로 밝음(☲)으로써 움직여 전진(☳)해 나아가야 풍요로움을 지속 가능하게 할 수 있다. 그것이 풍(豐)이 말하고자 하는 속뜻이다(豐大也 明以動).

왕이 이르러 천하를 풍대(豐大)하게 하는 것은 천하를 비추는 해의 풍요로움을 따르는 것이다. 왕(王)이 천하에 출두하여 백성을 풍대(豐大)하게 해주듯, 해는 마땅히[宜當] 중천에 떠올라 천하를 비추어 풍대(豐大)하게 한다. 이는 왕(王)을 상징하는 해(日)가 중천에 올라 천하를 비춤이 마땅한 이치이니 근심하지 않는다.

그러나 해가 중천에 오르면 기울어지고, 달도 차면 이지러진다. 천지가 차고 비움도 때에 따라 줄어들고 늘어나는 법이니, 하물며 사람이 이러한 자연의 이치를 벗어날 수 있으랴. 하물며 귀신이 이러한 천지의 이치를 벗어날 수 있으랴.

☞ 假: 이를 격/ 尙: 높일 상, 숭상할 상/ 照: 비출 조 /仄: 기울 측/ 盈: 찰 영/ 虛: 빌 허/ 與: 더불 여, 함께 할 여/ 消: 사라질 소/ 息: 호흡할 식, 자랄 식/ 況: 하물며 황, 상황 황/ 於: 어조사 어(~에, 에서)/ 鬼: 귀신 귀

象曰 雷電皆至豊 君子以 折獄致刑
상왈 뇌전개지풍 군자이 절옥치형

상에 이르길, 우레☳와 번개☲가 함께 이르는 것이 풍(豊)이니, 군자는 이로써 죄를 판단하고 형을 이룬다.

상전에 이르길 우레와 번개가 함께 하는 것이 풍(豊)이니, 군자는 이로써 옥사(죄)를 결단하고, 형벌을 이룬다. 밝은 해가 중천에 올라 만 천하를 비추어 살피니 죄가 밝음☲(明)에 드러나고, 군자는 위엄☳(動)으로써 결단한다. 옥(獄)을 판단한다 함은 옥에 갇히는 죄의 여부를 판결하는 것이고, 형(刑)을 이룬다 함은 형벌(刑罰)을 바르게 집행하는 것을 의미한다.

정신적 풍요로움 뒤에는 정신적 무질서와 도덕적 퇴행이 뒤따른다. 물질적 풍요가 지나치면 물질적 무질서가 나타나고 사회질서가 무너지는 현상이 뒤따른다. 그러므로 군자는 해가 중천에 떠오르면 기울어지고 달이 차면 이지러지는 자연의 이치를 깨달아 입법 행정 사법의 질서를 정립하고, 도덕 철

학을 권장하여 정신적 무질서를 바르게 세우며, 물질적 풍요 속에서 나타나는 빈부의 격차를 해소하고, 물질적 풍요에서 오는 병폐를 바로잡는다.

댐은 물의 양이 적절하면 주변에 많은 혜택을 베풀지만, 양이 과도하면 댐이 무너지게 됨으로써 오히려 주변에는 재앙이 된다. 사물이 정도를 지나치면 오히려 미치지 못한 것과 다를 바가 없으니 과유불급(過猶不及)이다. 그러므로 댐이 무너지기 전에 제도와 시설을 정비하여 적절한 수위를 조절하는 것이 우선이듯, 사람 사는 세상도 정신적 물질적 풍대(豐大)함이 지나치면 보름달이 이지러지듯 무너지게 되는 것이 이치이니 절옥치형(折獄致刑)을 위한 법과 제도를 올바르게 정립해야 한다.

☞ 皆: 모두 해/ 折: 결단할 절, 판단할 절/ 獄: 감옥 옥/ 致: 이룰 치, 다할 치, 刑: 형벌 형

4. 효사(爻辭)

    풍(豊)은 큼이니 형통한 상이다. 크게 형통함은 좋은 파트너(配主)를 만나야 한다. 그러나 밝은 풍요로움에는 항상 어두운 궁핍이 병존하니 풍요를 쫓아 외형만을 치장한다면 결코 오래하지 못한다. 지붕(외형, 겉치장)을 크게하여 나를 가리면 가릴수록 주변은 어두워지니 오히려 자신을 가두는 형국이 된다. 화려한 외형만을 쫓다 결국은 자기자신을 잃어버리기 십상이니 화려함이라는 무덤 속에 들어앉은 꼴이 되는 것이다(豊其屋 蔀其家).

初九 遇其配主 雖旬无咎 往有尙
초구 우기배주 수순무구 왕유상

초구, 배주(配主)를 만나다. 비록 같은 양이지만 허물이 없으니 가면 숭상(崇尙)함이 있으리라

    배주(配主)는 짝이 되어 서로 응하는 주효(主爻)를 의미한다. 그러므로 初九의 짝은 九四가 주(主)가 된다. 같은 강양(剛陽)으로 서로 응함이 없다. 그러나 初九는 밝음☲(電)의 시작이고, 九四는 우레☳(雷)의 시작이니 서로 대등하다. 같은 양(陽)이지만 번개☲와 우레☳는 하나의 체(體)를 이루고 있다. 번개가 치면 뒤이어 우레가 뒤따른다. 서로 하나의 체이니 初九와 九四는 비록 강양(剛陽)으로 같으면서도 서로 응함은 자연의 이치이니 허물이 없다. 즉 번개와 우레는 서로 강함으로 대등하나 서로 조화를 이루는 짝(配主)이다.
    初九와 九四는 서로 같은 양효로 응함은 없으나 동기상응(同氣相應)하니

오히려 허물할 것이 없는 것이다. 동기상응(同氣相應)으로 나아가 천둥==과 벼락==으로 천지를 뒤흔드니 만인의 경외와 높임을 받는다(往有尙). 그러므로 배주(配主)란 같은 기운이면서도 서로에게 없어서는 안 되는 동기(同氣)이자 좋은 맞수이다. 비록 강양으로 대등한 기운이지만 서로에게 배주(配主)가 되어 조화롭게 응하면서도 경쟁하며 나아가면 천하를 호령하는 큰 일을 할 수가 있는 것이다.

그러나 같은 기운끼리 조화를 이루지 못하고 상대방을 지나치려 하면 오히려 재앙이 되기 쉽다. 그래서 공자는 "비록 같은 양기(陽氣)로 대등하지만 허물할 것은 없다. 그러나 대등함을 지나치면 재앙이다(象曰 雖旬无咎 過旬災也)"라고 경고하고 있다.

배주(配主)란 공정한 경쟁자, 대등한 맞수, 정치적 동반자 등, 대등하게 경쟁하면서도 서로 조력하며 공정하게 나아가는 주장(主將)을 말한다. 맞수로서 경쟁하며 함께 성장해 나가는 관계가 배주(配主)이다. 그러나 어느 한쪽의 과욕이 지나쳐 대등함을 벗어나 상대를 이기려 한다면 좋은 맞수가 불편한 적수가 되어 재앙을 초래하기 쉽다. 번개==(電)가 번쩍하면 뒤이어 우레 ==(雷)가 큰 소리로 화답하듯 좋은 맞수는 서로를 존중해줄 때 함께 성장해 갈 수가 있음이니, 멋진 배주(配主)를 만날 때 나 역시 성장할 수 있는 기회가 되는 것이다.

☞ 遇: 만날 우/ 配: 짝 배/ 主: 주인 주, 임금 주, 우두머리 주/ 雖: 비록 수/ 旬: 대등할 순, 나란히 할 순, 열흘 순

六二 豐其蔀 日中見斗 往得疑疾 有孚發若 吉

육이 풍기부 일중견두 왕득의질 유부발약 길

육이, 덮개를 많이 가리니 한낮에도 두성(斗星)을 보리라. 나아가면 의심과 질투를 받으니 믿음을 발하면 길하리라.

부(蔀)는 가리는 뜻이고 두(斗)는 어두울 때 나타나는 것이다. 풍기부(豐其蔀)란 장막이나 가리개가 많이 가려 어두워진 것을 뜻한다. 그래서 비록 해가 중천에 떠 있는 한낮임에도 일식이나 구름에 가려 해가 어두워지기 시작하면 하늘에 북두성(北斗星)이 두드러지게 보이게 된다.

六二는 밝음☲의 주체이고, 中正하다. 그러나 호괘인 大過(☱)의 아래에 처하여 지나침(大過)의 시작이 된다. 즉 2·3·4·5효가 대감☵(暗)의 상으로 어둠의 뜻이 있고, 六二는 그 어둠의 맨 아래에 처하여 시작이 되는 때이다. 또한 大過(☱)는 지나침의 뜻으로 大坎(☵)의 상이니 밝음이 많이 가리는 때를 의미한다. 공자가 경계한 초구효 상전의 과순재야(過旬災也)가 시작되는 것이다.

호괘: 澤風大過
大坎☵水
어둠(暗), 의심, 시기,

≫2·3·4·5효는 大坎의 상☵(水)이다. 坎水☵는 험(險), 험함(險陷), 어둠(暗), 혼돈, 의심, 질투 등의 뜻이 있다.

六二는 밝음의 체로서 中正하지만 六五가 음유(陰柔)로서 자리가 바르지 않고 응함도 없다. 六五☷는 이미 빛이 기울어진 모습의 유약한 군주로서 밝은 체☲의 中正인 六二를 감당할 그릇이 되지 못한다. 그래서 六二가 다가서면 이에 응하지 못하고 의심과 질투를 하게 된다. 공자는 "六二가 (柔順中正으로) 믿음을 발함은 믿음으로써 뜻을 발하여 드러내는 것이다(象曰 有孚發若 信以發志也)"라고 하였다.

☞ 蔀: 덮개 부, 어두울 부/ 疑: 의심할 의/ 疾: 병 질, 미워할 질, 시기할 질

九三 豐其沛 日中見沬 折其右肱 无咎
육삼 풍기패 일중견매 절기우굉 무구

구삼, 늪이 무성하니 한낮에도 매성(沬星)을 보리라. 자기 오른 팔을 잘린 격이니 허물은 없다.

豐其沛 日中見沬

늪이란 한번 빠지면 헤어나오기 어려운 곳이다. 늪이 무성한 곳에 빠지면 밝을 볼 수도 없고 헤어 나오기도 어려우니 아무것도 보이지 않는 캄캄한 밤과 다를 바 없다. 그러므로 한낮에도 북두칠성 중에 손잡이 부분에 위치한 작은 별을 볼 수 있다 하였으니 실로 어두운 것임을 비유한다.

밝은 체인 해☲(日)의 상효인 3효가 효변하면 震☳이 된다. 양이 음으로 효변하면서 밝은 빛이 사라지는 상이다. 2·3·4·5효가 大坎(☵暗)의 상을 이루니 九三은 어둠(☵暗)의 늪 속에 푹 빠진 상이다. 호괘가 大過(䷛)로 역시 大坎(☵暗)의 상이니 어둠 속을 의미하고, 한 낮임에도 불구하고 작은 매성(沬星)을 볼 수 있을 정도로 어두우니 큰 일을 할 수가 없는 것이다.

豐其沛

九三은 호괘인 大過(☱☴), 즉 大坎(☵☵暗) 속에 완전히 들어선 모습으로 어두운 늪 속에 완전히 빠져버린 상이다. 패(沛)는 '(비가) 쏟아지다. 늪, 습지'의 뜻이 있으니 豐其沛는 쏟아지는 비 속에 완전히 가려진 모습이고, 쏟아진 비에 질퍽한 깊은 늪 속에 완전히 빠져버려 밖이 보이지 않는 어둠에 갇힌 모습을 의미한다.

▷효변으로 보는 상의 변화

☲+3 ⇨ ☲+1

≫九三 양효가 음으로 효변하면서 밝음☲이 빛을 잃은 상☷이 된다. 밝은 해☲가 일식에 일부가 먹힌 모습☷이고, 구름에 가리워진 상이 되며, 보름달☷이 이지러진 모습☷이 된다.

折其右肱 无咎

사람으로 치면 이는 신체에서 오른 팔이 끊어진 격이니 큰일을 할 수 없다. 이것은 사람이 무능력해서가 아니라 중천에 뜬 해가 기울듯, 보름달이 이지러지듯 운세가 그래서이니 허물할 것은 없다. 離☲의 九三이 동변(動變)하니 震☳이 된다. 震은 오른쪽이니 오른쪽 팔에 변화가 생긴 격이다. 공자는 "마치 깊은 늪에 빠진 것처럼 어두워 한낮에도 북두성이 보일 정도로 어두우니 큰 일을 하는 것은 쉽지 않다. 이는 오른 팔을 끊어낸 것과 같으니 큰 일에 사용할 수가 없는 것이다(象曰 豐其沛 不可大事也 折其右肱 終不可用也)'라고 주석하였다.

☞ 沛: (비)가 쏟아질 패, 늪 패, 습지 패/ 沬: 작은 별 매(昧)/ 折: 꺾을 절/ 肱: 팔

九四 豐其蔀 日中見斗 遇其夷主 吉

구사 풍기부 일중견두 우기이주 길

구사, 덮개로 많이 가리니 한낮에도 두성(斗星)을 보리라. 이주(夷主)를 만나니 길하리라.

九四는 九三과 마찬가지로 大坎☵(2·3·4·5효)에 완전히 빠져 있는 상으로서 가림막에 가리워져 한낮임에도 불구하고 하늘에 뜬 북두성(北斗星)을 볼 수 있을 정도로 주변이 어둡다(豐其蔀 日中見斗). 효의 상을 보면 양 하나가 2개의 음을 짊어지고 있으니 덮개를 많이 가린 상이다. 호괘인 大過(䷛)에 속해 있어 지나침이 크다.

그러나 우레☳의 시작인 九四는 번개☲의 시작인 初九와 동기상응(同氣相應)하여 천하를 두렵게 하는 벼락을 만들어 낸다. 그러므로 初九가 배주(配主)인 九四를 만나듯 九四는 이주(夷主)인 初九를 만나야 吉하다. 서로 기운이 같은 양기(陽氣)로 동기상응(同氣相應)하며 큰일을 해낸다. 火☲와 雷☳가 조화를 이루어 천둥 벼락으로 천지를 뒤흔드니 九四는 같은 기운 이주(夷主)인 初九를 만나야 길한 것이다. 번개☲가 밝음을 밝힌 후 우레☳가 뒤이어 큰 소리로 화답하니 서로 앞서려 하면 안 된다. 대등한 맞수이자 선의의 경쟁자가 있을 때 자신도 같이 성장할 수가 있기 때문이다.

九四가 효변하면 地火明夷(䷣)가 되는데 해☲가 땅☷ 속에 들어가 있으니 완전히 어두워진 상태이다. 이 명이(明夷)에서 夷가 나왔는데 이(夷)는 평등하다는 뜻이 있으니, 이주(夷主)란 배주(配主)처럼 동기상응하는 주(主)된 같은 기운을 말하는 것이다. 공자는 "가림막으로 많이 가리워져 있음은 자리가 부당하기 때문이요, 한낮임에도 북두성(北斗星)을 볼 수 있음은 어둠에 깊이 들어가 있어 밝지 못하기 때문이다. 同氣인 夷主를 만남은 어둠 속에서 빛을 본 것이고 그 빛을 따라 길을 찾아가니 吉行이다(象曰 豊其蔀 位不當也 日中見斗 幽不明也 遇其夷主 吉行也)'라고 주석하고 있다. 앞이 보이지 않는 캄캄한 늪 속에서 이주(夷主)를 만나니 이보다 더 길(吉)한 일이 어디 있겠는가?

☞ 夷: 평평할 이, 평탄할 이, 동방종족 이/ 幽: 어두울 유, 깊을 유, 아득할 유

六五 來章 有慶譽 吉
육오 래장 유경예 길

육오, 밝음이 오리라. 경사와 명예가 있으니 길하리라.

六五는 大過(☵)의 上에 처하여 大坎(☵暗·險)을 벗어나는 자리에 있다. 비로소 어둠 속의 깊은 늪을 벗어나는 것이다. 六五가 변하면 澤火革(☲)이니 火☲가 위로 탈피하려는 힘이 강하다. 來章이란 밝은 해☲(文明)가 바다☲ 위로 솟아올라 만천하를 비추어 이롭게 하는 것을 말하는 것이니 경사롭고 명예롭다 한 것이다.

革

☱-1

☲+3   ⬆

+4

≫해(☲+3)가 바다(☱-1)위로 솟아오르려는 상하작용력이 +4이다.

六二는 中正하고 文明하다. 六五는 비록 중(中)에 자리하나 자리가 不當하다. 그러므로 유약한 六五가 六二中正과 서로 明以動으로써 조화를 이끄니 경사스럽고 영예롭다. 명(明)은 하괘☲(明)를 말하고, 동(動)은 상괘☳(動)의 뜻이다. 이에 공자는 "六五가 吉함은 경사가 있기 때문이다(象曰 六五之吉 有慶也)'라고 주석하였다.

☞ 慶: 경사 경/ 譽: 영예 예, 명예 예

上六 豐其屋 蔀其家 闚其戶 闃其无人 三歲不覿 凶
상육 풍기옥 부기가 규기호 격기무인 삼세불적 흉

상육, 지붕을 크게 하니 그 집을 가린다. 창문을 통해 엿보니 고요하여 사람이 없다. 3년이 지나도록 볼 수가 없으니 흉하다.

지붕을 크게 한다는 것은 외형만 화려하게 하여 가분수 형태의 기형적인 집을 만든 것을 말한다. 과욕이 지나쳐 가분수 형태의 기이한 집이 되었다. 과욕이 하늘 끝까지 닿을 듯 날아올라간다(豐其屋 天際翔也). 어찌 오래할 수 있겠는가?

과욕으로 인하여 지붕을 크고 화려하게 하여 하늘로 비상하고자 하나 오히려 그로 인해 빛을 가리게 되니 정작 집은 어두워 사람을 찾아볼 수가 없다. 과욕으로 인해 스스로 무덤을 파서 자신을 묻어버리는 결과를 초래하는 것이다. 자신의 처지도 모른 채, 하늘 높은 줄 모르고 위세를 과신한 탓에 스스로 무덤을 파고 들어가 앉은 격이다. 집을 가릴 정도로 지붕을 크게 하는 것은 외형만 크게 함이요, 집으로서는 가치가 없으니 사람이 살지 못한다. 결국 화려하기만 한 큰 지붕이 오히려 자신을 어둠에 가두는 무덤이 된 것이다. 화려한 외형만을 쫓다 자기를 잃어버리니 화려한 무덤에 들어앉은 꼴이다(豐其屋 蔀其家). 음유(陰柔)한 자가 풍(豐)의 극에 처하였으니 밝음이 지나쳐 오히려 어두워진 격이다.

上六이 효변하면 重火離(☲) 되니 화려함의 극치이다. 속이 텅 빈 화려한 외형에 치중하다 스스로 무너지니 자기 무덤을 스스로 판 것이다. 지붕을 크게 함은 스스로 교만에 빠져 하늘에 닿을 듯 바벨탑을 높이 쌓아 올리는 꼴이다(豐其屋 天際翔也), 그러나 모래 위에 쌓은 바벨탑은 모래성에 불과하니 스스로 무너지게 마련이.

지붕만 크고 화려한 집은 정작 빛을 가려 아무도 살지 못하는 어둠 속이 되어버린다. 풍대(豐大)함에 치우쳐 스스로 교만에 빠진 현대인의 모습을 보여준다. 현대인의 삶 속을 들여다보면 복잡하고 화려한 도시의 삶 속에서 정작 자신은 정체성을 잃어버리고 살아간다(闚其戶 闃其无人 自藏也). 사람다운 사람은 찾아볼 수가 없으니 이 어찌 스스로 갇힌 무덤 속이 아니라 할 수 있겠는가? 이에 공자는 "지붕을 크게 함은 하늘 높이 비상하고자 함이나, 창문을 통해 엿보니 고요하여 사람이 없음은 스스로 무덤을 파고 그 속에 들어앉은 꼴이다(象曰 豐其屋 天際翔也 闚其戶 闃其无人 自藏也)"고 개탄하였다. '사람이 없다'함은 시끄러운 화려함 속에 살아가는 인간을 정체성을 잃은 껍데기에 불과한 존재로 은유하는 표현이라 할 수 있다.

☞ 屋: 지붕 옥, 덮개 옥, 집 옥/ 家: 집 가/ 闚: 엿볼 규/ 戶: 구멍 호, 집 호/ 闃: 고요할 격, 인기척이 없을 격/ 覰: 볼 적/ 際: 즈음 제, 끝 제, 변두리 제/ 翔: 날 상/ 藏: 감출 장, 숨을 장

56. 火山旅 _{화산려}

火 ☲ 離
山 ☶ 艮

▶효변(爻變)

과거		미래	현재
☶ -5	⟹	☶ +3	☶ +3
			☶ -5

上下작용력: (-5)-(+3)=-8

上下균형력: (-5)+(+3)=-2

旅 小亨 旅貞吉

象曰 旅 小亨 柔得中乎外而順乎剛 止而麗乎明 是以 小亨 旅貞吉也。 旅之時義大矣哉

象曰 山上有火 旅 君子以明愼用刑而不留獄

初六 旅瑣瑣 斯其所取災

六二 旅卽次 懷其資 得童僕 貞

九三 旅焚其次 喪其童僕 貞厲

九四 旅于處 得其資斧 我心不快

六五 射雉 一失亡 終以譽命

上九 鳥焚其巢 旅人先笑 後號咷 喪牛于易 凶

1. 괘상(卦象)

집☷을 떠나 유람☲하니 나그네로다.

☷은 2개의 음이 땅☷에 뿌리를 내려 고정되고 있는 모습으로 양이 상향하다 마지막 정상에서 그친 모습이다. 화산려(火山旅)는 땅에 붙어있던 ☷의 초육이 양효로 효변☲하면서 땅에 붙어 있던 것이 떨어져 하늘로 상향하고 있는 모습이다. 고정☷(止)되어있던 것이 떨어져 나가 자유롭게 풀려난 모습 ☲(상승)으로 산 위 푸른 창공을 한가로이 노닐고 있는 상이다.

산☶-5은 땅☷-7에 고정이 되어 있고, 해☲+3는 저 높은 하늘☰+7에 걸려 있으니 서로 간섭함 없이 멀리 떨어져 있는 상으로 그 상하작용력은 -8이다. 당연히 부딪힘이 적으니 걸림 없이 자유로이 떠도는 나그네의 모습이다. 화산려(火山旅)는 어딘 가에 붙어있던 것이 떨어져 나가는 모습으로서 고정되어 있던 것이 자유롭게 풀려나가는 것이다. 옥(獄)☶-5에서 풀려난 자유로운 영혼☲+3의 모습이다.

산☶ 위에 불☲이 난 상이니 산☶을 태우며 불길☲이 옮겨 다니는 형상이 정처없이 떠도는 나그네를 닮았다. 인생이란 이 세상☷에 잠시 머물다☶ 떠나가는 나그네☷요, 이 세상은 만인☷이 머물다 가는 여인숙(旅人宿☷)이다(天地萬物之逆旅). 해와 달도 천지를 오가는 손님이니 모두가 나그네인 셈이다(日月 百代之過客). 하괘인 집☶은 멈춰 있고, 상괘인 사람☲은 밖으로 떠도니 바람 따라 구름 따라 떠도는 나그네로다. 언제든 자리☶에서 훌훌 털고 일어나 가볍게 떠나는 것☲이 대인의 인생길이요, 꽉 쥐고 놓지 않아도 저절로 놓아지는 것이 시간이니 손에 쥐고 펴지 못하는 소인의 길은 궁색할 뿐이다(旅之時義大矣哉).

대인은 三神一體를 각하니, 천상천하가 내 집이라, 자신이 서 있는 시공간을 온전히 누리고 때가 바뀌면 훌훌 털고 일어나니 대인의 천지유람은 즐겁다. 그러나 소인은 뿌리(☷)가 들리면(☶) 불안하고 고독하니 인생길이 고해(苦海)로다.

▷비교 - 風山漸

☶은 2가지의 효변을 가지는데 하나는 화산려(火山旅)로서 초육이 양으로 효변(☲)하는 것이고, 또 하나는 六二가 양으로 효변(☴)하는 풍산점(風山漸)이다. 화산려는 땅☷-7에 고정된 산☶-5이 땅에서 떨어져 나와 자유롭게 상향(☲+3)하는 것이고, 풍산점은 땅☷-7에 고정☶-5된 채 양이 점차적으로 자라 자유롭게 풀려나가는 것(☴+5)이다.

火山旅

☶-5 ⇨ ☲+3

≫땅에 붙어있는 덩어리☶가 떨어져 나와 상향☲하다.

風山漸

☶-5 ⇨ ☴+5

≫굳은 것☶이 점차 풀어지다☴.

風☴은 山☶이 地☷에 붙어있는 채로 양기(陽氣)가 점차적으로 자라나가는 모습, ☶과 ☴은 초효가 음으로 모두 地☷에 근원을 두고 있다.

---

2. 괘변(卦變)

▷호괘 - 澤風大過

漸　　　　大過

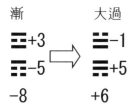

☰+3　⟹　☱-1
☶-5　　　☴+5
-8　　　+6

　땅☷에 고정되어 있던 산☶이 떨어져 나와 위로 들려 올라가려면 엄청난 양의기운이 필요하다(-5를 +3까지 들어 올리는 힘). 호괘가 澤風大過(☱☴)이니 절제를 잃고 힘의 균형을 놓치면 오히려 흉함이 됨을 의미한다. 초육이 양으로 효변하는 것은 산의 밑둥이를 땅에서 떼어내는 것과 같은 난행(難行)으로 양의 기운이 한번에 몰릴 수밖에 없으니 火山旅 속에 大過를 품어 미리 과유불급(過猶不及)을 경고하는 것이다. 풍류(旅)는 절제가 필요하다. 중도를 잃으면 가산을 탕진하는 법이니 뿌리가 뽑혀 나가는 것이다.

　태양☲이 산☶위에서 찬란하게 빛나니 그 절정이 지나가면 서서히 석양을 향해 기울어진다. 이것은 一始一終하는 자연의 이치이니 도리어 문명이 지나치면 쇠퇴하게 된다. 그러므로 旅괘 속에 있는 大過를 보고 미리 절제하여 정도를 걷는 것은 그 시대를 풍미하는 지도자의 몫이다(旅貞吉也).

▷착종 - 山火賁

漸　　　　賁

☰+3　⟹　☶-5
☶-5　　　☲+3
-8　　　+8

火山旅의 착종은 山火賁로서 火山旅와는 반대로 한곳에 고정하여 정착하는 상이다. 하괘☷의 초구가 음으로 효변☷하여 땅☷에 고정되는 모습으로 떠돌던 유목민이 한 곳에 정착하여 문명(文明)을 일으키는 것을 의미한다. 산을 경계로 마을이 형성되어 정착☷(止)하면서 문명☲(明)이 형성되니 곧 산☷을 아름답게 꾸미는 離火☲ 상이 된다. 문명☲은 정착☷을 통해서 일어나며, 정착☷은 곧 꾸미게 되니 아름다운 것☲(麗)이다.

▷도전괘 - 雷火豊

漸

☶+3

☶-5

-8

⇨

豊

☳+1

☲+3

+2

려(旅)는 初六☷이 양으로 효변☷하면서 고정된 것이 떨어져 나가는 상으로서 뿌리가 들려 상향하는 나그네의 모습을 보이지만(山上有火旅), 상대편의 관점에서 거꾸로 보면 九三☲이 음으로 효변☷하면서 상향하던 길을 막아서는 모습이 되니 안으로 쌓이는 豊이 된다(雷電皆至豊). 旅는 밖으로 문명함이 풀려나가지만, 豊은 안으로 문명함을 쌓는다.

▷배합괘 - 水澤節

漸

☶+3

☶-5

-8

⇨

節

☵-3

☱-1

+2

화산려(火山旅)는 집☶을 떠나 나그네☲로 떠돌지만, 반대인 수택절(水澤

節)은 집안☲에서 편안히 들어앉아 쉬고 있는 상☶이다. ☶은 떠나는 집
(house)이지만, ☶은 돌아와 쉬는 집(home)이다.

3. 괘사(卦辭)

> **旅 小亨 旅貞吉**
>
> 여 소형 여정길
>
> 여(旅)는 형통함이 작다. 여(旅)는 바르게 해야 길하다.

인생이란 길을 떠난 나그네(旅)로다. 여(旅)는 형통함이 작으니(旅小亨), 집 ☵을 떠난 나그네(☲)는 밝은 도(明道☲)를 지켜야 한다(旅貞吉). 호괘가 大 坎☵의 상으로 택천대과(澤天大過☱)이니 험난(險難)함을 뜻한다. 그러므로 험난한 긴 여정(旅程)을 떠나는 나그네가 바르지 못하고 지나치게 행하면 흉한 꼴을 당하기 쉽다. 나그네가 길을 바르게 가야 하는 것은 인생이라는 긴 여정☵을 떠난 사람이 되돌아갈 근본(根本☵)을 잃어버리지 않기 위함이다.

> **彖曰 旅小亨 柔得中乎外而順乎剛 止而麗乎明**
>
> 단왈 여소형 유득중호외이순호강 지이리호명
>
> **是以小亨旅貞吉也 旅之時義大矣哉**
>
> 시이소형여정길야 여지시의대의재

단에 이르길, 여(旅)는 형통함이 작으니, 유(柔)가 밖에서 중(中)을 얻어 강(剛)에 순응하니 그쳐서 밝음에 걸리다. 이로써 형통함이 작으니 여 (旅)는 바르게 해야 길하다. 여(旅)의 때와 의가 크다.

六三≡≡(順)이 외괘≡(剛)의 中을 잡으니, 하괘는 땅에 그친 艮山≡≡(止)이 되고, 상괘는 하늘에 걸린 離火≡≡(明)가 된다(柔得中乎外而順乎剛 止而麗乎明). 그럼으로써 해≡≡(明)는 한 곳에 그쳐 고정된 산≡≡(止)을 비추게 되니, ≡≡(明)으로서는 그 역할이 작으니 형통함이 작은 것이다(旅小亨).

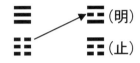

≫六三≡≡(坤)이 외괘≡(乾)의 中을 얻으니 剛에 順함이 되다.

이는 유순(柔順)한 坤≡≡(柔)의 德이 강건(剛健)한 乾≡(剛)의 中(六五)을 잡아 밝음≡≡(明)이 됨을 뜻한다. 유(柔)가 강(剛)에 순(順)하다 함은 柔陰(六五)을 불태워 剛陽(九四, 上九)이 밝음이 되는 것을 말한다. 剛健≡이 柔順≡≡에 의해 밝음≡≡(明)이 되는 것이니(柔得中乎外而順乎剛), 하괘 坤의 六三이 올라 간 六五가 上下에 있는 강한 양(陽)에게 순(順)하는 것이다.

六三≡≡이 외괘의 中을 얻으니, 내괘는 그쳐서 ≡≡(止)이 되고 외괘≡는 하늘에 걸린 ≡≡(明)이 된다(止而麗乎明). 그러므로 山≡≡은 땅에 그쳐 고정된 집(house)이 되고, 火≡는 집≡≡을 떠난 나그네(旅)가 되며, 山≡≡은 감옥(獄)이 되고 火≡는 감옥에서 벗어난 나그네가 된다. 또한 산≡≡ 위를 붉게 물들이는 불≡이 되며, 산≡≡을 넘어가는 석양의 해≡≡가 된다.

是以小亨旅貞吉也

하늘 위로 나아간 火≡≡(明)가 천하≡≡(地)를 비추어 천지만물을 이롭게 하는 것을 **대명(大明)**이라 하면(火地晉), 화산려(火山旅)는 하늘에 걸린 火≡≡(明)가 천하 중의 한 곳에 그친 일정한 장소≡≡(山)를 비추는 것으로 **소명(小明)**이 되니 그 형통함이 작은 것이다.

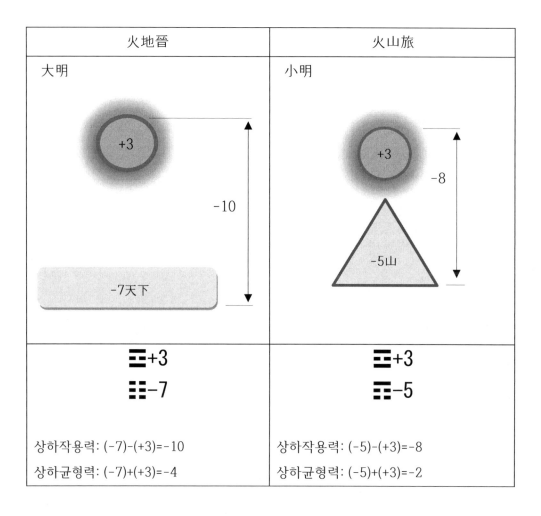

火地晉	火山旅
大明	小明
+3 -10 -7天下	+3 -8 -5山
☲+3 ☷-7	☲+3 ☶-5
상하작용력: (-7)-(+3)=-10 상하균형력: (-7)+(+3)=-4	상하작용력: (-5)-(+3)=-8 상하균형력: (-5)+(+3)=-2

≫화지진(火地晉)

明出地上 順而麗乎**大明** 柔進而上行

밝음이 땅 위로 올라와 柔順함으로 **大明**에 자리하니 柔가 나아가 위(六五)에 오름이로다.

≫화산려(火山旅)

柔得中乎外而順乎剛 止而麗乎**明**

유(柔)가 밖에서 중(中)을 얻어 강(剛)에 순응하니 그쳐서 **밝음(明)**에 걸리도다.

☰의 초효가 양으로 효변☰☰하니 고정된 것이 떨어져 나가는 상으로 뿌리가 뽑혀 나가는 모습이다. 고향을 떠난 나그네, 나라를 **빼앗겨** 유랑하는 백성의 모습이니, 근본인 집☰☰을 떠난 나그네는 스스로가 유순(柔順)함으로써 바른 道理☰☰(明)를 지켜야 吉하니(旅貞吉也), 그렇지 않으면 근본마저 잃어버릴까 염려함이며, 또한 돌아갈 뿌리☰☰(本)를 지키기 위함이다. 그러므로 려(旅)의 때와 뜻이 크다(旅之時義大矣哉).

象曰 山上有火 旅 君子以 明愼用刑 而不留獄
상왈 산상유화 여 군자이 명신용형 이불류옥

상에 이르길, 산 위에 불이 있으니 여(旅)다. 군자는 이로써 밝음과 신중함으로 형(刑)을 판단하며 옥(獄)에 머물지 않는다.

밝은 해☰☰(明)가 위에서 옥(獄)☰☰(止)을 밝게 비추니, 군자는 이러한 상을 보고 형벌을 씀을 공명정대(公明正大)하게 하여 치우침이 없도록 함으로써 누명을 쓰고 옥에 갇히는 억울함이 없게 한다. '밝고 신중함☰☰(明)'으로써 억울한 죄인을 오랫동안 '옥에 가두어 머무는 일☰☰(留)'이 없도록 하게 한다(明愼用刑 而不留獄). 또한 밝음☰☰으로 나라☰☰를 다스려 백성을 문명하게 함으로써 죄인이 양산되는 것을 적게 하고 죄를 가볍게 하여(☰☰) 감옥에 오래 머무는 일(☰☰)이 없도록 함을 이르니, 이는 군자의 밝은 덕(明德)을 말함이다.

☞ 君子以 明愼用刑 而不留獄

☷-5 ⟹ ☶+3 獄　　　　明	明☲(明愼用刑) 止☶(留獄)

明愼用刑

군자는 명신(明愼☲)으로 밝게 판단하여 옥(獄☷)에 머무르지 않게 한다.

　형(刑)이란 누군가를 판단☲(明)하는 것을 말한다(用刑). 그러므로 형을 쓰고자 할 때는 밝음으로 신중하게 해야 한다(明愼用刑). 옥(獄)이라 함은 누군가를 제한☷(止)하는 것을 말한다(留獄). 누군가를 판단☲(明)하고 제한☷(留)하는 것이 바로 옥(獄)이니 옥을 함부로 행해서는 안된다. 해☲가 산☷을 비추듯 밝음☲(明)으로 삼가☷(愼)하며 신중하게 해야 하는 것이다.

　옥이란 물리적인 감옥, 누군가를 타인으로부터 분리하여 고립시키는 것, 스스로 집착하여 벗어나지 못하는 것, 아집이나 고집, 스스로가 만든 마음의 감옥 등 다양한 의미로 이해할 수 있다. 군자는 나그네(旅)의 상을 보고 인생 여정을 걸어가는 사람이 타인에 의해 갇히거나 스스로 가둔 옥(獄)에서 오랫동안 그쳐 머물지(☷留獄)하지 않도록 군자의 밝은 덕(☲明愼)을 ☷(留獄)위에 비추어 벗어날 수 있도록 행한다(君子以 明愼用刑 而不留獄).

4. 효사(爻辭)

일정한 터☶를 떠나 길을 가는 나그네☲는 항시 삶이 불안정하다. 그러므로 매사 중정(中正)하여야 한다. 또한 인생길에서 좋은 벗과 재물을 얻을 수 있어야 한다. 그렇지 않으면 오히려 자신의 거처(재물과 지위, 동반자, 조력자)를 불사르는 어리석음을 범하게 된다. 스스로 만족함을 알아야 하며, 재물과 복록을 얻었을 때 교만하여 뜻을 잃어버리게 되면 모든 것이 한 순간에 무너지게 되니, 인생이란 항시 나그네라는 사실을 잊지 말아야 할 것이다. 나그네가 나그네라는 사실을 잊어버리고 쉽게 본성을 잃어버리면 그 동안 쌓은 거처와 지위를 스스로 불사르게 되는 과오를 저지르게 된다.

初六 旅瑣瑣 斯其所取災
초육 려쇄쇄 사기소취재

초육, 나그네가 미약하고 비천하니 이 때문에 재앙을 취하는 바다.

初六은 길을 떠나는 나그네(旅)의 때를 당하여 맨 아래에 처하고 그 힘이 음유(陰柔)하고 미약하며, 양의 자리에 음으로 와서 자리가 바르지 않으니 비천(卑賤)한 상이다. 그러므로 인생 여정을 떠나는 나그네의 시작부터 곤궁하고 비루하다. 쇄쇄(瑣瑣)는 분간하기 힘들 정도로 아주 작다는 뜻으로서 품은 뜻이 자질구레하고 옹졸함을 가리킨다.

호괘가 大過(䷛)괘로 大坎☵(險,暗)의 상이니 힘은 미약하고 지위는 비천한데 날은 어둡고 나아갈 길은 험난하다. 뜻이 강해도 힘들 판인데 떠나는 나그네의 뜻이 비천하고 자질구레하니 세상이 고해로다. 소인이 뜻이 궁박하여 스스로 재앙과 허물을 취하는 까닭이다. 괘상으로 보면 땅≡≡에 뿌리를 강하게 내린 산≡≡의 초효가 변함으로써 ≡≡가 되어 땅≡≡에서 떨어져 나가야 하는데 그 힘이 미약하다. 공자는 이를 "나그네가 비천하고 자질구레하며 보잘 것이 없다. 뜻이 궁색하니 재앙이다(象曰 旅瑣瑣 志窮災也)"라고 주해하였다.

☞ 瑣: 자질구레할 쇄/ 窮: 다할 궁, 궁할 궁/ 災: 재앙 재

六二 旅卽次 懷其資 得童僕貞
육이 여즉차 회기자 득동 복정

육이, 나그네가 길을 가다 여인숙(旅人宿)에 들다. 노자를 품고 동복(童僕)의 충정(忠貞)을 얻다.

동복(童僕)의 바름(貞)을 얻는다 함은 순수하게 조력하는 벗(무리)을 얻음을 말한다. 인생을 가는 나그네 길에서 거처할 곳[次]과 충분한 노자[資]와 순수하고 충성스러우며 곧 바른 조력자[童僕貞]를 얻는다면 더 이상 무엇을 바라겠는가?

다만 여인숙(次)이란 나그네가 잠시 머무는 임시 거처에 불과하니 영원한 안식처가 될 수는 없다(旅卽次). 여인숙(旅人宿)이란 나그네가 잠시 머물다 지나가는 것에 불과하니 어찌 내 것이 될 수 있겠는가? 내가 살고 있는 지금 여기도 여인숙에 불과한 것이다.

六二는 柔順하고 中正하니 쉴 거처(次)와 노자(資), 그리고 신뢰할 수 있는 동복(童僕)의 충정(忠貞)을 얻는다. 나그네로서 더 이상 좋을 수가 없다. 공자는 이를 "동복(童僕)의 바름(貞)을 얻음은 끝내 허물이 없음이다(象曰 得

童僕貞 終无尤也)"라고 하였다.

나그네가 길을 가다 여인숙에 들다(旅卽次)함은 나그네가 인생이라는 길을 가다 잠시 정착할 곳을 얻음이요, 懷其資는 노자, 자금, 재산을 보유하게 됨이고, 得童僕貞은 인생 길을 함께하는 충정(忠貞)의 벗(무리)를 얻음을 말함이니 이 정도면 짧은 인생 여정에서 성공한 셈이 아닌가? 내괘 艮☶(止)은 잠시 머무는 여인숙이 되고, 六二가 동하면 내괘가 巽☴(入)이니 여인숙에 들어가는 뜻이 되며(旅卽次), 내호괘가 乾☰(金)이 되니 재물이 된다(懷其資).

☞ 卽: 곧 즉, 나아갈 즉/ 次: 임시 거처 차, 여관 차, 懷: 품을 회, 임신할 회/ 資: 재물 자/ 童: 아이 동/ 僕: 종 복, 무리 복, 벗 복/ 貞: 곧을 정

九三 旅焚其次 喪其童僕貞 厲
구삼 여분기차 상기동복정 려

구삼, 나그네가 자기 여인숙(旅人宿)을 불사르니 자기 동복의 충정을 잃는다. 위태롭다.

艮☶은 少男으로 동(童)을 의미하고, 굳세게 한 자리에 그치니 복(僕)이다. 동복(童僕)이란 이해타산을 따지지 않는 어린아이처럼 순수한 충정(忠貞)의 벗(무리)를 의미한다.

山☶의 九三이 동하면 地☷가 되니 여인숙☴(次)이 불살라져 땅☷만 덩그렇게 남음을 의미한다. 그러므로 산☶이 땅☷이 됨은 여인숙이 불타 사라짐이 되고, 동복(童僕)을 잃어버림이 된다.

九三은 중도를 벗어나 있고 양강하여 임시 머물던 거처를 불사르는 어리석음을 범한다. 나그네는 형통함이 작으니 정도를 지키는 것이 길하다(旅貞

吉). 그러므로 객(客)에 불과한 자가 중(中)을 벗어나 양강(陽剛)이 지나치게 되면 자기 거처에 불을 놓는 격이 되니 자신도 상하게 되고 인생의 조력자인 동업(童僕)의 충정(忠貞)도 잃어버리게 된다. 참으로 위태로운 상황이다 (喪其童僕貞 厲).

艮☶이 효변하면 坤☷이 되니 상괘 火☲에 의해 여인숙(旅人宿)이 불살라짐이요, 정고(貞固)하게 자리를 지키는 동업(童僕☷)을 잃어버림이 되고, 외호괘가 坎☵(險陷)이 되니 험수(險水)가 되어 위태로운 뜻이 된다.

공자는 "나그네가 자기 여인숙을 불사르니 또한 이 때문에 상하게 된다. 나그네로써 아래와 어울리니 자기 의(義)를 잃는다(象曰 旅焚其次 亦以傷矣 以旅與下 其義喪也)"라고 하였다. 아래와 어울린다 함은 아래 두 개의 음유(陰柔)한 소인과 함께 하는 것을 말한다.

☞ 僕; 종 복, 무리 복, 동아리 복/ 焚: 불 사를 분/ 喪: 잃을 상, 죽을 상/ 與: 더불 여, 함께할 여, 협조할 여, 베풀 여

九四 旅于處 得其資斧 我心不快
구사 여우처 득기자부 아심불쾌

구사, 나그네가 정착하여 자부(資斧)를 얻으나 속 마음은 흡족하지 않다.

九四가 효변하면 외괘가 艮☶(止)이 되니 드디어 나그네가 정착하게 됨을 뜻한다. 그러나 동시에 내호괘가 감수☵(心亂)가 되니 속마음은 만족스럽지 않다. 艮☶(止)은 정착을 의미하고, 坎☵은 험(險)이니 비록 資斧(재물과 권력)를 얻었으나 마음은 흡족함이 없고 불안하기만 하다. 왜냐하면 九四가 음의 자리에 양으로 와서 자리가 부당하기 때문이다. 그러므로 비록 정착하였

으나 자리가 바르지 않고, 재물(資)과 권력(斧)을 얻었으나 불안하기만 하다. 자(資)는 재물이 되고 도끼(斧)는 권력을 상징한다.

길을 떠난 나그네가 일정한 지역에 거처를 정할 때는 바름(貞正)으로 하지 않으면 안 된다. 뜨내기가 바름이 없다면 어찌 토박이의 환영을 받을까? 음의 자리에 양으로 와서 자리가 부당하니 지위를 얻지 못함이고, 그러므로 비록 자부(資斧)를 얻었을 지라도 항시 자리가 불안한 것이다. 공자는 이것을 "나그네가 정착하지만 지위를 얻지 못한다. 자부(재물과 권력)를 얻으나 마음이 만족스럽지 못하리라(象曰 旅于處 未得位也 得其資斧 心未快也)"라고 풀이하였다.

☞ 處: 거주할 처, 곳 처, 지위 처/ 資: 재물 자/ 斧: 도끼 부

六五 射雉一失亡 終以譽命
육오 사치일실망 종이예명

육오, 꿩을 쏘아 한 화살로 잡는다. 마침내 명예와 복록을 이루리라.

六五는 중덕(中德)을 갖춘 자로서 밝음☲의 中을 잡아 나그네로서의 바름(貞)을 갖춘 자이다. 괘사의 "旅 小亨 旅貞吉"이란 六五를 뜻한다. 양의 자리에 음으로 와서 소형(小亨)이지만 밝음☲(文明)의 中을 잡았으니 吉한 자이다.

柔得中乎外而順乎剛 止而麗乎**明**
유득중호외이순호강 지이리호**명**
유(柔)가 밖에서 중(中)을 얻어 강(剛)에 순응하니 그쳐서 밝음에 걸리다.

離火═로 상징되는 꿩은 밝음(明), 문명(文明), 최고, 정상, 완성, 성취를 상징한다. ═는 화살이요, 호괘가 大坎═의 상으로 대궁(大弓)이 되니 한방에 꿩을 쏘아 잡는 격이다. 드디어 한방에 꿩을 잡는다. "射雉一失亡"이란 화살 하나를 잃음으로써 꿩을 잡은 것을 의미한다. 화살 한방에 성공을 이루니 인생역전이다. 그가 얻은 명예와 복록이 하늘 끝에 이르니 가히 대단한 성취다. 예(譽)는 명예(名譽)를 이름이요, 명(命)은 복록(福祿)을 뜻한다. 공자는 六五를 "마침내 성취한 명예와 복록이 정상에 이르리라(象曰 終以譽命 上逮也)"라고 주석하고 있다.

☞ 雉: 꿩 치/ 逮: 이를 체, 미칠 체, 잡을 체/ 譽: 명예 예/ 命: 목숨 명

上九 鳥焚其巢 旅人先笑後號咷 喪牛于易 凶
상구 조분기소 여인선소후호도 상우우이 흉

상구, 새(鳥)가 자기 둥지를 불사름이니, 나그네(旅人)는 먼저는 웃으나 나중에는 울부짖는다. 소를 쉽게 잃어버리니 흉하다.

═는 새(鳥)의 뜻이 있으니 새가 火═의 위에 있음은 스스로 불구덩이═ 위에 있음을 비유한다. 새(鳥)는 나그네를 뜻하고, 소(巢)는 새집으로 나그네의 거처를 뜻하며, 火═의 위에 있으니 스스로 자기 둥지를 불사르는 뜻이 있다. 上九는 음의 자리에 양으로 와서 자리가 바르지 않으니 잘못 둥지를 튼 것이다. 나그네가 머물 자리가 아닌 것이다. "鳥焚其巢"란 나그네를 비유한 말로 새가 불구덩이 위라는 잘못된 자리에 둥지를 틀 듯, 나그네가 나그네라는 사실을 잊어버리고 六五에서 이룬 예명(譽命)에 취하여 쉽게 본성을 잃어버리고 자기가 쌓은 거처와 지위를 스스로 불사르게 되는 과오를 비유

한다. 예명(譽命)이 위에까지 미치니 그것에 취해 자신이 나그네에 불과하다는 사실을 깨닫지 못하고 스스로가 쌓아놓은 예명(譽命)을 무너뜨리게 되는 것이다. 끝내 이를 깨닫지 못한다.

鳥焚其巢

새(鳥)가 자기 둥지(巢)를 불사름은 나그네(旅人)가 자기가 이룩해 놓은 자리(處)를 불사름을 비유한다. ☲는 문명을 상징하고 명예와 성취를 상징한다. 또한 불을 상징한다. 성인은 ☲를 새에 비유하여 지구상에서 나그네에 불과한 인간이 자그마한 재물과 명예와 권력과 지위에 취하여 자기도 모르게 불구덩이 위에 집을 짓고 있음을 상기시킨다.

불나방은 불에 취하면 뜨거운 줄도 모르고 계속 뛰어든다. 처음에는 화려함에 취하여 웃지만, 뒤늦게 몸이 불타는 것을 깨닫고는 울부짖는다(旅人先笑後號咷). 끝내 깨닫지 못한 인간도 이와 다름없으니 몸을 불사르고 나면 무슨 소용이랴.

본성을 잃어버리면 집(자기자신)이 불타는 것조차 깨닫지 못하고 주변의 충고조차 들리지 않는다. 성공에 취해 나락으로 빠지면서도 이를 깨닫지 못하니 우리네 인생도 이와 다를 게 무언가? 죽음을 향해 나그네 길을 가면서도 현실에 취해 이를 깨닫지 못하니, 화려함으로 포장된 불☲에 취해 스스로가 불타는 것조차 모르고 뛰어드는 불나방이로다.

그러므로 공자는 "나그네가 되어 火☲의 상극에 처해 있으니 자기의 뜻(義)을 불사름이다. 소를 쉽게 잃어버림은 끝내 아무 것도 (깨닫지)듣지 못함이다(象曰 以旅在上 其義焚也 喪牛于易 終莫之聞也)'라고 하였다. 소는 인간의 본성을 비유한다. '소를 쉽게 잃어버린다' 함은 본성에서 우러나오는 참된 소리를 듣지 못함을 말함이니, 끝내 깨닫지 못함이로다. 헛되고 헛되도다.

상괘 ☲에서 소(牛)의 뜻이 나오고, 동하면 ☳가 되어 소가 없어지는 상이니 喪牛于易이다. 上九가 동하면 雷山小過(䷽)이니 大坎☵의 상으로 이동(耳

痛)이 되어 듣지 못하는 뜻이 나온다.

　上九는 나그네(旅)의 상극에 처하여 양강(陽剛)하니 교만하여 자기의 뜻을 잃어버리고, 또한 음위(陰位)에 양(陽)으로 와서 마땅한 자리를 얻지 못했으니 뜨거운 불(문명, 성공, 정상, 영광, 화려)위에 올라앉아 스스로 거처(지위)를 불사르는 교만함으로 최고의 절정에서 나락으로 떨어진다. 자만에 취해 스스로 불타 무너지는 것조차 모르고 내면에서 들려오는 본성의 소리에 귀를 막는다.

　나그네의 지위는 어차피 영원함이란 없는 것이니 바름을 잃지 말아야 하며, 뜻을 잃어서는 안 된다(小亨旅貞吉也). 대상전에 "明愼用刑 而不留獄"이라 하였으니 잘못된 거처와 지위, 바르지 않은 재물과 권력에 머무는 것이 류옥(留獄)이다. 그러므로 명신(明愼)☰☰으로 자신을 밝혀 옥(獄)☷☷에 머물지 말 것을 충고한다. 지구상에 내려와 지금 여기 잠시 머물다 가는 인생길에서 나그네인 인간은 스스로가 나그네라는 사실을 잊어버리고 자신이 만든 거처와 지위, 재물, 권력에 머물게 되니 그것이 바로 지옥(地獄)이로다.

　　　☞ 巢: 새집 소/ 號: 부르짖을 호/ 咷: 울 도/ 易: 바꿀 역, 쉬울 이

57. 重風巽 중풍손

風☴巽
風☴巽

▶효변(爻變)

과거	미래	현재
☴+5 ⇨	☴+5	☴+5
		☴+5

上下작용력: (+5)−(+5)=0

上下균형력: (+5)+(+5)=+10

巽 小亨 利有攸往 利見大人

象曰 重巽以申命 剛巽乎中正而志行 柔皆順乎剛 是以 小亨 利有攸往

利見大人

象曰 隨風巽 君子以 申命行事

初六 進退 利武人之貞

九二 巽在牀下 用史巫紛若吉 无咎

九三 頻巽 吝

六四 悔亡 田獲三品

九五 貞吉 悔亡 无不利 无初有終 先庚三日 後庚三日 吉

上九 巽在牀下 喪其資斧 貞凶

---

1. 괘상(卦象)

　　외괘도 손풍(巽風)☴, 내괘도 손풍(巽風)☴으로 이루어지니 중풍손(重風巽)
이라 한다. 바람에 바람을 더하니 지상의 만물을 흔들어 가지런히 한다. 바
람은 천하의 모든 사물을 어루만지며 어디든 오가는 자유로움이 있으니 절
제를 수반하면 길(吉)하지만 지나치면 방종이 된다. 자유로운 만큼 공손함이
있으나 가벼움은 흉(凶)이다. 부드럽고 유순함은 공손(恭遜)함이지만, 이것이
지나치면 유약하고 나약함이 되어 우유부단, 비굴함이 된다. 공손함이 과하
면 오히려 우유부단함이 되어 쉽게 흔들리니 과단성이 없어 대사(大事)를 이
룰 수가 없다. 심지(心志)가 약하니 과감하지 못한 것이다(進退 志疑也). 겸
(謙)괘는 자신을 낮추는 겸양(謙讓)이지만, 손(巽)괘는 부드러움(柔), 손순(遜
順)의 상으로 유약(柔弱), 우유부단, 순종, 굴복의 뜻이 있다.

　　風☴+5은 초효가 음(陰)으로 땅☷에 고정이 되어있다. 그러므로 2개의 양
(陽)은 자유로우나 땅을 벗어나지 못한다. ☰+7은 우주에 가득한 강건(剛健)
한 지기(至氣)로 모든 생명의 바탕이 되며, 움직이지 않는 광대무변 한 대양
(大陽)이지만, ☷은 지구라는 땅(초음)에 붙어있는 한정된 양으로 하늘☰이
땅☷으로 내려와 대순(大巡)하는 신명(神命)☷을 상징한다.

　　그러므로 風☴은 절제가 요구되니, 이는 바람이 대지를 벗어나면 허공으
로 흩어지니 과도한 자유는 방종으로 흉한 모습이 되기 때문이다. 자유는 책
임을 수반하며 절제가 요구되니 공손함이 길한 것이다. 상하작용력이 제로(0)
로서 유순하고 부드럽지만 균형점(+10)이 높아 바람☴이 바람☴을 거듭하여
절제를 벗어나면 폭풍이 되고 만물을 쓸어버리는 폭군이 된다. 이에 공손함
으로 절제하며 중도(中道)를 지켜야 한다(柔皆順乎剛).

바람은 부드럽고 유순하다. 봄바람은 유순하지만 생명을 불러 일으키고, 가을바람은 부드럽지만 생명을 추살하는 숙살지기(肅殺之氣)의 기상을 품고 있다. 바람은 나약하고 유약하다. 그러나 자제를 잃어버리면 폭풍으로 변해 만물을 쓸어버리는 폭군이 된다.

☴은 만물을 어루만지며 생기(生氣)를 불어넣어준다. 바람이 대지를 스치며 숨을 불어넣으니 만물이 호흡하며 생동(生動)한다(巽入也). 천하를 대순(大巡)하는 양기(陽氣)는 만물의 생기(生氣)를 불어넣는 신명(神命)이다.

만물을 가지런히 하는 것은 바람☴만한 것이 없고 골고루 적셔 만물을 공평하게 하는 것은 물☵만한 것이 없다. 1·2·3·4효가 水☵의 상이니 물이다. 바람은 만물을 가지런히 하고 물은 고저(高低)없이 공평하게 적시며 들어간다. 바람☴은 대지를 파고들어가 물☵이 되니 입(入)이다. 바람이 대지를 대순(大巡)하며 파고들어가 숨을 불어넣으니 입(入)의 뜻이 되는 것이다. 바람은 물기를 머금고 만물을 가지런히 하며 골고루 적셔 공평하게 해 준다.

2. 괘변(卦變)

▷호괘 - 火澤睽

巽

睽

⬛⬛ ➡ ⬛⬛
⬛⬛   ⬛⬛

    상하괘가 모두 巽風☴이니 가벼움이 지나쳐 자유가 방종으로 흐르면 서로
가 어긋나게 되니 규(睽)로서 이를 경계한다.

▷착종괘 - 重風巽

巽

巽

⬛⬛ ➡ ⬛⬛
⬛⬛   ⬛⬛

    바람에 바람이 거듭하니 온 천하가 신명(神命)으로 가득하다. 申宮에서 가
을의 숙살지기 庚金이 未土가 삭힌 열매를 씨앗과 쭉정이를 구분하며 申命
을 내려 거두어 드린다(重巽以申命).

▷도전괘 - 重澤兌

巽

兌

⬛⬛ ➡ ⬛⬛
⬛⬛   ⬛⬛

≫수풍손(隨風巽): 바람이 바람을 따르니 신명이 대지 위를 순행하며 숨을

불어넣는다(巽入也).

≫려택태(麗澤兌): 택(澤)이 나란히(≡≡) 하늘≡을 향해 마음을 열고 양(陽)을 받아드리니 충족하고 기쁘다. 하늘의 양기를 가득 담은 호수가 고요하니 그 자태가 아름답구나(兌說也).

▷배합괘 - 重雷震

巽震

≫중풍손(重風巽): 2개의 양이 대지 위를 자유롭게 순행하며 생기를 불어넣는다(入). 그러나 대지를 벗어나지 못하니 절제함이 이롭다.

≫중뢰진(重雷震): 초구 양이 대지를 파고드니 천지가 크게 동한다. 천지가 새롭게 거듭나지만 지나치면 과행(過行)이 된다.

3. 괘사(卦辭)

巽 小亨 利有攸往 利見大人
손 소형 이유유왕 이견대인

손(巽)은 조금 형통하다. 나아가는 바가 이로우며 대인을 봄이 이로우리라.

3개의 양효로 이루어진 乾☰은 온 우주에 가득한 강양(剛陽)으로 크게 형통하지만, 2개의 양효가 한 개의 초음에 잡혀 있는 巽☴은 그 형통함이 작다. 乾☰은 양이 온 우주를 가득 채우지만 巽☴은 음(陰)에 잡혀 있어 대지를 벗어나지 못하는 양(陽)이다. 그러므로 巽☴風은 지구라는 땅에 한정된 바람으로 손순(巽順)한 기운을 상징하고, 乾☰天은 지구를 벗어나 온 우주를 가득 채우는 강건(剛健)한 기운을 상징한다. 바람은 대지 위를 대순(大巡)하며 생명을 불어넣으니 나아가는 것이 이로우며(利有攸往), 九五는 인군의 자리로 中正하니 대인을 봄이 이롭다(利見大人)

象曰 重巽以申命
단왈 중손이신명
剛巽乎中正而志行 柔皆順乎剛 是以小亨 利有攸往 利見大人
강손호중정이지행 유개순호강 이이소형 이유유왕 이견대인

단에 이르길, 손(巽)이 거듭함이니 명(命)을 거듭한다.
강(剛)이 中正에 손순(遜順)하니 뜻을 행함이다. 유(柔)가 모두 강(剛)에 순
(順)하니 이로써 소형(小亨)이로다. 나아가는 바가 이로우며, 대인을 만남
이 이롭다.

천하를 대순(大巡)하는 양기(陽氣)는 만물에 생기(生氣)☰를 불어넣는 신명
(神命)이다. 거듭된 손(巽)으로 천명을 거듭하고(重巽以申命), 하늘과 땅, 그리
고 땅 속까지도 신바람(神風)이 파고들어가 만물을 어루만지며 생명(生命)을
불어넣으니(巽入也), 巽風☴은 神의 숨(神命)이다.

"申命"은 申궁에서 숙살지기 경금(庚金)에 내린 命에 따라 만물의 양기를
수렴하는 것을 말하니 신명(申命)이란 천지의 순환에 따른 무위자연(無爲自
然)의 命이니 곧 신(申)궁에서 작용하는 가을 숙살지기 神命을 뜻한다(九五효
사참조).

九五는 자리가 바르고 中을 잡았으니 中正하다. 양강(陽剛)이 바람(風)을
타고 손(巽)에 거하여 中正을 얻었으니, 이는 神命을 중심으로 하늘의 뜻(天
命)을 행하는 자리가 된다. 신바람(神風)이 대지를 순행하며 숨을 불어넣어
생명이 되니 형통하다. 그러나 巽風☴+5은 초효가 음으로 땅에 붙어있어 대
순(大巡)은 대지(初六)에 한정되고 그 형통(亨通)은 천지에 가득한 乾☰+7에
비해 작다(柔皆順乎剛 是以小亨).

유개순호강(柔皆順乎剛)이란 상하괘의 유음(柔陰)이 모두 剛(陽)에 巽順하
는 것을 말하는 것으로서, 이는 巽☴이 거듭된 중풍손(重風巽)의 체(體)를 의
미한다.

巽☴의 소형(小亨)과 비교해 보면 대형(大亨)이란 乾☰으로 지구를 벗어나
온 우주만물의 생기(生氣)가 되는 중천건(重天乾)을 말하는 것으로 坤☷地와
더불어 만물을 생하니 형통함이 크다.

유(柔)가 강(剛)을 따르고, 강(剛)은 유(柔)에 한정되니 소형(小亨)이다. 바람이 순행하며 대지를 파고들어 만물에 숨을 불어넣어 생명을 불러일으키니 나아가는 것이 이롭다. 그러나 유약(柔弱)하여 겸양(謙讓)이 지나치면 과강하지 못하여 큰일을 할 수가 없으니 대인을 만나 조력을 얻는 것이 현명한 처사이다.

☞ 申: 地支 신(9번째 지지), 거듭하다, 반복하다. 오후 15-17시

象曰 隨風巽 君子以 申命行事
상왈 수풍손 군자이 신명행사

상에 이르길, 바람을 따르는 것이 손(巽)이니 군자는 이로써 명(命)을 거듭하여 일을 행한다.

두 바람☴☴이 거듭함(重巽)은 서로를 따르는 것이다. 손순(巽順)함으로 따르니 수풍손(隨風巽)이다. 바람을 따른다는 것은 바람을 거스르지 않고 순응한다는 것이다. 군자는 순(順)함으로 서로 따르는 손(巽)의 상을 보고, 하늘이 내린 명(命)을 따라 거듭하여 정사(政事)를 행한다. 명(命)이라 함은 천명(天命)이요, 거듭한다 함은, 천명(天命)을 따라 백성에게 하늘의 뜻을 펼치는 것을 말하니, 한번의 족함이 아니라 땅 속 깊이까지도 바람이 들어가 어루만지듯 그 뜻을 거듭 행하라는 뜻이다(申命行事).

申은 先庚三日 後庚三日에 나오는 천간(天干) 庚金이 들어온 지지(地支) 신궁(申宮)을 가리킨다. 未궁(己土)에서 土☷의 기운이 여름의 왕성한 午궁(丙丁)의 火氣☲을 품어 열매(씨앗)를 숙성시키니, 申궁☴에서는 추상같은 가

을의 숙살지기 庚金의 기운이 씨앗의 갈무리를 시작한다. 여름(午궁)의 왕성한 火氣가 未궁에서 숙성되고, 申궁에서 庚金이 양기(陽氣)를 수렴하기 시작하는 것이다(火生土≫土生金). 申命行事란 사시의 순환에 따라 申궁에서 가을 기운인 숙살지기 庚金에게 명을 내리니, 서릿발 같은 신명(申命)에 따라 추풍낙엽처럼 양기(陽氣)를 수렴하여 알갱이와 쭉정이가 갈무리하는 것을 말한다.

申命이란 명을 '거듭하다'는 의미도 있지만, 갈무리하는 가을의 申궁에서 작용하는 추상같은 숙살지기 기운, 神命을 은유하는 표현이기도 하다.

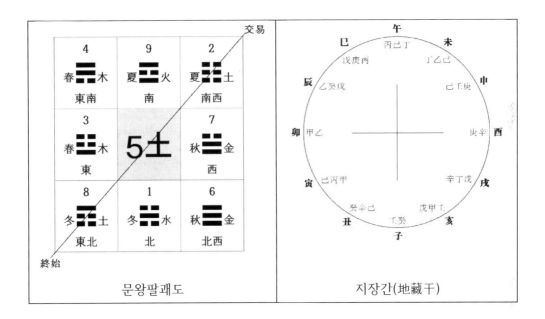

| 문왕팔괘도 | 지장간(地藏干) |

≫申궁에 가을 숙살지기인 庚金☷이 들어와 未土☷가 숙성시킨 열매☳를 갈무리하기 시작한다. (화생토 ≫ 토생금)

☞申: 거듭할 신, 아홉 번째 地支/ 皆: 모두 개/ 隨: 따를 수

4. 효사(爻辭)

손(巽)은 손순(遜順)함이다. 손순(遜順)은 적당하면 형통하지만, 그 도가 지나치면 유약하고 비굴한 태도가 된다.

初六 進退, 利武人之貞
초육 진퇴 이무인지정

초육, 나아가고 물러남이다. 무인의 곧음이 이로우리라.

2개의 양은 자유로우나 初六에 잡혀 있어 자유로움이 한정된다. 그러므로 유순하며 겸양의 뜻을 가진 형통함이 작은 괘이다. 초육은 양의 자리에 음으로 와서 자리가 바르지 않고, 괘의 맨 아래에 처하여 힘이 유약하고 나약해 뜻이 확고하지 못하다. 그러므로 과단성이 없어 과감히 나아가지도 물러나지도 못하는 우유부단한 성격이다. 그래서 공자는 初六을 "나아가고 물러남은 뜻이 확고하지 못하기 때문이다. 무인의 곧음이 이로움우니 뜻을 세워 다스리라(象曰 進退 志疑也 利武人之貞 志治也)"라고 하여 무인(武人)의 곧은 기질처럼 자신의 나약한 뜻 강하게 세우라 충고한다.

효변하면 乾☰이 되니 강건한 무인(武人)의 뜻이 나온다. 그러므로 무인의 곧은 기질로 과강(過强)하게 나아가거나, 단호하게 물러날 수도 있어야 한다. 진퇴(進退)를 우유부단하게 오락가락하는 것이 아니라 자신의 뜻을 강하게 세워 과감하게 선택하는 것이 이롭다.

九二 巽在牀下 用史巫紛若吉 无咎
구이 손재상하 용사무분약길 무구

구이, 손순(遜順)함이 상(牀) 아래 있다. 사무(史巫)를 많이 쓰면 길하고 허물이 없으리라.

九二의 손순(遜順)이 상 아래 있다는 것은 공손하다는 것을 뜻한다. 九二가 양강(陽剛)으로 中을 지키니 유약하고 비굴한 저자세가 아니라 유순하고 공손한 태도를 말하는 것이다. 그러나 비록 중(中)을 지키고 있지만 음의 자리에 양으로 와서 자리가 바르지 않으니 참모진(史巫)을 많이 두어 자문을 받는 것이 길하고 무탈하다. 사(史)는 일을 상세히 기록하는 사관(史官)을 말함이고, 무(巫)는 길흉을 점치는 자이니 정무(政務)를 판단하고 조력하는 자를 뜻한다. 그러므로 사무(史巫)를 많이 쓴다 함은 참모나 자문위원을 많이 두어 조력을 받는 것을 말한다. 그래서 공자는 "도와주는 참모나 인재(조력자)가 많으면 吉하니 中을 얻었기 때문이다(象曰 紛若之吉 得中也)"라고 주석하고 있다. 외호괘 離☲에서 사(史), 내호괘 兌☱에서 무(巫)의 뜻을 취했다.

☞ 牀: 평상 상/ 史: 역사 사, 사관 사/ 巫: 무당 무/ 紛: 많을 분/ 若: 만약 약

九三 頻巽 吝
구삼 빈손 린

구삼, 자주 손순(巽順)함이니 부끄럽다.

´손순(巽順)이 지나치면 비굴함이 되고 당당하지 못한 저자세이니 부끄러운 짓이다. 남을 존중하고 자기를 내세우지 않는 겸양지도(謙讓之道)도 과도하면 때로 비굴함이 된다.

　九三은 양의 자리에 양으로 와서 자리가 바르지만 中道를 벗어나 있으니 겸손이 지나친 것이다. 사람이 과도하게 자주 자기를 굽히며 비굴한 모습을 보이는 것은 자신의 뜻이 정고(貞固)하지 못하기 때문이다. 뜻이 궁하여 스스로를 다스리지 못하는 것이다. 그래서 공자는 "빈손지린(頻巽之吝)은 뜻이 궁하기 때문이다(象曰 頻巽之吝 志窮也)"라고 일갈하였다.

☞ 頻: 자주 빈/ 遜: 겸손할 손/ 窮: 궁할 궁

六四 悔亡 田獲三品
육사 회망 전획삼품

육사, 회(悔)가 풀리니 사냥해서 삼품(三品)을 얻음이로다.

　1·2·3·4효가 坎水☵의 상이니 활이 되고, 외호괘 離☲가 화살이 된다. 호괘가 화택규(火澤暌䷥)이니 화살이 시위를 떠나는 상이다. 六四가 동하여 효변하면 호괘가 重天乾(䷀)이 되어 어긋남(火澤暌䷥)이 해소되니 회망(悔亡)이요, 상괘가 乾☰으로 3개의 양효가 되니 사냥을 해서 삼품(三品)을 얻음이 된다.

　六四는 음의 자리에 음으로 와서 자리가 바르다. 그리고 동하면 호괘가 중천건(乾)이 되어 어긋남(暌)이 사라지고, 상괘에 3개의 양효인 乾☰을 얻으니 겸양하기만 하던 손(巽)이 드디어 4효에 와서 회(悔)가 해소되는 것이다(悔亡). 전획삼품(田獲三品)이란 일석삼조(一石三鳥)를 말한다. 공자는 "사냥을 해서 삼품(三品)을 얻음은 공이 있는 것이다(象曰 田獲三品 有功也)"라고 하였는데 전획삼품(田獲三品)은 사냥을 해서 획득한 짐승을 상중하(上中下) 3가지로 분류한 등급의 물건을 모두 얻었음을 의미한다.

☞ 悔: 뉘우칠 회, 한이 맺힐 회, 후회 회, 과오 회/ 田: 밭전, 사냥할 전/
獲: 사냥하여 잡은 짐승 획, 얻을 획, 과녁에 맞힐 획

九五 貞吉 悔亡 无不利 无初有終 先庚三日 後庚三日 吉
구오 정길 회망 무불리 무초유종 선경삼일 후경삼일 길

구오, 바르고 길하며 회(悔)가 사라지니 이롭지 않음이 없다. 처음은 없으나 마침은 있으니 庚에서 먼저 3일이고, 뒤에 3일이니 길하리라.

중풍손은 64괘중 57번째이고, 간지(干支)로는 경신(庚申)에 해당된다. 단전에 신명(申命)이 언급되고, 효사에도 先庚三日 後庚三日이 나온다. 天干은 경(庚)이 되고 後天을 의미한다. 천지에 가득한 만물의 기운을 수렴하는 가을이요, 마침(有終)을 준비하는 西方이다. 후천 문왕팔괘로는 兌☱가 되고 오행상 금(金)이며, 만물의 기운을 떨어트리는 숙살지기(肅殺之氣)의 성질이 있다. 하루를 마감하는 저녁이요, 해가 지는 서방(西方)이다.

만물을 무너트리고 다스리는 선천(상경)의 산풍고(山風蠱☶)에서 六五가 변하면 흐트러진 만물을 가지런히 하며 새로운 명(命)을 거듭하여 베푸는 후천(하경)의 중풍손(重風巽☴)이 된다. 고(蠱)는 만물이 시작하는 종즉유시(終則有時), 손(巽)에서는 만물이 마치는 무초유종(无初有終)의 뜻이 나온다.

고(蠱)는 파괴하고 새로이 창조하는 종시(終始)의 뜻을 가진 갑(甲)으로 상징하였고, 손(巽)은 정리하고 수렴(收斂)하는 유종(有終)의 뜻을 가진 경(庚)으로 상징하였다. 甲은 일의 시작이고, 庚은 변경(變更)의 시작이다.

巽☴風 乙	離☲火 丙丁	坤☷土 己
震☳雷 甲	**土**	兌☱澤 庚
艮☶山 戊	坎☵水 癸壬	乾☰天 辛

甲☳(+1)은 선천의 생기(生氣)가 왕성한 봄을 의미하고, 庚☱(-1)은 생기가 수렴되는 가을 후천(後天)을 의미한다. 선천(봄)은 甲☳으로부터 시작하고, 후천 (가을)은 庚☱으로부터 시작한다.

甲木☳은 陽土☶(艮)를 축으로 양기의 생장을 시작한다(終始). 휴식(藏)하고 있는 坎水☵의 양이 상향하여 하늘☰을 터치☳하며 生氣(양)를 시작하는 것이다. 震木☳(양)은 진(進)의 뜻이 있으니 陽木(甲)의 기운이 본격적으로 시작된다.

庚金☱은 己土☷(坤)를 축으로 양기를 수렴하기 시작한다(有終). 坤☷(-7)의 大陰이 강한 양의 火氣☲+3를 꺾어 음에 수렴될 수 있도록 기운을 가라앉힌다. 兌金☱은 천간으로 경(庚)에 해당하니 고치는 뜻이 있다. 경(庚)에서 양기를 고쳐 본격적으로 음 안으로 수렴(☰)하기 시작한다. 甲☳(木)은 오행상 陽木의 기운으로 만물의 생장(生長)을 뜻하고(始), 庚☰(金)은 오행상 陰金의 기운으로 수장(收藏)을 뜻한다(終).

만물이 수렴되고 모든 것을 새로 변화시켜 후천으로 개벽하는 경궁(庚宮)에 앞서 처음 시작인 三日前(三月前-巳宮)은 미약하여 시작을 제대로 알지 못하였으나 경궁(庚宮)을 지나 마침 三日後(三月後-亥宮)에는 有終의 美가 있으니 吉하다. 경(庚)은 숙살지기의 기운이 지배하는 가을 기운으로 알갱이를 추수하여 새롭게 고치는 기운이다. 庚은 '바뀌다, 변화하다, 고치다'라는 뜻이 있다.

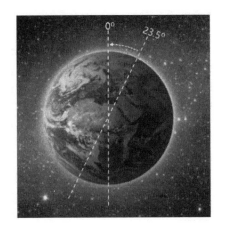
<기울어진 지축>

여름(巳宮)이 시작될 때 이미 가을의 숙살지기는 중기(中氣)에 들어와 잉태되고 있으나 아무도 그 시작을 알지 못하니 무초(無初)의 뜻이다. 열매가 火氣☰를 받아 그 기운을 왕성하게 키워 나갈 때 추상같은 가을 숙살기운이 아무도 모르게 이미 도둑처럼 스며들어와 있는 것이다. 왕성한 火의 陽氣에 취해 눈치를 채지 못하니 서릿발 같은 숙살지기가 언제 작업을 시작하였는지는 아무도 모른다.

고(蠱)괘 단사의 "先甲三日 後甲三日 **終則有始**天行也"에서 六五가 효변한 손(巽)괘의 九五효사 "**无初有終 先庚三日 後庚三日 吉**"은 지구의 사시순환의 원리를 설명하고 있는 것으로 인사적으로 완전함을 비유한다.

九五는 임금의 지위에 있어 강건중정(剛健中正)하므로 바르고 길하며 회(悔)가 사라지니 이롭지 않음이 없다. 九五는 존위(尊位)에 거하여 손(巽)의 주체가 되었으니 명(命)이 나오는 곳이다. '先庚三日 後庚三日'의 명을 내어 만물의 기운을 고쳐 후천가을로 넘어가도록 한다. 갑(甲)☷(生長)은 일의 시작이고, 경(庚)☳(收藏)은 변경의 시작이다. 이에 공자는 "九五가 길함은 位를 바르게 中을 지키고 있기 때문이다(象曰 九五之吉 位正中也)"이라고 설명하고 있다.

▷**지장간(地藏干)으로 보는 先庚三日 後庚三日**

고(蠱)괘와 손(巽)괘: 고(蠱)의 六五가 효변하면 지괘는 손(巽)이 된다.

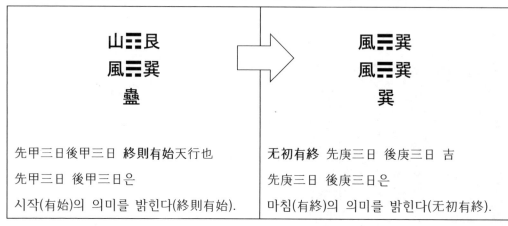

山☶艮 風☴巽 蠱	風☴巽 風☴巽 巽
先甲三日後甲三日 **終則有始**天行也 先甲三日 後甲三日은 시작(有始)의 의미를 밝힌다(終則有始).	**无初有終** 先庚三日 後庚三日 吉 先庚三日 後庚三日은 마침(有終)의 의미를 밝힌다(无初有終).

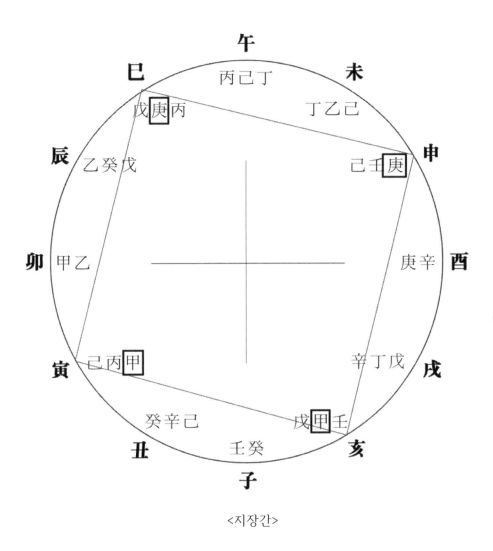

<지장간>

≫일의 시작(甲)은 마땅히 종(終)에 맞추어야 하고, 일의 변경(庚)은 시(始)에 맞추어야 하니 先甲(일의 시작)은 後庚에 일치하고, 先庚(변경의 시작)은 後甲에 일치한다.

☞북송의 理本體論者인 정이(程頤)는 다음같이 풀이하고 있다.

甲者 事之端也 庚者 變更之始也 十干 戊己爲中 過中則變 故 謂之庚 事之
改更 當原始要終 如先甲後甲之義 如始則吉也 解在蠱卦

갑(甲)은 일의 시초이며, 경(庚)은 변경(變更)의 시작이다. 십간(十干)은 무기
(戊己)를 중심으로 하며, 중(中)을 지나치면 변하게 된다. 고로 경(庚)을 말하
는 것이다. 일을 고쳐 바꿈에는 마땅히 시작을 거슬러 살펴서 끝맺음을 이루
어야 하니 선갑후갑(先甲後甲)의 뜻과 같다. 이와 같으면 길하니 풀이는 고
(蠱)괘에 있다.

(生長)   (收藏)

甲 乙 丙 丁 / 戊 己 / 庚 辛 壬 계

일의 시초   (中)   변경의 시작

(中)

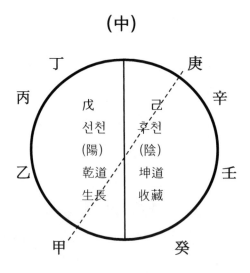

►戊己를 중심으로 中을 지나치면 변하게 된다는 의미는 지축이 기울어져 있음을 의미한다. 기울어진 지축으로 인하여 甲을 시초로 生長(乾道)을 시작하고, 庚을 시작으로 收斂(坤道)을 시작하게 된다. 甲은 양이 生長을 시작하는 건도(乾道)를 의미하고, 庚은 음이 수장(收藏)을 시작하는 곤도(坤道)를 의미한다.

▷无初有終 先庚三日 後庚三日 吉　　　/중풍손(重風巽) 九五효사

선경삼일(先庚三日)은 여름이 시작되는 지지(地支) 사궁(巳宮)에 가을 숙살지기(肅殺之氣)의 기운인 경(庚)이 中氣에 슬며시 잉태되어 가을의 추수를 미리 준비하는 것을 의미한다(戊庚丙). 도둑처럼 들어와 몰래 작업을 시작하니 무초(无初)의 뜻이다. 후경삼일(後庚三日)은 겨울이 시작되는 해궁(亥宮)에 봄의 生命의 기운인 甲이 中氣에 잉태되어 봄의 탄생을 준비하는 것을 의미한다(戊甲壬). 유종(有終)은 끝남이 아니라 새로운 시작을 위한 마침이며 有終의 美를 의미하니 선갑삼일(先甲三日)의 자리와 일치한다. 만물이 수렴되어 모든 것을 마치면서 동시에 새로운 시작을 하기 위하여 생명(甲)을 품으니 이 어찌 길하지 않은가?

[비교]

▷先甲三日 後甲三日 終則有始天行也　　　/산풍고(山風蠱) 단전

선갑삼일(先甲三日)은 겨울이 시작되는 지지(地支) 亥宮에 이미 봄의 생명의 기운 甲이 동시에 잉태되어 봄의 생명을 준비하는 것을 의미한다(戊甲壬). 겨울이 시작되고 만물이 수렴되어 휴식을 시작하는 해궁(亥宮)에 아무도 모르게 갑(甲)이 들어와 건도(乾道)의 시작을 준비하고 있으니 마침이란 영원한 끝이 아니라 다시 새로운 시작을 준비하는 휴식기간이니 종즉유시 천행야(終則有始天行也)로다.

후갑삼일(後甲三日)은 여름이 시작되는 사궁(巳宮)에 이미 가을의 숙살지기의 기운 庚이 동시에 中氣에 잉태되어 곤도(坤道)의 시작인 가을 추수를 준비하는 것을 의미하니(戊庚丙), 선경삼일(先庚三日)의 자리와 일치한다.

▷문왕팔괘도로 보는

　先甲三日 後甲三日, 先庚三日 後庚三日

先庚三日 後庚三日를 문왕팔괘도로 보면 先庚三日은 巽☴風이 되고, 後庚三日은 艮☶山이 되어 山風蠱(䷑)가 된다. 六五가 변하면 重風巽(䷸)이다.

先甲三日 後甲三日을 문왕팔괘도로 보면 先甲三日은 乾☰天이 되고, 後甲三日은 坤☷地가 되어 地天泰(䷊)가 되니 만물의 시작을 뜻한다.

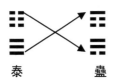

泰　　　　蠱

[제18번괘 산풍고 참조]

▷사계(四季)의 순환

甲木☳(生)에서 生하여 火☲(長)에서 旺하고 庚金☱(收)에서 수렴하며 水☵(藏)에서 휴식한다. 춘하추동 사시를 순환하며, 생장수장(生長收藏)이라는 생명의 이치를 순환하는 원리이다.

▷先甲三日 / 先庚三日

≫봄(寅宮)이 시작되기 3日前(3月前) 겨울 초입인 亥宮에 이미 봄의 기운(戊甲壬)이 중기(中氣)에 들어와 잉태되고 있으며,

≫여름(巳宮)이 시작되기 3日前(3月前) 봄 초입인 寅宮에 이미 여름의 기운(己丙甲)이 중기에 들어와 잉태되고 있으며,

≫가을(庚宮)이 시작되기 3日前(3月前) 여름 초입인 巳宮에 이미 가을의 기운(戊庚丙)이 중기에 들어와 잉태되고 있으며,

≫겨울(亥宮)이 시작되기 3日前(3月前) 가을 초입인 庚宮에 이미 겨울의 기운(己壬庚)이 중기에 들어와 잉태되고 있다.

▷後甲三日 / 後庚三日

≫봄(寅卯辰)이 지나면서 여름 초입인 巳宮에는 이미 가을 기운(戊庚丙)이 중기(中氣)에 들어와 잉태되고 있으며,

≫여름(巳午未)이 지나면서 가을 초입인 申宮에는 이미 겨울 기운(己壬庚)이 중기(中氣)에 들어와 잉태되고 있으며,

≫가을(申酉戌)이 지나면서 겨울 초입인 亥宮에는 이미 봄 기운(戊甲壬)이 중기(中氣)에 들어와 잉태되고 있으며,

≫겨울(亥子丑)이 지나면서 봄 초입인 寅宮에는 이미 여름 기운(己丙甲)이 중기(中氣)에 들어와 잉태되고 있다.

上九 巽在牀下 喪其資斧 貞凶

상구 손재상하 상기자부 정흉

상구, 손순(巽順)함이 상 아래 있음이니 재물과 권력을 잃는다. 고집하면 흉하리라.

上九는 상극에 처하여 자리가 바르지 않고 양강(陽剛)하다. 그러한 上九가 평상 아래로 들어감은 겸손함이 지나침이니 비굴함이요, 굴종이다. 九二가 상 아래로 굽힘은 겸양(謙讓)이나 上九가 상 아래로 굽힘은 저자세가 되어 비굴함이 된다. 그러므로 재물과 권력, 돈과 힘(資斧)을 잃으니, 그러나 이를 연연할수록 흉하기만 하다(貞凶). 이는 손(巽)이 상극에 처하여 겸손의 뜻을 잃었기 때문이니 자부(資斧)가 상징하는 재물과 권력에 연연할수록 흉하기만 한 것이다. 소상전은 "겸손함이 상 아래 있음이니 위(上)가 궁하다. 자부(資斧)를 잃으니 어찌 바르다 할 수 있겠는가? 흉하다(象曰 巽在牀下 上窮也 喪其資斧 正乎 凶也)"라고 하였다. 위(上)가 궁(窮)하다 함은 손(巽)의 겸손의 뜻을 잃어버렸음을 뜻한다.

☞ 牀: 평상 상/ 喪: 잃을 상/ 資: 재물 자/ 斧: 도끼 부/ 貞: 고집할 정, 곧을 정

(1) 중풍손 九五효사: 先庚三日 後庚三日

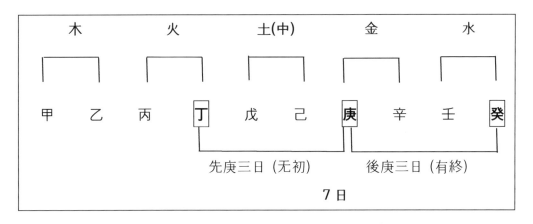

木	火	土(中)	金	水
甲　乙	丙　丁	戊　己	庚　辛	壬　癸

先庚三日 (无初)　　後庚三日 (有終)

7日

(2) 산풍고(山風蠱) 단전: 先甲三日 後甲三日

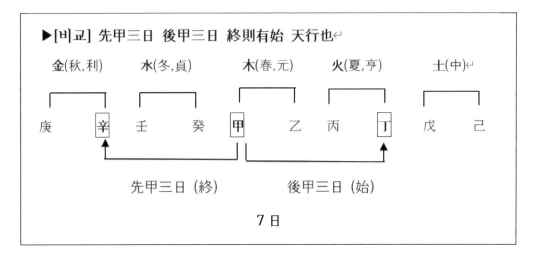

▶[비교] 先甲三日 後甲三日 終則有始 天行也

金(秋,利)	水(冬,貞)	木(春,元)	火(夏,亨)	土(中)
庚　辛	壬　癸	甲　乙	丙　丁	戊　己

先甲三日 (終)　　後甲三日 (始)

7日

  천간(天干)은 생명의 근원인 하늘의 기운(天氣)이다. 태양(天干)이 지구에 빛을 내리고 땅 속(地支)으로 파고 들어가 생명의 기운을 일으키고 만물을 순환하게 하는 지기(地氣)의 원천인 지장간(地藏干)이 된다.

  생명이 태동(胎動)하는 震☳雷에서 甲(木)이 시작된다. 그러므로 천간지지(天干地支) 순환도에서 지장간(地藏干) 갑목(甲木)이 시작하는 지지(地支) 寅궁이 1월이 되는 것이다.
왕성하던 기운이 수렴되는 것은 兌☱澤에서 庚(金)의 자리이다. 순환도에서 지장간 경금(庚金)이 시작되는 地支 申궁은 9월이다.

▷**지장간의 순환도**

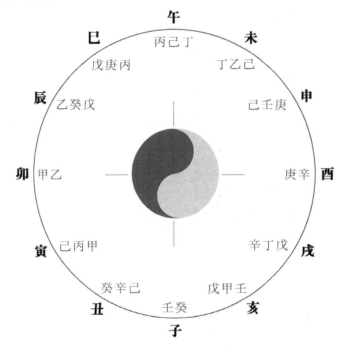

≫天干(10干)은 天氣로서 땅 속으로 들어가 地氣인 地支의 음양오행의 성격 (+, −)을 규정한다.

[참고-2] 지지와 지장간의 관계

◆ 12지지 속에 포태되어 있는 천간(지장간)은 3가지로 분류된다.

여기(餘氣) -이전 계절의 남은 기운

중기(中氣) -다음 계절의 기운을 잉태

정기(正氣) -당해 계절을 시작하는 기운

▷지지에 따른 지장간의 유형

天 (圓)

四生地			寅			申			巳			亥		
餘氣	中氣	正氣	己	丙	甲	己	壬	庚	戊	庚	丙	戊	甲	壬

-寅申巳亥(生地)- 天(圓)

이전 계절의 기운이 남아있는 상태에서(餘氣), 다음 계절의 기운을 生(中氣)하며, 당해 계절의 시작(正氣)을 알리는 계절의 문이다.

人 (角)

四旺地			子		午			卯		酉	
餘氣	中氣	正氣	壬	癸	丙	己	丁	甲	乙	庚	辛

-子午卯酉 (旺地)- 人(角)

당해 계절의 旺한 기운이다. 陽極陰生으로 양이 극에 달하고 음이 생하는 자리이다.

地 (方)												
四庫地			辰			戌			丑			未		
餘氣	**中氣**	**正氣**	乙	癸	戊	辛	丁	戊	癸	辛	己	丁	乙	己

-辰戌丑未(庫地)- 地(方)

이전 계절의 旺한 기운 子午卯酉를 庫地(창고)에 입고(入庫)시켜 다음 계절의 기운과 충(沖)하는 것을 막는다.

절기가 바뀌는 것은 갑자기 한 순간에 전환되는 것이 아니라 이전 계절의 남아있는 기운이 들어오고(餘氣). 다음 계절의 기운이 들어와 잉태되면서 서서히 바뀌어 가는 것이다(中氣).

[참고-3] **천간(天干) 지지(地支)**

 地支(지지)의 음양오행은 地支에 내장된 지장간(地藏干)의 정기(正氣)로 규정된다.

地支	子	丑	寅	卯	辰	巳	午	未	申	酉	戌	亥
正氣	癸 水	己 土	甲 木	乙 木	戊 土	丙 火	丁 火	己 土	庚 金	辛 金	戊 土	壬 水
음양	음	음	양	음	양	양	음	음	양	음	양	양
오행	水	土	木		土	火		土	金		土	水

≫**지장간 정기(地藏干 正氣)가 지지(地支)의 성격을 정한다.** 天干(天氣)이 地支(地氣)을 파고들어와 지장간(地藏干)이 되어 地支의 성질(음양,오행)을 정한다. 寅이 木의 성질로서 양(陽)이 되는 까닭은 寅 의 지장간 정기(地藏干 正氣)가 甲木으로서 양(陽)이기 때문이다. 다른 지지(地支)도 마찬가지이다.

▷ 지지(地支)와 정기장간(正氣藏干)

지지		巳	午	未		
장간		丙	丁	己		
辰	戊	夏(火)			庚	申
卯	乙	春(木) 土 秋(金)			辛	酉
寅	甲	冬(水)			戊	戌
		己	癸	壬		
		丑	子	亥		

五行	木		火		土		金		水	
天干	甲	乙	丙	丁	戊	己	庚	辛	壬	癸
地支	寅	卯	巳	午	辰戌	丑未	申	酉	亥	子
음양	양	음	양	음	양	음	양	음	양	음

```
        丁              戊    己              庚
    丙                  進    退                  辛
                        生長   收藏
                        陽氣   陰氣
        乙              乾道   坤道              壬

        甲                                  癸
                         中
```

十二地支	방위	계절	시간	음력	음양	오행
亥	北	冬	21시-23시	10월	양	수
子			23-1시	11월	음	수
丑			1시-3시	12월	음	토
寅	東	春	3시-5시	1월	양	목
卯			5시-7시	2월	음	목
辰			7시-9시	3월	양	토
巳	南	夏	9시-11시	4월	양	화
午			11시-13시	5월	음	화
未			13시-15시	6월	음	토
申	西	秋	15시-17사	7월	양	금
酉			17시-19시	8월	음	금
戌			19시-21시	9월	양	토

58. 重澤兌 중택태

澤☱兌

澤☱兌

▶효변(爻變)

과거		미래	현재
☱-1	⇨	☱-1	☱-1
			☱-1

上下작용력: (-1)-(-1)=0

上下균형력: (-1)+(-1)=-2

兌 亨 利貞

彖曰 兌 說也 剛中而柔外 說以利貞 是以順乎天而應乎人 說以先民

民忘其勞 說以犯難 民忘其死 說之大 民勸矣哉

象曰 麗澤兌 君子以朋友講習

初九 和兌 吉

九二 孚兌 吉 悔亡

六三 來兌 凶

九四 商兌未寧 介疾有喜

九五 孚于剝 有厲

上六 引兌

---

1. 괘상(卦象)

외괘와 내괘가 모두 澤☱으로 이루어진 괘를 태(兌)라 하며, 거듭되었다 하여 중택태(重澤兌)라 한다. 태☱는 땅 위의 하늘을 향해 두 팔을 벌려 하늘☰의 양기(陽氣)를 가득 담은 모습으로 만족과 기쁨(說)을 의미한다(兌說也 剛中而柔外). 가장 안정된 모습으로 고요하고 평화로운 상이다. 하늘☰을 가득 담고 있으니 어찌 기쁘지 않겠는가?

연못☱은 물이 적당하면 언제나 고요하다. 비바람이 몰아쳐도 수문을 적당히 열어두면 동요하지 않는다. 흘려버릴 줄 아는 지혜는 원래 우주만물의 근원적인 모습이다. 마음을 고요히 하면 생명을 살리는 지혜가 샘물처럼 솟아나지만 결코 넘치지 않는다. 대인의 연못☱은 수많은 물고기와 생물들이 살아가는 생명수로 가득하니 기쁨이 절로 흘러나온다(說以利貞).

못☱은 땅 위를 흐르는 물들이 모여드는 곳이지만 결코 더러워지지 않고 넘치지도 않는다. 스스로 자정(自淨)의 기능이 있어 물을 정화시키고, 물이 많아지면 수로를 통해 적당히 주변으로 흘러 보내니 수많은 생명들이 못☱을 의지해 살아간다. 태☱는 하늘의 양기를 담은 생명의 본원으로 온갖 종류의 생명의 집이니 태☱의 기쁨은 만물에 이정(利貞)을 베풂으로써 흘러 넘쳐 나오는 것이다(順乎天而應乎人). 절제된 연못은 언제나 고요하고 평화롭고 자유로우니 가인(家人)이 추구하는 바이다.

2. 괘변(卦變)

▷호괘 - 風火家人

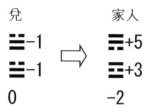

兌
☱-1
☱-1   ⇒
0

家人
☴+5
☲+3
-2

　가정(家庭)은 우주의 기본으로서 음양의 완성체이니 가장 안정이 되어있는 기초조직이다. 가정은 현상의 세계에서 음양의 시작이며 완성이니, 그 안에는 기쁨(說)이 있다. 그러므로 음양의 조화로서 완성체인 가정은 태(兌)안에서 기쁨을 추구하니, 兌(☱)속에는 家人(☲)이 내재되어 있는 것이다. 家人은 하괘☲의 六二가 아래로 내려가 땅☷에 정착☷함으로써 고정된다.

　안과 밖으로 기뻐하는 兌澤은 마냥 기뻐할 수만은 없고 적절하게 그쳐 들뜬 마음을 가라앉히고 한 곳에 정착함으로써 새로운 질서를 도모해야 하니 모두가 한 지체(肢體), 한 집안이 되어 조화를 이룬다.

　가인(家人)은 우주 삼라만상(宇宙森羅萬象)의 가장 하위구성의 기본집단이니 안정(兌) 속에서 만족과 기쁨이 있어야 한다. 重澤兌(☱) 속에 風火家人(☲)이 있으니 안정된 가정(澤)에서 가족의 구성원(家人)들이 각자 자기 자리에서 역할을 수행하는 모습이다. 남편인 九五는 밖에서 中正의 자리를 지키고, 六二는 부인으로서 안에서 中正함으로써 자리를 바르게 지키며 서로 정응(正應)하니 한 지체로서 기쁨이 넘친다.

▷착종괘 – 重兌澤

兌   兌
☱-1   ⟹ ☱-1
☱-1   ☱-1
0   0

착종을 해도 역시 중택태(重澤兌)이니 兌는 기쁨과 안정, 그리고 만족과 베풂을 상징한다.

▷도전괘 – 重風巽

兌   巽
☱-1   ⟹ ☴+5
☱-1   ☴+5
0   0

≫려택태(麗澤兌): 하늘☰의 양기(陽氣)를 가득 담은 호수☱는 만물(人)을 키우는 모태(母胎)이니 천명(天命)에 순(順)하고 사람(人)에 응(應)한다(順乎天而應乎人).

≫수풍손(隨風巽): 천하를 대순(大巡)하는 양기(陽氣)가 巽으로 명(命)을 거듭하니 만물의 생기(生氣)를 불어넣는 신명(神命)이 된다(重巽以申命).

▷배합괘 – 重山艮

兌   艮
☱-1   ⟹ ☶-5
☱-1   ☶-5
0   0

음이 양을 가득 담으니 태(兌)가 되며, 음이 상향하는 양을 붙잡아 세우니 간(艮)이 된다.

3. 괘사(卦辭)

> **兌 亨 利貞**
>
> 태 형 이정
>
> 태는 형통하다. 바름이 이롭다.

태(兌)는 기쁨으로 하늘에 순응(順應)하며, 하늘의 양기를 가득 받아드려 형통한 상이니, 주변의 만물(人)을 이롭고 바르게 한다. 양기를 가득 담은 연못의 상으로 기쁨을 상징한다. 못은 바르지 않으면 조절하기 어려워 균형을 이루지 못하므로 물의 양을 절제하기가 쉽지 않다. 적절한 수량을 조절하지 못하면 주변의 생명에게 피해를 주게 되니 못☱은 그 모습이 정정(貞正)해야 이롭다. 설괘전에 이르길 "만물을 기쁘게 함은 못 만한 것이 없다(說萬物者 莫說乎澤)"고 했다.

태☱는 유(柔)가 2개의 양을 가득 담았으나 그 작용력이 [-1]이니 지극히 안정되어 있다. 重澤兌(☱)는 2개의 못☱이 나란히 붙어있는 상으로 균형력이 -2, 상하작용력이 제로(0)이니 고요하고 차분하며 안정된 모습이다.

태(兌)☱는 입(口)을 상징한다. 兌는 입(口)을 벌리고 있는 형상으로 말씀언(言)을 합하면 기쁠열(說)이 된다. 태(兌☱)는 입(口)을 통해 말(言)을 함으로써 즐거움과 기쁨((說)을 취하는 뜻이 있다(朋友講習).

☞ 兌: 태☱는 문왕팔괘도에서 연못(澤)을 의미하며, 만물의 이로움(利)을 수렴(收斂)하는 서방(西方)을 뜻한다. 만물이 생장, 분열하는 乾道(양)에서 坤土☷의 중재로써 수렴, 통일하는 坤道(음)로 바뀌는 지점이다. 연못을 상징

하는 택(澤)으로서 三爻(음)가 입(구멍)을 상징하며, 연못에 물이 모이는 뜻이 있고, 坤土가 숙성시킨 열매를 의(義)로써 알갱이와 쭉정이를 가려 이로움(利)을 수렴하니, 곡식을 추수하는 가을(秋)의 숙살지기(肅殺之氣)의 기운이 있다.

1. 바꾸다, 교환하다 2. 기쁘다, 기뻐하다(열說) 3. 통하다(通) 4. 모이다
5. 서방(西方) 6. 구멍(口) 7. 날카롭다(예銳)

象曰 兌說也 剛中而柔外 說以利貞 是以順乎天而應乎人
상왈 태열야 강중이유외 열이이정 시이순호천이응호인
說以先民 民忘其勞 說以犯難 民忘其死 說之大 民勸矣哉
열이선민 민망기로 열이범난 미망가사 열지대 민권의재

단에 이르길, 兌는 기쁨이다. 剛은 中에 있고 柔는 밖에 있으니 기뻐하되 바르게 함이 이롭다. 이로써 하늘에 順하며 사람에 應한다.
기쁨으로 백성을 우선하면 백성은 노고를 잊는다.
기쁨으로 난(難)을 범하면 백성은 죽음조차 잊는다.
기뻐함이 크니 백성이 서로를 권면한다.

兌☱는 마음의 문을 활짝 열고 하늘☰을 받아드리는 상으로서 충족과 기쁨(說)을 의미한다(兌說也 剛中而柔外). 강중이유외(剛中而柔外)는 유(柔)가 3효에 올라 2개의 강(剛)을 담은 모습을 의미하니 하늘☰을 가득 담은 상이 된다. 또한 九五가 양으로 자리가 바르고 中을 잡아 中正하니 천리(天理)에 순(順)하는 군자의 강건(剛健)한 모습이다.

하늘에 순응하며 하늘을 가득 담아 형통하니, 기쁨(說)으로써 만물을 적셔

이롭고 바르게 한다(說以利貞). 하늘≡을 가득 담은 못≡은 만물(人)을 키우는 모태(母胎)로서 천리(天理)에 순(順)하고 인심(人心)에 응(應)하니(順乎天而應乎人), 이는 하늘≡을 담은 군자≡가 행하는 것이다.

인군이 태(兌)로써 솔선수범하여 백성을 기쁘게 하면 백성은 삶의 노고(勞苦)를 잊는다(說以先民 民忘其勞). 태(兌)로써 백성의 어려움(難)을 해결해 나가면 백성은 죽음도 잊어버리고 나라를 위해 멸사봉공한다(說以犯難 民忘其死). 백성과 더불어 동고동락(同苦同樂)하는 태(兌)의 뜻은 참으로 크니 모두에게 권장할만한 일이다(說之大 民勸矣哉).

象曰 麗澤兌 君子以 朋友講習
상왈 리택태 군자이 붕우강습

상에 이르길, 연못이 나란히 붙어있는 것이 태이니, 군자는 이로써 벗과 더불어 강습한다.

택(澤)이 나란히(≡≡) 하늘≡을 향해 두 팔을 벌려 마음을 열고 양(陽)을 받아드리니 충족하고 기쁘다. 연못 두 개가 나란히 서로 붙어 있으니 수량이 많으면 적은 쪽으로 흘러 들어 채워주고 모자라면 받으니 작위적이지 않아도 물 흐름의 순리가 그러하다. 두 못이 서로 붙어 있어 서로를 적셔주며 서로의 공부를 도와주는 아름다운 모습(麗澤兌)이다. 붕우(朋友)들과 서로 어울려서 강습(講習)을 하는 것은 서로에게 도움이 된다.

공부는 세상의 이치를 배우고 터득하는 과정이니 이보다 더한 만족과 기쁨이 어디 있으랴. 거듭된 태(兌)의 상을 보고 세상을 함께하는 벗들과 서로 강습(講習)하는 모습을 그린다(朋友講習). 못≡에 가득 담긴 하늘≡이 아래로 흘러내려 주변의 생명을 적셔주며 이롭고 바르게 하니, 이 또한 천리(天理≡)

를 공부하는 군자≡의 도리(道理)가 아닌가? [논어 학이편]에서 공자는 "배우고 때때로 그것을 익히니 또한 기쁘지 아니한가! 벗이 있어 멀리서 찾아오니 또한 즐겁지 아니한가! 남이 알아주지 않아도 성내지 않으니 또한 군자답지 않은가! (學而時習之 不亦說乎 有朋自遠方來 不亦樂乎 人不知而不 不亦君子乎)" 라고 했다.

☞ 麗: 고울 려, 붙을 려(리), 걸릴 리

4. 효사(爻辭)

兌☱는 기쁨의 상이다. 태는 양기를 가득 담은 연못의 상으로 정정(貞正)해야 만물에 이롭다. 기쁨은 바른 자리에서 구해야 길하다. 바르지 못한 자리에서 기쁨을 추구하는 것은 오히려 흉이 된다.

아래 연못인 1·2효와 위 연못인 4·5효는 六三과 上六이라는 못의 둑에 의해 안전하게 보호되고 있는 '물, 양기, 하늘, 기쁨'을 상징한다. 1·4효는 못의 바닥이고, 2·5효는 못의 중심이다. 3·6효는 못의 둑으로 절제가 필요한 위치로서 正位 不正位에 따라 훼손의 의미를 가진다. 3효와 4효는 위 아래로 연접된 연못의 연결지점이다.

초구(初九)	**和兌 吉** 定位 하괘 못의 바닥, 태(兌)를 시작하는 자리, 못의 맨 아래가 되어 어떤 영향도 받지 않아 뜻이 확고하다(和兌之吉 行未疑也).
구사(九四)	**商兌 未寧** 不正位 상괘 못의 바닥, 육삼(邪)과 구오(正) 사이에서 뜻을 정하지 못해 마음이 평안하지 않다. 그러므로 六三을 싫어하여 멀리하고 九五中正의 뜻을 따르면 기쁨이 있다(九四之喜 有慶也).

구이(九二)	孚兌 吉
	中道, 不正位, 하괘 못의 中心, 자리는 바르지 않으나 中道를 지키니 못의 중심으로 태의 도리(뜻)를 믿는 자이다. 그러므로 회(悔)가 사라지리라(孚兌之吉 信志也).
구오(九五)	孚于剝 有厲
	中道, 正位 상괘 못의 中心, 존위로서 剛健中正하여 자신을 해(害)하는 자까지도 믿어준다. 이는 자리가 中正하기 때문이지만 이로 인해 위태로움은 감수하여야 한다(孚于剝 位正當也).

육삼(六三)	來兌 凶
	不正位 아래 연못의 수문(둑)으로 절도가 필요하나 不中正하여 훼손된 모습, 훼손된 둑으로 위 연못의 물(陽, 기쁨)이 내려와 밀려 들어오니 흉하다(來兌之凶 位不當也)
상육(上六)	引兌
	正位 아래 못에서 물(陽, 기쁨)을 끌어올려 취하니 기쁨이 과하다. 그러므로 그 기쁨이 빛나지 않는다(上六引兌 未光也). 中道를 잃고 지나치게 기쁨을 구하니 소인이 취하는 바이다.

初九 和兌 吉
초구 화태 길

초구, 화열(和悅)하니 길하다.

태(兌)의 도를 시작하는 자리로 양위(陽位)에 양(陽)으로 와서 자리가 바르다. 아래에 처하여 미약하나 양강(陽剛)하여 태의 뜻을 행함에 뜻이 정고(貞固)하다. 마음이 화평(和平)하여 기쁜 것은 강(剛)으로써 자리가 바르고 시작하는 자리이기 때문이다. 공자는 "초구가 화열(和悅)하여 길함은 태(兌)의 도를 시작함에 미혹됨이 없기 때문이다(象曰 和兌之吉 行未疑也)"라고 하였다.

九二 孚兌 吉 悔亡
구이 부태 길 회망

구이, 부신(孚信)으로 기뻐하니 길하다. 悔가 사라지리라.

九二는 음위(陰位)에 양으로 와서 자리는 바르지 않으나 中중도를 잃지 않은 자이다. 연못 물의 중심으로 과하지도 모자라지도 않도록 절도를 지키는 자이다. 正하지는 않으나 中을 잡았으니 기쁨의 도리를 잃지 않는다. 비록 九二가 음위(陰位)에 있어 바름을 잃은 까닭에 회(悔)가 있으나 中을 지키니 회(悔)는 사라진다. 이에 공자는 "믿음으로 기뻐하니 길함(孚兌之吉)은 兌의 뜻을 믿기 때문이다(象曰 孚兌之吉 信志也)"하였다.

六三 來兌 凶

육삼 래태 흉

육삼, 내려와서 기뻐하니 흉하다.

六三은 중도를 벗어나 있고 기쁨의 상(上)에 처하여 자리가 부당하다. 양위(陽位)에 음으로 와서 정정(貞正)하지 않으니 기쁨을 도리대로 하지 않는 자로서 기쁨의 격이 천하다.

六三은 아래 연못의 수문(둑)으로 물의 양을 조절하기 위해서 절도가 필요한 자리이나 중(中)을 잃고 훼손된 상태이다. 위 연못에서 물(九四)이 아래 연못인 훼손된 六三(둑)으로 흘러내려와 밀려들어오니 흉하다. 아래로 밀려내려와 기쁨을 과도하게 채우는 격이니 기쁨(兌悅)의 양이 지나치다. 스스로 자신의 기쁨을 얻지 못하고 흘러내려오는 기쁨(來兌)을 과도하게 취하는 격이니 대인의 도리가 아니다.

六三은 자리가 바르지 못한 소인이다. 훼손된 못에 물이 흘러 들어오면 감당하지 못하고 둑이 터지듯, 이 또한 소인이 감당할 수 있는 바가 아니다. 이에 공자는 "내려와서 기뻐하니 흉하다(來兌之凶)함은 자리가 합당하지 않기 때문이다(象曰 來兌之凶 位不當也)"라고 하였다.

동(動)하면 澤天夬(䷪)가 된다. 위 연못의 물을 절제됨 없이 받아 드리니 연못의 둑(六三)이 터지기 직전의 모습이다. 上六 하나가 다섯 개의 양을 가두는 격이니 기쁨을 취함이 과도한 것이다. 기쁨의 도인 태(兌)는 연못 물처럼 절도를 지켜 양(陽)을 적절하게 유지해야 하나 그 도를 과도하게 넘어서게 되면 연못 둑이 터져버리는 것처럼 흉을 면치 못하게 되니 來兌之凶의 뜻이다.

九四 商兌未寧 介疾有喜
구사 상태미녕 개질유희

구사, 기쁨을 헤아리니 마음이 평안하지 않다. 분별하여 멀리하면 기쁨이 있으리라.

九四는 위로 九五인군를 받들고 아래로는 음유(陰柔)한 三을 가까이하였으며, 양강(陽剛)하나 음위(陰位)에 양으로 와서 처한 자리가 바르지 않다.

四는 위 연못 바닥의 물이지만 아래 연못의 三과 친하다. 그러므로 陽剛하지만 자리가 바르지 못하여 五와 三의 사이에서 뜻을 정하지 못하고 흔들리니 마음이 편안하지 못하다. 九五中正을 따르는 것이 도리이나 마음은 상비관계인 六三에 가 있으니 이를 헤아리는 마음이 편안하지 않은 것이다.

헤아린다 함은 손익을 계산하는 장사꾼의 마음이다. 五를 따름이 정(正)이요 三을 좋아함은 사(邪)이다. 잘 분별하여 부당한 六三을 미워하여 멀리하고, 인군인 九五의 명을 따르면 기쁨이 있다.

동(動)하면 상괘가 水☵로서 '생각'의 의미가 있으니 헤아리는 뜻이 되고, 水澤節(䷻)은 절도의 의미가 있다. 그러므로 절개 있게 마음을 정하여 정도(正道)인 九五中正을 따르고 사도(邪道)인 음유한 六三을 멀리하면 강건중정(剛健中正)한 九五인군의 신임을 얻게 되는 경사가 있으리라(象曰 九四之喜 有慶也).

☞ 商: 헤아릴 상, 장사 상, 장사하다/ 寧: 편안할 녕/ 介: 분별할 개, 절개 개/ 疾: 병 질, 싫어할 질/ 喜: 기쁠 희

九五 孚于剝 有厲

구오 부우박 유려

구오, 해(害)하는 자까지 믿어주니 위태로움이 있으리라.

九五는 강건중정(剛健中正)한 덕으로 존위(尊位)에 거하니 천하를 기쁘게 하는 兌의 도를 이끄는 자이다. 위 연못 물의 중심으로 중도를 지키니 아래 연못 물에 위해(危害)를 가하지 않는다. 그러나 태(兌)의 극에 처해있는 상비 관계인 上六에 해(害)를 당할 수가 있다. 上六은 기쁨을 절제하지 못하는 음유(陰柔)한 소인으로 아래 못에서 물(기쁨)을 끌어와 과도하게 취하는 자이다. 그러므로 위 연못의 중심으로서 적절하게 수량을 조절하며 절도를 지키고 있는 中正한 九五가 위해를 당할 수가 있는 것이다.

그러나 九五는 존위(尊位)로서 강건중정하여 자신을 박탈하며 위해를 가하는 자도 믿어주는 인군이다. 이는 자리가 中正하기 때문이지만 이로 인해 자신이 위태로움에 처할 수도 있다. 공자는 九五를 "자신을 박탈하며 위해를 가하는 자까지도 믿어줌은 자리가 바르고 합당하기 때문이다(象曰, 孚于剝 位正當也)"라고 했다.

☞ 厲: 위태로울 려, 좋지 않은 일 려

上六 引兌

상육 인태

상육, 끌어와서 기뻐하다.

上六은 자리가 바르지만 兌의 상극에 처했으니 기쁨을 절제해야 하는 자리이다. 그러나 상극에 처한 자신의 위치를 모르고 기쁨에 취해 더 많은 기쁨을 끌어와 취하니 기쁨이 빛나지 않는다(象曰 上六引兌 未光也). 中도를 잃고 지나치게 기뻐하니 소인의 취하는 바다

동하면 乾☰이니 아래 못의 물(陽, 기쁨)을 끌어와 채우는 격이다. 절도를 잃고 취하는 바가 소인의 짓이다. 그러나 六三은 흉(來兌 凶)하지만 上六은 흉이 없는 것은 그나마 자리가 바르게 때문이다(引兌).

☞ 引: 끌 인, 당길 인

59. 風水渙풍수환

風☴巽

水☵坎

▶효변(爻變)

과거	미래	현재
☵-3 ⇨	☴+5	☴+5
		☵-3

上下작용력: (-3)-(+5)=-8

上下균형력: (-3)+(+5)=+2

渙 亨 王假有廟 利涉大川 利貞

象曰 渙 亨 剛來而不窮 柔得位乎外而上同 王假有廟 王乃在中也

利涉大川 乘木有功也

象曰 風行水上 渙 先王以 享于帝立廟

初六 用拯馬壯吉

九二 渙奔其机 悔亡

六三 渙其躬 无悔

六四 渙其羣 元吉 渙有丘 匪夷所思

九五 渙汗其大號 渙王居 无咎

上九 渙其血去逖出 无咎

1. 괘상(卦象)

환(渙)은 양기가 음 밖으로 새어 나가 흩어진다는 뜻이다. 水☵는 액체로서 3효가 양으로 효변하면서 風☴이 되니, 기체로 화하는 모습으로서 물이 끓어 증발하는 상이 된다.

☷-7 ⇨ ☵-3　　水地比　-물렁물렁해지고
고체　　　　　액체

☵-3 ⇨ ☴+5　　風水渙　-흩어진다
액체　　　　　기체

대지☷-7에 양이 파고 들어와 물렁하게 하니 水☵-3가 된다. 대지가 물을 쏟아 놓은 상으로 水地比(䷇)가 된다. 그리고 水☵의 3효가 변하여 양이 되니 風☴이 되어 風水渙(䷺)의 상이 만들어진다(剛來而不窮 柔得位乎外而上同).

험난☵(險陷험함)에서 벗어난다. 물☵(水) 위를 나무배☴(木)를 타고 건너가는 모습이니 험난(險難)☵을 건너 가는 것이다(利涉大川 乘木). 물☵이 거침없이 흘러가는 모습☴(流)으로 막힌 것이 풀어지고, 물꼬가 트이는 격이다(有功也).

환(渙)은 액체☵(水)가 기체☴(風)로 변하는 모습으로 한 곳에 모여 있던 물이 여러 곳으로 확산되는 양상을 표현한다. 수면 위로 바람이 부니 물결이 일어나고, 물☵은 바람☴이 되어 흩어진다. 추운 겨울☵(冬)이 지나고 봄바람☴(春風)이 부니 만물이 소생☳(내호괘)한다. 따스한 봄바람☴이 차갑게 얼어붙은 물☵(險水)을 봄눈 녹이듯 흩어버린다.

2. 괘변(卦變)

▷호괘 - 山雷頤

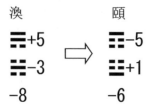

渙
☴+5
☵−3
−8

頤
☶−5
☳+1
−6

　이(頤)는 헤엄☵을 쳐 건너편 둑☶에 도달하는 모습으로, 물☵위를 배☴를 타고 가니 더없이 안전하다. 추운 겨울☵(冬水)이 지나고 따스한 봄바람☴(春風)이 불어 만물을 소생☳(내호괘)케 하니 환(渙)에는 만물을 기르는 이(頤)의 상이 들어 있다.

▷착종괘 - 水風井

渙
☴+5
☵−3
−8

井
☵−3
☴+5
+8

　환(渙)은 액체☵가 기체☴가 되어 물이 흩어져 나가는 것을 표현하고, 정(井)은 기체☴가 액체☵로 변하는 상으로 샘물이 끊임없이 만들어지며 솟아나는 상이다. 환(渙)은 六三(☵액체)이 양으로 효변하면서 風(☴기체)이 되고, 정(井)은 九三(☴기체)이 음으로 효변하면서 水(☵액체)가 된다.

562　　　주역원리강해(하)

▷도전괘 - 水澤節

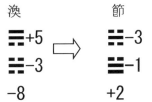

澳
☴+5
☵ -3
-8

節
☵ -3
☱ -1
+2

　환(澳)은 물☵이 수증기☴가 되어 흩어지는 상이지만, 절(節)은 물☵이 흩어지지 않게 그릇☱에 담아놓은 상이다. 환(澳)은 물이 자유롭게 터져 나가는 상이지만, 절(節)은 물을 그릇에 담아 놓은 절도있는 모습을 보여준다.

▷배합괘 - 雷火豊

澳
☴+5
☵ -3
-8

豊
☳+1
☲+3
+2

　환(澳)은 물☵이 바람☴에 날려 흩어지는 상으로 물이 낭비되는 모습이다. ☴의 3효가 양으로 효변하면서 물☵이 분수☳처럼 뿜어 흩어지는 모습이지만, 풍(豊)은 ☴의 3효가 음으로 효변하면서 ☲이 되니 상향하던 ☵의 길목이 막히면서 그대로 쌓이는 모습이다. 2개의 음이 양의 상향을 막으니 막혀 쌓이는 상이 되는 것이다.

3. 괘사(卦辭)

渙 亨 王假有廟 利涉大川 利貞
환 형 왕가유묘 이섭대천 이정

환은 형통하다. 왕이 종묘를 두어 아름답게 하다. 대천을 건너는 것이 이로우니, 바르게 함이 이로우리라.

水☵(險)에서 風☴(流)이 되는 것은 험난에서 벗어남을 의미하니, 대천☵(險水)을 건너는 상으로 형통하다(渙亨). 바람이 물위를 행하니 평지풍파를 일으키고, 이는 인심이 떠나고 흩어짐을 말하는 것이니, 군자는 이러한 상을 보고 중심(廟사당)을 세워 인심을 수합(收合)한다(王假有廟).

사당(廟)을 둔다는 것은 백성의 마음을 하나로 모으는 중심으로 정신적인 구심점을 말한다. 九五가 中正하니 이는 왕(王)의 자리로 민심을 모으는 중심이다. 가족은 조상의 제사를 모심으로써 흩어지지 않고 족보(뿌리)를 중심으로 모이며, 국가는 태조(太祖)를 세움으로써 뿌리를 만들고 민심을 하나로 모은다.

風行水上은 배를 타고 大川을 건너는 상이니, 험난을 벗어나는 것으로 중심을 잡아 바름을 지킨다. 험난(險難)을 건널 때에는 바름을 잃어서는 안되며 반드시 정(貞)함이 이롭다(利涉大川 利貞).

☞ 渙: 흩어질 환/ 假: 아름다울 가, 거짓 가, 임시 가, 이를 격/ 廟: 사당 묘

象曰 渙亨 剛來而不窮 柔得位乎外而上同

단왈 환형 강래이불궁 유득위호외이상동

王假有廟 王乃在中也 利涉大川 乘木 有功也

왕가유묘 왕내재중야 이섭대천 승목 유공야

단에 이르길, 환은 형통하니, 剛(陽)이 와서 궁하지 않으며(九二), 柔(陰)가 밖에 자리하여 위와 함께 한다(六四).

왕이 종묘를 두어 아름답게 함은 왕이 중심에 있음이다. 왕을 중심으로 대천을 건너는 것이 이로움은 나무를 타고 건너가 공을 이루기 때문이다.

메마른 대지☷에 강양(剛陽)이 파고 들어와 물렁하게 하니 水☵가 되어 궁하지 않다(剛來而不窮). 水☵의 3효가 변하여 양이 되면 風☴이 되어 風水渙의 상이 만들어지니 이는 유(柔)가 밖(外)에서 자리를 얻는 격으로서, ☴가 위의 ☴와 함께 하는 것을 뜻한다(柔得位乎外而上同).

상하괘가 서로 등을 돌리고 있는 天地否(䷋)괘의 九四효가 아래로 내려와 坤地의 九二되고, 二효가 올라가 六四가 됨을 말한다. 六四는 정당위(正當位)로서 지위를 얻어 九五존위를 돕는다. 어려운 때를 당하여 흩어진 민심을 수습하여 하나로 모으고 험한 대천을 건넘에 있어 위아래를 하나로 뭉치게 하는 것을 비유하는 표현이다.

王假有廟

왕가유묘{王假有廟}는 흩어진 인심을 모으는 중심[사당]을 세우는 것을 말하며, 九五 왕(王)은 인심을 모으는 中正의 자리에서 구심점(leader)이 된다(王乃在中也). 상괘는 木☴이요, 하괘는 水☵이니 배를 타고 대천을 건너는 상이다. Leader(九五)는 선장으로서 배를 타고 지휘하며, 배☴의 중심(中)을 잡아 바르게 하여 험난☵을 건너 공(功)을 이룬다(利涉大川 乘木 有功也). '배를 타고 험한 대천을 건넌다'함은 종묘(宗廟)라는 정신적인 구심점을 바탕으로 민심을 하나로 모아 위아래가 함께 한 몸을 이루어 공동운명체가 되어있음을 뜻한다.

나무는 물에 뜨는 물건으로 배를 상징한다. "險水☵에 빠지지 않고 배를 타고 건너가 공을 이룬다"라는 "乘木 有功也"의 의미는 위아래, 즉 상괘☴와 하괘☵로 상징되는 군주☴와 백성☵이 한 몸으로 일체를 이루고 있음을 의미한다.

"군주는 배요 백성은 물이니(君舟民水), 물은 배를 띄우기도 하지만 서로 등을 돌리면 물은 배를 뒤집기도 한다. 즉 군주로 상징되는 배(☴木)와 백성으로 상징되는 물(☵水)이 서로 조화를 이루고 있을 때, 물은 배를 띄워 건너가게 함으로써 공을 이루도록 하는 것이다.

象曰 風行水上 渙 先王以 享于帝 立廟
상왈 풍행수상 환 선왕이 향우제 입묘

상에 이르길, 물 위를 바람이 행하니 선왕은 이로써 상제께 제사를 드리고 종묘를 바로 세운다.

바람☴이 물☵위를 행하니 흩어지며 풍파를 일으킨다(風行水上 渙). 만물을 흩어버리고 가지런히 하는 것에는 바람 만한 것이 없다. 군자는 이러한 상을 보고 민심을 하나로 모으는 중심(廟)을 세운다(于帝 立廟).

하나의 구심점을 중심으로 모이는 것은 가족이나 국가나 마찬가지로 뿌리를 바로 세우는 것을 의미한다. 자식은 아비를, 아비는 그의 아비를 뿌리로 하여 하나로 연결되는 것이니 조상에 제사를 올림으로써 세월이 흐르고 흘러도 가족은 뿌리를 잃지 않고 모이게 된다. 국가는 태조(太祖)를 세움으로써 사당을 두어 예(禮)를 올리니 백성의 마음을 하나로 모을 수 있다. 종교가 신앙하는 신(神)을 두고 제사를 지내니, 교인들이 신을 구심점으로 교회나 사당, 또는 절에 모이는 것과 같은 이치이다. 사당(廟)이란 정신적 구심점을 뜻한다.

☞ 享: 제사 향/ 于: 어조사 우(~에서, ~부터, ~까지, ~에게)/ 帝: 임금 제, 하느님 제/ 絜: 헤아릴 혈, 깨끗할 혈/ 齊: 가지런할 제, 가지런히 하다, 다스리다, 질서 정연하다.

4. 효사(爻辭)

환(渙)은 적폐를 흩어 날려버리고 바름을 남게 하는 의미를 가진다. 쭉
정이를 날려버리면 알갱이가 남는다. 그러므로 흩어버리는 것이 길하다.
적폐가 흩어지면 바름이 남는다. 그래야만 길한 괘이다.

初六 用拯 馬壯吉
초육 용증 마장길

초육, 건져지다. 말(馬)이 씩씩하니 길하리라.

환(渙)은 쭉정이를 흩날려버리고 알갱이를 취하는 괘이다. 환(渙)은 환산
(渙散)의 뜻으로 군중이나 단체를 해산(解散)하여 흩어지게 하는 뜻이 있다.
初六은 환(渙)의 때에 맨 아래에 처하여 그 힘이 미약하고 유순(柔順)하며
양위(陽位)에 음으로 와서 자리가 부당하다. 아직은 환산(渙散)의 바람이 미
치지 못하는 맨 아래에 처해 있으므로 바람에 날리지 않는다. 初六은 비록
자리가 바르지 않지만 개선될 여지가 있다. 공자는 "초육이 吉함은 그 바탕
이 유순(柔順)하기 때문이다(象曰 初六之吉 順也)"라고 하여 구원받을 기회가
있다고 풀이한다. 初六은 자신의 적폐를 스스로 날려버릴 수 없는 자로 다
른 이에게 도움을 받아야 하는 유약(柔弱)한 자이다. 初六이 효변하면 中孚
(䷼)이니 어미 닭이 알을 감싸듯 보호받는 위치에 있고, 바람이 불어 쭉정이
를 흩날려버리는 상황에서도 그 성질이 유순하여 친비(親比)관계에 있는 九
二에게 건져지니 길하다. 初六은 六四와 응하는 바가 없으니 九二 양과 친

비(親比)관계를 맺는다. 九二는 험수(險水)의 중심으로 험함(險陷) 속에서도 강중(剛中)한 기운이 있고, 또한 강하게 전진(前進)해 나가는 내호괘 震☳(進)의 뜻이 있으니 강장(剛壯)한 말(馬)의 상으로 비유하였다.

☞ 拯: 건질 증, 구원할 증/ 壯: 씩씩할 장

九二 渙奔其机 悔亡
구이 환분기궤 회망

환산(渙散)에 자기의 안거(安居)에서 도망쳐 내달리니 悔가 사라지리라.

九二는 음위(陰位)에 양으로 와서 자리가 바르지 않으나 내괘에서 剛中을 얻은 자이다. 환산(渙散)의 바람☴이 부니 안주하던 안거(安居☵)에서 도망치듯 달아나니(☵내호괘), 회(悔)가 사라진다. 九二는 자리가 부당하나 中道를 지키는 자이니 환산의 때를 당하여 스스로 안주하던 부당한 安居(☵)를 버리고 도망치듯 내달리는 것이다(☵進, 내호괘).

궤(机)는 평상으로 안거(安居)를 의미하는데 기궤(其机)는 나의 평상이란 의미로서, 음위에 양으로 와서 자리가 부정(不正)하니 편안하지만 부정한 자리에 안주(安住)하고 있는 것을 의미한다.

机(내괘) / 進(내호괘)

내괘 坎水☵가 효변하면 坤地☷가 되니 궤(机)의 뜻으로 安居가 된다. 安居는 믿고 의존하는 것, 학연. 지연, 모임, 정신적 지주, 철학, 종교, 울타리 등을 의미한다. 환산의 때에 중도로써 자신의 바르지 못한 자신의 안거(安居)를 버리고 달아나니 회(悔)가 사라지리라. 공자는 "환산(渙散)하는 때에 스스로 자신의 安居를 떠남은 剛中한 九二가 원하는 바(正)를 얻고자 함이다(象曰 渙奔其机 得願也)"라고 하였다.

☞ 渙: 흩어질 환/ 奔: 달릴 분, 달아날 분/ 机: 책상 궤/ 願: 원할 원

六三 渙其躬 无悔
육삼 환기궁 무회

육삼, 자기의 몸을 환산(渙散)하니 悔가 없다.

六三은 양위에 음으로 와서 자리가 부당하고, 中을 벗어난 자이다. 그러므로 환산(渙散)의 때를 당하여 자신의 적폐, 부정(不正)함을 날려버리면 회(悔)가 없다. 기궁(其躬)은 '나 자신, 자기 무리, 자신의 것' 등을 의미한다. 三은 자리가 바르지 않고 중도를 벗어나 있으니 자기 자신을 환산(渙散)시킨다. 자기의 몸을 환산의 바람으로 날려버리니 자신의 자리가 바르지 않음을 알고 있기 때문이다. 자신의 몸을 바람으로 날려버린다는 것은 험난(險難)☵으로 상징되는 자신의 부정(不正)함을 날려버리고 바로 세움을 의미한다. 六三이 효변하면 춘풍(春風☴)이 되니 추운 겨울의 험수(險水☵)를 흩어버리는 뜻이 나온다.

六三이 上九에 응하면 바람이 되니, 추운 겨울 험수☵가 녹고 따스한 봄바람☴이 된다. 즉, 내괘 六三과 응하는 것은 외괘의 上九이니 六三이 구하고자 하는 바른 뜻은 밖에 있는 것이다. 그러므로 공자는 "환기궁(渙其躬)은 뜻이 밖에 있는 것이다(象曰 渙其躬 志在外也"라고 하였다. 환(渙)괘에서 三과 六은 유일하게 서로 응하는 자이다.

☞ 躬: 몸 궁.

六四 渙其群 元吉 渙有丘 匪夷所思
육사 환기군 원길 환유구 비이소사

육사, 무리를 환산(渙散)하니 마땅하면 크게 길하리라. 환산에도 언덕(丘)이 있으니 범인(凡人)이 생각할 수 있는 바가 아니다.

六四는 九五와 함께 자리가 바르다. 六四는 대신의 자리로 九五인군과 상비관계에 있으며, 剛健中正한 九五를 도와 환산(渙散)의 시대를 이끄는 주체이다. 군(群)은 내가 속한 무리, 단체, 조직, 사회 등으로 의미한다. 六四는 음의 자리에 음으로 와서 자리가 바르고 환(渙)을 이끄는 주체이다. 공자는 "그 무리를 환산(渙散)하니 크게 길하다. 빛나고 위대함이로다(象曰 渙其群元吉 光大也)"라고 했다.

六四☷가 동하면 乾☰이니 그 무리를 환산하는 것은 元吉하며 빛나고 위대하다. 왜냐하면 자리가 바른 六四를 환산하는 것은 스스로를 깨끗하게 정제하는 행위이기 때문이다.

지괘가 天水訟(䷅)이니 하늘을 가리고 있던 적폐☵(險水)가 드디어 판결이 나는 때가 되었다. 하늘☰을 가리고 있던 두터운 구름☵은 곧 비가 되어 흩어져 내려갈 것이기 때문이다.

渙其群 元吉

내가 속한 무리의 적폐☵를 날려버리면 길하다. 六三에서 나를 환산하고(渙其躬), 六四에서는 나의 주변으로 범위를 넓혀 무리를 환산하니 크게 길한 것이다(渙其群). 元吉이란 善의 마땅함을 조건으로 吉한 것이니 선하지 않으면 길하지 않다(善之長). 六四는 음위에 음이 와서 자리가 바르고 강건중정한 九五와 상비관계에 있다. 六四와 九五는 서로 자리가 바르므로 왕과 신하의 관계로 환산(渙散)의 시대를 이끌어가는 주체가 된다. 하괘 坎☵은 흩어지는 대상이고, 상괘 巽☴은 흩어버리는 주체이다.

渙有丘 匪夷所思

六四는 자리가 바르다. 그럼에도 흩어 버림(渙散)의 때에 흩어짐을 당한다. 그러나 하늘이 미리 언덕(☶외호괘)을 세워놓았으니 속이 빈 쭉정이는 흩어지고 바르고 알찬 알갱이는 언덕에 올라타리라(외호괘☶丘).

언덕을 미리 준비해 놓은 하늘의 뜻을 범인(凡人)들이 어찌 짐작이나 할 수 있으랴. 구(丘)는 언덕(☶)으로 아무도 모르게 하늘이 준비해 놓은 구원처이니, 환산(渙散)의 바람이 만물을 흩트릴 때 기댈 수 있는 언덕이다. 이(夷)는 환(渙)의 때를 당하여 정(正)과 부정(不正)에는 관심이 없고 오로지 자신의 이익만을 추구하는 자, 인간의 본질에서 벗어나 있는 아웃사이더를 가리킨다.

九二는 내가 편하게 거주하고 있는 부당한 安居를 환산하고(渙奔其机), 六三은 부당하고 中을 벗어난 자기 자신을 환산하고(渙其躬), 六四는 자신이 속한 무리, 자기가 이끄는 무리(조직)을 환산한다(渙其群).

☞ 夷: 평탄할 이, 평범할 이, 오랑캐 이

九五 渙汗其大號 渙王居无咎
구오 환한기대호 환왕거무구

구오, 땀을 흘리며 자기의 큰 목소리를 천하에 흩날린다. 왕거(王居)를 환산(渙散)하니 허물이 없다.

九五는 강건중정(剛健中正)한 인군이다. 中正한 왕이 땀을 흘리며 자신의 목소리를 천하에 널리 환산(渙散)시키니(알리니) 王居(九五)가 허물이 없다. 渙汗其大號는 강건하고 中正한 九五인군이 열정적으로 渙散의 시대에 천하의 바름을 구하고자 하는 행(行)이다. 왕거(王居)란 왕이 거하는 곳이니 渙王居란 왕이 스스로의 허물을 정제(正齊)하는 것으로서 허물이 없는 것이다.

五가 변하면 山水蒙(䷃)이다. 산☶에서 물☵이 흘러내리는 모습에서 진정을 다하는 한(汗)의 뜻이 나오고, 險水☵ 속에서도 흔들림 없이 우뚝 솟은 산☶은 천하에 새로운 왕조가 세워졌음을 선포하는 대호(大號)의 상이 된다. 왕거(王居)를 환산(渙散)시키니 허물이 없음은 九五는 강건중정(剛健中正)하기 때문이다. 강건중정한 九五인군이 스스로를 정제(整齊)하니 허물이 없는 것이다(渙王居无咎). 나의 자리를 환산하고(渙奔其机), 나를 환산하고(渙其躬), 무리를 환산하고(渙其群), 드디어는 나라를 환산하여 바르게 정제하는 것이다(渙王居).

대상전에 "先王以 享于帝 立廟"는 기존의 적폐인 왕거(王居)를 날려버리고 새 왕조를 세웠다는 뜻이다. 기존의 왕권을 상징하는 구 종묘(宗廟)를 무너트리고 새로운 왕권을 세워 상제께 제사를 올리고 새 종묘를 세워 새로운 왕조가 세워졌음을 선포한다. 만물을 흩어버리고 다시 바르고 깨끗하게 정리하는 것에는 바람 만한 것이 없으니 천하를 정립하는 것에 풍(風)의 도를 썼다. 단전에 "王假有廟 王乃在中也"는 바로 종묘(宗廟)를 세워 새나라를 건국한 九五왕의 중정(中正)함을 말한다. 왕가유묘(王假有廟)는 흩어진 인심을 모으는 중심(廟사당)을 세우는 것을 말하며, 九五왕은 인심을 모으는 中正의 자리에서 구심점(leader)이 되어 험난한 대천을 건너 공을 이루는 것이다(利涉大川 乘木 有功也).

선왕(先王)이라 함은 기존의 어느 왕보다 앞선 뛰어난 왕이라는 의미를 가진다. 강건(剛健)하고 중정(中正)한 九五先王이 스스로 적폐를 제거하고 상제께 고하여 새 종묘를 세운다(先王以 享于帝 立廟). 공자는 九五효사를 "王居를 환산하니 허물이 없음은 九五는 강건하고 그 자리가 중정하기 때문이다(象曰 王居无咎 正位也)"라고 풀이하였다.

☞ 汗: 땀이 흐를 한/ 先: 먼저 선, 앞서다. 뛰어나다. 이끌다.

上九 渙其血去逖出 无咎
상구 환기혈거적출 무구

상구, 환산(渙散)으로 자기 혈(血)을 제거하고 두려움을 내보내다. 허물이 없으리라.

九五에서 적폐를 완전히 날려버리고 새 종묘를 세워 새나라를 건국하였으니 환산(渙散)의 뜻을 이룬 것이다. 上九에서는 이제 스스로를 가지런히 정제하여 두려움을 내보고 해로움을 멀리하여 환산(渙散)의 뜻을 공고히 한다.

환(渙)의 뜻에 따라 환산(渙散)으로 내 안의 혈(적폐)를 제거하고 두려움을 내보내라. 드디어 上九에서 뼈속까지 완전히 바르고 깨끗하게 정제되니 허물이 없다.

효변하면 重水坎(䷜)이니 혈(血)의 뜻이 나오고, 거듭된 험수(坎水☵)에서 험(險)에 빠진 두려움의 뜻이 나온다. 환산으로 혈(적폐)을 날려버리면 더러운 피가 제거되고, 두려움을 날려버리면 두려움에서 벗어난다. 적폐를 제거하고 두려움을 없애니 해(害)를 멀리 하여 환산의 뜻을 이어가는 것이다.

上九☶는 양(陽)으로 환산의 극에 거하여 험(險☵)에서 멀리 떨어져 있으니 해(害)를 멀리 하는 것이다. 공자는 "환기혈(渙其血)은 해를 멀리하는 것이다(象曰 渙其血 遠害也)"라고 하였다. 하괘인 혈(☵)을 흩날려버리는 것은 해(害)를 멀리 함이니 上九는 험함(險陷☵)의 극에 있는 六三을 멀리해야 한다.

혈(血)은 하괘의 坎水≡≡에 내포된 유혈(流血), 상해(傷害), 험함(險陷), 적폐(積弊) 등을 뜻한다. 작용력으로 보면, 흩어버린 후 다시 깨끗하고 바름으로 정제(整齊)하는 바람≡≡(齊)은 +5, 혈(血)로 상징되는 해로운 險水≡≡(害)는 -3이니 상하작용력은 -8로 적당한 거리를 두고 있다.

☞ 逖: 두려울 적(척惕), 멀리하다. 두려워하다.

60. 水澤節 수택절

水 ☵ 坎

澤 ☱ 兌

▶효변(爻變)

과거	미래	현재
☷-1 ⟹	☷-3	☷-3
		☵-1

上下작용력: -1-(-3)= +2

上下균형력: -1+(-3)= -4

節 亨 苦節不可 貞

象曰 節亨 剛柔分而剛得中 苦節不可貞 其道窮也 說以行險 當位以節

中正以通 天地節而四時成 節以制度 不傷財不害民

象曰 澤上有水節 君子以 制數度議德行

初六 不出戶庭 无咎

九二 不出門庭 凶

六三 不節若 則嗟若 无咎

六四 安節 亨

九五 甘節 吉 往有尙

上六 苦節 貞凶 悔亡

---

1. 괘상(卦象)

兌澤☱의 초효가 효변하여 음이 되면 坎水☵가 되니 못☱안에 담긴 물☵의 상이 만들어 진다. 하괘의 효변이 상괘에 표현되는 것이니 水澤節(䷻)이 되어 그릇에 담겨있는 물이 되는 것이다.

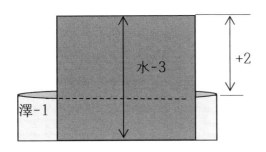

☱은 못(澤)의 상으로 그릇이나 규격을 의미한다. 무엇인가를 담는 일정한 틀이다. ☵은 그 안에 담겨 있는 물로 넘치지도 모자라지도 않는 과유불급(過猶不及)의 절제를 필요로 한다. ☱은 그릇으로 위가 열려 있으니 ☵은 갇혀 있는 것이 아니라 담겨 있는 것으로서 보호받고 있음을 의미한다(비교: 澤水困䷮).

☱은 열려 있는 그릇이므로 그 안의 물☵은 유동적이다. 보호받고 있으나 자유가 보장된 상태를 말한다. 병원에서 보호받고 있는 환자의 모습으로 출입의 자유가 있는 상태이다. ☵는 보호를 받고 있으나 ☱은 열려 있는 것이니 원하면 언제든 벗어날 수 있기 때문이다.

수택절(水澤節)은 60번째에 배치되어 있다. 60이란 60甲子의 수(數)이다.

양효와 음효의 수를 모두 합하면 360이니 1년의 수가 되며, 양효와 음효가 각각 180개이다. 남은 4개 괘효의 수는 24개가 되니 하루 24시요, 1년 24절기와 맞아떨어진다. 절(節)의 괘를 통해 우주만물의 틀(度數)을 설명하고자 하는 성인의 가르침이 절묘하다.

☞ 澤䷹에 대한 소고(小考)

兌䷹괘는 물을 담고 있는 못이다. 못은 그 크기가 다양하며 담고 있는 물의 양도 서로 다르다. 못은 自己의 크기이다. 그 크기는 활동 반경일 수도 있고, 재물 곳간의 크기 일 수도 있고 의식의 크기일 수도 있고 지식의 크기일 수도 지혜의 크기일 수도 있다. 여하튼 못은 그릇이다. 그릇은 크기에 따라 담을 수 있는 양이 있다. 크기를 지키지 않는다면 넘치거나 깨어지게 마련이다. 곳간의 크기가 있는데 넘쳐나는데도 끝없이 쌓고자 한다면 양을 견디지 못하고 곳간은 무너진다. 자신의 능력에 맞지 않는 욕심은 결국 파멸을 초래한다. 절(節)이란 괘명은 바로 크기에 맞는 절도를 의미한다.

각자의 공부와 수련, 그리고 삶의 과정에 따라 생각의 크기는 달라진다. 눈에 보이지 않는 의식의 크기는 자신만이 알 수 있다. 자신이 감당하지도 못하는 의식의 영역에 욕심을 내고 저촉(抵觸)한다면 상처를 입는다. 소화하지도 못하는 의식의 탐욕은 의식이라는 그릇의 파열 원인이다. 정신이 분열되고 파열되는 것은 못䷹에 너무 많은 물이 들어와 둑이 터진다는 것을 의미한다.

욕심을 버리고 담을 수 있을 만큼 담으면 연못은 안정되고 그 안에서는 온갖 생물이 안정적으로 활동할 수가 있다. 과욕을 부리지 않는 절도가 있는 생활은 마음이 안정되고 고요하다. 바람이 불어도 적당한 물이므로 파도가 크게 일지 않고 넘치지도 않는다. 지나치면 없느니만 못하다. 양이 많아지면 창고를 넓히는 것이 먼저다. 의식의 영역을 넓히면 더 많이 담을 수 있다.

태☱는 내 영역을 벗어나 과욕을 부리지 않는 평정심을 상징한다. 지감(止感) 금촉(禁觸)의 지혜를 보여준다. 못의 크기는 자기에 맞게 순리적으로 넓혀가면 된다. 고정된 연못은 때로는 감옥이다. 그 안에서 물은 썩기 마련이다. 물을 흘려버리고 새물을 받을 수 있는 수로가 필요하다. 흐름이 멈추면 그것은 살아있는 것이라 볼 수 없다.

물이 적으면 못으로서의 기능을 하지 못한다(澤水困☵). 물고기가 죽어 나간다. 주변의 전답에 대줄 물이 적어 혜택을 주지 못한다. 그로 인해 파생되는 농작물 수확의 감소는 주변의 생명을 감소시킨다. 물 주변에는 항시 물을 필요로 하는 존재로 붐빈다. 그러나 물이 적으면 살 수가 없으니 하나 둘 떠나게 된다. 그러므로 적당한 물을 담을 수 있는 크기를 가지는 것은 하나(一)에서 화현(化現)한 인간이 가져야 할 덕목이다.

주변의 모든 생명은 나와 같이 하나(一)에서 현현(顯現)된 우리이고 궁극이고 근원이다. 하나(一)에서 시작된 우주생태네트워크에 참여자로서 서로 평등한 관계이다. 그러므로 내가 메마르면 주변의 사물도 나와 함께 하지 못한다. 나 홀로 살 수 있는 것이 아니니, 그러므로 내가 적당한 물을 담고 있어야 함은 순천(順天)의 삶이 된다. 연못의 크기가 바다와 같아 주변의 많은 생명이 살아가는 그릇이 된다면 그것이 인간 완성인 성통공완(性通功完)의 길이요, 홍익인간(弘益人間)의 삶이다.

너무 많은 것을 받으면 수로로 흘려버릴 줄 아는 지혜가 필요하다. 수로를 꽉 막고 움켜지고 있으면 물은 정체되고 굳어버리면서 썩어버린다. 그것은 물고기가 살아 움직이는 살아있는 못이 아니다. 물고기를 화석으로만 볼 수 있는 죽은 못이다.

못☱ 위에 있는 ☵는 물이다. 못은 물을 담는 그릇☱이니 참으로 조화롭다. 못 위의 ☵는 꿈이다. 꿈은 물처럼 아직 제 모양을 갖추지 못했지만 잘 보이지도 않는 무화과 나무의 씨앗처럼 장대함을 포태하고 있다. 그 꿈을 담을 수 있는 그릇을 갈고 닦아야 한다. 못의 크기에 맞는 물의 양을 받을 수 있다면 좋다. 그러나 크기에 맞지 않는 물은 홍수다. 연못이 터지고 파괴된다. 절(節)이란 괘명은 참으로 절묘하다. 절제를 벗어난 행위는 자신을 파괴하기 때문이다(澤天夬☱ / 澤風大過☱).

물은 그 모양이 없으나 모든 모양을 감당할 수 있다. 어떤 모양의 그릇에도 모두 맞출 수 있다. 물은 아래로 흐르고 흐른다, 결코 위로 흐르지 않는다. 자신을 낮추지만 모든 것을 끌어안고 적신다. 결코 그냥 지나치지 않는다. 만물을 키우는 至氣이며 生命水이다. 사람의 몸을 구성하는 물질의 70%는 물이지만 물은 결코 사람이라고 주장하지 않는다. 만물의 형태를 채워주지만 자신을 내세우지 않는다.

물은 카오스(chaos)다. 모양이 없어 혼돈스럽지만 물은 모든 생명의 원천이다. 태초에 카오스(0)가 있었다. 그 카오스에서 우주(1)가 탄생되었다. 꿈은 아직 형태를 갖추지 않은 물이지만 현실에 구체화될 수 있는 생명의 원천이다.

못 위의 물은 내가 담고자 하는 꿈이고 재물이고 욕심이고 얻고자 하는 지식이며 지혜이다. 그래서 절제가 필요하다. 과유불급이다. 적당하면 마음이 평화롭다. 지나치게 가진 자는 언제 터질지 모르는 못처럼 항시 불안하다.

못은 물이 적당하면 언제나 고요하다. 비바람이 몰아쳐도 수문을 적당히 열어두면 동요하지 않는다. 흘러버릴 줄 아는 지혜는 원래 우주만물의 근원적인 모습이다. 마음을 고요히 하면 생명을 살리는 지혜가 샘물처럼 솟아나지만 결코 넘치지 않는다. 선인(仙人)의 연못은 수많은 물고기와 생물들이 살아가는 생명수로 그득하다. 절제된 연못에서는 언제나 고요하고 평화롭고 자유롭다.

2. 괘변(卦變)

▷호괘 - 山雷頤

節   頤

☷-3   ⟹   ☶-5

☳-1   ☷+1

+2   +6

지나치지도 않고 부족하지도 않은 중용(中庸)을 유지하는 절도있는 삶은 못 안에서 물고기가 헤엄치며 자신을 키워 나가듯 자신의 역량을 충분히 기른다. 헤엄☵을 쳐 건너편 둑☵에 순리대로 건너가는 상이다.

▷착종괘 - 澤水困

節(보호)   困(감금)

☷-3   ⟹   ☱-1

☱-1   ☵-3

+2   -2

水☵는 어떤 틀에도 매이지 않고 규격화 되지 않는 자유로움을 상징한다. 澤水困(䷮)은 자유로움☵이 그릇☱ 속 깊이 들어가 있는 상이니 감옥에 갇혀 있는 모습(감금)이다. 즉, 유동성☵이 틀☱에 갇혀 억압되는 모습으로 ☵이 ☱안에 깊이 갇혀 있어 빠져나올 수가 없다. 이에 반하여 水澤節(䷻)은 담겨 있으나 갇혀 있는 것이 아니므로 감금이 아니라 보호를 의미한다.

▷도전괘 - 風水渙

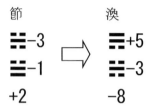

節
☵-3
☱-1
+2

渙
☴+5
☵-3
-8

　절(節)은 못☱ 안에 물☵이 적절하게 유지되는 절제된 상태를 의미한다. 넘치면 흘러보내고 모자라면 채우는 절(節)의 도(道)를 의미하지만. 환(渙)은 물이 넘쳐흐르는 것을 말하니 홍수☵가 난 강을 배☴를 타고 건너는 목(木)의 도(道)를 상징한다.

▷배합괘 - 火山旅

節
☵-3
☱-1
+2

旅
☲+3
☶-5
-8

　틀☶ 안에서 ☲의 적절함을 유지하는 절(節)은 안정된 모습을 의미하지만. 그 반대인 려(旅)는 자리에 정착하지 못하고 고향☶을 떠나 유랑☲하는 불안정한 모습을 보여준다.

3. 괘사(卦辭)

節 亨 苦節不可貞
절 형 고절부가정

절(節)은 형통하다. 고절(苦節)은 가히 바르지 못하다.

절(節)은 순리를 따르고 도리를 벗어나지 않는 절도(節度)를 의미한다. 자연의 순리를 따르고 한도(限度)를 지켜 무위자연(無爲自然)한다면 형통하다는 것이 절(節)의 도(道)이다.

봄에는 만물이 생화하고, 여름은 만물이 생장하며, 가을에 열매를 맺고 겨울에는 만물이 모든 것을 내려놓고 쉬는 것이 계절의 순리이니 이를 어기지 않고 순행함이 절(節)이다. 만일 시간의 순리를 따르지 않아 법도가 흐트러진다면 만물은 바르지 않게 된다. 고절(苦節)이란 시간의 흐름이 계절의 법도와 맞지 않아 만물이 괴로움을 당하는 것을 말한다. 그러므로 사람도 이를 받아 순리를 지키고 절도를 세워 도리에 맞게 살아가야 하는 것이다.

절(節)은 한(限)이다. 물이 연못의 한도(限度)를 넘어서면 흘러 넘치거나 연못의 둑이 터진다. 연못의 용량에 한계가 있듯이 저마다 담을 수 있는 그릇의 크기는 서로 다르다. 한도를 지키는 절제가 쓰디쓴 괴로움일 수도 있지만 누군가에게는 절제가 달콤하거나 안락할 수도 있다. 자신의 그릇을 무시하고 한도를 넘어서게 되면 절제가 괴로움이 될 수 있으니 고절(苦節)의 뜻이다. 절제(節制)는 적절해야 한다. 절제가 과도하면 오히려 흉이 되는 것이다.

☞ 節: 마디 절, 절도(節度) 절, 절제 절, 절조(節操, 절개와 지조),

象曰 節亨 剛柔分而剛得中 苦節不可貞 其道窮也

단왈 절형 강유분이강득중 고절부가정 기도궁야

說以行險 當位以節 中正以通

열이행험 당위이절 중정이통

天地節而四時成 節以制度 不傷財 不害民

천지절이사시성 절이제도 부상재 부해민

단에 이르길, 절(節)이 형통함은 강(剛)과 유(柔)로 나뉘어 강(剛)이 중(中)을 얻음이고. 고절(苦節)이 가히 바르지 못함은 그 도가 궁하기 때문이다. 기뻐함으로써 험(險)을 행하고, (九五)당위로써 절제(節制)하며 中正으로써 만물에 통한다. 천지가 절도를 지켜 사시를 이루니 절(節)로써 법도를 제정하여 재물이 상하지 않게 하며 백성이 해를 당하지 않게 한다.

절(節)

절(節)이 형통함은 넘치지도 모자라지도 않는 절도(節度)가 있기 때문이다. 만일 자연의 이치가 과하거나 모자라 형평에 치우친다면 자연으로서 삼라만상은 존재할 수가 없다. 절(節)의 괘상을 보면 강효(剛爻)와 유효(柔爻)가 적절하게 반반으로 나뉘고, 剛(九五)이 中에 자리하여 中正함을 지키니 절도가 있어 형통한 것이다.

고절(苦節)

못이 규모에 맞지 않게 물을 담으면 넘치고, 둑이 약하면 터지니 스스로 절도(節度)를 지켜 절제(節制)해야 형통하다. 만일 계절이 시간을 따르지 않고 흐트러진다면 만물이 당황하여 이를 따르지 못하므로 가히 바르지 못하게 되니 생명의 도가 궁(窮)해진다. 절제가 순리를 따르지 못하고 과도하다면 그 자체가 괴로움이니 고절(苦節)이로다(上六).

천지가 절도가 있으니 기뻐함으로 만물이 춘하추동을 거치며 험함을 행할수가 있으며, 九五가 자기 자리에서 절도를 지키니 中正으로써 천지만물은서로 통한다.

하괘가 兌☱이니 기뻐함(說)이고, 상괘 坎☵은 험(險)의 뜻이다. 그러므로기뻐함☱(兌說)으로써 험함(險陷)을 행하고, 九五가 양위(陽位)에 양으로 자리하여 정위(正位)에서 절도를 지키니 강건중정(剛健中正)으로 만물은 서로통하는 것이다.

天地節而四時成

천지에는 절도가 있으니, 지구가 태양을 돌고 스스로 자전하며 사계의 법도를 세우고, 만물은 순리를 따르며 무위자연(無爲自然), 생장수장(生長收藏)의 이치를 펼친다.

하루를 24 시에 마치고, 춘하추동 사계를 돌면서 1 년 12 월의 도수(度數)를 만드니, 이에 따른 법제(法制)를 세워 만물을 키우고 백성을 해하지 못하게 하며, 재물을 지켜 백성을 이롭게 한다. 천지가 절도를 지켜 사시사철을이루니, 이러한 상을 보고 절도에 따라 법을 제정하여 재산을 보호하고 백성이 해를 당하지 않도록 법으로 감싼다.

象曰 澤上有水節 君子以 制數度 議德行

상왈 택상유수절 군자이 제수도 의덕행

상에 이르길, 못 위에 물이 있음이 절(節)이니, 군자는 이로써 수리(數理)를 밝혀 법도(法度)를 제정하고 덕행을 논한다.

연못은 그 크기가 정해져 있으니 적절한 양의 물을 담아야 한다. 한계를 넘어서면 가득 차 넘치게 되니 절도(節度)가 있어야 하는 것이다. 군자는 이러한 절(節)의 상을 보고 수리(數理)를 밝혀 도수(度數)를 세우고 법도(法度)를 제정한다. 세상만사는 무질서하게 흐르는 것처럼 보이지만 사실은 순리를 따르고 있는 것이니, 인사(人事)는 법도(法度)을 세워 정의(正義)로써 다스리고, 물건의 이치는 대소(大小), 경중(輕重), 고하(高下) 등 도수(度數)를 제정하여 질서를 세운다.

덕행(德行)을 논한다 함은 덕을 행함에 있어 절도(節度)에 맞음을 구하는 것이다. 행함이 지나치면 흉하니 만사는 절제(節制)함이 필요하다. 험(險)☵ 속에서도 기뻐함으로 행하고, 中正함으로써 자기 자리에서 절제를 지킨다. 과하지도 모자라지도 않는 九五의 中正함으로 만물은 통하는 것이다(說以行險 當位以節 中正以通).

4. 효사(爻辭)

절도(節度)는 나아가고 물러섬이 절제(節制)되어야 함을 의미한다. 못(澤)의 수문이 적절하게 조절되지 않아 과하거나 모자라게 되면 못을 기반하여 사는 생명이 흉함에 처하게 된다. 절도는 스스로 원해서 할 때 평안하지만 그렇지 않으면 그 자체가 괴로움(苦節)이 된다.

初九 不出戶庭 无咎
초구 불출호정 무구

초육, 방문 앞뜰(안뜰)을 나서지 않으니 허물이 없다.

초구는 절(節)의 맨 아래에 처하여 절도(節度)를 지키고자 하는 힘은 미약하지만 양위에 양으로 와서 자리가 합당하다. 그리고 사(四)와 응하며 자신의 처지를 잘 알고 있다.

효변하면 重水坎(☵)으로 중험(重險)이 되니 험(險)을 아는 것이다. 그러므로 초기에 절제하여 방문 앞뜰 밖을 나아가지 않으니 무탈하다. 호정(戶庭)은 방문 앞 뜰(안뜰)로서 중문을 벗어나지 않음을 뜻하니 깊숙이 들어있어 위험에 노출되지 않는 것이다. 2효의 문정(門庭)은 대문과 중문 사이의 뜰이니 바깥 뜰이다.

호괘가 山雷頤(☶☳)로서 震☳(進)으로 나아가고 艮☶(止)으로 그침을 의미하니 통하고 막힘이 된다. 그래서 공자는 "初九가 문지방 앞뜰을 나서지 않음은 통하고 막힘을 알고 있기 때문이다(象曰 不出戶庭 知通塞也)"라고 하였다.

그러므로 출호정(出戶庭)하면 흉(凶)이 되는 반대의 뜻을 함의하고 있는 효이다. 호정(戶庭)을 나서지 않음은 경계나 한계선을 넘지 않고 절제(節制)를 지키는 것을 의미한다. 그래야 허물이 없고 무탈하다 라는 의미이다.

☞ 戶: 집 호, 출입구 호/ 庭: 뜰 정/ 通: 통할 통/ 塞: 막힐 색

九二 不出門庭 凶
구이 불출문정 흉

구이, 대문 안 뜰(바깥 뜰)을 나서지 못하니 흉하다.

九二는 연못가에 넘치기 전의 물이니 수문(六三)을 열고 나갈 때가 되었지만 아직 나가지 못하고 있는 물이다. 효변하면 水雷屯(☵☳)이니 머물고 나아가지 않는 뜻이 된다. 나가는 때가 되었으나 나가지 못하고 그대로 험(險) 속에 있으니 흉한 것이다.

九二가 효변하면 내호괘 震☳(進)이 坤☷이 되니 나아가는 뜻이 없어진다. 震☳(내호괘)이 坤☷으로 변하여 나가는 길이 막히니 대문☷(외호괘)을 열고 나서지 못하는 것이다. 절제(節制)란 적절해야 하는데 오히려 과도한 절제에 얽매여 때를 놓친 것이다.

문정(門庭)은 대문과 중문 사이의 뜰이니 바깥 뜰이다. 호정(戶庭)을 벗어난 대문 안의 뜰이니, 대문을 열고 나갈 준비가 되어있는 위치에 있다. 그럼에도 불구하고 나가지 못하고 있으니 흉하다.

九二는 中을 지키고 있으나 음위(陰位)에 양으로 온 부당위(不當位)로서 九五와 응(應)함이 없다. 문정(門庭)을 나서지 못한다는 것은 대문을 열고 나서지 않음이고, 九五中正을 따르지 않음을 의미한다. 二와 五는 양(陽)으로

정응(正應)이 아니므로 서로를 따르지 않는 것이다. 그래서 공자는 "九二가 바깥 뜰을 나서지 못하니 불출문정(不出門庭)은 때를 놓침이 심한 것이다(象 曰 不出門庭 失時極也)"라고 주석하고 있다. 그러므로 이때는 시기를 놓치지 말고 문을 열고 밖으로 나가야 한다. 너무 자신의 한계를 정해놓고 그 안에 안주하려 해서는 공(功)을 이룰 수가 없는 것이다.

六三 不節若 則嗟若 无咎
육이 부절약 즉차약 무구

육이, 절도를 잃으면 탄식하리니, 허물을 할 데가 없다.

六三은 물을 조절하는 수문의 역할을 하는 곳으로 절도(節度)가 요구되는 자리이다. 양위(陽位)에 음으로 자리한 부당위(不當位)로서 중도를 넘어서 있으니 절도를 지키지 못해 수문 조절기능을 상실하면 재앙이 일어나게 된다.

효변하면 하괘가 乾☰이 되어 지괘가 水天需(䷄)가 된다. 대인(乾☰)은 험(險☵)의 때가 이르면 오히려 잔치를 벌이고 조력자를 불러 음식을 함께 나누며, 힘을 기르고 때를 기다린다. 그러나 소인은 경망하게 만용으로 험(險☵)을 건너니 한탄스럽다. 누구의 허물을 탓하겠는가? 모든 게 자신의 탓이로다. 자기절제가 크게 요구되는 자리이다. 그러므로 공자는 "절도를 잃어 탄식(不節之嗟)하니 또 누구를 탓하겠는가(象曰 不節之嗟 又誰咎也)"라고 경계하였다.

☞ 嗟: 탄식할 차/ 誰: 누구 수, 아무개

六四 安節 亨
육사 안절 형

육사 절제가 편안하니 형통하다.

六四는 음위(陰位)에 음으로 자리가 바르고, 강건중정(剛健中正)한 九五임금과 상비관계로 九五의 절도(節度)를 잇는 대신의 자리이다.

효변하면 重澤兌(☱)이니 평안하고 형통하며 兌의 호괘는 風火家人(☲)이다. 절도를 지켜 안정된 가정을 이끄니 안절(安節)의 뜻이 된다.

六四는 못 수면 위의 물로서 수문(水門)을 통해 밖으로 나아가야 할 위치에 있다. 그러므로 강건중정한 九五를 따라 나서니 절(節)의 행함이 안정되고 평안한 것이다. 못 위의 물이 존위(尊位)를 따라 中正의 도를 이어 행하니 형통하다. 공자는 소상전을 통해 "안절지형(安節之亨)은 六四가 九五(上)의 도를 받들어 이어감이다(象曰 安節之亨 承上道也)"라고 주석하였다.

☞ 承: 이을 승, 받들 승

九五 甘節 吉 往有尙
구오 단절 길 왕유상

구오, 절제가 달콤하니 길하다. 나아가면 높임(숭상崇尙)이 있으리라.

九五는 강건중정한 존위로서 절(節)의 주체가 되는 자리이다. 험(險☵) 속에서도 당위(當位)로써 중정(中正)함으로 만물에 통한다. 만물에 통한다 함은 못을 흘러 나간 물이 만물을 생육한다는 의미이다. 못 밖으로 나아가 만물을 이롭게 하니 이는 만물을 숭상하고 또한 스스로 높임을 받는 것이다. 중정지덕(中正之德)으로 천하의 절도를 다스리니 길하다. 단전의 "說以行險 當位以節 中正以通"은 바로 九五를 말한다.

　몸에 맞지 않는 옷을 입는 것처럼 억지로 절도(節度)를 행하는 것은 쓰디쓰고 괴로운 일이지만, 스스로 강건하게 中正을 행하는 절도(節度)는 달콤하다. 물은 연못 밖으로 흘러 나가 만물을 이롭게 하고 못 안의 물은 적절하게 안정을 유지한다. 九五가 효변하면 坤☷이 된다. 곤(坤)은 단맛이니 단절(甘節)의 뜻이다. 기꺼이 마음에 우러나서 행하는 맛있는 절제를 뜻한다. 절제함이 괴로운 것이 아니라 즐겁다.

　연못이 받아드리는 물의 양은 크기에 따라 한계가 있다. 그러므로 물이 적절한 양을 유지해야만 못 안의 뭇 생명이 안정되게 살아갈 수 있다. 九五가 효변하면 지괘가 地澤臨(䷒)이니 양기(陽氣)가 안정되게 쌓여가는 상이다. 공자는 이것을 "감절지길(甘節之吉)은 거한 자리가 中正하기 때문이다(象曰 甘節之吉 居位中也)"라고 말한다.

上六 苦節 貞凶 悔亡
상육 고절 정흉 회망

상육, 절제가 괴로움이니 고집(貞)하면 흉하고 뉘우치면 사라지리라.

　물은 넘치면 흘러 나간다. 연못 안을 고집할 것이 아니라 순리를 따라 흘러 나가는 것이 길하다. 효변하면 風澤中孚(䷼)이니 못☱(安)의 양(陽)이 적절하게 흐르는 모습(☵流)이다. 하괘☱에서 음에게 갇혀 있는 2개의 양이 상괘☴에서는 음의 밖으로 나가 활동하는 모습이니 막히고 통하는 적절한 상태이다. 물은 한 곳을 고집하지 않으니 있을 때에는 모여 그치고 나아가야 할 때는 때를 잃지 않고 흐른다. 中孚(䷼)는 절도(節度)와 중도(中道)를 지키는 상이다.

上六은 절(節)의 상극에 처하여 자리가 바르다. 그러나 이미 밖으로 흘러 나가야 하는 자리이니, 연못에 남아있는 물의 양이 과도하다. 그러므로 음유(陰柔)한 소인이 너무 제 자리를 고집(貞)하게 되어 일어나는 일로서 오히려 절제가 괴로움이 된다. 흉하다. 억지로 절제함은 고절(苦節)이니 괴로운 일이다. 그러나 上六이 뉘우쳐 효변하면 巽風☴이 되니, 六三에 의해 갇혀 있던 두 개의 양☰이 六三 음의 밖으로 나아가 中孚(䷼)의 상이 되는 것이니 회(悔)가 사라지게 된다.

절도(節度)가 극에 달하면 절(節) 그 자체를 행함이 괴롭다. 上六은 절(節)의 상극에 거하고 험(險☵)의 극에 처하였으니 절(節)의 도를 행함이 괴로운 자이다

지나치게 절제(節制)와 절도(節度)를 고집하게 되면 융통성이 부족하여 일을 그르치게 된다 그래서 공자는 융통성 없는 쓸데없는 고집에 대해 "고절정흉(苦節貞凶)은 그 도가 궁하기 때문이다(象曰 苦節貞凶 其道窮也)"라고 경계하였다.

못☵의 꼭대기에 있는 물(上六☵)은 연못을 고집할 것이 아니라 밖으로 흘러 나아가야 한다. 그래야 못도 살고 못 주변의 생명도 산다. 물이 못을 나아가야 할 때는 때를 놓치지 말고 흘러 나가야 한다. 물은 멈추면 썩고, 흐르면 항상 새롭다. 절(節)의 궁극에 처하여 절도(節度)를 유순하게 하며 때를 따라 적절하게 변해야 살 수 있는 것이다. 동변(動變)하면 중부(中孚)이니 닭이 알을 품듯 믿음을 가지고 나아가야 한다. 절도를 과도하게 고집하면 흉을 면치 못하는 것이니, 때를 따라 융통성 있게 변해야 사는 법이다.

61. 風澤中孚풍택중부

風☴巽

澤☱兌

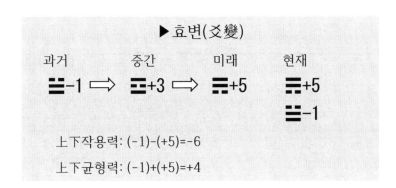

▶효변(爻變)

과거	중간	미래	현재
☷-1 ⇨	☶+3 ⇨	☳+5	☳+5
			☷-1

上下작용력: (-1)-(+5)=-6

上下균형력: (-1)+(+5)=+4

中孚 豚魚吉 利涉大川 利貞

象曰 中孚 柔在內而剛得中 說而巽 孚乃化邦也 豚魚吉 信及豚魚也

利涉大川 乘木舟虛也 中孚以利貞 乃應乎天也

象曰 澤上有風 中孚 君子以議獄緩死

初九 虞吉 有它不燕

九二 鳴鶴在陰 其子和之 我有好爵 吾與爾靡之

六三 得敵 或鼓或罷 或泣或歌

六四 月幾望 馬匹亡 无咎

九五 有孚攣如 无咎

上九 翰音登于天 貞凶

1. 괘상(卦象)

닭(☱)이 둥지(☴)에서 알(3·4효)을 품고 있는 모습으로 天二(5·6효)와 地二(1·2효)가 강하게 人二(3·4효)를 보호하고 있다. 天地父母가 人子를 품고 있는 상이다.

중부(中孚)는 날개를 펴서 알을 품은 닭의 모습으로 신뢰와 자기희생을 보여준다. 하괘☱(-1) 2개의 양이 상향하며 순리대로 풀려나가는 모습☴(+5)이다. 어미 닭이 날개를 펴서 자신의 체온과 기(氣)를 알에게 쏟아 부어주는 희생을 나타내며, 알의 입장에서 보면 어미 닭에 대한 믿음을 통해 알을 부화한다. 하괘☱는 둥지 안의 알을 의미하며, 상괘☴는 어미 닭의 상이다. 희생과 믿음을 주고받음으로써 새로운 생명을 탄생하게 하는 천지부모의 모습이다. 상하 각각 2개씩 양효가 가운데 2개의 음효를 감싸고 있어 따뜻한 모습이며 안정된 상태이다. 상하괘의 작용력은 -6으로서 역동적이기보다는 둥지 안에서 조용히 알을 감싸고 있는 정적인 어미 닭의 상을 보여준다.

天의 순양(5·6효)과 地의 순양(1·2효)이 강하게 人의 순음(3·4효)을 감싸고 있으니 人은 다만 천리(天理)에 응하고 지리(地理)를 살펴 순리를 따르며 믿음으로써 도리를 다할 뿐이다. 호괘가 山雷頤(☶)로서 천지가 나를 기르고 가르치니 다만 믿음으로써 순응하고 따른다.

天地 간의 中의 자리에 마음(心)을 두니 忠이다. 곧 天地에 대한 믿음(孚)이니 중부(中孚)의 뜻이다. 기쁜 마음☱으로 자기를 내어주는 희생☴을 보여줌으로써 믿음이 형성된다. 기쁜 마음으로 자기를 내어주니 마음이 편안하고 순해지며, 마음에 걸림이 없어 자유롭게 근원을 지키니 교만하지 않다. 평안, 안정, 지식, 재산, 집, 테두리(☴)를 내어주니 마음이 가볍다(☴). 짐을 덜어 자기를 비우니 비어 있으나 사실은 꽉 차 있다.

☴-1 ⇨ ☳+5

≫안에 있던 2개의 양이 상향하여 자유롭게 움직이다.

巽☴(流)은 자유로우나 근원인 初陰(初六)을 벗어나지 않는다. 믿음은 자유로움에서 나오는 것이며 강요된 믿음은 진정성이 없다.

中을 지키니 벗어남이 없다. ☰이 天陽이면 ☷은 地陰이니, 3·4효 두 음은 하늘과 땅 사이의 人中으로서 天地가 하나(一)된 자리를 뜻한다(人中天地一/천부경). 마땅히 중부(中孚)로서 믿음을 굳건히 하여 중용(中庸)의 도리를 벗어나지 않는다. 中孚란 中의 자리에 믿음(心)을 두는 忠을 의미한다.

날개를 펴 알을 품은 어미 닭☴의 모습에서 있는 것을 기꺼이 내어주는 군자☱의 마음을 읽는다. 人中는 자신을 비우고 천명에 순응하는 대인의 모습이다(中虛). ☴은 만물의 근원으로 만물을 품고 키우며 모든 것을 내어주며 만물을 기쁘게 하니 이를 근원으로 모든 생명과 만물(☷)이 자라 나라를 이룬다(說而巽 孚乃化邦也).

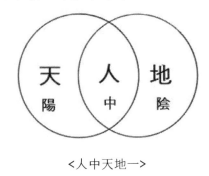

<人中天地一>

▶효변(爻變)의 이해

 } 대리(大離)의 상 (大信)

중부괘는 大離☲의 상으로 天二와 地二가 人二를 강하게 감싸고 있는 모습으로 믿음(孚信)을 의미한다. 믿음은 마음을 비우는 虛丹(3,4 효)에서 나온다.

중부(中孚)의 상은 속이 빈 나무(배)의 상이니 中孚로써 험난(險難)을 헤치며 나아감에 있어 믿음을 주듯이, 마음을 비우고 중(中)으로써 험난한 길을 가는 것이 중용(中庸)의 도리이다(利涉大川 乘木舟虛也). 구오(九五)와 구이(九二)가 서로 천지의 중(中)을 얻어 강양(剛陽)으로 유음(柔陰)을 감싸주니 큰 믿음이다 (柔在內而剛得中).

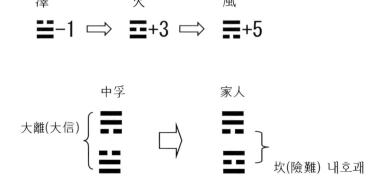

중부괘의 九二가 상향하면 風火家人(☲)이 된다. 家人은 하괘가 離火(☲)이고, 내호괘는 坎水(☵), 외호괘는 離火(☲)가 된다.

하괘의 두 개 양(1·2 효)이 중앙의 두 개의 음(3·4 효)을 뚫고 상향하여 ☲(5·6 효)이 된다. 이것은 둥지☵-1 에서 병아리가 부화☵-3(내호괘)하는 힘든 과정으로 어미 닭☲+5 이 되는 순서를 보여준다.

중부괘의 九二가 六三을 뚫고 상향하니 ☵가 된다(내호괘). ☵는 병아리가 수고로움으로 알을 깨고 나오는 모습이다. 또한 水☵는 큰 내로서 大事를 의미하니 大川을 건너는 상이 된다.

대천(大川)을 건넘에 있어 땅(九二)의 보살핌과 中正한 구오(九五)의 하늘이 서로 응하며 보살 피니 마땅히 믿음으로써 대천을 건너게 되는 과정을 보여준다(中孚 乃應乎天也). 또한 하괘와 외호괘가 각각 ☲(信)으로써 내호괘 험난☵(險)을 감싸니 중부(中孚)의 의미를 더한다. 중부의 상은 또한 전체로 보면 대리(大離)☲의 상이 되어 대신(大信)의 뜻이 된다.

2. 괘변(卦變)

▷호괘 - 山雷頤

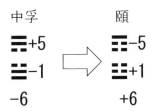

中孚   頤

☷+5   →   ☷-5

☳-1   ☳+1

-6   +6

   중부(中孚)의 상을 보면 天의 순양과 地의 순양이 강하게 人의 순음을 감싸고 있으니 人은 다만 天理에 응하며, 地理를 살펴 순리를 따르고 믿음으로써 도리를 다할 뿐이다. 호괘는 山雷頤(☷)가 되니, 천지가 나를 기르고, 성인이 어진이를 기르니 그 뜻이 천하만민에게 미친다(天地養萬物 聖人養賢以及萬民). 이 또한 하늘도 응하는(乃應乎天也), 中孚의 큰 뜻이다(信及豚魚也).

▷ **風澤中孚**	▷ **山雷頤**
利涉大川 乘木 舟虛也	天地 養萬物
활동 ⬆ ☷+5(流) 안정 ☳-1(靜) -6	도달 ⬆ ☷-5(止) 출발 ☳+1(動) +6
≫☱(說)이 품은 2개의 양을 기꺼이 내놓음으로써 ☴(巽)을 따르다(說而巽). ≫속이 빈 나무(中虛)의 상이니, 중허(中虛)의 배를 타고 험난(險難)을 건너	≫初九☳의 힘찬 출발(動) (自求口實) ≫순리대로 상향하며 풀려가는 모습 (養正則吉也). ≫만물을 품어 기르는 모습(보호) (天地

나아가다(柔在內而剛得中).	養萬物)
≫강양(剛陽)으로 유음(柔陰)을 감싸니 믿음(孚)의 상이다(信及豚魚也).	≫군자의 모습(완성≡≡止) (聖人養賢 以及 萬民)

▷착종괘 - 澤風大過

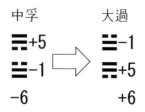

中孚   大過

≡≡+5   ≡≡−1

≡≡−1   ≡≡+5

−6   +6

　중부(中孚)는 천지의 강양(剛陽)이 유음(柔陰)을 둘러쌓고 있어 안정감이 있어 믿음을 준다. 고로 대천(大川)을 건너는 것은 빈 배를 타고 건넘이니 순조롭다. 착종인 대과(大過)의 상은 상음(上陰)과 초음(初陰)이 양4개를 얇게 둘러싸고 있어 언제 터질지 모르는 불안감을 준다(大過大者過也 棟橈本末 弱也). 못≡≡ 안에 나무가 들어가 있으니 배≡가 가라앉은 모습으로, 짐이 가득 실은 배는 언제 가라앉을 지 불안하기만 하다.

▷도전괘 - 風澤中孚

中孚   中孚

≡≡+5   ≡≡+5

≡≡−1   ≡≡−1

−6   +6

　천지가 주는 믿음은 겉과 속, 그리고 앞과 뒤가 다를 수 없다. 중심을 믿고 바르게 하면 마침내 천지가 이에 응한다(中孚 以利貞 乃應乎天也). 마음을 비우고 믿음으로써 험난을 건너니, 빈 배를 타고 大川을 건너는 중부지도(中

孚之道)의 뜻이다(利涉大川 乘木舟虛也).

▷배합괘 - 雷山小過

中孚   小過

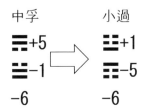

중부(中孚)는 닭이 날개를 펴고 알을 품고 있는 군자의 상이지만, 소과(小過)는 지친 날개를 접고 웅크린 소인의 모습이다. 길을 가기 위해 어쩔 수 없이 물속을 뛰어들어 헤엄쳐 나왔지만 아직도 가야 할 길이 멀다. 산☶을 겨우 하나 넘었으니 가야 할 길☵이 아직 멀다. 열심히 움직이며 나아가지만 힘이 들고 지치니 작은 일에 길하며(小事吉也), 큰 일을 이루지 못한다(是以不可大事也).

3. 괘사(卦辭)

中孚 豚魚吉 利涉大川 利貞
중부 돈어길 이섭대천 이정

중부(中孚)는 돼지와 물고기에도 길하다. 大川을 건너는 것이 이로우니 바르게 함이 이로우리라.

중(中)에 마음(心)을 두는 것을 충(忠)이라 하니 곧 신(信)이다. 충신(忠信)은 물과 불 속에도 뛰어 들 수 있으니 하물며 대천(大川)을 건넘에 있어서랴. 믿음은 마음을 비우는 것에서 나오니 중허(中虛)의 상이다. 天地의 剛陽이 人中의 柔陰을 감싸 안으니 한낮 돼지(豚)와 물고기(魚)에 불과한 미물까지도 그 속에서 믿음으로 거한다. 천지의 보살핌으로 大川을 건너니, 대인은 험난을 건널 때에도 바름을 잃어서는 안 된다. 반드시 정(貞)함이 이로운 것이다.

☞ 孚: 믿음성이 있을 부/ 豚: 돼지 돈/ 魚: 물고기 어

象曰 中孚 柔在內而剛得中 說而巽 孚乃化邦也
단왈 중부 유재내이강득중 열이손 부내화방야
豚魚吉 信及豚魚也 利涉大川 乘木舟虛也 中孚以利貞 乃應乎天也
돈어길 신급돈어야 이섭대천 승목주허야 중부이이정 내응호천야

단에 이르길, 中孚는 柔陰이 안에 있고 剛이 中을 얻으니 기뻐하고 巽順함이다. 이에 믿음(孚)이 나라를 이룬다. 돼지와 물고기가 吉함은 믿음이 미물인 돼지와 물고기에게도 미쳤음이라. 大川을 건넘이 이로운 것은 속이 빈 나무배를 탔기 때문이다. 中孚로써 利貞하니 마침내 하늘에 응하리라.

중부(中孚)는 人中의 자리에 유음(柔陰)이 있고, 천(天)의 중심인 九五가 中正의 자리에서 이끌며, 땅의 중심은 九二가 하괘의 中을 얻어 상응하니 어미 닭이 알을 품은 부신(孚信)의 뜻이 된다.

中孚	小過
柔在內而剛得中 說而巽 孚 乃化邦也	柔得中 是以小事吉也 剛失位而不中 是以不可大事也
☴+5 ☱−1	☳+1 ☶−5
상하작용력: −6 상하균형력: +4	상하작용력: −6 상하균형력: −4
효가 안에 있으니 중허(中虛)가 되며, 네 양효가 밖에 있고 二爻와 五爻의 양이 상하괘의 중(中)을 얻었으니 부(孚)의 상이 되어 中孚가 된다. ☱가 품은 2개의 양을 기꺼이 내놓음으로써 ☴을 따르니 부신(孚信)으로 마침내 나라(邦)를 이룰 수가 있는 것이다. 나라(邦)는	二爻와 五爻가 모두 유(柔)로써 中을 얻었으니 小事에 길하다. 이는 산☶을 넘었으나 또 나아갈 길☳(進)이 남아 있으니 아직 일이 끝나지 않았음을 말한다. 또한 三爻와 四爻는 강(剛)으로써 중(中)하지 않으니 大事는 불가하다. 갈

인간의 세상뿐만 아니라 크게는 만물이 각각 종(種)을 이루면서 무리를 지어 경계를 이루는 것을 말한다(方以類聚 物以 群分/계사전)	길이 먼 새가 지친 날개를 접고 웅크린 모습이니 소인의 상이다.

豚魚吉 信及豚魚也 利涉大川 乘木舟虛也

돈어길(豚魚吉)이라 함은 천지에 대한 믿음이 미물인 돼지나 물고기에까지 미침을 말하는 것이다. 험난(險難)한 대천을 건넘에 있어 믿음이 없다면 감히 실행하기 어렵다. 중부(中孚)는 속이 빈 나무 배를 의미하는 상이니 험한 대천을 건넘에 있어 이보다 더 좋은 수단은 없다. 중부(中孚)는 미물의 천지에 대한 믿음이요, 인생이라는 대천을 건넘에 있어 천지부모(天地父母)의 보살핌에 대한 믿음이니, 대인은 험난에 닥쳐서도 중심을 놓쳐 바름을 잃어서는 안 된다. 九五와 九二가 서로 천지의 중(中)을 얻어 강양(剛陽)으로써 유음(柔陰)을 감싸주고 심중(心中)으로 감통(感通)하니 큰 믿음이다(柔在內而剛得中).

中孚以利貞 乃應乎天也

중부(中孚)는 욕심을 버리고 마음을 깨끗이 비운 가벼운 배(虛舟)를 말하니 침몰되지 않고 순항한다. 욕심을 가득 채운 배를 타고 세상이라는 대천을 건너다보면 배가 무거워 언제 물이 샐 지 모른다. 인생도 이와 같으니 과욕을 내려놓고 마음을 비워 몸을 가볍게 하면 가라앉지 않는다. 九五는 中正의 자리를 지키는 배의 선장이다. 九五가 지휘하는 중부(中孚)의 배는 비어 있어서 가벼우니 바람☴을 타고 잘도 나간다. 인생이라는 험난(險難)을 건넘에 있어 중(中)으로써 정(貞)함을 지키니 하늘도 이에 응한다.

☞ 邦: 나라 방

象曰 澤上有風 中孚 君子以 議獄緩死
상왈 택상유풍 중부 군자이 의옥완사

상에 이르길, 못 위에 바람이 있으니 중부(中孚)로다. 군자는 이로써 옥(獄)을 논하고 죽임을 완화한다.

안에 있던 2개의 양(☱)이 상향하여 자유롭게 밖으로 나아가니(☴), 못 위에 바람이 부는 중부(中孚)의 상이다. 군자는 이러한 상을 통해 옥(獄)을 의논하며 죽임을 누그러뜨린다. 천지는 만물의 부모로서 삼라만상을 품어 감싸 기른다. 춘하추동 사시를 돌리며 생장수장(生長收藏)의 이치를 펼치는 것은 결국 그 안에 품은 만물을 위함이다. 결코 죽이기 위해 기르는 것이 아닌 것이니, 군자를 이러한 상을 보고 옥에 갇힌 이들을 올바르게 판단하며, 형량을 적절하게 하여 억울함이 없게 하고, 원통하게 죽는 이가 없게 한다. 옥(獄)이란 물리적인 감옥은 물론 정신적인 감옥 등으로 폭넓게 이해할 수 있다. 자신이 만든 테두리에 갇혀 스스로 감옥생활을 하는 이가 얼마나 많은가?

☞ 議: 의논할 의/ 獄: 감옥 옥/ 緩: 느릴 완, 느슨할 완, 늦출 완, 너그러울 완

4. 효사(爻辭)

중부(中孚)는 중허(中虛)의 상으로 성신(誠信)의 뜻을 품고 있다. 믿음은 시작부터 뜻을 잘 헤아려 판단해야 하며 다른 마음을 품지 않아야 한다. 심중(心中)으로 감통(感通)하며 서로 나눌 수 있어야 한다. 자신을 낮추고 바름을 따라야 한다. 닭이 하늘을 오래 날고자 날개를 푸드덕거리며 소리만 요란하게 내는 것은 허장성세(虛張聲勢)일 뿐 고지식한 믿음에 불과하니 어찌 오래 하겠는가? 부신(孚信)을 지켜 궁극(窮極)에 이르면, 자신의 입지를 파악하고 스스로 변통함을 알아야 한다. 그러나 처지가 달라졌음에도 궁극에 이른 부신(孚信)을 지나치게 고집하여 앞뒤가 꽉 막힌 고지식을 고집한다면 또한 흉할 뿐이다.

初九 虞吉 有它不燕
초구 우길 유타불연

초구, 바르게 헤아리면 길하니 딴 마음을 두면 편안치 못하리라.

兌☱의 두 개의 양이 六三을 뚫고 나아가 巽☴을 이룸으로써 중부(中孚)의 상을 만든다. ☴의 초음(初陰)은 밖으로 나간 2개의 양을 잡아 중부의 근본을 세운다. 初九는 중부의 상을 이루는 초기의 단계에서 시작하기 전에 깊이 헤아리는 위치에 있다. 중부괘의 시작인 初九가 상괘의 근본인 六四와 응하는 것은 중부(中孚)가 바르게 형성되는 기본이 된다. 중허(中虛)의 상인 부신(孚信)은 초구의 헤아림부터 바르게 되어야 한다. 고로 중부괘의 주체인

六四와의 바른 응(應)은 中孚의 기초가 되는 것이다.

하괘 2개의 양이 六三을 뚫고 나아가 六四를 근본으로 하는 巽☴을 이루어 중부괘(孚信)를 세우니, 初九로서 잘 헤아려야 길한 것은 六四와 응하는 初九의 뜻이 변치 않아야 하기 때문이다. 초구가 처음부터 다른 마음을 품고 있다면 언제든 변할 수 있기에 마음이 편치 못할 것이다.

초구가 동하면 風水渙(☴☵)이니 배☴를 타고 험수(險水☵)를 건너는 상으로서, 중부에서는 初九의 시작과 변치 않는 뜻이 가장 중요하다. 공자는 소상전에서 초구 효사를 "초구가 잘 헤아리니 길하다. 뜻이 변치 않기 때문이다 (象曰 初九 虞吉 志未變也)"라고 하여 시작의 중요성을 설명하였다.

口

☞ 它: 다를 타(他)/ 虞: 헤아릴 우/ 燕: 편안할 연

九二 鳴鶴在陰 其子和之 我有好爵 吾與爾靡之
구이 명학재음 기자화지 아유호작 오여이미지

구이, 그늘에서 학이 우는데 새끼가 화답한다. 내가 좋은 자리가 있으니 내 그대와 더불어 함께 하리라.

九二는 음위(陰位)에 양으로 와서 비록 자리는 바르지 않지만 내괘에서 中을 얻어 상괘의 강건중정(剛健中正)한 九五와 함께 중실(中實)을 이루어 중허(中虛)를 감싸 안으니 부신(孚信)의 상이다.

어미 학(九五)이 깊은 산중에서 울면 그 소리가 새끼(九二)에게는 비록 들리지는 않지만 어미와는 보이지 않는 선이 심중(心中)으로 연결되어 있으니 서로 응하여 화답한다. 어미와 자식 간은 서로 말하지 않아도 아는 것이다.

공자는 이를 "부모의 부름에 자식이 화답함은 심중이 감통(感通)하여 서로를 원하고 있기 때문이다(象曰 其子和之 中心願也)"라고 하였다. 부모와 자식 간에 공간적 거리는 존재해도 서로 한 몸과 같으니 감통(感通)하는 것이다. 中孚는 大離☲(隹)의 상으로 큰 새의 뜻이 있으니 학이 되고 九二가 동하면 우레☳(雷聲)가 되니 학이 우는 뜻이 나온다.

인사적으로 보면, 九五인군이 어미와 자식의 관계처럼 함께 심중(心中)을 나눌 수 있는 九二에게 천하를 논하는 좋은 작위(爵位)를 나누어 함께 한다. 양강(陽剛)한 九五인군과 九二신하가 마음을 비우고(中虛) 서로 얽혀 세상을 논할 수 있는 지위를 함께 나누니 어찌 길하지 않겠는가?

호괘가 山雷頤(☶☳)이니 천지만물을 기르는 뜻이 있다. 임금이 심중이 감통하는 자와 천하를 기르는 일을 논할 수 있는 지위를 함께 나누어 서로 얽히니 어찌 좋은 술을 함께 비우지 않을 수 있으랴. "내게 좋은 술이 있어 내(九五) 너(九二)와 더불어 천하를 논하며 술잔을 나누리라"라는 의미도 있으니 같은 맥락이다. 하괘 연못☱은 술이 가득한 잔이요, 동(動)하면 ☳가 되니 잔을 비우는 상이다.

☞ 鳴: 울 명/ 鶴: 학 학/ 吾: 나 오/ 爵: 잔 작, 술 마실 작, 벼슬 작, 작위 작, 벼슬을 줄 작, / 爾: 너 이/ 靡: 나눌 미, 얽힐 미, 다할 미 / 隹: 새 추

六三 得敵 或鼓或罷 或泣或歌
육삼 득적 혹고혹파 혹읍혹가

육삼, 적을 만났음이다. 두들겼다 말았다 해보기도 하고, 읍소(泣訴)해보기도 하고 노래를 불러 보기도 한다.

六三은 2개의 양이 뚫고 나아가야 하는 장애물인 동시에 밖으로 나간 2개의 양을 잡아 中孚괘를 이루는 상괘의 근본이 되는 자리이다. 六三은 하괘의 위에 처하여 자리가 부당하며 中을 벗어난 자이고, 六四는 자리가 합당하고 중부(中孚)를 이끄는 九五인군을 따르는 충신(忠信)한 자이다.

위로 上九와 응하여 더불어야 하는데 六四가 가로막고 있으니 득적(得適)이다. 강한 적을 만났으니, 혹 두들겨 보다가(☳動 내호괘), 혹 말았다가도 해보며(☶止 외호괘), 혹 읍소(泣訴)해보기도 하고(☱泣 내괘), 혹 노래를 불러 보기도 하며(☴歌 외괘), 上九와 응하려 하지만 이랬다 저랬다 오락가락할 뿐이다. 북을 치며 진군하기도 하고 때로는 물러서기도 하며, 읍소도 해보고 노래를 부르며 회유도 해본다. 그러나 적은 쉽게 뚫리지 않으니 답답할 뿐이다.

상괘 巽☴은 진퇴(進退)를 정하지 못하고 우유부단하게 오락가락하는 과단성 없는 성격을 상징한다. 六三은 양의 자리에 음이 와서 자리가 부당하고 중도를 벗어난 위치에 있다. 그래서 적을 만났을 때 믿음을 잃고 안정적으로 대응하지 못하는 모습을 보여주는 것이다. 공자는 六三을 "북을 쳤다 말았다 하는 것은 六三의 자리가 마땅하지 않아서이다(象曰 或鼓或罷 位不當也)"라고 말한다. 중부괘는 전체적으로 장구의 상을 하고 있다.

☞ 鼓: 두들길 고, 북 고, 북을 칠 고/ 罷: 그만둘 파/ 泣: 울 읍/ 歌: 노래할 가

六四 月幾望 馬匹亡 无咎
육사 월기망 마필망 무구

육사, 달이 거의 만월(滿月)이로다. 말이 짝을 버리니 허물이 없다.

月幾望

六四는 상괘의 아래에 거하여 九五인군을 따르는 신하의 자리로서 지위가 합당하여 믿음이 충신(忠信)한 자이다. 그러나 九五인군 아래에 있으니 충만한 보름달이 아니라 보름달에 미치지 못하는 월기망(月幾望)이니 보름달과 같은 충만함과 겸손함을 가지고 있다. 六四 음이 보름달과 같으면 九五인군을 능멸할 수가 있으니 자신을 조금 미치지 못하게 함으로써 스스로를 낮추니 九五인군에게는 충신한 신하가 되는 것이다.

효변하면 天澤履(䷉)가 되어 천도(天道)를 따르는 의미가 있으니, 乾☰(望月)을 兌☱(月幾望)가 기꺼이 따르는 상이다. 양팔☱을 벌려 하늘☰의 양기를 수렴하며 닮아간다.

馬匹亡 无咎

六四가 자신의 짝인 初九를 버리고 剛健中正한 九五인군을 향하니 허물이 없다. 九五는 중부(中孚)를 이끄는 주체이니 신하의 자리인 六四는 마땅히 九五를 향해야 한다. 六四는 험한 六三을 뚫고 밖으로 나가 中孚의 상을 이룬 五효와 六효의 근간(根幹)이 되는 효이다. 六四가 九五를 향하지 않는다면 九五는 근간(根幹)를 잃어버리게 되니, 공자는 "말이 짝을 버리는 것은 동류(同類)를 끊어버리고 위의 九五中正을 향하는 것이다(象曰 馬匹亡 絶類上也)"라고 했다.

六四가 동하면 乾☰이 되니 말(馬)의 뜻이 나온다. 사사로운 정에 이끌려 대사를 그르치는 것을 경계한다. 六四와 九五와의 부신(孚信)은 천하를 구하고자 하는 뜻이 있는 것이니, 初九와의 정에 이끌려 대사를 그르친다면 어찌 대인이라 할 수 있으랴. 작게는 혈연 지연 학연 등 동류에 얽매여 일을 그르치지 말고 절연할 것을 훈계하고 있다.

六四가 사사로운 정에 이끌려 아래 初九와 얽매이면 위의 九五가 근본(根本)을 잃어버리게 되는 것이니 부신(孚信)의 도인 중부(中孚)의 허물이 된다.

그러므로 위로 五를 따르고 初에 매이지 않으면 그 짝을 끊어 버림이 되고, 初에 매여 있으면 부신(孚信)의 도를 이루지 못하게 된다. 六四는 음의 자리에 음으로 와서 자리가 바르니 부신(孚信)을 이루는 근본이다.

☞亡: 망할 망, 잃다, 죽다, 없애다, 멸망시키다 / 幾: 거의 기/ 望: 바랄 망, 보름 망/ 匹: 짝 필, 배우자 필/ 幾望: 음력(陰曆)으로 보름에서 하루 못 미치는 매달 열나흘날 밤/ 旣望: 음력(陰曆)으로 매달 16일, 이미 망월(望月: 15일)이 지났다는 뜻에서 16일/ 望月: 보름날 밤의 달/ 滿月: 보름달

九五 有孚攣如 无咎
구오 유부연여 무구

구오, 믿음으로 얽혀 매이네. 허물이 없다.

九五는 剛健하고 中正한 인군의 자리로 中孚를 이끄는 주체로서 존위에 거했으니 부신(孚信)의 도를 행하는 자이다. 九二와는 심중(心中)으로 연결되어 믿음으로 감통(感通)한다. 九五와 九二는 동덕(同德)으로 중허(中虛)를 품고 있는 離火☲의 상이니 믿음(孚信)으로 매여 얽혀 있다.

心中이란 中虛를 말함이니 감통하는 믿음은 허심(虛心)에서 나온다. 九五와 九二가 서로 천지의 中을 얻어 강양(剛陽)으로 柔陰(中虛)을 감싸주고 심중으로 감통하니 큰 믿음이다(柔在內而剛得中). 공자는 "믿음으로 매이는 것은 위(位)가 바르고 합당하기 때문이다(象曰 有孚攣如 位正當也)"라고 하였다.

九五가 동하면 巽☴(流)이 艮☶(止)이 되니 바람이 산에 매이는 상이 나온다.

☞ 攣: 걸릴 연, 매일 열, 이어질 연

상구, 닭이 하늘에 오르니 고집하면 흉하리라.

上九는 中孚의 상극에 처하여 자리가 바르지 못한 자이다. 음의 자리에 양으로 자리하여 양강(陽剛)이 지나치니 자신의 처지를 잘 모른다. 상괘 巽 ☴은 닭의 상이고, 강양(剛陽)으로 상극에 처했으니 오래 날 수 없는 자신의 처지를 이해하지 못하고 하늘 높이 날아오르고자 하는 자이다.

中孚는 大離☲(佳)의 상으로 하늘을 나는 새의 모습이고, 상괘 巽☴은 닭의 상이며, 맨 위에 강(剛)으로 있으니 하늘에 오름이 된다. 그러나 닭은 날개가 퇴화하여 하늘에 오르는 물건이 아닌 데도 하늘 높이 오르고자 하니 날개 짓 소리만 요란할 뿐 제대로 날아가지 못한다.

그러므로 자신의 처지도 모르는 채 하늘 높이 날아오르고자 고집한다면 결국 오래하지 못하니 흉할 뿐이다(貞凶). 공자는 "닭이 하늘에 오르니 어찌 오래하겠는가?(象曰 翰音登于天 何可長也)"라고 주석하였다. 효변하면 水澤節 (䷻)이니, 자신의 처지를 제대로 이해하고 허황됨을 강하게 고집하는 것을 절제한다면 스스로 절도(節度)를 지키는 것이 되니 오히려 길하다. 절제된 믿음(中孚)과 고지식한 믿음(고집)은 분별할 수 있어야 한다.

[예기]를 보면, 제사를 지낼 때 닭을 한음(翰音), 개는 갱헌(羹獻), 소는 일원대무 (一元大武), 꿩은 소지(疏趾)라 부른다.

[禮記] 曲禮下, 凡祭宗廟之禮 牛曰一元大武 豕曰剛鬣 豚曰腯肥 羊曰柔毛 鷄曰翰 音 犬曰羹獻 雉曰疏趾 兎曰明視

☞ 翰: 날개 한, 깃털 한, 금계(金鷄) 한 (꿩과의 새)/ 鬣: 갈기 렵/ 羹: 끓인 국 갱/ 獻: 드릴 헌, 받칠/, 腯: 살찔 돌/ 疏: 소통할 소, 트일 소/ 趾: 발 지, 兎: 토끼 토

62. 雷山小過뇌산소과

雷☳震

山☶艮

▶효변(爻變)

과거   미래   현재

☶-5 ⟹ ☳+1   ☳+1

☶-5

上下작용력: (-5)-(+1)=-6

上下균형력: (-5)+(+1)=-4

小過 亨 利貞 可小事 不可大事 飛鳥遺之音 不宜上 宜下 大吉

象曰 小過 小者過而亨也 過以利貞 與時行也 柔得中 是以小事吉也

剛失位而不中 是以不可大事也 有飛鳥之象焉 飛鳥遺之音 不宜上

宜下大吉 上逆而下順也

象曰 山上有雷 小過 君子以 行過乎恭 喪過乎哀 用過乎儉

初六 飛鳥以凶

六二 過其祖 遇其妣 不及其君 遇其臣 无咎

九三 弗過防之 從或戕之 凶

九四 无咎 弗過遇之 往厲必戒 勿用 永貞

六五 密雲不雨 自我西郊 公弋取彼在穴

上六 弗遇過之 飛鳥離之 凶 是謂災眚

1. 괘상(卦象)

▶소과(小過)괘 효변의 이해

  음효를 산으로 본다. 하괘 1·2음효를 3양효가 힘들게 넘어서 있는 모습 ☶(止), 5·6효라는 산이 또 길을 막고 서있으니 첩첩산중이다. 험난☶을 빠져나온 九四☶(動·進) 양이 쉴 수가 없다. 또 산을 넘어가야 하니 지친다. 지친 새가 날개를 접고 웅크린 모습이다. 하괘의 효변이 상괘에 결과로 나타나 대성괘를 이루며 상과 뜻을 드러낸다.

힘들게 산을 넘었으나, 또 넘어야 할 산이 남아있다.
지쳤으나 할 일이 남아있다. 쉴 수가 없다.

  산☶을 겨우 하나 넘어섰으나 넘어야 할 산이 또 있으니 쉴 수가 없다. 계속 전진☶하는 모습으로 쉬지 못함을 나타낸다. 산을 넘었지만 계속 전진해 나아가야 한다. 막상 벗어났지만 가야 할 길이 멀다. 겨우 산 하나 넘었을 뿐이니 힘이 들고 지친다(不宜上 宜下大吉). 아직 움직임이 끝나지 않았다.

  산을 넘어서면 또 산이 막아서니 나아가는 것이 과도(過度)하면 오히려 손상이 되니 적당히 과해야 한다(小過). 천하의 일이 때로는 마땅히 과하게 대처해야 하는 경우도 있으나 작은 일에 너무 지나치게 대응해서는 오히려 화를 불러일으킨다. 소과(小過)는 일에 대처하는 도리를 말한다.

소과(小過)는 새가 지친 날개를 접고 웅크린 모습으로 소인의 상이다. 작은 새가 계속 위로 올라가는 것은 거스르는 것(逆)이니, 지나침이 과(過)해서는 안되며, 오히려 내려오는 것이 순(順)이다(上逆而下順也). 말☳(雷聲)만 앞서가는 소인배☳(三男)의 전형이다. 소과(小過)괘의 효사는 새가 하늘을 날아오르는 과행(過行)을 통해 지나침을 경계한다.

소과(小科)는 양이 음에게 **보호받는 모습**이다. 소인배의 전형으로 자기만 보호받는 이기적인 소인의 상이다. 이에 반하여 중부(中孚)는 어미가 새끼를 품듯 날개를 펴 **보호하는 모습**으로 대인의 상이다.

우레☳(動)가 요란해도 산☶(止)은 꿈쩍도 하지 않는다. 산☶(-5)은 요지부동인데 뇌성☳(+1)만이 울어댄다. 山☶ 위에 우레☳가 있으니, 강하게 주장☳하지만 응하지 않는 독불장군☶의 모습이다. 아무리 소리☳(雷聲)치고 설득해도 귀먹은 벙어리인양 꼼짝하지 않으니☶(止) 마이동풍(馬耳東風)이다. 그러나 대인은 뇌성이 천지를 진동시켜도 미동하지 않아야 하는 때가 있으니 때로는 길하다. 상대적으로 고집불통(固執不通)이 먹힐 때가 있는 법이다.

▶난행(難行)

```
        (1)           (2)          (3)
☷-5  ⇨  ☵-3  ⇨  ☳+1  ⇨  ☵-3
        險難                  險難
```

▶☷-5의 삼효 양이 물에 뛰어 들어 험난(險難☵-3)에 갇히다. 간신히 벗어나 ☳+1(양)의 작은 힘으로 전진하지만 다시 험난(險難)☵-3이 막아서니 첩첩산중이다.

☞ **양의 위치에너지로 보는 내재된 효의 에너지 크기**
　양효는 상향성이므로 반대 방향인 아래로 내려갈수록 위치에너지가 커지며, 더 많은 힘이 들어간다.

　　☰☰+1(양): 소극적인 자세로 출발(힘든 출발)

　　☰☰+2(양): 험난에 들어섬

　　☰☰+4(양): 험에서 벗어났으나 아직 갈 일이 남아있다.

☞上下 작용에너지로 보는 효변의 이해

		小過		(1) 蹇	(2) 解	(3) 屯
요동 ⇑		☷+1	⇒	☵-3	☵+1	☵-3
위축 ⇓		☶-5		☶-5	☶-3	☶+1
		-6		-2	-4	+4

　≫九三 양(陽)이 아래 음(陰)을 파고들면서 상괘에 그 상을 드러낸다.

　▷雷山小過

　산☶을 하나 넘었으나 넘어야 할 산이 또 있으니 쉴 수가 없다. 계속 전진☳해야 하니 지치는 모습이다. ☶에서 ☵로의 내부 효의 변화를 통해 의미를 읽어보자.

　(1) 水山蹇

　하괘 九三이 ☶+1(양)의 작은 힘으로 아래로 파고들어 험난(險水☵)에 빠져 꼼짝하지 못하다(☶止). 소극적인 출발의 결과이다. 곤란에서 벗어나고자 어렵게 험난에 뛰어들었으나 오히려 갇혀서 꼼짝 못하고 있는 모습이다.

(2) 雷水解:

험난☵에서 벗어났지만, 가야 할 길☳이 남아있다.

(3) 水雷屯

심기일전하여 힘차게(☳+4양) 전진했으나 다시 험난(險難)☵에 갇

히게 되다.

2. 괘변(卦變)

▷호괘 - 澤天大過

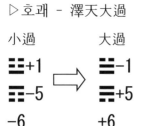

小過 ☶+1 ☶-5 -6 ⟹ 大過 ☱-1 ☴+5 +6

산☶의 九三 양이 六二와 初六을 차례로 파고드니 산을 넘어가는 상이다. 산☶을 하나 또 하나를 넘어가니 가야 할 길☷(進)이 여전히 남아있다. 날개 짓을 하던 새도 지쳐간다. 작은 일에는 길하나 큰 일을 이뤄 내기는 쉽지가 않다. 힘이 들어도 한꺼번에 과(過)하게 되면 부작용이 생긴다. 오히려 일만 어렵게 만들뿐이다.

천리 길도 한걸음부터, 힘들다고 한꺼번에 일을 처리하다 가는 오히려 큰 화를 부르기 십상이다. 대과(大過)의 하괘 ☴ 두 양이 한꺼번에 初六을 파고드니 터질 지경이다. 소과(小過)의 호괘가 대과(大過)이니 빈대 잡으려다 초가집을 태우는 수 있음을 경고한다.

▷小過 小者過 陰過也	▷大過 大者過 陽過也
☶+1 (動) ☶-5 (止) -6	☱-1 (靜) ☴+5 (入) +6
≫작은 것이 과하니 음(陰)이 과한 것이다.	≫큰 것이 과하니 양(陽)이 과한 것이다.

≫소과(小過)는 양(陽)이 가운데가 약(弱)하여 음(陰)의 위와 아래가 과(過)한 것이다. ≫산을 넘어서 지쳐 멈춰 서있는 모습(☶-5), 그러나 또 나아가야 한다(☳+1).	≫대과(大過)는 양(陽)이 가운데가 과(過)하여 음(陰)의 위와 아래가 약(弱)한 것이다. ≫두 개의 양이 한번에 초육을 파고 들어가니 4개의 양을 감싸고 있는 음의 팽창이 과하다.

▷착종괘 – 山雷履

▷小過	▷頤
요동 　☳+1 (動) 위축 ⇩☶-5 (止) 　　　　-6	안정 　☶-5 (止) 활동 ⇧☳+1 (動) 　　　　+6
≫ 九三☳ 양의 힘든 출발(위축) ≫양(☳)이 힘들게 음을 파고드는 모습 ≫요동: 할 일이 남아있음☳(動·進) ≫소인의 모습(바쁨☳) ≫보호받음(독불장군, 소인배)	≫初九☳ 양의 힘찬 출발(활동) ≫양이 순리대로 풀려가는 모습 ≫안정: 할 일이 없음☶(止) ≫군자의 모습(여유☶) ≫품어 보호하는 모습(대인군자)

▷도전괘 – 雷山小過

小過　　　小過

☳+1 ⟹ ☳+1
☶-5 　　☶-5
-6 　　　 -6

소인(小人)은 소인일 뿐 근본은 변하지 않는다. 자신의 모습을 감춘다고 해서 닭이 봉황이 되는 것이 아니니, 소인배는 다만 자신을 주장한다. 큰 일을 이루지 못한다. 소인은 작은 일에 적합하니 큰 일에 과(過)하게 나서면 일을 이루지 못한다. 몸☷(止)이 따르지 않으니 목청☳(雷聲)만 커질 뿐이다.

▷배합괘 - 風澤中孚

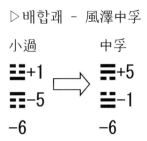

小過   中孚

중부(中孚)는 어미 닭이 둥지에서 날개를 펴 알을 보호하고 있는 모습으로서 백성을 품은 군자의 상이다. 마음을 비우고(中虛), 믿음으로써 험난(險難)을 건너니, 빈 배를 타고 大川을 건넌다(利涉大川 乘木舟虛也).

소과(小過)는 지친 날개를 접고 웅크린 모습으로 자신만을 보호하는 소인의 상이다. 산을 겨우 하나 넘었으나 또 산이 막아서니, 산 너머 산이다. 열심히 움직이며 나아가지만 지치고 힘이 든다(上逆而下順也).

3. 괘사(卦辭)

小過 亨 利貞 可小事 不可大事 飛鳥遺之音 不宜上 宜下大吉
소과 형 이정 가소사 부가대사 비조유지음 부의상 의하대길

소과(小過)는 형통하니 바르게 함이 이롭다. 작은 일은 가하고 큰 일은 불가하다. 나는 새가 소리를 남기니 위는 마땅치 않고 마땅히 아래로 하면 크게 길하리라.

소과(小過)는 소인(小人)이 상이다. 소인에게는 소인에 맞는 크기가 있고, 대인(大人)에게는 대인에 맞는 일이 있으니 小過는 소인이 작은 일에 바르게 임하는 도리를 말한다(小過 亨 利貞 可小事 不可大事). 소인이 감당치 못할 大事≡≡에 나서면 요란한 잡음≡≡만 남길뿐 자칫 일을 그르치게 된다(飛鳥遺之音). 빈 수레 소리≡≡(우레)만 요란하니 일의 실행이 소리를 따라 가지 못한다(≡≡止). 그러므로 소인은 대사(大事)에 나서는 것이 마땅하지 않으니 자신의 크기에 맞는 소사(小事)에 바르게 임하는 것이 길하다(不宜上 宜下大吉). 소인배가 자신의 크기에 어울리지 않는 나라의 큰 직책(≡≡山)에 있으면 언론을 통해서 변죽≡≡(雷聲)만 요란하게 울려댄다. 소인배는 그가 맡은 일에서 그 크기를 가늠할 수 있으니 감당할 수 없으면 결국 사단을 내기 마련이다. 몸(≡≡止)이 따르지 않으니 목청≡≡(雷聲)만 커진다. 소인은 소인일 뿐 근본은 변하지 않는다.

하늘을 날아가는 새가 소리와 함께 해야 함은 말과 행위가 함께 하는 언행일치(言行一致)를 의미한다. 그러나 소인은 전후 사정에 대한 고려도 없고 논리적인 타당성도 없이 자기 분수도 모르고 망령되이 나아가니 결국 일은

앞서가고 온갖 잡음만 뒤에 남긴다. 능력이 되지 않는 자기 현실을 고려함도 없이 앞뒤를 가리지 않고 올라가기만 한다면 흉한 꼴을 당하게 마련이니, 분수를 돌이켜 마땅히 자신의 자리로 내려온다면 크게 길하리라(不宜上 宜下大吉). 가운데 두 양은 몸통이 되고 위아래의 두 음은 날개의 상이니 비조(飛鳥)의 뜻이 나온다.

☞ 飛: 날 비/ 遺: 남길 유/ 宜: 마땅 의

象曰 小過 小者過而亨也 過以利貞 與時行也
단왈 소과 소자과이형야 과이이정 여시행야
柔得中 是以 小事吉也 剛失位而不中 是以不可大事也
유득중 시이 소사길야 강실위이불중 시이부가대사야
有飛鳥之象焉 飛鳥遺之音不宜上宜下大吉 上逆而下順也
유비조지상언 비조유지음부의상의하대길 상역이하순야

단에 이르길, 소과(小過)는 작은 것이 과(過)해서 형통함이다. 과하되 바르게 함이 이로우니 때와 더불어 행한다.
柔가 中을 얻은 까닭에 小事가 길하고, 剛이 자리를 잃고 中을 얻지 못한 까닭에 大事는 불가하다.
하늘을 나는 새의 상이다. 飛鳥遺之音不宜上宜下大吉하니 위(上)는 역행이고(上逆), 하(下)가 순행이다(下順).

작은 것이 과하다 함은 음(陰)이 중(中)의 자리를 얻고 양(陽)은 지위를 잃어 중(中)하지 못함을 말한다. 즉, 六二와 六五가 中을 차지하니 과(過)한 것이다. 그러므로 소인이 형통하기 위해서는 비록 과하되 때를 따라 바르게 행해야 이로움을 이룰 수가 있다. 소인배가 때를 모르고 지위에 맞지 않게 나서며 호가호위(狐假虎威)한다면 그 과함이 오히려 자신을 무너트리게 되는 결과를 초래하게 된다.

柔得中 是以 小事吉也 剛失位而不中 是以不可大事也

二爻와 五爻가 모두 유(柔)로써 中을 얻었으니 小事에 길하다. 이는 산☶을 넘었으나 또 나아갈 길☳이 남아 있음이니 아직 일이 끝나지 않은 것이다. 소인은 그릇이 작아 경망스럽게 마음만 앞서 나갈 뿐 큰일을 하지 못한다. 그러므로 소사(小事)에 길하다 하는 것이다. 또한 三爻와 四爻는 양강(陽剛)하나 中을 얻지 못했으니 大事는 불가하다. 小過는 갈 길☳(動·進)이 먼 새가 지친 날개를 접고 웅크린 모습☶(止)이니 소인의 상이다.

有飛鳥之象焉 飛鳥遺之音不宜上宜下大吉 上逆而下順也

소과(小過)는 가운데 두 개의 양(陽)이 몸통이고, 위 아래 두 개의 음(陰)은 날개의 상이니 새의 모습이다. 하늘을 나는 새의 상이니 위로 날아오를 때에는 마땅히 새의 모습과 소리가 함께 보여야 한다. 그러나 소리☳만 있고 새의 모습☶은 보이지 않으니, 이는 말이 앞서고 행동은 초라한 소인의 상을 의미한다. 행동은 굼뜨고☶(止), 말이 앞서가니☳(進), 소리만 앞서가는 소인배의 전형적인 모습, 산☶을 넘었으나 또 산이 나타나니 갈 길이 멀다. 날다가 지쳐 날개를 접고 웅크린 모습으로 소인☶의 상이다.

뇌성☳이 요란해도 산☶은 꿈쩍도 하지 않는다. 자신만을 주장하는 소인배가 앞서 나가 대중을 이끌려 하는 것은 하늘을 거슬러 올라가는 것과 같으니(上逆) 마땅히 내려와야 한다(下順). 아무리 소리☳(우레)쳐도 대중은 꿈쩍☶(止)도 하지 않으니 내려오는 것이 천리를 따르는 순(順)이다. "飛鳥遺之

音不宜上宜下大吉"이란 마땅히 말만 앞서 나아가지 말고, 언행(言行)이 서로 일치해야 함을 하는 것이다.

象曰 山上有雷小過 君子以 行過乎恭 喪過乎哀 用過乎儉
상왈 산상유뢰소과 군자이 행과호손 상과호애 용과호검

상에 이르길, 산 위에 우레가 있는 것이 소과(小過)이니 군자는 이로써 행실은 공손(恭遜)함을 과하게 하며, 상사(喪事)에는 슬픔을 과하게 하고, 씀(用)은 검소함을 과하게 한다.

산 위에 우레가 있음이 소과(小過)이니, 군자는 이 상을 보고 행동은 공손함을 과하게 하며, 상(喪)을 애도함을 과하게 하며, 검소하게 사용함을 과하게 한다. 소인이 자기 크기에 맞지 않게 과함은 피하여야 하나 때에 따라 마땅히 과하게 하는 것이 길할 때가 있으니 행실은 공손히 하고 상을 당한 이의 슬픔을 함께 나누며, 검소함을 마땅히 하는 것은 가히 지나쳐도 좋은 것이다.

마땅히 과하게 하여야 하는 경우에 과함은 마땅한 것이고, 과하게 해서는 안 되는 경우에는 과해서는 오히려 흉이 된다. 큰일을 감당하기에 그릇이 작은 소인은 오히려 작은 일에 지나치게 과함으로써 자신을 드러내려 한다. 소인배의 전형적인 기질이다.

☞ 恭: 공손할 손/ 喪: 잃을 상/ 哀: 슬플 애

4. 효사(爻辭)

소과(小過)는 효사를 통해 소인(陰)이 자신의 처지와 분수를 모르고 과행(過行)하는 것을 경계한다. 새가 하늘을 날아오르며 과행(過行)하는 것을 통해 지나침을 경계한다.

初六 飛鳥以凶

초육 비조이흉

초육, 작은 새가 하늘을 높이 날아오르니 흉하다.

初六은 不正位로 자리가 바르지 못하니 괘의 맨 아래에 처한 자신의 처지도 모르고 과행(過行)한다. 흉하다. 땅 바닥을 날아다니는 땅 새가 자기 분수도 모르고 하늘 높이 날아오르려 하니 흉한 꼴을 당한다. 初六은 산☶의 아래에 처하여 있으니 땅 바닥이나 도랑의 작은 숲 풀 속을 날아다니는 땅 새(小人)를 가리킨다.

양위(陽位)에 음으로 와서 자리가 부당하니 소인배가 자기의 분수와 역량을 무시한 채 망령되게 날아오르는 것이다. 막을 방법이 없으니 어찌할 도리가 없다. 공자는 初六을 "飛鳥以凶이니 어찌 할 수 있겠는가?(象曰 飛鳥以凶 不可如何也)"라고 하여 땅 새가 독수리처럼 하늘 높이 날아오르면 오히려 흉한 꼴을 당하게 되니 어찌할 수가 없다 라고 개탄하고 있다.

초효가 변하면 離☲火가 된다. 땅에 붙어있는 山☶이 火☲가 되어 상향하는 모습이다. 九三(+1양)이 작은 힘으로 아래 음을 파고들어 산☶-5을 들어

올리는 모습≣≣+3은, 태생적으로 하늘을 높이 날지 못하고 땅바닥을 기어 다니듯 나는 땅 새가 하늘 높이 독수리처럼 날아오르려 하는 것과 같으니 어찌 흉함을 막을 수 있겠는가?

☞ 飛: 날 비/ 鳥: 새 조

六二 過其祖 遇其妣 不及其君 遇其臣 无咎
육이 과기조 우기비 불급기군 우기신 무구

육이, 祖(九四)을 지나쳐서 妣(六五)를 만난다. 인군에는 미치지 못하고 신하(九四)를 만나니 허물은 없다.

六二가 동덕(同德)으로 응하는 六五인군을 만나기 위해서는 九三과 九四를 지나쳐가야 한다. 九四를 조(祖), 六五를 비(妣)라고 하면 九三은 부(父)가 된다. 이는 순리대로 예를 갖추어 차례로 과행(過行)하는 것을 의미한다.

六二가 九三과 九四를 지나 六五를 만나려 한다. 그런데 六二는 유순중정(柔順中正)하여 본분을 지키며 과행(過行)하지 않으니 인군(六五)에게까지는 미치지 않는다. 공자는 "인군에 미치지 못함은 신하가 과도하게 행하지 않음이다(象曰 不及其君 臣不可過也)"라고 주석한다. 신하가 임금을 지나쳐서는 천리(天理)에 맞지 않는다. 인군을 지나치지 않고 그 아래의 신하를 만나니, 六二의 과행은 지나치면서도 적절한 것이다.

소과(小過)괘는 사사로운 소사(小事)를 행함에 있어 다소 과행(過行)이 필요할 할 때는 과도하게 행할 수도 있음을 말하는 괘이다. 과행이 없다면 어찌 앞으로 나아갈 수 있겠는가? 그러나 과도함도 때와 장소, 그리고 일의 대소(大小)에 따라 다르니 적절해야 하는 것이다.

조급하게 과행하지 말고 순리대로 행하라. 임금(九五)을 직접 만나는 것은 예의를 벗어나 지나치게 과행하는 것이니 먼저 신하(九四)를 만나는 것이 순리이다. 六二는 음위(陰位)에 음으로 와서 중(中)과 정(正)을 잡고 있으니 순리(順理)를 갖춘 자이다. 그러므로 만사 순리대로 행하면 허물이 없는 것이다.

☞ 祖: 할아버지 조/ 妣: 할머니 비/ 及: 미칠 급, 닿다

九三 弗過防之 從或戕之 凶
구삼 불과방지 종혹장지 흉

구삼, 음이 과행(過行)하는 것을 막지 못하다. 따라가서 혹 해할 수도 있으니 흉이다.

九三은 初六(땅새소인)이 六五를 만나려 과행(過行)하는 것을 막는 위치에 있다. 그러나 山≡≡의 九三이 효변하면 地≡≡가 되니 방비책이 사라지는 뜻이 있다. ≡≡은 산의 형상으로 집, 창고, 방패 등 막는 역할을 한다. 그러므로 음의 과행(過行)을 막지 못하게 되면, 소인(음)이 쫓아가서 해할 수도 있음이니 흉하다.

九三은 비록 중도를 벗어나 있으나 자리가 합당하고 양강(陽剛)하다. 효변하면 지괘가 雷地豫(≡≡≡)이니, 미리 헤아려 방비하면 흉을 면하게 됨을 의미한다. 공자는 九三효를 "쫓아가서 해할 수도 있으니 흉함을 어찌할 수 있겠는가?(象曰 從或戕之 凶如何也)"라고 하여 소인의 과행(過行)을 미리 헤아려 방비할 것을 경계하고 있다. 음(소인)의 과행을 막지 못하면 따라가 상하게 할 수도 있는 것이니 흉한 것이다.

九四 无咎 弗過遇之 往厲必戒 勿用永貞
구사 무구 불과우지 왕려필계 물용영정

구사, 허물은 없다. 음의 과행을 만나지 못했다(九四를 지나쳐 감을 알지 못하였다). 그대로 가게 되면 (九五가) 위태로우니 반드시 경계하여야 하리라. 오래도록 고집(貞)하지 마라.

初六(소인)이 왕의 신하인 九四를 피해 五를 만나려 한다. 그러므로 소인(陰)이 九四를 지나쳐가니 九四는 음의 과행(過行)을 만나지 못한다. 만나지 못했다 함은 지나쳐 감을 몰랐다는 의미가 되고, 결국 과행을 막을 수가 없었다 라는 뜻이 된다. 소인(初六땅새)의 과행(過行)이 九四를 피해 지나쳐가므로 만나지 못하니 九四의 허물은 아니지만, 소인을 그대로 가게 나두면 九五인군이 위태로워지니 이를 반드시 경계해야 한다.

九四의 허물이라 할 수는 없으나, 九四가 소인이 과행하여 지나쳐 감을 몰랐다고 해서 책임까지 없는 것은 아니므로 자신의 허물없음을 오래도록 고집하면 안된다. 九四는 신하의 자리로서 그 책임이 막중하다. 소인(음)이 九四를 지나쳐 나아가 인군을 해하게 되면 당연히 책임이 없다고 할 수는 없다. 그러므로 음(소인)이 그대로 지나쳐 나아가게 되면 왕이 위태롭게 되는 것이니 九四는 왕의 신하로서 반드시 음의 과행(過行)을 경계하여야 할 것이다.

九四는 음위(陰位)에 양으로 와서 자리가 바르지 않다. 자신의 자리가 바르지 못함을 모르고 계속 양강(陽剛)을 고집(貞)한다면 음의 과행(過行)을 막지 못한다. 그러므로 자신의 양강함을 오래도록 고집하는 것은 신하로서 어리석은 짓이다.

공자는 "소인이 자신을 지나쳐가는 소인을 만나지 못해 저지하지 못함은 자리가 마땅하지 않기 때문이다. 그대로 과행하여 지나쳐 가게 되면 위태로우니 반드시 경계하여야 한다. 그리하면 마침내 음(소인)의 자람은 불가하리라(象曰 弗過遇之 位不當也 往厲必戒 終不可長也)"라고 주석하였다. 九四는 음위(陰位)에 양으로 와서 자리가 부당하고, 양강(陽剛)하기만 하여 자신의 능력을 과신(過信)하는 어리석은 신하이다. 소인(음)이 자신(九四)을 지나쳐 왕에게 가니 어찌 자신의 책임이 없다 하겠는가? 자신의 자리가 바르지 못함을 모르고 강함 만을 주장하는 것은 어리석은 신하의 전형적인 모습이다. 몰랐다고 해서 자신의 책임을 면피(免避)할 수는 없다.

음이 그대로 나아가면 왕이 위태롭게 되니 九四는 양강(陽剛)함을 오래 주장하지 말고 반드시 경계를 철저히 해야 한다. 九四가 효변하면 ☵(進)이 ☷(平地)이 되니 지나쳐 나아감(過行)을 모르는 것이 되고, 지괘가 地山謙(䷎)이니 땅 아래로 몸을 깊이 숙인 상이니 지나쳐 감을 알 수가 없는 것이다.

☞ 遇: 만날 우/ 厲: 위태로울 려/ 戒: 경계할 계

六五 密雲不雨 自我西郊 公弋取彼在穴
육오 밀운불우 자아서교 공익취피재혈

육오, 내가 있는 서쪽 들부터 구름이 빽빽해져 와도 비는 내리지 않는다. 공(公)이 굴(穴)에 숨어있는 그(彼)를 주살로 쏘아 잡는다.

密雲不雨 自我西郊

　밀운불우(密雲不雨)란 '구름이 빽빽하게 가득 차도 비를 내리지 못한다'라는 뜻이다. 이는 九三과 九四를 뚫고 소인(땅새)들이 시커먼 구름처럼 몰려와 천하에 가득하지만 난동(亂動)하지 못함을 의미한다. 시커먼 비구름이 가득하지만 막상 비를 내리지 못하니, 소인들로 가득하나 막상 난동하지 못하는 것을 의미한다.

　小過(䷽)는 大坎☵(水)의 상으로 구름(水)이 가득하다 라는 뜻이 있다. 외호괘가 태☱(西)로서 서교(西郊)를 의미하니 '내가 있는 서쪽 들부터 구름이 빽빽하게 가득 차다'는 뜻이 나온다.

　五가 동하면 외호괘가 乾☰이 되는데 건조(乾燥)의 뜻이 있고, 내호괘가 風☴이니 건조한 기운을 생하는 바람이다. 그러므로 호괘가 澤風大過(䷛)로서 지나치게 가득함을 의미하는 밀운(密雲)되지만 막상 불우(不雨)의 뜻이 되는 것이다.

　구름이 가득하나 막상 비를 내리지 못하고, 소인들이 천하에 가득하나 막상 난동(亂動)하지 못한다. 이는 이미 건조☰한 기운을 일으키는 바람☴에 밀려 비구름이 위로 올라갔기 때문이니, 乾☰은 소인을 물리치는 강건한 대인(大人)의 상이다. 공자는 "구름이 두텁게 몰려와도 비를 내리지 않음은 이미 위를 향해 올라갔기 때문이다(象曰 密雲不雨 已上也)"라고 하였다. 이는 소인(땅새)들이 과행으로 九三과 九四 양효의 저지를 뚫고 五까지 올라왔으나 유순(柔順)하고 중(中)을 지키는 침착한 인군의 백발백중 주살에 맞아 사로잡히니 다시 과행(過行)하여 더 높이 위로 올라가는 것을 의미한다.

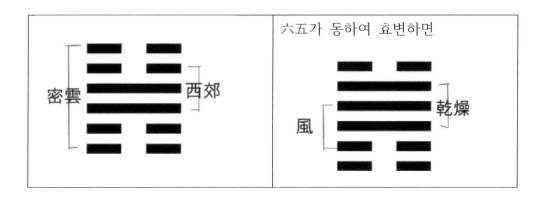

六五가 동하여 효변하면

密雲　西郊

風　乾燥

公弋取彼在穴

익(弋)은 오늬와 시위를 잡아매고 쏘는 화살로서 주살이라 한다. 사(射)는 단순히 쏘는 것을 의미하지만 익(弋)은 쏘아서 줄을 잡아당겨 취하는 뜻이 있다. 굴 속에 숨어있는 그것을 쏘아 맞힌 후 줄을 끌어당겨 취하는 것이다. 피(彼)는 하늘높이 날아오른 땅새(소인)를 의미한다. 六五인군이 굴 속에 숨어있는 땅새를 쏘아 잡으니 과행(過行)이 제지되는 뜻이 있다. 중(中)을 지키는 六五인군에 의해 비로소 소인(땅새)의 과행이 저지되는 것이다. 그래서 六五인군을 피해 더 높은 곳으로 과행(過行)하여 올라가니 오히려 더 험한 흉에 처하게 된다.

다른 관점으로 이해하면 피(彼)는 인재를 뜻하고 혈(穴)은 재야에 숨어있는 장소가 된다. "公弋取彼在穴"이란 六五 왕이 재야에 숨어있는 인재를 직접 찾아 내는 것을 말한다. 六五는 인군으로 중도를 지키고 있지만 양위(陽位)에 음으로 와서 자리가 바르지 않으니 보필해줄 인재가 필요한 유순(柔順)한 왕이다. 하늘에 구름이 빽빽하게 들어차듯이 천하가 아래에서 과행(過行)하여 올라온 소인들로 우글거리지만 첩첩산중 어딘가 토굴(穴) 속에 숨어있는 인재를 찾아 나선다. 굴 속에 깊이 들어가 숨어있는 인재를 줄을 맨 화살로 쏘아 취한다는 의미는 소인(땅새)들로 가득한 세상에서 정확하게 인재를 찾아 취하겠다는 의도가 들어있는 것이다. 혈(穴)은 산☶ 속의 구멍이다. 하괘의 山☶ 속의 내호괘가 巽☴으로서 입(入)의 뜻이 있으니 六二가 산의 굴 속에 들어가 있는 뜻이 나온다. 六五왕이 산 속 깊은 곳(穴)에 숨어있는 六二를 찾아 취하여 쓰고자 하는 것을 은유(隱喩)하는 것이다. 하늘에 구름이 가득하듯, 과행하는 소인들로 가득한 세상에서 이들을 막기 위해서는 숨은 인재를 찾아내야 한다.

六二는 재야에 깊이 숨어있는 유순중정(柔順中正)한 인재이다. 소인들이 과행(過行)하는 시절에 六五인군을 만나고자 하였으나 대신인 九四를 제치고 직접 왕을 만나는 불손을 행하지 않고 스스로 九四를 만나는 것으로 대신 예를 갖춘 자이다(不及其君 遇其臣). 二가 五를 만나고자 하였으나 왕(五)에게 직접 미치지 않고 신하를 만나는 것으로 예를 갖추었으니, 이번에는 六五인군이 직접 그를 찾아 나서는 것이다. 소인으로 가득한 천하에 어딘가 깊고 깊은 곳(穴)에 숨어있는 인재를 직접 찾아내어 취하는 것이다. 九五가 효변하면 지괘가 澤山咸(䷞)이 되니 六二와 통하고 교감하는 것이다.

☞ 密: 빽빽할 밀/ 自: ~로부터/ 彼: 저 피, 상대방, 그, 그것, 저쪽/ 穴: 구멍 혈/ 굴 혈/ 弋: 주살할 익(주살: 오늬와 시위를 잡아매고 쏘는 화살)/ 射: 쏠 사

上六 弗遇過之 飛鳥離之 凶 是謂災眚
상육 불우과지 비조이지 흉 시위재생

상육, 소인(陰)을 만나지 못하니(막지 못하니) 지나쳐 버렸다. 이는 새가 하늘 높이 날아올라 정처 없이 떠나버린 격이니 흉하다. 이를 재앙이라 일컫는다.

初六의 작은 땅새(소인)가 二·三·四·五효를 거치며 무리하게 하늘높이 날아오르는 과정을 거쳐 어느덧 上六과 맞닥트리게 된다. 六五인군은 산속 깊은 굴 속(穴)에 숨어있는 소인을 주살로 쏘아 잡았다. 그런데 상극에 처한 上六은 과행하는 새를 만나지 못하니 새는 하늘 높이 날아가버린다. 만나지 못했다 함은 과행을 저지하지 못했음을 의미한다.

힘없는 작은 땅새가 자신의 능력을 과도하게 사용하여 과행한 것이니 흉하다. 땅새(소인)가 上六을 지나쳐 이미 하늘 높이 과도하게 올라가 버렸음을 의미하니 막기에는 이미 늦어버린 것이다. 공자는 "불우과지(弗遇 過之)는 이미 지나치게 높이 올라가 버렸기 때문이다(象曰 弗遇過之 已亢也)"라고 탄식하였다. 上六이 효변하면 離火☲가 되어 지괘가 火山旅(䷽)이니 높은 산 너머로 정처 없이 떠나는 뜻이 있다.

땅새는 땅의 작은 수풀 속을 오가는 새이다. 하늘을 높이 날 수 없는 땅새가 이미 지나치게 솟아 올라가 버렸으니 제어하기에는 이미 때를 놓쳤다. 上六이 효변하면 離火☲(나그네)가 된다. 안정된 집☶을 버리고 어딘지 모르는 곳으로 떠나 버리는 상이니 스스로 험(險)에 빠진 것이다(飛鳥離之 凶). 흉한 꼴을 당한 것이다.

그러므로 소인은 자신의 분수와 역량을 모르고 무조건 위로 올라가려 해서는 안 된다. 소인의 과행(過行)은 끝내 재앙을 당하기 십상이다. 적절하게 자신의 위치에서 그쳐 있어야 함에도 불구하고 위로 나아가려 한다면 끝내 재앙과 맞닥트리게 되는 것이다.

初六의 "飛鳥以凶"은 땅새(소인)가 자기의 분수도 모르고 하늘 높이 날아오르려 하는 것이니 흉한 것이고, 上六의 "飛鳥離之"는 땅새가 스스로를 제어할 수 있기에는 이미 너무 높이 날아올라버려 재앙에 빠진 것이다. 땅새는 하늘 높이 올라가지 못하는 새이니, 하늘 높이 지나치게 올라갔음은 이미 제어 불가능한 재앙을 만난 것이다.

☞ 遇: 만날 우/ 離: 떠날 이, 버릴 이/ 遇: 만날 우, 막을 우, 저지할 우
/ 謂: 이를 위/ 災: 재앙 재/ 眚: 흐릴 생, 눈에 백태가 낄 생, 재앙생/
已: 이미 이, 벌써/ 亢: 높을 항, 높이 오르다. 지나치다.

63. 水火旣濟 수화기제

坎☵水

火☲離

▶효변(爻變)

과거	미래	현재
☵ +3 ⇨	☵ −3	☵ −3
		☲ +3

上下작용력: +3−(−3)=+6

上下균형력: +3+(−3)=0

旣濟 亨小 利貞 初吉終亂

象曰 旣濟 亨 小者亨也 利貞 剛柔正而位當也 初吉 柔得中也 終止則亂

其道窮也

象曰 水在火上 旣濟 君子以 思患而豫防之

初九 曳其輪 濡其尾 无咎

六二 婦喪其茀 勿逐 七日得

九三 高宗伐鬼方 三年克之 小人勿用

六四 繻有衣袽 終日戒

九五 東鄰殺牛 不如西鄰之禴祭 實受其福

上六 濡其首 厲

---

1. 괘상(卦象)

　기제(既濟)의 여섯 효는 각각 음양의 제자리를 지키고 있으며(正位), 상하 괘는 서로 정응(正應)한다(剛柔正而位當也). 그리고 하괘 六二과 상괘 九五 은 중정(中正)함을 지키면서 서로 응(應)하고 있으니 64괘 중에서 가장 효율 적으로 작용하는 괘로서 완전히 자란 보름달처럼 문명이 최고조에 이른 상 태를 말한다.

　물☵은 아래로 흐르고 불☲은 위로 향하니 서로 만나 작용을 일으킨다. 모든 사물의 이치는 자기 자리를 지키며 서로 만나 상호작용하는 것이니 水 火既濟(䷾)는 최상의 조건을 갖추었음을 의미한다. 만물은 음양이 만나 서로 작용하며 생화(生化)된 현상이니, 기계는 서로 톱니바퀴가 제대로 맞물려야 작동하듯이 인간세상은 꽉 찬 보름달처럼 밝은 문명 속에서 돌아가고, 일월 성신(日月星辰)은 제각기 자리를 지키며 운행한다.

　그러나 문명의 퇴조는 밝음이 최고조에 이른 상태에서 시작되는 것이니 보름달은 시간이 지나면 결국 어그러지기 시작한다(上六, 濡其首 厲). 제 자리 를 지키며 유지하는 것이 최선의 방책이지만(初九, 曳其輪 濡其尾 无咎), 문명 이 갑자기 붕괴에 이르는 것은 바로 밝음의 최고조 상태에서 오는 중만中滿 (마음 속의 자만)에 의한 본성(本性)의 상실 때문이라 볼 수 있다. 이미 내를 건넜다는 것은 초기의 어려움을 극복하고 인내의 시간을 견디며 모든 일이 완료되고 마무리되었다는 것을 의미한다. 더 이상 할 것이 없다는 것은 좋은 의미에서는 성공을 의미하지만, 또 다른 한편으로는 앞으로 도전하고 성취할 이유가 없어졌다는 것을 의미한다. 모든 효가 다 자기 자리를 얻고, 상하괘 가 서로 응하고 있으니 음양의 조화가 안정적이고 이상적이다. 그러므로 변 화가 일어날 필요성이 없어지는 것이다.

우주는 비대칭의 원리에 의해 에너지가 이동하면서 역동적으로 작용한다. 밀도와 중력의 불균형의 차이에서 에너지 이동이 일어나고 변화가 일어난다. 조화는 음양의 불균형에서 일어나는 것으로서, 모든 것이 완벽하게 제자리에 있다면 변화가 일어날 여지가 없으니 오히려 발전이 없게 되는 것이다.

기제(旣濟)는 형통함이 작아진다(旣濟亨小)는 것은 초기에는 길하지만 종래는 혼란해지기 때문이다(初吉終亂). 달도 차면 기우는 법, 초기에는 보름달처럼 꽉 찬 완성을 의미하지만 일이 이루어진 뒤에는 결국 둥근 달이 찌그러지며 무너지듯 다시 혼란이 온다는 것을 경고한다. 기제(旣濟)는 완전히 충전된 밧데리처럼 완성을 의미하지만, 충전이 완료되는 순간 서서히 방전이 시작된다. 완전한 상태에서 水☵는 아래로 향하고, 火☲는 위로 향하면서 정상적인 작동을 시작하지만 결국은 응결(凝結)된 에너지가 해결(解結)되어가는 과정이니 언젠가는 旣濟(䷾)는 未濟(䷿)로 향하게 될 것이다.

기제(旣濟)의 형통함은 이미 다 이룬 형통함이니(旣濟亨), 바름을 지키지 못하고 교만에 취하여 머리를 적시면(濡其首 厲), 보름달이 어그러지듯 형통함이 작아진다(亨小). 작은 것이 형통하다(小者亨也)함은 그믐달이 보름달을 향하여 커가는 형통함을 말하니, 이는 미성숙한 어린 여우가 인생이라는 내에 놓인 징검다리를 건너 완성을 향해 가는 미제(未濟)의 형통함과 통한다.

2. 괘변(卦變)

▷호괘 - 火水未濟

既濟   未濟

☵ -3   ⟹   ☲ +3
☲ +3   ☵ -3
+6   -6

호괘가 미제(未濟)이니, 기제(旣濟)의 자만 속에는 언제나 자신을 무너뜨리는 교만이 자리잡고 있음을 말한다. 대인은 보름달이 더 커지기를 바라는 과욕을 버리고 밝음의 퇴조를 미리 예방할 수 있어야 한다(思患而豫防之).

▷착종괘, 도전괘, 배합괘 - 火水未濟

既濟   未濟

☵ -3   ⟹   ☲ +3
☲ +3   ☵ -3
+6   -6

水火旣濟의 호괘와 착종, 도전, 배합괘가 모두 火水未濟이니, 만물의 작용은 상호 순환하며 돌고 도는 것, 보름달이 기우는 때를 읽고 미리 대비한다.

≫旣濟: 처음에는 형통☵하나 마침내는 혼란☵해 질 것이다(初吉終亂).

≫未濟: 시작은 미미☵하지만 그 끝은 창대☵하리니, 마침내는 형통할 것이다(未濟 亨).

▶복희역과 문왕역의 이해

(1) 복희역(우주역)

삼라만상은 비록 무수히 많은 것처럼 보이지만 실은 하나(一)에서 비롯되는 것이다. 태극(一)에서 천지인 삼극(三極)인 나오고 그 삼극은 각각 陰陽(二)의 성질로 육(六)을 만드니 우주의 극성을 표시하는 대성괘 6효가 된다. 6효는 상하괘로 나뉘어 서로 작용을 통해 64개의 만물만상을 표현한다.

복희역은 우주창조와 운행의 원리를 설명하는데 天(☰양)과 地(☷음)가 가장 기본이 된다. 우주의 생성은 天☰과 地☷의 상호작용으로 시작되며, 天☰(理)이 공간을 펼치고, 地☷(氣)가 시간을 펼쳐내어 시공(時空)을 만들고, 서로의 음양 작용을 통해 만물(人)을 화생시킨다. 天地人이 각각 음양(二)으로써 천지창조의 우주 네트웍(network)에 동등한 자격으로 참여하여 우주만물(三)의 천변만화를 펼쳐내니, 人은 천지와 동등한 삼신일체(三神一體)로 곧 인즉천(人卽天)이라 할 수 있다(天二三 地二三 人二三).

그러나 복희8괘는 하늘(天陽)의 관점으로 천지·음양을 바라본다. 음양은 서로 동등하게 상호작용하며 천지만물을 생성 순환시킨다. 그러므로 양을 높이고 음을 낮추는 편협한 관점이 아니라 음양을 동등하게 바라보고 사고하는 관점이 필요하다. 인역(人易)은 복희8괘의 천양(天陽) 위주의 편협한 관점이 아니라 천지·음양을 동등한 관점으로 바라보는 역으로서 초운 김승호 선생이 찾아낸 이 시대와 미래를 이끌어갈 새로운 수리의 발견이라 할 수 있다.

▷地天泰

태(泰)는 천지창조가 시작되는 기본 모습이며, 음양이 극에 달한 상태로서 빅뱅(BigBang)의 순간을 표현한다. 地☷(음)은 아래로, 天☰(양)은 위로 상향하며 서로 상호작용을 일으키는데 서로 부딪히는 작용력이 +14로서 모든 괘 중에서 최고이다.

☷-7
☰+7
► 上下작용력: (+7)-(-7)=+14
► 上下균형력: (+7)+(-7)=0

▷天地否

　비(否)는 天☰(양)가 상향하고 地☷(음)는 하향하면서 서로가 등을 돌려 멀어지는 모습으로, 상호작용을 일으키지 못하고 음양의 활동을 멈춘 상태로서 운동에너지가 제로(0)이다. 음양(陰陽)이 작용을 멈추니 사상(四象)이 나오지 못하고, 팔괘(八卦)가 펼쳐지지 않으니 64卦가 일어나지 않는다. 작용력이 -14로서 모든 괘 중에 제일 작으니 운동에너지가 멈춘 우주의 휴식기이다. 우주의 천변만화를 표현하는 64괘는 -14(否)에서 +14(泰)의 사이를 순환하며 천태만상을 그려내는 것이다.

☰+7
☷-7
► 上下작용력: (-7)-(+7)=-14
► 上下균형력: (-7)+(+7)=0

(2) 문왕역(지구역)

　천지가 창조되어 지구가 운행되고 있는 상태에서는 離火☲(日)와 坎水☵(月)가 지구운행에 가장 기본이 된다. 그러므로 지구역인 문왕역에서는 우주역(복희역)의 天☰의 자리에는 해☲가 오고, 地☷의 자리에는 달☵이 와서 지구의 운행원리를 펼쳐낸다. 해는 火☲의 성질을 표현하고 달을 水☵의 성질을 의미하니, 바다 물(水)은 달의 영향을 받아 밀물과 썰물을 만들어 낸다.

▷ 水火旣濟

물 ☵은 아래로 향하고 불 ☲은 위로 향하니 서로 만나 작용을 한다. 음양작용이 안정적인 상태로서 보름달에 비교되는데 모든 상황이 효율적으로 돌아가는 것을 의미한다. 그러나 보름달이 되는 순간 기울어져가는 것이니, 문명이 최고조에 이른 상태로서 대개 문명이 쇠퇴하는 징조가 그 안에서 싹트게 된다(初吉終亂).

☵−3
☲+3

► 上下작용력: (+3)−(−3)=+6
► 上下균형력: (+3)+(−3)=0

▷ 火水未濟

음양이 작용을 시작하는 초기 상태로서 그믐달에 비유된다. 문명이 시작되는 초기는 시작은 어렵고 미미하지만 때가 이르면 그믐달은 보름달을 지향하니 그 시작은 형통하다(未濟 亨).

☲+3
☵−3

► 上下작용력: (−3)−(+3)=−6
► 上下균형력: (−3)+(+3)=0

<주역원리강해> 상권 제1부 참조,

<양자물리학과 주역> 박규선 지음, 참조,

3. 괘사(卦辭)

既濟 亨小 利貞 初吉終亂
기제 형소 이정 초길종란

기제는 형통함이 작아지는 것이니 바르게 함이 이롭다. 처음에는 길하지만 끝내는 어지러우리라.

기제(既濟)는 보름달 같은 완성을 의미한다. 그러므로 형통하다(既濟亨). 그러나 보름달은 때가 다다르면 다시 그 모양이 어그러지고 무너지니, 이는 막을 수 없는 자연의 이치이다. 그러므로 보름달이 기울어져 작아지니 형통함이 작아진다(亨小). 초기에는 형통하나 끝내는 작아지는 형통함이니, 기제는 형통함이 작은 것이다(小者亨也).

문명≡함이 무너지고 혼란≡≡해져 갈수록 정도(正道)를 지키는 것이 이롭다. 형통(亨通)함이 작아지는 혼란한 세상일수록 중도(中道)를 지키며 바르게 함이 이롭다(亨小利貞).

초길(初吉)은 보름달 같은 완성된 처음의 형통함을 의미하고(既濟亨), 종란(終亂)은 보름달이 이지러져 형통함이 작아져 가는 既濟亨小를 의미한다. 초기에는 보름달처럼 꽉 찬 사물의 완성을 의미하지만 일이 다 이루어진 뒤에는 결국 둥근 달이 찌그러지며 무너지듯 다시 혼란이 온다는 것을 경고하는 것이다(初吉終亂). 달도 차면 기울고, 꽃도 피면 지게 마련이니, 기제도 모든 것을 다 이루었음이니 장차 허물어지리라(上六 濡其首 厲).

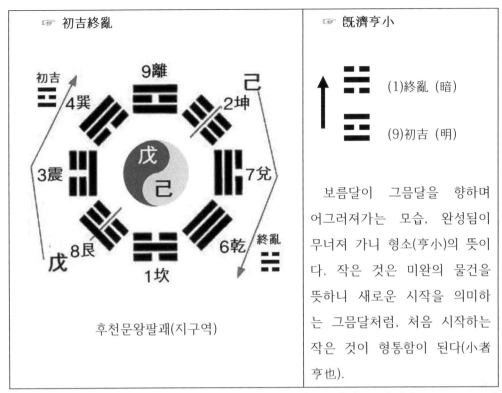

☞ 初吉終亂

初吉
4巽
9離
2坤
己
3震
戊己
7兌
戊
8艮
1坎
6乾
終亂

후천문왕팔괘(지구역)

☞ 旣濟亨小

(1)終亂 (暗)

(9)初吉 (明)

보름달이 그믐달을 향하며 어그러져가는 모습, 완성됨이 무너져 가니 형소(亨小)의 뜻이다. 작은 것은 미완의 물건을 뜻하니 새로운 시작을 의미하는 그믐달처럼, 처음 시작하는 작은 것이 형통함이 된다(小者亨也).

► 水☵는 험(險), 어두움(暗), 미완성, 혼돈, 혼란, 무질서를 의미하고, 火☲는 밝음(明), 완성, 질서, 분별을 의미한다.

초길(初吉)은 형통함이 이미 큰 것이니 대형(大亨)이요, 종란(終亂)은 형통함이 작아지는 것을 의미하니 소형(小亨)이 아니라 형소(亨小)의 뜻이 된다. 즉, 亨小란 형통함이 작은 것(小亨)이 아니라 형통함이 작아지는 것을 말하고자 함이다. 그러므로 형소(亨小)이면서 곧 소형(小亨)의 뜻이 되니, 미숙한 어린 여우가 인생의 내를 건너는 미제(未濟)의 형통함과 통한다(未濟 亨 小狐 汔濟 濡其尾).

형통함이란 그믐달처럼 비록 작지만 커갈 수 있을 때, 곤궁에 처해있지만 나아갈 길이 있을 때, 어렵지만 희망이 있을 때를 의미한다. ☲은 후천팔괘에서 완성을 의미하고 수리적으로 9가 되며, ☵는 미완성을 의미하고 만물의 휴식과 새로운 시작을 의미하는 1이 된다. 완성==(9)에서 미완성==(1)으로 향하니 역시 기제형소(旣濟亨小)의 의미가 된다.

☞ 旣: 이미 기, 끝날 기/ 濟: 건널 제/ 亂: 어지러울 란

象曰 旣濟亨 小者亨也 利貞 剛柔正而位當也
단왈 기제형 소자형야 이정 강유정이위당야
初吉 柔得中也 終止則亂 其道窮也
초길 유득중야 종지즉란 기도궁야

단에 이르길, 기제는 형통하니 작은 것이 형통하다. 바름을 지키는 것이 이로우니 강유(剛柔)가 바르고 자리가 마땅함이다. 처음에는 길하니 유(柔)가 중(中)을 얻었기 때문이다. 마침내 멈추면 어지러워짐이니 그 도가 궁하기 때문이다.

旣濟亨 小者亨也

기제(旣濟)는 형통하다. 그러나 보름달처럼 완전한 형통함이요, 일이 다 이루어진 형통함이다(旣濟 亨). 그러나 보름달은 완성되는 순간 기울어져 가기 시작하니 형통함이 작아진다(亨小). 그러므로 기제(旣濟)는 완전함으로 인해 오히려 형통함이 작은 것이다.

보름달이 기울어져 그믐달이 되면, 다시 보름달을 향하여 나아가기 시작하니 작은 것이 형통한 것이다(小者亨也). 이것은 문명이 무너지고 다시 새로운 시작을 하는 미제(未濟)괘의 형통함과 일맥상통한다. 기제(旣濟)는 보름달 같이 이미 다 이룬 형통함이지만(初吉), 미제(未濟)는 그믐달처럼 앞으로 점점 자라 마침내 형통함을 이루는 형통함이다(終吉).

642   주역원리강해(하)

"初吉 柔得中也"란 변화의 시작점인 하괘에서 六二가 柔로써 中을 얻어 大明☲을 만들었음을 뜻한다. 처음이 吉하다 함은 이미 초기에 문명☲함을 이루었기 때문이다. 보름달이 더 커지기를 바라는 교만함으로 六二가 中正을 지키지 못하면 文明☲함은 보름달이 무너지듯 기울게 되니 형통함이 작아지기 시작한다(既濟亨小). 기제(既濟)가 형통함은 이미 다 이룬 형통함이요, 작은 것이 형통하다 함은 처음부터 다시 시작하는 미제(未濟)처럼 어린 여우가 인생이라는 내를 건너 완성을 향해 나가듯, 앞으로 보름달(大)를 향하여 커가는 그믐달(小) 같은 형통(亨通)함을 말한다.

利貞 剛柔正而位當也

여섯 효가 모두 음양의 자리에 맞게 正位를 지키고, 상하괘가 정응(正應)하며, 六二와 九五는 中正함으로 正應한다. 모든 것이 완벽하게 조화를 이루고 있으니 형통하다. 그러나 보름달이 기울 듯 그 형통함도 곧 작아지게 되니(亨小), 마침내 밝음이 어둠으로 점차 들어가 마침내 혼돈(混沌)으로 어지러워지니 정도(正道)를 지키는 것이 이로운 것이다.

初吉 柔得中也 終止則亂 其道窮也

처음 출발을 보름달 같은 완성☲(明)으로 시작하니 처음의 때가 길하다(初吉). 이는 六二의 柔順함이 中을 얻어 밝음☲을 이루었기 때문이다(柔得中也). 그러나 보름달☲(文明)이 기울듯 마침내 어려움☵(險)이 닥치게 되니(終亂), 六二는 文明함과 中正의 덕으로 九五의 강건중정(剛健中正)에 응하여 그 뜻을 행하여야 할 것이다.

그러므로 멈추지 않고 부단히 나아가지 않으면 혼란에 빠지게 된다. 만물은 미성숙한 존재이니 어린 여우가 내를 건너듯 지속해서 나아가는 것이며, 그럼으로써 춘하추동 사시가 돌며 생장수장(生長收藏)의 이치를 펼쳐 원형이정(元亨利貞)의 도를 세우며 나아가야 한다. 만일 끝내 멈춰 서게 되면, 지구가 공전과 자전을 멈추듯 만물은 혼란 속에 빠져 버리게 될 것이다(終止則亂). 이는 원형이정(元亨利貞)의 도가 궁(窮)해짐이니 道가 사라짐을 의미한다(其道窮也). 그러므로 上六효사에 "여우가 내를 건너다 머리를 적시니 위태롭다"는 의미는 마침내 종란(終亂)에 들어섰음을 말하는 것으로 위태로움을 경계하는 것이다(濡其首 厲).

象曰 水在火上 既濟 君子以 思患而豫防之
단왈 수재화상 기제 군자이 사환이예방지

상에 이르길, 물이 불 위에 있는 것이 기제(既濟)이니, 군자는 이로써 환란(患亂)을 생각해서 미리 방비(防備)한다

물☵이 불☲위에 있음이 기제(既濟)이다. 양수인 1·3·5에는 양효가 오고, 음수2·4·6에는 음효가 바르게 자리하고 있다. 모든 효의 자리가 바르고 만물이 안정되어 있다. 그러나 춘하추동 사시를 순환하며 만물이 만왕만래(萬往萬來)하며 오고 가듯, 흥망성쇠(興亡盛衰)를 거듭하는 것이 만물의 이치임을 깨달아 보름달이 어그러져 가듯 마침내 기울어질 것을 근심하고 방비한다. 언제 닥칠지 모르는 환란을 생각하여 미리 대비한다. 모든 것이 제자리를 지키고 있어 안정이 되어 있을 때 군자는 성쇠(盛衰)의 이치를 깨달아 미리 예비하니 유비무환(有備無患)을 말한다.
☞ 患: 근심 환/ 豫: 미리 예/ 防: 막을 방

4. 효사(爻辭)

　　기제는 문명의 중흥기를 거쳐 점차 쇠퇴해가는 과정을 그린다. 초효(初爻)에서는 문명의 폭주를 절제시키는 모습, 이효(二爻)에서는 문명에 취함으로써 부끄러움을 잃어버리는 모습을 보여준다. 삼효(三爻)에서는 문명의 침해(侵害)를 상징하는 오랑캐를 힘겹게 정벌(征伐)하는 모습을 보여준다. 사효(四爻)에서는 문명의 배에 구멍이 뚫리고 물이 새는 기미가 보이니, 오효(五爻)에서는 문명을 지키기가 힘겹다. 상효(上爻)에서는 머리를 적심으로써 문명이 기울어져가는 상황을 보여준다.

初九 曳其輪 濡其尾 无咎

초구 예기륜 유기미 무구

초구, 뒤에서 수레를 당기며 그 꼬리(後尾)를 적시니 허물이 없다.

　　문명☲함을 이루었으나 중도(中道)를 지키지 않고 과욕을 내면 보름달이 기울어가듯 무너지리라. 교만함으로 계속 앞으로만 내달리는 문명☲의 수레의 바퀴를 잡아당겨 문명☲이 폭주하는 것을 막아야 한다(曳其輪). 기제(旣濟)의 초기에는 삼가고 경계하기를 이와 같이 한다.

　　離火☲는 상향하는 성질이 있고, 초구가 효변하면 艮山☶(止)이 되어 그치는 뜻이 있으니 ☶가 그 꼬리를 적시는 형상이다. 지괘를 보면 내호괘도 험란(險亂)☵이요, 외괘도 험란(險亂)☵이다. 문명의 수레☲(文明)가 더 이상 폭주하지 못하도록 뒤에서 잡아당기니, 艮山☶(止)이 되어 멈추면 허물이 없다.

공자는 初九를 "수레가 앞으로 나아가지 못하도록 뒤에서 잡아당김은 뜻에 허물이 없는 것이다(象曰 曳其輪 義无咎也)"라고 하였으니, 수레를 뒤에서 잡아당겨 앞으로 나아가는 것을 막고, 여우의 꼬리를 적심은 내를 건너가지 못함을 의미한다. 이는 문명≡의 화려한 폭주를 지체시켜 좀더 오래 문명이 유지되도록 함이고, 나아가 앞으로 닥칠 험란(險亂≡≡)에 빠지는 것을 예방하기 위함이니 그 뜻은 고상한 것이다.

☞ 濡: 적실 유/ 曳: 끌 예/ 輪: 바퀴 륜, 수레 륜

六二 婦喪其茀 勿逐 七日得
육이 부상기불 물축 칠일득

육이, 부인이 가리개를 잃어버렸다. 쫓지 마라, 칠일이면 얻으리라.

부인이 가리개를 잃었다 함은 수오지심(羞惡之心)의 상실을 뜻한다. 완성된 문명의 교만함에 취해 인간 본연의 천성(天性)을 잃어버리면 빛≡이 중심(정신)을 잃어버리는 격이니 문명이 기울어지는 징조가 된다. 문명의 교만함에 취하여 부끄러움을 잃어버린 채 물건(물질)을 쫓지 마라. 이는 교만에 취하여 바름(正)을 잃은 것이니 배에 물이 새는 것조차 알지 못한다.

칠일만에 잃어버린 가리개를 되찾음은 중정지도(中正之道)의 회복을 말한다. 중요한 것은 단지 얼굴을 가리는 물건인 가리개를 되찾고자 쫓는 것이 아니라 바른 마음의 회복에 있다. 물축(勿逐)이란 中正之道를 버리고 險亂≡≡에 빠짐을 경계하는 말이다.

삼라만상은 우주순환의 이치에 따라 돌고 돈다. 中正한 마음을 지킨다면 얼굴을 가리지 않아도 저절로 선한 얼굴이 드러나니 이는 때가 이르면 저절

로 잊어지는 섯이다. 공자는 "칠일이면 얻음(七日得)은 中으로써 道를 행하기 때문이다(象曰 七日得 以中道也)"라고 주석하였다. 효는 여섯 자리가 있으니 일곱 번을 변하여 얻음은 한 주기를 마치고 새로운 시기가 되는 순환의 이치를 말하는 것이니, 때가 이르면 반드시 행하여 짐을 의미한다. 괘는 여섯 효가 있어 일곱이면 변하니 칠일이면 얻는다는 것은 때의 변함을 말하는 것이다. 七日은 효의 순환원리를 은유한다.

六二는 문명중정(文明中正)의 자리이니, 中道로서 바름을 지키고 겉모습에 불과한 물건(茀)을 쫓지 않는다면 마땅히 中正之道를 얻으리라. 스스로 中을 지키면 순환 반복하는 자연의 이치에 따라 반드시 바름(正)이 행해지는 것이다

六二가 효변하면 水天需(☰)가 되니 險水☵를 앞에 두고 섣불리 쫓아 가기보다는 벗들을 불러모아 음식을 함께 나누면서 우의를 다지고 때를 기다리는 것이 대인(☰)의 풍모이다. 수(需)괘의 단사는 "수(需)는 기다림이라. 앞에 험함☵이 놓여있으나 강건☰하여 빠지지 않으니 그 뜻이 곤궁하지 않음이다(需須也 險在前也 剛健而不陷 其義不困窮矣)"라고 하였다.

☞ 喪: 잃을 상/ 茀: 덮을 불/ 逐: 쫓을 축

九三 高宗伐鬼方 三年克之 小人勿用
구삼 고종벌귀방 삼년극지 소인물용

구삼, 고종이 귀방을 정벌하니 3년이 걸려 이기다. 소인을 쓰지 마라.

3년 만에 힘들게 문명☰함을 이루었다(보름달이 되었다). 그러나 가득 차면 기우는 것이 자연의 이치이니 어느덧 보름달이 기울어가듯 어그러지기 시작하는 때가 온다.

이러한 때에 소인을 쓰지 마라. 九三은 문명(文明)☰이 험란(險亂)☵으로 기울어가기 전의 피곤한 모습이다. 소인을 쓰지 마라 함은 점차 험란(險亂)☵해져가는 시절을 만나 소인배 무리와 어울려 중도를 잃고 시류에 휩쓸리지 마라 함이다. 세상만사 기울어지기 시작하는 것은 모든 것이 완성되었을 때 시작하기 마련이다. 달은 차면 즉시 기울어지기 시작한다. 배터리가 충전되면 방전이 시작된다. 그러므로 이 시기에 소인을 써서는 안 된다. 소인은 이익을 탐하고 시류에 영합하여 배신하기 때문이다.

중천건괘 3효사는 중도를 벗어난 3효의 자리를 다음처럼 말한다.

> 九三 君子 終日乾乾 夕惕若 厲 无咎
> 구삼 군자 종일건건 석척약 려 무구
>
> 구삼, 군자는 종일 갈고 닦으며 힘쓰고 또 힘쓴다. 저녁(어둠)에 이르러 두려움 마음으로 돌아보며, 위태로움으로 깨어 있으니 무탈하리라.

3효는 중(中)을 벗어난 치열한 삶의 현장에서 終日乾乾하며 치열하게 생존을 위해 살아가면서도 하루를 마치게 되면 스스로를 두려운 마음으로 돌아보며 위태로움으로 깨어 있으면 허물이 없다 라고 말하고 있다. 3효의 자리는 하괘에 머물지 상괘로 나아갈지 진퇴를 결정하는 자리로서 선택에 따라 길흉이 갈리는 기로의 자리이기도 하다.

고종은 은나라 왕 무정을 말하는데, 무정이 은나라를 지키기 위해 귀방(鬼方)의 오랑캐를 정벌하는데 오랜 기간이 걸려 힘들게 이겼다는 고사를 인용한 문장으로서, 3년이 걸렸다는 것은 그만큼 힘들고 고달팠음을 의미한다. 공자는 "3년이 걸려 이기니 고달프다(象曰 三年克之 憊也)"라고 어려움을 이야기했다. 九三은 초효에서 세번째 자리이니 3년의 뜻이 나온다.

오랑캐(귀방)는 문명을 잠식하는 것을 비유하는 상징이다. 효변하면 水雷屯(☵☳)이니 그만큼 힘겨운 상황이었음을 말한다. 坎水☵는 북방(北方)이니, 북방의 오랑캐 귀방(鬼方)이 되고, 대인의 상이 되는 震☳(進)으로 나아가 정벌(征伐)하는 뜻이 나온다. 둔(屯)의 외호괘가 艮山☶(止)이니 소인의 상으로서, 이 시기에 소인을 쓰면 그로 인하여 멈추게 되니 정벌의 뜻을 이루기 어렵다.

☞ 伐: 칠 벌, 정벌할 벌/ 鬼: 귀신 귀/ 克: 이길 극/ 憊: 고단할 비

六四 繻有衣袽 終日戒
육사 유유의여 종일계

육사, 배가 물이 새어 드는데 헤진 옷(걸레)를 들고 종일 경계한다.

무너지기 시작하니 경계하고 조심하라. 배에 물이 새기 시작하니 종일 경계하고 대비하라. 만물은 극에 달하면 변하는 것이 이치이니 문명이 서서히 기우는 징조가 보인다. 繻는 濡로 풀이한다(코가 촘촘한 고운 명주(繻)는 물이 배어들어가며 서서히 젖어 드는 것을 상징한다). 배에 물이 서서히 배어 축축하게 젖어 들기 시작하니 걸레를 들고 종일 닦으며 경계하고 대기하는 모습으로 은유하였다.

六四는 하괘 밝음(☲明)에서 상괘 어둠(☵暗)으로 건너온 첫번째 효로서 변화가 본격적으로 시작되는 시기이다. 누구나 변화의 기미를 감지하고 불안

해하는 시점이다. 그러므로 공자는 "종일 경계를 서는 것은 의심스러운 바가 있기 때문이다(象曰 終日戒 有所疑也)"라고 했다.

효변하면 澤火革(☲)이다. 변혁(變革)이 일어나기 직전의 모습이니, 아무도 모르게 고운 명주에 물이 젖어 들어가듯 배에 서서히 물이 새어 들기 시작하는 기미가 포착되는 시점으로서 문명이 기우는 징후가 나타나기 시작함을 비유한다.

☞ 繻: 고운 명주 유, 젖을 유/ 濡: 젖을 유, 적실 유/ 袽: 해진 헝겊 유, 걸래 유, 戒: 경계할 계

九五 東鄰殺牛 不如西鄰之禴祭 實受其福
구오 동린살우 불여서린지약제 실수기복

구오, 동쪽 이웃의 소를 잡는 성대한 제사도 서쪽 이웃의 간략한 제사로 실속있게 복을 받는 것만 못하다.

九五는 험란☵ 가운데에서도 강건중정(剛健中正)하나 쇠락(衰落)하는 것은 막을 수 없으니 六二의 형통함만 못하다. 六二는 아래에 있어 나아갈 곳이 있어 형통하고, 九五는 위에 위치하여 나아갈 곳이 없으니, 다만 中正함을 지킨다. 보름달이 기울듯, 사물의 이치는 극에 이르면 쇠락(衰落)하는 것이니 이는 어쩔 수 없는 만물의 순환 이치이다. 처음에는 길하나 끝이 혼란함도 이러한 뜻이다(初吉終亂).

동쪽이웃은 은나라(九五)를 말하고, 서쪽이웃은 주나라(六二)를 말한다. 은나라가 천자국으로서 성대한 제사를 위해 소를 잡아 희생물로 바치는 것이, 주나라가 필요할 때 간략하게 지극한 정성으로 제사를 올려서 실제 복을 받

는 것만 같지 못하다는 의미이다. 은나라(九五)는 이미 기울기 시작하는 보름달☰이고, 주나라(六二)는 앞으로 커가는 그믐달☷로서 형통함을 상징한다. 이에 공자는 "동쪽이웃이 소를 잡아 성대하게 제사 지냄이 서쪽이웃이 때를 얻음만 못하다. 간략하게 제사를 지내는 서쪽이웃이 실(實)하게 복을 받는다 함은 서쪽이웃에 길운이 크게 옴이다(象曰 東鄰殺牛 不如西鄰之時也 實受其福 吉大來也)"라고 주석하였다.

동쪽 이웃은 양(陽)이니 九五를 말하고, 서쪽 이웃은 음(陰)이니 六二를 말한다. 九五는 높은 자리에 있지만 때가 이미 저물어 가는 위치이고, 六二는 아래에 있어 앞으로 나아갈 곳이 있는 형통한 자리이다.

동쪽 이웃이 큰 소를 잡아 제사를 올려도 서쪽 이웃의 때를 맞춤만 못한 것이다. 동쪽은 봄을 뜻하니, 춘절기의 곤궁한 때에 제아무리 소를 잡아 큰 제사를 지낸다 하더라도 이는 때를 잘못 선택한 것이다. 봄에는 백성이 곤궁하기 때문에 오히려 약식으로 제사를 드리는 것이 마땅하기 때문이다. 오히려 성대한 제사는 곡식을 수확하는 가을에 지내는 것이다. 그러므로 제아무리 소를 잡고 성대한 제사를 지내더라도 때에 맞게 약식으로 간략한 제사를 지내는 서쪽 이웃만 못한 것이다. 서쪽은 가을을 의미하니 서쪽 이웃이란 풍성한 곡식을 수확하는 길운이 도래하여 복을 받는 뜻이 있다.

☞ 鄰: 이웃 린/ 殺: 죽일 살/ 禴: 간략히 제사 지낼 약/ 祭: 제사 제

上六 濡其首 厲
상육 유기수 려

상육, 제 머리를 적시니 위태롭다.

물을 건너다가 자기의 머리를 적시니 위태롭다 하는 것은 마침내 무너짐이 본격화되고 있음을 의미한다. 보름달의 머리가 서서히 검게 젖어 들어가듯 무너져가기 시작하는 것이다. 효변하면 巽風☴이다. 坎水☵는 달(月)을 의미하니, 巽風☴은 달(☵)의 한 부분이 양(陽)에 의해 잠식된 모습이다.

이것은 만물의 순환 이치이니 어찌하랴. 오래지 않아 보름달은 서서히 그믐달이 되어 가리니 오래갈 수 없다. 수레가 머리를 물에 적시니 더 이상 수레의 뜻을 행할 수가 없다. 공자는 "제 머리를 적시니 위태롭다. 어찌 오래할 수 있으랴(象日 濡其首 厲 何可久也)'라고 하였다. 그러나 그믐달이란 다시 보름달을 향할 것이니 위태로움이 이 또한 어찌 오래 갈 수 있겠는가?

64. 火水未濟_{화수미제}

火☲離

水☵坎

▶효변(爻變)

	과거	미래	현재
	☵-3 ⟹	☵+3	☵+3
			☵-3

上下작용력: (-3)-(+3)=-6

上下균형력: (-3)+(+3)=0

未濟 亨 小狐汔濟 濡其尾 无攸利

象曰 未濟 亨 柔得中也 小狐汔濟 未出中也 濡其尾 无攸利 不續終也

雖不當位 剛柔應也

象曰 火在水上 未濟 君子以 愼辨物居方

初六 濡其尾 吝

九二 曳其輪 貞吉

六三 未濟 征凶 利涉大川

九四 貞吉 悔亡 震用伐鬼方 三年有賞于大國

六五 貞吉 无悔 君子之光 有孚吉

上九 有孚于飮酒 无咎 濡其首 有孚失是

1. 괘상(卦象)

　미제(未濟)는 여섯 효가 각각 자기 자리를 찾지 못하고 있는 불안정한 상태로 제 자리를 찾기 위한 작용이 활발하게 이루어지고 있는 모습을 보여준다. 여섯 개의 효가 모두 자리가 바르지 않다. 양수(홀수)인 1,3,5位에는 음효가 오고, 음수(짝수)인 2,4,6位에는 양효가 와서 不正位를 이루고 있다.

　작용이란 음양의 조화가 불균형한 상태에서 제자리를 찾기 위한 에너지 운동을 말하며, 우주는 이러한 비대칭 원리에 의해 에너지의 이동이 활발하게 이루어지면서 변화를 만들어낸다. 미제는 효가 正位를 갖고 있지는 못하지만 上下괘는 음과 양이 서로 응하고 있으니 불균형한 제 자리를 찾기 위한 에너지의 이동이 활발해진다. 모든 효가 제자리를 갖고 온전하게 있으면 더 이상의 변화를 추구하려 하지 않는다(旣濟). 조화의 묘는 음양이 불규칙한 데서 나온다. 완벽하게 제자리에 놓인 것은 오히려 발전의 여지가 없다.

　기제(旣濟)는 '이미 모든 것을 다 이루었다'라는 의미로서 완전함을 의미하지만, 미제(未濟)는 무너진 문명 속에서 다시 문명을 일으키기 위한 삽질이 시작되고 있는 초기를 의미한다.

　미제(未濟)는 물==은 아래로 흐르고 불==은 위로 향하고 있으니 서로 만나 작용을 일으킬 수가 없다. 여섯 개의 효가 제 자리를 잡고 있지 못하듯 톱니바퀴는 서로 어그러져 제대로 작동이 되지 않으며, 陰陽은 서로 어긋나 향하는 바가 다르니 陰陽의 조화가 불균형을 이룬다. 호괘가 旣濟인 것은 바로 이러한 불균형을 바로잡기 위한 내부의 작용이 작동하고 있음을 뜻한다.

　완성된 문명이 붕괴되고, 또 다시 폐허 속에서 꽃을 피우는 시작은 미미하지만 끝은 창대하리라. 하나(一)에서 시작되어 십(十)으로 완성되고 열(十)은 다시 하나(一)로 돌아가니, 일즉다(一卽多)요 다즉일(多卽一)이며, 일시일종(一始一終)이로다.

2. 괘변(卦變)

▷호괘 - 水火

未濟   旣濟

☵+3   ⟹   ☲−3
☵−3   ☲+3
−6   +6

　미제(未濟) 속에 기제(旣濟)가 들어있다. 우주 삼라만상은 만왕만래(萬往萬來)하며 용변(用變)하는 것이니 완성(旣濟) 속에는 미완성(未濟)이, 미완성(未濟) 속에는 완성(旣濟)이 서로가 서로를 추구하면서 끌고 당기며 세상은 돌고 도는 것이다. 그러나 만물만상의 본체인 태극(一)은 불변으로서, 만물(多)은 하나(一)에서 비롯되고(一即多), 다시 하나(一)로 돌아가는 것이니(多即一), 일시일종(一始一終)이로다.

▷착종괘, 도전괘, 배합괘 - 水火旣濟

未濟   旣濟

☵+3   ⟹   ☲−3
☵−3   ☲+3
−6   +6

　미제(未濟)를 건너니 기제(旣濟)이다. 문명이 시작되고(未濟), 문명이 완성되니(旣濟), 만물만상의 변화는 끝없이 반복되지만 근본은 변함이 없다. "하나(一)가 시작하여 묘리(妙理)를 한없이 펼쳐내니 만물만상이 가고 오며 무수히 쓰임을 달리하지만 근본(根本)은 변함이 없다"라는 『천부경』의 "一妙衍萬往萬來用變不動本일묘연만왕만래용변부동본"을 음미하라.

3. 괘사(卦辭)

未濟 亨 小狐汔濟 濡其尾 无攸利
미제 형 소호홀제 유기미 무유리

미제는 형통하다. 어린 여우가 거의 건널 즈음에 꼬리를 적시니 이로울 바가 없다.

어린 여우가 물☵(險水)을 건너려고 겁 없이 뛰어 들었다가 거의 건널 즈음에 꼬리를 적시게 된다(未濟 亨 小狐汔濟 濡其尾). 이는 모든 노력이 수포로 돌아 감을 의미하니, 초기에 신중하게 정도를 지켜가며 일을 진척시켜야 함을 말한다. 미성숙함은 만용(蠻勇)을 부르고 만용은 무모함을 부르니 내(川)를 아니 건넘만 못하다(濡其尾 无攸利). 여우는 의심이 많은 동물이다. 늙은 여우는 두려움과 의심이 많아 신중하지만, 어린 여우는 경험이 미숙하여 이에 미치지 못하니 조심성 없이 건넌다. 정이(程頤)는 『程傳』에서 汔을 仡로 해석하여 조심성 없이 용감하게 건너는 만용으로 해석하고 있다.

물을 건너지 못했다(未濟)는 것은 미완성을 의미하는데 세상에는 완성이라는 것은 있을 수가 없다. 모든 사물은 완성된 상태에 계속해서 머물러 있을 수 없으며 완성(旣濟)되었다고 하는 순간 또 다시 만물은 작용을 시작(未濟)하는 것이니 아무리 진화하고 발전해 나가도 끝은 여전히 미완성인 미제(未濟)로 남는다. 未濟는 어린 여우가 처음 내를 건너듯이, 사회에 진출하는 초년생처럼 할 일이 무궁무진함을 말함이니 이보다 형통(亨通)한 것도 없다(未濟 亨).

▷기제(既濟)	▷미제(未濟)
亨小 利貞	濡其尾 无攸利
여섯 효가 모두 正位로서 상하괘가 서로 정응(正應)하니 모든 것이 완벽하다. 이롭다 함은 가을의 완성을 의미한다.	여섯 효 모두가 不正位이지만, 上下괘는 음과 양이 서로 상응(應)하고 있다. 자리가 바르지 않아 안정되지 못하므로 상하괘의 음양이 서로를 응하며 자기 자리를 찾기 위한 효의 부단한 이동이 활발하다.
그러므로 더 이상 나아가지 않고 멈추게 되면 보름달이 어그러지듯 무너지게 되는 것이니 정정(正貞)함을 유지하는 것이 이롭다.	이로운 바가 없다 함은 아직 완성되지 않았음을 의미한다. 그러므로 완성 ☷을 향해서, 아직은 완성되지 않은 물건(어린 여우☵)이 인생이라는 시공 (時空)의 내☵를 건너는 부단(不斷)한 행함이 있으니 미제(未濟)는 형통한 것이다(未濟 亨).
문명☲(初吉)이 무너지고 혼란☵(終亂)해져 갈수록 정도(正道)를 지키는 것이 이롭다. 형통함이 작아지는 혼란한 세상일수록 바르게 함이 이로운 것이다.	

☞ 濟: 건널 제/ 狐: 여우 호/ 汔: 거의 흘/ 仡: 날랠 흘/ 濡: 적실 유/ 尾: 꼬리 미

象曰 未濟亨 柔得中也 小狐汔濟 未出中也
단왈 미제형 유득중야 소호흘제 미출중야
濡其尾 无攸利 不續終也 雖不當位 剛柔應也
유기미 무유리 불속종야 수불당위 강유응야

단에 이르길, 미제가 형통함은 柔가 中을 얻음이요, 어린 여우가 거의 건널 즈음에 꼬리를 적심은 險水의 가운데에서 아직 나오지 못함이요, 꼬리를 적시니 이로울 바가 없음은 계속하여 나아가지 못하고 마침이라. 비록 자리가 합당치 않으나 강(陽)과 유(陰)가 서로 응한다.

五가 柔로서 존위(尊位)를 얻음을 말한다. 柔가 五에 옴으로써 밝음☲이 되니 文明의 주체가 된다. 비록 음으로써 양의 자리에 와 자리가 바르지 못하나 그 역할이 바르니 中으로서 부족함이 없다. 즉, 미제(未濟)가 형통(亨通)함은 음(陰)으로서 五에 거하여 正은 아니지만 中에 거하여 文明☲의 주체가 되었음을 말하는 것이다.

▷기제(既濟)	▷미제(未濟)
-既濟亨 小者亨也, -初吉 柔得中也	-未濟 亨 柔得中也, -小狐汔濟 未出中也
"初吉 柔得中也"이란 변화의 시작점인 하괘에서 六二가 柔로써 中을 얻어 大明☲을 만들었음을 말한다. **처음이 吉하다 함은 이미 초기에 문명☲함을 이루었기 때문이다.** 보름달이 더 커지기를 바라는 교만함으로 六二가 中正之道를 지키지 못하면 문명(文明)☲함은 보름달이 무너지듯 기울게 되는 것이니 형통함이 작아진다(既濟 亨小). 기제(既濟)의 형통함은 이미 다 이룬 형통함이요, 작은 것이 형통하다 함은	"未濟亨 柔得中也"는 변화의 결과를 의미하는 상괘에서 五가 柔로써 존위☲를 얻었음을 말한다. 柔가 五에 옴으로써 大明☲이 되니 문명의 주체로서 형통(亨通)하다. **미제(未濟)가 형통함은 앞으로 文明☲을 이룰 것이기 때문이다.** 그러므로 만물은 내☵(川)를 처음 건너는 어린 여우처럼 미성숙한 존재로 내를 건너듯 완성☲을 향하여 계속하여 나아가고 있는 중이다(未出中也).

처음부터 다시 시작하는 미제(未濟)처럼 앞으로 보름달(大)를 향하여 커가는 그믐달(小)이 되니, 기제와 미제의 형통함은 크기가 다르면서도 서로 통한다(小者亨也).	그믐달은 다시 보름달을 향하여 나아가기 시작한다. 나아갈 길이 창창하니 형통하다. 미성숙한 어린 여우(小狐)는 완성을 향해 때로는 꼬리를 적셔가며 부단히 인생이라는 내를 건너 나아가니, 未濟는 형통한 것이다(未濟亨 小狐汔濟).

☞ **인류의 생존원리, 環存(환존)의 가치를 찾다.**[2]

기제(既濟)는 형통(亨通)하다(既濟亨). 그러나 보름달이 기울듯이 때가 되면 작아지는 형통함이다(亨小). 그러므로 기제의 형통함은 작다. 큰 것이 형통한 것이 아니라 앞으로 커질 수 있는 작은 것이 형통한 것이다(小者亨也).

☷+3 ≫ ☶−3

보름달   그믐달

미제(未濟)는 형통(亨通)하다(未濟亨). 어린 여우가 인생의 내를 건너가듯, 그믐달이 보름달로 커가는 모습이니 미제의 형통함은 큰 것이다.

☶−3 ≫ ☷+3

그믐달   보름달

기제(既濟) 속에 미제(未濟)가 들어있고, 미제(未濟)는 기제(既濟)를 품고 있으니 그 이치가 오묘하다. 기제와 미제는 서로 작용하고 순환하며, 멀어지

---

[2] 박규선, 『양자물리학과 주역』, 부크크, 2024.

고 다가가기를 반복하면서도 상하가 서로 응하며 관계성을 놓지 않고 맞물려 돌아간다.

하나(一)에서 비롯된 천지인(天地人) 삼극이 음양의 작용으로 만물만상(萬物萬象)을 펼쳐내며 천변만화(千變萬化)한다. 만물(萬物)은 만상(萬象)으로 서로 각자 존재하는 것처럼 보이지만 상호관계성을 가지고 존재하며(環存), 시공(時空)을 함께 공유하며 영향을 주고받는다.

작은 나비의 날개 짓이 일으키는 작은 바람이 태평양 너머에 거대한 회오리를 일으키듯 우주 끝 어디도 나와 연결되지 않은 곳이 없다. 현재와 과거, 과거와 미래, 현재와 미래도 시간의 흐름 속에서는 서로가 하나로 연결되어 있음이니, 이는 일체만물(一切萬物)이 서로가 하나(一)라는 근본(根本)에서 비롯된 하나의 체(體)이기 때문이다(天地人 三神一體).

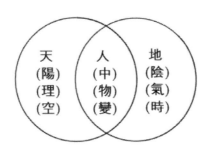

環存(환존)

本心本太陽 昻明 人中天地一
본심본태양 앙명 인중천지일

마음은 본디 태양처럼 광명이니,
마음(本心)을 밝혀 빛(本太陽)을 이루면
人은 中이니 天地가 하나(一)된 자리라.
천지상생의 도가 인간 존재 속에 구현되도다.

빛에 오르라.

내 안에서 하늘과 땅이 하나(一)되리라.   /천부경

태극 (太極)	天一 (乾)	陽	體	空	理	一
	人一 (物)	中	象	變	物	三
	地一 (坤)	陰	用	時	氣	二

☞天二三 地二三 人二三 大三合六 生七八九   /천부경

天一은 음양(二)으로써 三에 참여하고

地一도 음양(二)으로써 三에 참여하며

人一도 음양(二)으로써 三에 참여한다.

天地人 음양(二)이 합하여 六이 되도다.

天地人이 合六하니

天(一)과 작용하여 하늘(七)을 이루고,

地(二)와 작용하여 땅(八)을 이루고,

人(三)과 작용하여 만물(九)를 이룬다.

천지인의 음양성이 합하여 기호로 표상하니 여섯 개의 효가 된다. 이 여섯 개의 효가 만들어내는 현상을 통해 만물만상의 변화와 그 속뜻을 읽어내는 것이 역(易)이다. 만물의 변화는 각각 개체의 변화가 아니라 천지인이 맞물려 돌아가면서 서로 영향을 주고받으며 상호 관계성을 통하여 만들어진다.

此有故彼有　此起故彼起

차유고피유　차기고피기

此無故彼無　此滅故彼滅

차무고피무　차멸고피멸

이것이 있으므로 저것이 있고(此有故彼有)

이것이 생기므로 저것이 생기며(此起故彼起),

이것이 없으므로 저것도 없고(此無故彼無),

이것이 없어지므로 저것도 없어진다(此滅故彼滅).

　우주 안의 모든 존재는 그물과 같이 서로 얽혀 있다. 사물이 생장수장(生長收藏)의 이치로 생성과 소멸을 반복하는 것은 나 홀로 이루어지는 현상이 아니라 서로 연결되어 있는 우주네트워크에 공동 참여함으로써 일어난다. 생성은 다른 쪽의 소멸을 불러오며 다른 쪽의 소멸은 나의 생성에 기여한다. 낮과 밤이 동일체의 다른 이면이듯, 삶과 죽음조차도 서로가 하나로서 서로에게 의지하며 상호 존재하는 것이다.

　길거리에 피어난 한 송이 꽃은 스스로 홀로 피어났는가? 이름없는 한 송이 꽃이 피어나기 위해서는 흙과 물, 햇빛과 바람, 그리고 그 외 다양한 요소들이 어우러져야 한다. 이들 중에서 어느 한 가지라도 존재하지 않는다면 그 꽃은 존재할 수가 없다. 또한 흙이나 물도 홀로 만들어진 것이 아니다. 흙은 무수한 여러가지 요소들의 결합이며, 물은 수소와 산소의 결합의 산물이니 어느 하나라도 서로가 연결되지 않고, 또한 의존하지 않고는 사물이나 어떤 현상조차도 존재할 수 있는 것은 아무것도 없다.

　장재(張載)는 "만물이란 홀로 존재할 수 있는 이치가 없다(物無孤立之理)"라고 했으며, 『中庸』은 "천지의 화육을 도울 수 있다면 천지와 더불어 삼신일체(三神一體)로다(可以贊天地之化育　則可以與天地參矣)""라고 하였고, 『荀子』는 이

것이 "인간이 천지와 더불어 나란히 동등한 셋이 될 수 있는 까닭(能參)"이라 하였다.

  결국 우리는 이 세상의 모든 존재는 볼품없는 한 송이 꽃의 생성에 함께 참여하고 있다는 사실을 알게 된다. 만약 어떤 현상을 이루는 무수한 조건들 중에서 하나라도 충족되지 않는다면 그 사물 내지는 현상 전체는 존재할 수가 없다. 하찮아 보이는 꿀벌이 사라지면 인간의 존재도 사라지듯, 모든 만물만상은 대립하면서도 서로를 의존하며 함께 존재한다. 우주 만물 중에 홀로 독립되어 존재하는 것은 아무 것도 없고, 서로가 의지하면서, 상생상극(相生相剋)을 반복하며 연기(緣起)적으로 존재하는 것이니 바로 '환존(環存)'의 뜻이다.[3]

  카를로 로벨리는 그의 저서 『모든 순간의 물리학』에서 '우주 공간은 원자핵 중에서 가장 작은 원자핵보다 수십, 수천억 배나 작은 아주 미세한 크기의 공간원자로 이루어져 있으며, 그러므로 우주는 곧 공간원자 그 자체'라고 말한다. 즉, 우주는 양자(공간원자)가 그물망처럼 상호 연결된 전일적 하나(一)라 할 수 있다. 자연은 기본적으로 상호연결이 되어있으며 서로 고리(loop, 環)를 지어 공간의 흐름을 이어주는 관계 네트워크를 형성하고 있다.

  카를로 로벨리(Carlo Rovelli)는 '루프양자중력이론(The Loop Quantum Gravity Theory)'에서, 현재 기술로는 측정할 수 없을 정도로 미세한 루프(loop)가 양자를 고리(環환)지어 공간 네트워크를 형성하고 있다고 밝히고 있다. 공간은 공간양자(중력양자)로 이루어져 있는데 이 원자들의 크기는 원자핵 중에서도 가장 작은 원자핵보다 수십, 수천억 배나 작은 아주 미세한 크기이며, 이 양자들을 연결시키는 매개체를 루프(loop), 즉 '고리(環)'라고 부르는 이유는 모든 원자가 고립되어 있는 것이 아니라 동기화된 다른 비슷한 것들과 '고리로 연결'되어 공간의 흐름을 이어주는 관계 네트워크(環存

---

[3] 박규선, 『양자물리학과 주역』, 부크크, 2024.

환존)를 형성하고 있기 때문이라고 하였다.

이에 따르면 '세상은 상호 연결된 사건들의 그물망'이며, 공간 자체가 곧 양자이므로 우주는 입자 간에 성립하는 상호작용들의 네트워크 그 자체라고 할 수 있다. 결국 우주는 입자들이 상호작용을 통해 관계 네트워크를 형성한 것이며, 만물은 상호 연결된 일체로써 공존하는 것이라 할 수 있다. 즉, "모든 존재가 경계나 나눔 없이 흐르는 온전한 전체"라 할 수 있는 것이다. '루프양자중력이론'은 일반상대성이론과 양자역학을 결합하려는 시도에서 나온 것이다.

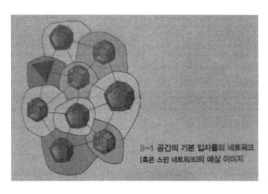
8-1 공간의 기본 입자들의 네트워크 (혹은 스핀 네트워크)의 예상 이미지

카를로 로벨리(Carlo Rovelli)는 『모든 순간의 물리학』에서 '루프양자중력이론'을 다음과 같이 알기 쉽게 설명하고 있다.

루프양자중력이론의 개념은 간단합니다. 일반상대성이론은 공간이 생기가 없는 딱딱한 상자가 아니라 무언가 역동적인 것이라 설명합니다. 말하자면 우리가 존재하는 이 공간이 유동성이 있는 거대한 연체동물과 같아서 압축이 될 수도 비틀어질 수도 있다는 것입니다. 한편 양자역학은 모든 종류의 장이 '양자로 이루어지고' 미세한 과립구조를 가지고 있다고 설명합니다. 그리고 물리적 공간 역시 '양자로 이루어져 있다'고 봅니다. 루프양자중력이론의 핵심은 공간은 연속적이지 않으며 무한하게 나누어지지도 않지만 알갱이로, 즉 '공간원자'로 구성되어 있다는 것입니다. 이 원자들의 크기는 원자핵 중에서 가장 작은 원자핵보다 수십 수천억 배나 작은 아주 미세한 크기입니다. 루프양자중력이론은 수학적 형식으로 이러한 '공간원자'와 원자들 간의 진화를 정의하는 방정식을 설명합니다. '루프(loop)', 즉 '고리(環)'라고 부르는 이유는 모든 원자가 고립되어 있는 것이 아니라 다른 비슷한 것들과 '고리로 연결'되어 공간의 흐름을 이어주는 관계 네트워크를 형성하기 때문입니다. 그렇다면 이 '공간양자'들은 어디에 있을까요? 어느 부분에도 없습니다. 양자들은 그 자체가 공간이기 때문에 공간 속에 있지 않습니다. 공간은 각각의 양자들을 통합하여 만들어집니다. 이렇게 되면 다시 한 번 세상은 단순한 물체가 아닌 어떠한 '관계'처럼 보이게 됩니다.

천지인의 작용과 변화를 일으키는 동력원으로서의 음양은 동일체의 서로 다른 양면이며, 전체적으로는 하나의 통일체(태극)를 이루고 있다. "대극(對極)이란 그저 하나의 과정에 대한 두 개의 다른 이름일 뿐"인 것이다. 즉, 모든 자연현상은 대대(對待)하는 음양의 상호작용에 따른 산물에 지나지 않는다. 대립적인 것은 상호 의존성이며, 이것은 상대가 없으면 나도 존재할 수 없는 대대의 원리로 표출된다.

카를로 로벨리(Carlo Rovelli)는 그의 저서에서 사물이란 "대상의 모든 특성은 오직 다른 대상과의 관계에서만 존재한다. 자연의 사실들은 오직 관계 속에서만 그려지는 것이다. 양자역학이 기술하는 세계에서는 물리계들 사이의 관계 속에서가 아니고는 그 어떤 실재도 없다. 사물에 있어서 관계를 맺게 되는 것이 아니라 오히려 관계가 '사물'의 개념을 낳는 것이다. 양자역학의 세계는 대상들의 세계가 아니다. 그것은 기본적 사건들의 세계이며, 사물들은 이 기본적인 '사건들'의 발생 위에 구축되는 것이다."라고 설명하고 있다. 즉, 모든 사물과 이치는 '상대적 관계성'으로 존재하는 것이며, "궁극적인 실재란 대극(對極)이 통일된 상태"를 의미하는 것이다. [4]

나는 다만 하나(一)에서 화생된 만물 중의 하나이니, 역(易)으로써 정의를 내린다면 우주를 구성하는 384개의 효 중 하나의 효(爻)가 된다. 우주는 하나(一)에서 비롯된 384개의 효로 정의할 수 있으니, 나(人)는 우주를 구성하는 384개의 구성요소 중의 하나로서 우주의 화생작용과 천지운행에 주체자(主體者)로 직접 참여하고 있는 것이다. 구성요소 중에 어느 하나라도 없다면 우주는 존재할 수가 없다. 내가 사라지면 우주도 사라진다. 내가 있으므

---

[4] 박규선, 『양자물리학과 주역』, 부크크, 2024.

로 우주가 존재하니 이 어찌 가슴 벅차지 않으랴. 나(人)는 天地의 化育에 참여하여 그것을 도우니 곧 참여하는 우주라(參贊天地之化育참찬천지지화육). 이것이 우리 인생의 가치이니, 곧 성통광명(性通光名), 재세이화(在世理化)의 실천이요, 홍익인간(弘益人間)의 실현이며 성통공완(性通功完)의 길이다.

小狐汔濟 未出中也

어린 여우는 미성숙한 물건을 의미하며, 그럼으로써 만용을 부려 무모함을 행하게 된다. 어린 여우가 신중하지 못하고 만용을 행하니 내를 건너다 미처 다다르지도 못하고 꼬리를 적시게 된다. 이는 미성숙한 물건이 상황을 제대로 판단하기도 전에 신중하지 못한 행위로 인하여 성급하게 내를 건너다가 미처 다다르기도 전에 풍덩 빠지게 되고, 그 험수(險水)에서 헤어 나오지 못하고 있음을 의미한다. 결국 건너지 못함은 아니 건넘만 못하니, 이렇게 미성숙한 물건으로 상징되는 어린 여우가 섣불리 나아가 꼬리를 적시게 됨으로써 일을 그르치게 되어 마치지 못함은 이로운 바가 없는 것이니 마땅히 신중히 행하여야 한다. 어린 여우가 과감히 행할 수 있음은 만용(蠻勇)으로 인한 무모한 객기(客氣)에 불과한 것이니, 이는 결국 대사(大事)를 그르치게 되는 원인이 된다.

그러나 미성숙한 물건으로 상징되는 어린 여우가 인생이라는 삶의 내를 건너면서 만나게 되는 난관(難關)☰은 성숙해지는 과정에서 당연히 부닥트리는 일이다. 험(險)☵에 빠지는 실수를 거듭하며 완성☰을 향해 스스로를 발전시켜 나간다. 내를 거의 다 건너기 전에 꼬리를 적시게 됨으로써 모든 것이 물거품이 되는 일이야 인생에서 다반사로 겪는 일이니, 그것이 두려워 첫발을 내딛지 못한다면 앞으로 나아갈 수가 없다. 인생이라는 내를 건너는 징검다리에서 아직 벗어나지는 못했지만(未出中也), 나아갈 길이 창창하기에 인생이란 형통한 것이다.

濡其尾 无攸利 不續終也

　어린 여우가 내를 거의 다 건너기 전 꼬리를 적신다 함은 계속하여 나아가지 못하고 마치게 됨을 의미한다. 일이 완성되지 않았으니 이로울 바 없으나 만물은 계속하여 부단히 나아가지 않으면 결국은 끝나게 되는 것이니(不續終也), 우주만물은 춘하추동(春夏秋冬) 사시를 돌며 생장수장(生長수(收)藏)의 이치로써 원형이정(元亨利貞)의 도를 마침 없이 계속 순환하여야 한다. 그렇지 않으면 마침내 마치게 되어 혼돈 속에 머물게 된다(終止則亂).

　내를 완전히 건너기 전에 꼬리를 적시듯, 사물의 궁극적 완성이란 없다. 완성이란 곧 시작을 품은 새로운 출발점이기 때문이다(終則有始).

　만물만상은 춘하추동 시간의 흐름에 따라 생로병사를 거듭하며 계속하여 마침 없이 순환한다(无攸利 不續終也). 진화는 완성을 향해 나아가는 변화를 말하는 것이니 만물은 항상 진화라는 미완료의 과정 중에 있는 것이다. 사물은 완성된 상태에서 계속하여 머물러 있지 않으며, 완성되었다고 하는 순간 무너지기 시작하며, 만물은 다시 작용을 시작하는 것이니 아무리 진화하고 발전해 나가도 끝은 여전히 미완성인 미제(未濟)로 남는다. 세상에는 완전한 완성이란 있을 수가 없는 것이다(小狐汔濟 濡其尾).

▷ 기제(既濟)	▷ 미제(未濟)
終止則亂 其道窮也 　천하의 일은 계속하여 나아가지 않으면 마치게 되어 혼돈 속에 빠지게 된다. 만물은 미성숙한 존재이니 어린 여우가 내를 건너듯 나아가는 것이며, 그럼으로써 춘하추동 사시가 돌며 생장수장(生長收藏)의 이치를 펼쳐 원형이정(元亨利貞)의 도를 세우는 것이다. 만	**濡其尾 无攸利 不續終也** 　어린 여우가 내를 거의 다 건너기 전 꼬리를 적신다 함은 계속하여 나아가지 못함을 의미한다. 일이 완성되지 않았으니 이로울 것이 없으나 만물은 계속하여 부단히 나아가지 않으면 끝마치게 되는 것이니(不續終也), 우주만물은 춘하추동 사시(四時)를 순환하며 생장수장

일 마침내 멈춰 서게 되면 지구가 공전과 자전을 멈추듯 만물은 혼란 속에 빠져 버리게 될 것이다(終止則亂). 이는 元亨利貞의 도가 궁(窮)해짐이니 도가 사라짐을 의미한다(其道窮也). 그러므로 上六효사에 여우가 내를 건너다 머리를 적시니 위태롭다 하여 경계하는 것이다(濡其首 厲).

(生長收藏)의 이치로 원형이정(元亨利貞)의 도를 부단히 계속하여 행하여야 한다. 그렇지 않으면 마침내 마치게 되니 혼돈 속에 머물게 된다(終止則亂).

그러므로 마지막 上九효사에 술에 머리를 적시듯 하면 바른 마음에 대한 믿음을 잃어버리게 되고, 그럼으로써 혼란에 빠지게 됨을 경계한다(上九, 有孚于飲酒 无咎 濡其首 有孚失是). 술에 머리까지 적신다 함은 정도(正道)에 대한 믿음을 잃어 버림이니, 결국 보름달이 어그러져가듯 쇠락의 길로 들어서게 됨을 경고하는 것이다.

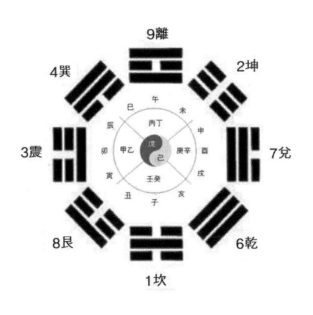

후천팔괘에서 ☵는 만물이 수렴되어 쉬는 우주의 휴식기이자 새로운 시작(1)을 준비하는 시작점이다. ☲는 만물의 완성(9)을 의미하는 문명(文明)을 의미하니 만물은 ☵(1)에서 시작하여 ☲(9)의 사이를 만왕만래(萬往萬來)하며 순환과 작용을 쉼 없이 반복한다. 후천팔괘도에서 ☵는 수리적으로 1이요, ☲는 완성인 9가 된다. 미제(未濟)는 미완성☵(1), 완성☲(9)을 향하여 나아가는 뜻이 있다.

旣濟(☲☵)는 未濟(☵☲)와 반대로 완성☲(9)에서 미완성☵(1)로 진행된다. 보름달에서 그믐달로 기울어가듯 형통함이 작아지는 모습이니 형소(亨小)의 뜻이 되며, 후천팔괘에서 그 수는 9에서 1로 기울어 지며 질서에서 무질서로 전환된다.

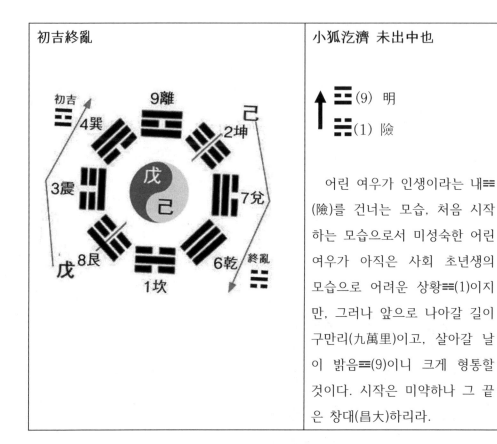

미제(未濟)에서 미완성☵(1)은 인생이라는 출발점에 선 미성숙한 어린 여우를 상징하며, 완성☲(9)을 향해 내(險水☵)를 건너는 모습으로 표현하였다. 수리적으로 1은 9를 향하여 출발하는 시작점으로서 처음은 미약☵(1)하나 그 끝은 장차 창대☲(9)하리니, 그럼으로써 미제(未濟)는 형통한 괘가 된다 (未濟 亨).

후천팔괘도의 수리적 변화는 1에서 9까지이며 완성을 의미하는 10은 없다. 10은 팔괘도의 상하좌우, 대각선에 마주하는 수의 합에서 드러나니, 이는 만물은 마침 없이 계속해서 10이라는 완성의 DNA를 품은 채 그 완성을 향해 나아가는 항구한 도상에 있는 것임을 상징한다. 완성이란 또 다른 시작이니, 만물(人)은 미제(未濟)와 기제(旣濟)를 만왕만래(萬往萬來) 순환하며 인생이라는 시공(時空)의 내≡≡를 건너는 영원한 어린 여우라 할 수 있다.

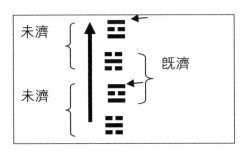

미제(未濟)괘의 上九는 험난한 내를 건넜음을 의미하지만, 未濟에서 旣濟로 다시 旣濟에서 未濟로 반복 순환하는 큰 시간의 선상에서 보면 결국은 내를 건너는 과정 중에 불과함을 알 수 있다. 九二와 九四는 험≡≡에 빠져 있는 상태이니 내≡≡를 건너는 과정이 되고, 上九는 험≡≡에서 빠져나왔으나 만왕만래(萬往萬來)하는 순환의 과정에서 보면 결국은 내≡≡를 건너는 과정 중의 일부분이 된다. 즉, 화수미제(火水未濟)에서 上九는 내(險)에서 빠져나왔지만, 이어지는 시간의 순환 고리로 보면 다시 수화기제(水火旣濟)가 되어 坎水≡≡의 험함(險陷)에 빠져 있는 모습이 된다(上九, 有孚于飮酒 无咎 濡其首 有孚失是).

완성이란 또 다른 시작이고, 삼라만상은 끊임없는 변화의 도상(途上)≡≡(險)에 서 있다. 어린 여우가 내≡≡(險)를 거의 다 건너기 전에 꼬리를 적시듯, 인간도 미성숙한 존재로서 文明≡≡의 완성을 향하여 내≡≡(險)를 건너는 존재이다(不續終也).

64괘의 마지막에 미완성을 의미하는 미제(未濟)괘를 놓은 것은 보름달이 기울어 다시 그믐달로 작아지면서(旣濟亨小) 물건이 다시 시작할 것임을 의미하듯(未濟亨), 삼라만상은 가고 오며 돌고 돈다. 완성을 의미하는 기제(旣濟)괘 다음에 미완성의 미제(未濟)괘를 놓은 것도 완성은 끝이 아닌 또 다른 새로운 시작임을 알리고자 하는 뜻이다. 주역의 끝은 종말이 아니라 새로운 시작을 품고 있는 것이다. 그래서 주역은 시종(始終)라 말하지 않고 종시(終始)라 하는 것이다.

　만일 마지막 64괘에 완성을 의미하는 수화기제(水火旣濟)를 자리잡게 했다면 끝의 의미는 어떻게 될까? 아마도 시공(時空)은 시작과 끝을 잇는 단선적인 직선의 의미를 지니게 됨으로써, 시작과 완성으로 끝나는 마지막 시점을 세상의 완성이라고 정의를 내리게 될 것이다.

　그러나 누차 언급했듯이 모든 것을 다 이룬 완성의 상태는 그 상태 그대로 머물러 있지 않는다. 달(月)은 가득 차면 바로 어그러지기 시작하고, 충전된 밧데리가 방전을 시작하듯 이룬 것은 곧 허물어지게 마련이다. 춘하추동 사시의 순환이 지구의 1년을 만들듯, 우주의 시간은 생장수장(生長收藏)의 이치를 펼치며 우주의 1년을 순환한다.

　태어나고 시간이 흐르면서 언젠가 필연적으로 죽어가는 사물의 모습에서 우리는 가면 돌아오지 않는 직선적인 시간의 개념을 생각하지만, 주역은 완성을 의미하는 기제(旣濟)에 이어 미완성을 의미하는 미제(未濟)를 마지막에 위치시킴으로써 새로운 시작이 있음을 알려주고 있는 것이다. 주역에서의 끝은 종말이 아니라 새로운 시작점이다(終則有始).

不當位 剛柔應也

　여섯 효가 모두 正位를 갖고 있지 못하지만(雖不當位), 上下괘는 음과 양이 서로 응(應)하고 있다(剛柔應也). 효가 제자리를 얻지 못했지만 강유(剛柔)가 서로 잘 응하고 있기 때문에 오히려 음과 양은 바른 자리를 찾기 위한 이동이 활발해지니 미제(未濟)는 희망을 품고 있다. 그러므로 어린 여우가 건너 편☵으로 가기 위하여 험한 내☵를 건너기 전에 신중을 기해야 하듯이, 새로운 문명☲을 향해 험난☵한 여정을 시작하는 초기에는 올바른 목표☲를

세우고 기초를 바르게 하여 형통할 수 있도록 해야 하는 것이다(未濟亨 柔得
中也).

기제(旣濟 ䷾)	미제(未濟 ䷿)
剛柔正而位當也 여섯 효가 모두 正位를 가지고 상하 괘가 서로 정응(正應)하며, 六二와 九五는 中正함으로 응한다.	雖不當位 剛柔應也 비록 여섯 효가 모두 不正位이지만, 上下 괘는 음양이 서로 상응(相應)한다.

	-3	+7	-1	-7	-5	+1	+5	+3
+3	+3 / +6	+3 / -4	+3 / +4	+3 / +10	+3 / +8	+3 / +2	+3 / -2	+3 / 0
+5	+5 / +8	+5 / -2	+5 / +6	+5 / +12	+5 / +10	+5 / +4	+5 / 0	+5 / +2
+1	+1 / +4	+1 / -6	+1 / +2	+1 / +8	+1 / +6	+1 / 0	+1 / -4	+1 / -2
-5	-5 / -2	-5 / -12	-5 / -4	-5 / +2	-5 / 0	-5 / -6	-5 / -10	-5 / -8
-7	-7 / -4	-7 / -14	-7 / -6	-7 / 0	-7 / -2	-7 / -8	-7 / -12	-7 / -10
-1	-1 / +2	-1 / -8	-1 / 0	-1 / +6	-1 / +4	-1 / -2	-1 / -6	-1 / -4
+7	+7 / -10	+7 / 0	+7 / +8	+7 / +14	+7 / +12	+7 / +6	+7 / +2	+7 / +4
-3	-3 / 0	-3 / -10	-3 / -2	-3 / +4	-3 / +2	-3 / -4	-3 / -8	-3 / -6
天	-3	+7	-1	-7	-5	+1	+5	+3

문왕8괘도는 오행의 기운에 따라 8괘를 배열한 것으로 괘상의 수리적

논리성이 없다. 天易(陽), 地易(陰), 人易(中)은 음양의 수리적 논리가 이진법의 수리에 의한 위치에너지의 크기로 괘상의 질서가 정해지지만, 후천문왕8괘도는 괘상의 순서에 그러한 수리적 논리성이 결여되어 있다. 마찬가지로 문왕8괘가 대성괘를 형성하여 펼쳐낸 64방도도 수리적 논리가 없어 무질서해 보인다. 그러나 그 안에서는 질서를 찾기 위한 상대적이면서도 상보적인 작용이 숨어있음을 알 수가 있다. 문왕8괘 64방도를 보면 상하에너지의 균형점인 0을 기준으로 상하 음양의 에너지가 수리적 대칭을 이루고 있다. 그런데 문왕8괘 64방도는 상하 에너지가 수리적 대칭을 이루면서도 음양의 에너지가 상하에 불규칙적으로 서로 혼재되어 있음을 알 수 있다.

상호작용이란 에너지의 불균형에 의한 에너지의 이동이 발생하면서 불일치되는 에너지가 균형점을 찾아 이동하고, 합충(合衝), 상생(相生), 상극(相剋)작용을 하며 변화를 일으키는 것을 의미한다. 강유(剛柔)가 서로 부딪히고 팔괘(八卦)가 서로 뒤섞이니 우주 삼라만상의 작용이 일어나는 것이다(剛柔相摩 八卦相盪강유상마 팔괘상탕/계사전).

균형을 이루고 있는 상하괘 중에서 어느 하나가 삐끗 움직이면 에너지의 균형은 무너지게 된다. 이러한 에너지의 불균형의 틈이 에너지의 이동을 불러 일으키면서 점차 전체 에너지의 흐름에 영향을 주게 된다. 나비의 날개짓이 일으키는 작은 바람 하나가 멀리 태평양 너머에 태풍을 불러 일으킬 수도 있는 것이다.

후천문왕64괘 방도에서 상하에 위치한 괘상을 보면, 음양의 에너지가 질서 없이 뒤섞여 있으니, 이것이 바로 에너지의 불균형이 불러오는 질서 속의 무질서 상태, 혼돈 속의 이치를 의미하는 불확정성의 원리를 설명한다. 혼돈이라는 불확정한 무질서(chaos) 속에서도 이(理)가 혼재되어있으니, 음양이 짝을 이루고 있는 상하에너지의 합이 0으로 균형을 이루고 있으며, 상하의 괘상이 정확히 착종관계를 맺고 있다. 이러한 무질서(chaos) 속의 이(理)가 질서(cosmos)를 찾아가는 에너지의 이동을 불러 일으키는 것이다. 지구내의 온도의 차는 바로 온도의 지역적 불균형을 의미하며, 이러한 온도의 불균형이 지구내의 에너지를 이동시켜 기후작용을 만들어내며 삼라만상을 키워내는 것과 같은 이치이다.

象曰 火在水上 未濟 君子以 愼辨物居方
상왈 화재수상 미제 군자이 신변물거방

상에 이르길 불이 물 위에 있음이 미제(未濟)이니, 군자는 이로써 사물을 신중하게 분별하여 각각의 방소(方所)에 거처하게 한다.

水☵위에 火☲가 있는 상이 미제이다. 미제(未濟)는 모든 효가 자리가 바르지 않아 불안정한 모습이다. 그러나 에너지가 불안정하면 오히려 안정을 찾고자 하는 반작용이 활발하다. 작용이란 음양의 조화가 불균형한 상태에서 제자리를 찾기 위한 에너지 운동을 의미한다. 모든 효가 정위(正位)를 갖고 있지 못하지만 上下괘는 음과 양으로 서로 상응(相應)하고 있으니 제 자리(正位)를 찾기 위한 에너지의 이동이 활발해지는 것이다. 군자는 이러한 미제(未濟)의 상을 보고 사물을 신중(愼重)하게 분별(分別)하고 판별(判別)함으로써, 적재적소(適材適所)에 위치하게 하여 모든 만물을 안정(安定)되게 한다.

기제(旣濟)	미제(未濟)
思患而豫防之 모든 효의 자리가 바르고 사물이 안정되어 있음이니, 보름달이 어그러져 가듯, 곧 기울어질 것을 근심하고 예방하다.	**愼辨物居方** 모든 효의 자리가 바르지 않아 사물이 불안정하니, 사물을 신중(愼重)하게 판별(判別)함으로써, 적재적소(適材適所)에 배치하여 만물을 안정(安定)되게 한다.

☞ 愼: 삼갈 신/ 辨: 분별할 변

4. 효사(爻辭)

문명의 초기에 險水☵(暗)을 건너며 난관을 극복해가는 과정을 그린다. 초기에는 자리가 바르지 않은 상태에서 섣불리 나아감을 절제하며, 문명(明)을 이루고 치세할 때에는 성취한 문명에 머리까지 취함으로써 옳음을 잃어버리게 될 수 있음을 경고한다.

初六 濡其尾 吝
초육 유기미 린

초육, 꼬리를 적시니 부끄럽다.

인생이라는 내를 건너다보면 험함☵에 빠지고 난관을 만나게 된다. 꼬리를 적셨다는 것은 내를 건너가지 못했음을 의미한다.

초육은 양위에 음으로 와서 자리가 부당하고, 맨 아래에 처하여 그 힘이 미약하다. 그럼에도 내☵를 건너는 체(體)에 있어 섣불리 건너다 꼬리를 적시는 격이니 흉하다. 효변하면 태☱(說)이니 자신의 힘과 처지를 모르고 섣불리 기뻐하며 건너는 자이다. 초육은 미제괘의 처음에 있고, 險水☵의 아래에 처해있어 나아감에 신중해야 한다. 하괘 감(坎☵)은 아래로 향하기 때문에 초효로서 더더욱 위로 나아가기가 쉽지 않다.

기제괘(䷾)의 초구효와 미제괘(䷿)의 초구효는 유기미(濡其尾)로 뜻이 같다. 그런데 기제괘의 초구 효는 火☲의 초효로서 앞에 험(險)☵이 있음을 알고 막으니 그 뜻에 허물이 없으나, 미제괘의 초구 효는 앞에 험(險)☵이 놓여있는 줄도 모르고 섣불리 나아가 험(險)에 처하게 되니 그 뜻이 궁색하다. 공자는 미제의 초구 효를 "꼬리를 적시니 또한 무지(無知)의 극치이다(象曰 濡其尾 亦不知極也)'라고 풀이하였다.

▷기제(旣濟)의 초구 효사
初九 曳其輪 濡其尾 无咎
초구 예기륜 유기미 무구
초구, 뒤에서 수레를 당기며 그 꼬리(後尾)를 적시니 허물이 없다.

象曰 曳其輪 義无咎也
상왈 예기륜 의무구야
수레가 앞으로 나아가지 못하도록 뒤에서 잡아당김은 뜻에 허물이 없는 것이다.

☞ 曳: 끌 예/ 輪: 바퀴 륜/ 濡: 적실 유/ 尾: 꼬리 미

九二 曳其輪 貞吉
구이 예기륜 정길

구이, 수레를 뒤에서 잡아당기니 바르게 함이 길하리라.

險水☵속에서 나아감을 급히 하지 마라. 달리는 수레를 뒤에서 잡아 끌 듯이 하라. 그렇지 않으면 험수(險水)☵ 속으로 속도를 더할 뿐이다. 험(險)에서도 중정(中正)☵의 도로서 바름(正貞)을 지켜 행하면 길(吉)하리라.

음위(陰位)에 양으로 와서 자리는 바르지 않으나 險水☵에서도 강건(剛健)하게 中을 잡고 六五에 응하고 있다. 九二는 내괘 坎水☵에서 험(險)에 빠져 있으나 中을 잡고 六五임금과 서로 응하며 앞을 모르고 달려나가는 수레의

과행(過行)을 절제시킨다. 그래서 공자는 "九二는 바름이 길한 것이니 中道로써 바름을 행하여야 한다(象曰 九二貞吉 中以行正也)"라고 했다. 하괘 九二는 坎水☵의 中으로 아래를 향하고, 상괘 六五는 離火☲의 中으로 위를 향하니 火☲를 水☵가 당기는 뜻이 된다.

六三 未濟 征凶 利涉大川
육삼 미제 정흉 이섭대천

육삼, 건너지 못한 상태에서 치고 나아가면 흉하나, 대천은 건너는 것이 이로우리라.

六三은 음유(陰柔)로서 자리가 바르지 못하며(位不當也), 미제(未濟)의 때에 하괘 險水☵의 위에 거하고 있으니 그대로 나아가면 흉하다. 외호괘도 坎水(☵險陷)이니 나아가면 또 다시 어려움에 빠져드는 격이니 정흉(征凶)의 뜻이다. 그러나 이제 머지않아 유(柔)로써 강(剛)을 타고 험함(坎)☵에서 벗어나 離火☲로 넘어가게 되니 이섭대천(利涉大川)의 상이다. 험(險)에서 갓 벗어나니 3년 만에 문명을 이루게 된다.

六三은 양위(陽位)에 음으로 와서 자리가 바르지 않고, 아직 險水☵를 벗어나지 않은 상태이다. 그러므로 부당위인 三효가 취약한 자질로 인하여 그대로 치고 나아가면 흉을 면치 못한다. 공자는 "아직 미제(未濟)인 상태에서 그대로 치고 나아가면 흉하니 자리가 바르지 않기 때문이다(象曰 未濟征凶 位不當也)"라고 하였다.

그러나 六三은 上九와 서로 응함이 있으니 도움을 받아 나아가면 문명☲의 세계로 나아가기 위한 대천(大川☵)을 건너는 이로움이 있다(利涉大川). 三효는 하괘에서 상괘로 넘어가기 위하여 종일건건 반복도야(終日乾乾 反復

道也)하는 자리이다(重天乾 三효). 그러므로 서둘지 말고 신중하게 상응하는 上九의 외조를 받아 나아가면 험수(險水)를 벗어나 대천(大川)을 건너는 공을 이루게 될 것이다.

九四 貞吉悔亡 震用伐鬼方 三年有賞于大國
구사 정길회망 진용벌귀방 삼년유상우대국

구사, 바르게 함이 길하니 회(悔)가 사라지리라. 진(震)을 써서 귀방을 정벌하니 3년만에 대국에서 상이 있으리라.

드디어 3년이라는 오랜 세월이 걸려 험함☵에서 벗어났다. 험(險)☵을 3년에 걸쳐 벗어나 九四로 나아간 것을 멀리 귀방(鬼方)을 정벌, 3년이 걸려서야 성공하여 대국으로부터 큰상을 받은 것으로 묘사한다.

이제 문명의 초석☲(상괘)을 닦고 밝음으로 나아가 가슴 속에 품고 있던 거대한 뜻을 펼치리라. 공자는 이것을 "貞吉悔亡은 뜻을 행하는 것이다(象曰 貞吉悔亡 志行也)"라고 하였다.

九四가 효변하면 내호괘가 震☳(進)으로 나아가는 뜻이 있고, 본괘의 외호괘는 험수☵(북방)에서 곤토☷(平地)로 변하니, 震☳으로 북방에 있는 귀방을 정벌하여 평정하는 뜻이 나온다. 제후국인 주나라가 대국인 은나라의 고종을 도와 귀방을 정벌하여 인정을 받은 것을 묘사한다.

3년	▅▅ ▅▅	末	六三
2년	▅▅▅▅▅	中	九二
1년	▅▅ ▅▅	初	初六

▷三年有賞于大國

[비교] 기제괘의 九三효는 도전하면 미제괘의 九四효에 해당한다. 도전괘로 보면 같은 자리로서 귀방의 정벌을 효사로 인용하고 있다.

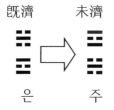

既濟   未濟

은   주

기제의 하괘 離火☲는 은의 중흥기, 상괘의 坎水☵는 은의 쇠퇴기를 의미하고, 미제의 하괘 坎水☵는 주의 발흥기, 상괘의 離火☲는 주의 중흥기를 묘사한다.

▷기제(旣濟)	▷미제(未濟)
九三 **高宗伐鬼方**	九四 貞吉悔亡 **震用伐鬼方**
三年克之 小人勿用	三年有賞于大國
象曰 三年克之 憊也	象曰 貞吉悔亡 志行也

위의 효사는 주(周)나라가 은나라의 제후국으로서 아직 대항할 힘을 갖추지 못하고 있던 시절을 묘사하고 있다. 은나라 천자인 고종 때는 은의 중흥기 시절로 주(周)는 스스로를 소방(小邦)이라 칭하고 은을 대방(大邦)이라 하여 스스로를 낮추고 은을 받들던 시절이다.

정길회망(貞吉悔亡)이란 스스로를 낮추고 은을 받듦이 자신의 존립을 위한 바른 판단임을 뜻한다. 그렇게 함으로써 주(周)의 입장에서는 길하게 되는 것이고 회(悔)가 사라지는 것이다. 그러므로 은나라가 북방의 오랑캐인 귀방을 정벌할 때 고종의 명을 받은 주(周)가 움직여 나아가 귀방의 정벌에 참여하여 공을 세움으로써 대국인 은나라의 인정을 받게 되고, 서서히 가슴 속에 품고 있는 큰 뜻을 행할 수 있는 기회를 얻게 되는 것이다(象曰 貞吉悔亡 志行也).

미제의 4효사와 기제의 3효사는 내용이 같다. 미제의 4효는 離☲괘의 시작이고, 離괘는 강력함을 의미하며, 효변하면 2·3·4·5·6효가 大離☲의 상으로 더욱 강력함이 된다. 외괘는 우뚝 서있는 艮山☶이 되니 '우레와 같은 기세로 벼락처럼 신속하게 공격해야 한다(震用伐鬼方)'는 뜻으로 특별히 진용(震用)의 의미를 사용했다. 또한 내호괘가 震☳으로 우레의 뜻이 나오고, 외괘가 艮山☶이니 움직이기 어려운 상대로 묘사된다.

기제의 九三효는 은의 중흥기를 묘사하고, 미제의 六四효는 은의 중흥기에 제후국인 주(周)의 발흥기 시절을 묘사한다.

☞ 伐: 칠 벌/ 鬼: 귀신 귀/ 方: 나라 방, 국가 방, 모방, 방향 방

六五 貞吉无悔 君子之光 有孚吉
육오 정길무회 군자지광 유부길

육오, 바르고 길하니 회(悔)가 없다. 군자의 빛이로다. 믿음이 있으니 길하리라.

五는 문명의 주체로서 광명(光明☲)으로 빛나고 바르며 길하다. 비록 유(柔)로써 五에 거함은 자리가 바르지 않으나, 유순(柔順)함으로 광명☲을 얻었으니 군자의 빛이다. 만백성이 믿고 따르니 길(吉)하다.

六五가 변하면 乾☰이니 군자의 상이다. 지괘가 天水訟(䷅)으로 하늘☰을 가린 구름☵(險水)이 비가 되어 사라지는 것이니 군자☰의 빛☲이 천하를 비춘다. 공자가 이르길 "군자의 빛은 빛남으로써 길하리라(象曰 君子之光 其暉吉也)"라고 하였다. 양위(陽位)에 음으로 와서 자리는 바르지 않으나 상괘 존위(尊位)의 자리인 中에 거하여 離火☲(光明)를 하늘☰에 높이 내걸었으니 화응(和應)하는 九二의 뒷받침으로 만백성이 믿고 따른다. 離☲의 가운데 음효는 믿음(有孚)을 표상한다.

☞ 暉: 빛날 휘, 빛 휘

上九 有孚于飮酒 无咎 濡其首 有孚失是
상구 유부우음주 무구 유기수 유부실시

상구, 음주에 믿음(절제)을 두고 마시면 무탈하리라. 그러나 제 머리를 술에 적시면 제아무리 믿음이 있어도 옳음(是)을 잃으리라.

문명☲이 극에 달하면 보름달이 어그러지듯 기울어간다. 그러므로 이때 믿음을 잃고 술에 머리를 적시듯 하면 절도(節度)가 무너지고 옳음을 세울 수가 없으니 쇠락(衰落)을 막을 수 없다. 그러므로 술에 취한 것처럼 모든 것이 혼란한 상황에 처해서도 바름에 대한 믿음을 잃지 않으면 그 허물을 탓할 수 없다. 실시(失是)는 절도가 무너지고 옳음을 잃어버림으로써 나라를 잃게 됨을 경고한다.

실시(失是)에서 시(是)는 이것, 또는 옳음을 의미한다. 시(是)가 가리키는 이것은 64괘의 마지막에 나오는 문자로서 많은 뜻을 포괄하는 통칭어이다. '술에 머리를 적신다(飮酒濡首)'함은 문명에 취해 절도가 무너지고 옳음을

잃어버리게 되면 성취한 모든 것이 사라져버릴 수 있음을 경고하는 문구이
다. 시(是)는 바라보는 관점에 따라 적용할 수 있으니 이것(是)을 잃어버릴
수 있다 함은 그 품고 있는 뜻이 매우 크다.

공자는 인류사적 전환기에 해당하는 주역64괘의 마지막 효사에 대하여
"술을 마셔 머리를 적심은 또한 절도를 알지 못하기 때문이다(象曰 飮酒濡
首 亦不知節也(상왈 음주유수 역부지절야)"라고 주석함으로써 정신이 무너짐을
경계한다.

문명이 극에 달할 때는 술에 취하듯 문명에 취해 절도를 알지 못하게 되
면 인간의 문명사에서 보듯이 '시(是)'로 통칭되는 '쌓아 올린 문명의 모든
것'을 잃어버리게 되는 것이니 개인은 모든 성취를 한 순간에 잃어버리게 되
고, 나라는 보름달이 기울어가듯 무너져 가게 될 것이다.

▷ 유기미(濡其尾)와 유기수(濡其首)

하괘에서 강을 건너는 초기 단계인 初六이 험수(險水)를 건너는 상황에서
아직 경험이 없는 어린 여우가 꼬리를 적시는 상황을 묘사한 유기미(濡其尾)
와 강을 건너 문명을 이룬 상괘 上九의 유기수(濡其首)를 문자적으로만 이해
해서는 안 된다.

역(易)이란 효를 통해 뜻을 끌어내는 것이니 문자해석에 매달려 문명의 초
기에 어린 여우가 강을 건너다 꼬리를 적심과 문명의 말기에 머리에 술을
적심을 여우와 사람이라는 차이에 집착하는 것은 괘를 괘로 보지 않고 문자
로만 이해하려 하는 것에서 비롯된다.

유기미(濡其尾)를 어린 여우로 상징되는 미숙한 사회 초년생(문명의 초기)
이 사회에 첫발을 내딛는 과정에서의 실수로 보라. 어찌 여우가 여우를 뜻하
겠는가? 중요한 것은 말하고자 하는 뜻에 있다. 유기수(濡其首)는 정년퇴임
을 앞둔 사회 말년생(문명의 말기)이 곧 끝이 다가오는 것도 모르고 그 동안
에 이룬 평생의 성취에 머리까지 취하여 절도를 잃고 모든 것을 잃어버리게

되는 것을 비유한다. 이것을 상황에 따라 그 의미를 다양하게 확대해 나가면 될 것이다.

문명(文明)의 말기에는 두 가지 유형이 나타난다.

有孚于飮酒 无咎
음주에 믿음(절제)를 두고 마시면 무탈하다.

-기성의 문명에 대항하여 새로운 시대를 갈구하는 신흥세력이 文明(飮酒)에 취해 절도(節度)를 잃어가는 기성문명의 주체에 대항하여 절도를 잃지 않고 세력을 키워가는 것을 비유한다.

濡其首 有孚失是
제 머리를 적시면 제아무리 믿음이 있어도 옳음을 잃는다.

-그 동안 쌓아 올린 기성문명이 머리까지 취해 절도를 잃어버리고, 결국은 모든 것을 잃게 되는 기성세력을 비유한다.

64괘의 마지막 효사는 비유를 통해 새롭게 열리는 세상을 준비하라는 성인의 가르침을 전해준다. 공자는 "문명(술)에 취해 머리를 적심은 또한 절도를 알지 못하기 때문이다(象曰 飮酒濡首 亦不知節也)"라고 하여 문명의 전환기, 역사의 전환점, 그리고 인사적으로 삶의 전환기에 서 있는 자에게 스스로를 경계할 것을 고언(苦言)하고 있다.

☞ 기제(既濟)	☞ 미제(未濟)

↑☲☵(1) 終亂(暗) 쇠퇴기(난세)
  (9) 初吉(明) 중흥기(문명)
	↑☲☵(9) 明 중흥기(치세)
	  (1) 險 발흥기(난세)

上六 濡其首 厲 상육 유기수 려 상육, 제 머리를 적시니 위태롭다.	上九 有孚于飮酒 无咎 濡其首 有孚失是 상구 유부우음주 무구 유기수 유부실시 상구, 음주를 믿음에 두고 마시면 허물이 없다. 그러나 제 머리를 술에 적시면 제아 무리 믿음이 있어도 옳음을 잃으리라.

☞ 是: 이 시, 옳을 시

<참고서적>

김석진, 홍역학회 정리,『대산 주역강의』1-3권, 한길사, 1999.

김석진, 윤상철 외3 편집,『대산 주역강해』상경·하경, 대유학당, 2015.

김승호,『주역원론』1-6권, 선영사, 2009.

김진희,『알기 쉬운 상수역학』, 보고사, 2013.

박규선,『양자물리학과 주역』, 부크크, 2024.

박규선,『간지역학원론』, 부크크, 2024.

박규선,『간지역학 비결강의』, 부크크, 2024.

최정준 외3 공역,『周易傳義』元·亨·利·貞, 전통문화연구회, 2021.

황태연,『실증주역』상·하, 청계, 2012.

프리초프 카프라, 김용정·김성범 공역,『현대물리학과 동양사상』, 범양사, 2017.

朱伯崑, 김학권 외4 공역,『역학철학사』1-8권, 소명출판, 2012.

廖名春 외2 공저, 심경호 역,『주역철학사』, 예문서원, 1994.

박규선,『易學의 中和論 연구』, -易理와 量子物理의 공통성을 중심으로-, 동방문화대학원대학교 철학박사학위논문, 2023.

박규선·최정준, 「卦爻의 數理化에 따른 易의 과학적 해석연구」,『동방문화와 사상』제10집, 동양학연구소, 2021.

박규선·최정준, 「음양의 대립과 통일에 관한 인문학적 고찰」,『동양문화연구』제36집, 동양문화연구원, 2022.